TOM PIERWSZY TRYLOGII

· WIARA ·

miłość leczy rany

TRYLOGIA KRYMINALNA

WIARA • NADZIEJA • MIŁOŚĆ

Tom 1

Miłość leczy rany

(Wiara)

Tom 2

Miłość czyni dobrym

(Nadzieja)

wkrótce

Tom 3

Miłość pokonuje śmierć

(Miłość)

KATARZYNA BONDA

miłość leczy rany

WARSZAWSKIE WYDAWNICTWO LITERACKIE

Projekt okładki: *Paweł Panczakiewicz/Panczakiewicz Art.Design*
Redaktor prowadzący: *Ewa Orzeszek-Szmytko*
Redakcja: *Jan Jaroszuk*
Redakcja techniczna: *Anna Sawicka-Banaszkiewicz*
Korekta: *Irma Iwaszko, Lilianna Mieszczańska*

Powieść oparta na faktach.
Fabuła, personalia oraz niektóre miejsca akcji są zmyślone

ISBN 978-83-287-1264-5

Warszawskie Wydawnictwo Literackie
MUZA SA
Wydanie I
Warszawa 2021

Remiemu,
który przywrócił mi wiarę w miłość

Baksy to dawne słowo tureckie oznaczające „patrzeć", „wypatrywać", które z kolei odzwierciedla działania szamana. *Baksy* „wypatruje" sam bądź z pomocą duchów – pomocników górnego, dolnego lub średniego świata, chcąc zobaczyć, co czeka ludzi w przyszłości, albo też odnaleźć skradzioną duszę chorego.

Edyge Tursynow, *Wozniknowienije baksy, akynow, seri i żyrau*

Tak samo cię kocham, kiedy cię czuję przy sobie w ciemnościach, jak wtedy, gdy jesteś moja.

Ernest Hemingway, *Komu bije dzwon*
przeł. Bronisław Zieliński

Krysza – nieformalna ochrona ze strony osób zajmujących jakieś ważne funkcje albo osób mających dostęp do nich, udzielana ludziom popełniającym przestępstwa w ich imieniu i dla nich. Chodzi również o sytuację, kiedy przestępcy oddają część swoich zysków osobom sprawującym nad nimi „kryszę". *Krysza* to po rosyjsku „dach". Ona daje ochronę.

Z akt sądowych sprawy karnej

KAŻDA RZECZ POSIADA SWÓJ RYTM.
ZAKŁÓCAĆ RYTMU NIE WOLNO

26 sierpnia 1994 roku, Uralsk, Kazachstan

– Śnieżni ludzie pojawiają się tam, gdzie trwa wojna – wyszeptał Sierioża i spojrzał wymownie na kolegę. – Babcia Dżama mówiła, że nadchodzi czas wojowników. Władcy polegną.

Malik, choć krępej budowy i porównywalnego wzrostu, był od Sieriożу młodszy o dwa lata. Zmrużył czarne oczy w szparki i otworzył usta, jakby chciał coś powiedzieć, ale żadne słowo nie padło. Tylko dolna warga jedenastolatka drżała, a ręka zacisnęła się na zardzewiałym urzynie, który znaleźli na początku tego lata nad brzegiem rzeki Ural. Broń była niesprawna. Nie miała nawet spustu. Drewniana kolba pękła wzdłuż i była doskonałym schowkiem na papierosy podkradane ojcom. Karabin wyglądał jednak groźnie i wszystkie dzieciaki z osiedla im go zazdrościły.

Sierioża napawał się swoim triumfem nad przyjacielem. Zadarł głowę. Na bezchmurnym niebie, wysoko nad nimi, krążyło czarne ptaszysko. Szybowało chwilę, aż wreszcie przysiadło na dachu jednego z garaży i znieruchomiało. Wtedy chłopiec zobaczył, że nie jest to zwykły kruk, bo dziób ma żółty, a łapy wściekle czerwone. Oczy czarne jak ziarna pieprzu, wpatrywały się teraz w Rosjanina, oznajmiając, że ptak chce być trzecim uczestnikiem spotkania. Sierioża chwycił garść kamyków i rzucił nimi w ptasiego intruza. Chybił tylko nieznacznie. Żółtodzioby kruk się poderwał, ale po chwili znów przycupnął na dachu, tyle że nieco dalej. Zdawało się, że jeszcze baczniej nasłuchuje. W końcu chłopiec znudził się obserwowaniem ptaka. Wstał, wyjął z kieszeni kubotan, chwilę obracał go w dłoni, a potem rozpoczął walkę z cieniem. Markował ciosy. Uchylał się od wyimaginowanych uderzeń przeciwnika. Wzorowo pracował nogami, jakby na ziemi widział znak krzyża i wzdłuż jego ramion wykonywał swój taniec. Malik nie dołączył do tej rytualnej zabawy. Czekał w napięciu na to, co będzie dalej. Sierioża się zatrzymał, otarł pot z czoła. Usiadł z ciężkim westchnieniem na wyszczerbionym chodniku i skrzyżował nogi. Malik się nie poruszył. Patrzył, jak kolega zdejmuje mokrą od potu koszulkę i wachluje się nią, choć nie przynosiło to większej ulgi.

Lato tego roku dawało się we znaki. Upały ciągnęły się nieprzerwanie od miesiąca. Powietrze było lepkie od wilgoci. Każdego dnia zbierało się na burzę. Można było usłyszeć, że zimą podrożeją warzywa, dlatego kobiety prześcigały się w robieniu przetworów. Starsi mdleli. Kto tylko mógł, wyjechał na daczę. Jedynie komary miały się dobrze. Nie pomagały ani ziołowe smarowidła, ani chemiczne specyfiki z zagranicy. Kiedy nocą wyszło się na balkon, słychać było ich brzęczenie, jakby ktoś uruchomił milion miniaturowych wiertarek. Po chwili wszystkie te wiertła zagłębiały się w skórze lekkomyślnej ofiary. Ludzie okrywali się specjalnymi płachtami z cienkiej bawełny, by chronić się przed ugryzieniami. W telewizji w kółko mówiono, że owady roznoszą śmiertelne choroby. Ale mieszkańcy miasta nic sobie z tego nie robili. Wiedzieli, że ma to służyć odwróceniu uwagi od przemocy na ulicach. Wszak oficjalnie podawano, że zwalczanie przestępczości w tym rejonie jest w stu procentach skuteczne. Żaden zbój się nie prześlizgnie – chwalili się milicjanci. Na osiedlu Żdanowa nie widywano dzielnicowego. Gdyby się nagle pojawił, znaczyłoby to, że ktoś podpadł lokalnym szychom. A wyrok za to mógł być taki sam jak za kradzież worka mąki lub morderstwo. Dlatego nie było mowy, by się na cokolwiek poskarżyć władzom. W razie otwartego konfliktu pozostawała ostatnia instancja tutejszej sprawiedliwości. Skuteczna i milkliwa. A jeśli wymagało tego przewinienie – okrutna. I tylko w okolicznościach szczególnych zawracano głowę starszemu rodu Bayuły. Nikt nie wiedział, jakie starzec ma nazwisko w dokumentach, gdzie mieszka ani nawet jak wygląda. Niektórzy przypuszczali, że to pseudonim jednego z włodarzy miasta, który wcale nie jest leciwy. Ale to nie była prawda. Tolik nie dążył do gromadzenia bogactw ani też nie chełpił się posiadaną władzą. Dlatego mógł pozostać bezstronnym arbitrem, szanowanym przez wszystkie znamienite rody. W ten sposób spraw kryminalnych w tej okolicy nie notowano.

W ciągu roku Sierioża mieszkał w Samarze, z rodzicami matki, ale ponieważ jego ojciec był Kazachem i pochodził z Uralska, w każdą kanikułę chłopiec przyjeżdżał w te strony. Z Malikiem znali się od małego. On i jego rodzina mieszkali na tym samym piętrze, drzwi w drzwi z dziadkami Sierioży. Prababcia Rosjanina żyła w stepie. Zajmowała betonowy barak na obrzeżach dawnego kołchozu Żusasaj. Ale od wiosny aż do pierwszych mrozów, wzorem wielu pokoleń przodków, koczowała w wojłokowym namiocie na bezkresnych obszarach pod Ałmatami. Wracała do osady, dopiero gdy przychodził zabójczy buran – stepowa zamieć śnieżna.

Lato spędzone w jurcie prababki od małego było dla Rosjanina wielką atrakcją. Jego opowieści budziły zazdrość rówieśników zarówno z Samary, jak i z Uralska. Choć nie wszyscy w nie wierzyli. Tyle było w nich magii i niezwykłości. Kiedy Sierioża skończył sześć lat, po raz pierwszy usłyszał to słowo: *baksy**. Tak nazywano czarownika i wieszcza, który leczył chorych zaklęciami. Sierioża nigdy tak o Dżamie nie mówił. Zabroniła mu tego, bo – jak zaznaczyła – jako młoda dziewczyna nie została wybrana na szamankę, choć bardzo tego chciała. Potrafiła jednak wróżyć z kumalaków – czterdziestu jeden kamieni i kości, które sama zebrała i które wyznaczały linię jej życia. Ale tę umiejętność posiadła każda co sprytniejsza „babuszka" z bazaru. Dżama gardziła tymi oszustkami i utyskiwała, że otwieranie przez nie kumalaków ma więcej wspólnego z kuglarstwem niż z magią. Po prostu tak zarabiały na chleb. „Żaden szaman nie ma wypisanego cyrylicą cennika usług" – dodawała. Ale Sierioża jej nie wierzył. Musiała mieć moc, bo czuła energię, rozumiała ludzkie myśli i potrafiła przewidzieć, jakie słowa zostaną wypowiedziane. Jej prorocze sny zawsze się spełniały. Umiała też przynieść ulgę cierpiącym. Bywało, że uzdrawiała tych, wobec których dolegliwości zachodnia medycyna była bezradna. Dlatego też zjeżdżało do niej na leczenie pół zachodniego Kazachstanu.

Malik bał się czarownicy, choć widział ją tylko raz w życiu, i to z daleka. Sierioża o tym wiedział i wykorzystywał tę wiedzę przy każdej okazji. Wprawdzie młodsze dzieci miały odwagę szydzić z Dżamy, gdy pomarszczona jak najstar-

---

* Słowniczek terminów związanych z kulturą Azji Środkowej znajduje się na końcu książki.

sze drzewa szła w barwnych szatach, z paciorkami z prawdziwych kości na szyi i wierną jak pies kozą u boku. Starsi zaś okazywali jej nabożny szacunek. Tylko dwa razy zgodziła się przyjechać do Uralska: na pogrzeb swata i kiedy zaniemógł kuzyn Sierioży – Dimasz. Tuż przed jej przybyciem mieszkańcy osiedla widzieli białą sowę – zjawisko co najmniej zadziwiające w środku miasta. Krążyła nad domem, a potem całą noc siedziała na drzewie naprzeciwko balkonu rodziców Dimasza. Nie dała się strącić patykami rzucanymi przez dzieciaki ani wypłoszyć strzałami z dubeltówki, choć Andriej Mikroruszników, znany pod ksywą Miko, tajny współpracownik uralskiej milicji, bardzo się starał. Rano, zupełnie znikąd, zjawiła się Dżama. Kiedy podeszła do łóżka umierającego, ten się ocknął. Następnego dnia był już całkiem zdrów. Jeszcze tydzień po uczcie z okazji ponownych narodzin młodego wojownika, jak nazwano powrót po klątwie do grona żywych kuzyna Sierioży, schodzili się ludzie i przynosili dary, prosząc o pomoc. Dżama nikomu nie odmówiła.

Sierioża czuł się dzięki niej kimś wyjątkowym. Dzień wcześniej, po dwóch tygodniach gościny u niej, wrócił z nowinami, którymi koniecznie chciał się podzielić z Malikiem, bo wkrótce miał wyjechać z rodzicami do Samary. Obaj chłopcy z niechęcią myśleli o początku roku szkolnego.

– One mają zdolności telepatyczne – ponownie podjął wątek Sierioża. – Wiesz, co to hipnoza?

Malik pokręcił głową.

– Ja też nie – przyznał niechętnie Rosjanin. – Ale mogą przybierać ludzką postać i żyć wśród ludzi. Potrafią o wiele więcej. Na przykład stać się niewidzialne.

– Kłamiesz! – oburzył się w końcu mały Kazach i popchnął kolegę.

Sierioża upadł na plecy, ale natychmiast się podniósł i zwinnie wskoczył na betonowy podest między garażami. Poza bawiącą się dzieciarnią na podwórku nie było nikogo.

– Nie widziałeś ałmysa! To bajki – roześmiał się Malik, chcąc ukryć zmieszanie, ale zaraz dodał groźnie: – Zresztą ałmysy wychodzą tylko zimą.

– Jakie bajki! Zapytaj Dimasza! – Sierioża zerwał się z kucek cały rozpromieniony, jakby tylko na to czekał. Chwycił zdezelowany urzyn i przymierzył z biodra, gotów do walki. – Był cały włochaty, jak niedźwiedź. Na nogach miał pazury. Ręce do kolan, ze dwa metry wzrostu. Prawdziwy potwór, przysięgam. Kręcił się wokół szałasu. Zapadał czerwony zmierzch, godzina duchów. Babcia od razu zaczęła się modlić. Na podwórze nie mogłem wychodzić przez dwa dni!

Malik nie tracił ani chwili. Naparł na Sieriożę całym ciałem, podciął go pod kolanami, zablokował łokciem i dwoma ciosami przewrócił. Na koniec unieruchomił.

– Nie rusza się – wychrypiał.

Sierioża nie zdążył nawet jęknąć. Ciężko dyszał. Malik się uśmiechnął.

– Boli? – upewnił się, przyciskając kolegę mocniej do ziemi.

Sierioża potwierdził oczyma. Kazach przydusił gardło przeciwnikowi.

– Nie oddycha!

Ręce Sierioży trzymał jak w kleszczach. Mimo to udało mu się jedną uwolnić. Zaciskał w niej swój kubotan. Zamierzył się nim na Malika, ale ten błyskawicznie zasłonił Rosjaninowi oczy. Cios okazał się niecelny. Chłopak zwinął się jednak z bólu i głośno jęczał. Kubotan poturlał się pod wejście do garaży.

– Nie widzi – mruknął dla porządku Malik i przeszukał kieszenie pokonanego. Z jednej z nich wyjął drewniany nóż i zamarkował cios w serce. – Nie żyje.

Dorzucił atrapę broni do kubotanu.

Sierioża podniósł się z trudem. Otarł twarz koszulką.

– Wygrałeś. Ale ja nie kłamię – powiedział i wyciągnął rękę na zgodę.

Mały Kazach siedział zacietrzewiony. Nie uścisnął jej.

– Trenujesz codziennie, co? – spróbował zmienić temat Sierioża.

Malik nie zareagował na słowa uznania.

– Nigdy więcej nie mów – odezwał się w końcu bardzo poważnie, jak dorosły – o ałmysach, duchach i potworach. Ty wyjedziesz, a my zostaniemy. Nie wolno ich wzywać. Dżama cię nie ostrzegała?

– Kiedy to wszystko prawda.

– Tak? To jaki ma kolor?

– Co?

– Jego futro.

– Brązowe. Jak u miszki.

– Tylko raz byłem w zoo. Misie schowały się w grocie. Było za gorąco.

– No taki kakaowy – dodał szybko Sierioża. – I śmierdział.

– Gównem?

– Nie, jak zepsuty kumys. Jakby coś zgniło.

– Fuj.

– Ohyda! – potwierdził Sierioża. – A zanim go zobaczyłem, słychać było gwizd. Najpierw myślałem, że przejechał pociąg. Ale skąd kolejka na stepie? Dopiero potem skojarzyłem. Dżama mówi, że one zawsze ostrzegają. Żeby ludzie nie patrzyli. Nie chcą nas niepokoić. Ale nie powiedziała, po co przyszedł. Wtedy usłyszałem od niej, że idzie czas wojowników.

– Bałeś się?

Sierioża długo milczał.

– Ja bym się bał – przyznał Malik.

– Jak już babcia mnie zamknęła, trochę się bałem. Pewnie.

Ich rozmowę przerwał ogłuszający pisk. Chłopcy aż podskoczyli. Malik wdrapał się na betonową półkę, a potem, zwinnie jak małpa, wspiął się na dach garażu.

– Coś się kroi – powiedział i pomachał do Sierioży, który podążył jego śladem.

Położyli się na brzuchach. Pomiędzy bujnymi koronami drzew mieli widok wprost na podjazd, sami pozostając osłonięci.

Przed blokiem zaparkowało już kilka żiguli, z których wysiadali Kazachowie. Większość z nich była w dresach. Niektórzy mieli w rękach metalowe rury. Pozostali zdjęli marynarki i rozpięli białe, wkładane od święta koszule. Z bagażników wyjęli automaty.

– Zmywamy się – mruknął Malik i przeczołgał się na drugi koniec dachu.

Spojrzał w dół. Za wysoko, żeby skakać. Ocenił odległość do kolejnego budynku. Z dobrym rozbiegiem daliby radę.

– *Nu dawaj*, Sierioża, bo tu zaraz będzie bitwa.

– A nasz urzyn? – Rosjanin spojrzał na leżące na ziemi akcesoria.

Zardzewiała broń, kubotan i ich dwa drewniane, własnoręcznie wystrugane noże pod blachą drzwi do garaży nagrzewały się od słońca.

– Trzeba zabrać – zdecydowali chłopcy i na wyścigi przeczołgali się na skraj dachu. Papa kleiła się im do kolan.

Już mieli skakać i biec do klatek schodowych, kiedy od ich strony na podjazd wjechało sportowe auto w kolorze lodów waniliowych, odcinając drogę ucieczki. W Uralsku, a może i w całym Kazachstanie było tylko jedno takie. Wszyscy w mieście wiedzieli, do kogo należy. Natychmiast przylgnęli do roztopionej mazi, rozpłaszczając się jak bliny. Głowy osłonili rękoma. Malika jednak zżerała ciekawość. Podniósł kark i przysunął się do krawędzi, by mieć lepszy widok.

Z samochodu zabaweczki wysiadał tymczasem smukły, szykowny Kazach. Twarz miał urodziwą, rysy szlachetne. Cerę tak białą, jakby była obsypana mąką. Z kącika ust zwisał mu cienki złoty papieros. Z daleka widać było, że płynie w nim krew starszego żuzu, kazachskiej kasty władców. Barwną koszulę w papugi nosił rozpiętą do połowy torsu, na którym lśnił gruby złoty kagan. Naoliwione włosy wydawały się w słońcu granatowe. Pozostali, już z metalowymi rurami w rękach, tylko na niego czekali, bo jak na komendę wszyscy skłonili głowy. Przybyły podszedł do towarzyszy. Z bagażnika wyciągnięto dwóch zdrowo już poturbowanych mężczyzn. Ale kaźń dopiero się zaczynała. Malikowi przemknęło przez myśl, że ci dwaj pobici są tylko kilka lat starsi od nich.

– Sierioża! – dobiegł ich nagle rozpaczliwy głos kobiety. – Sierioża, synku, do domu!

A potem rozległ się huk.

Chłopcy wymienili spojrzenia, ale żaden się nie ruszył z miejsca. Przywarli tylko mocniej do roztapiającej się papy. Głos matki Sieriożу niósł się echem jeszcze jakiś czas, aż w końcu całkiem umilkł. Poza odgłosami uderzeń i jękami maltretowanych panowała teraz kompletna cisza. Jakby osiedle wymarło.

Malik wyraźnie widział oprawców. Było ich ze trzydziestu. Musieli być z innej dzielnicy, bo żadnego nie rozpoznawał.

Ofiary zaś tylko dwie. Ich twarze zamieniły się już w miazgę. Krew bryzgała na boki i wsiąkała w trawę. Większość przybyłych stała znudzona, oparta o auta, z bronią długą wzdłuż ciała i pistoletami za paskiem. Ale szkoda im było amunicji dla chłopców. Trzech okładało ich kolbami karabinów. Kiedy ta trójka się zmęczyła, kaci się zmienili. Na ulicy, przy samochodach i pomiędzy drzewami wciąż przybywało publiki. Nikt jednak nie kwapił się do pomocy. Niektórzy wesoło rozmawiali, inni w milczeniu obserwowali operację, niczym gotowe do skoku komando.

Wtem z jednej z bram wyszedł atletyczny blondyn w okularach. Wzrostem i muskulaturą górował nad większością zgromadzonych. Nosił jasną koszulę i czerwone spodnie, które gryzły w oczy. Na przedramieniu miał przewieszoną żółtą kurtkę.

– Sensei – rozpoznał go Malik i aż zaparło mu dech w piersiach.

Jasne włosy nie pozwalały pomylić tego Kazacha z kim innym. Mężczyzna parł pewnie przed siebie jak taran. Wprost na pięknisia w papugi, który pieczołowicie doglądał tortur. Najdziwniejsze było to, że żaden z napastników nie ruszył się, by go zatrzymać. Jakby ich wszystkich oślepił i ogłuszył. Malik patrzył na tę scenę urzeczony. Zdawało mu się, że to film, który ogląda w zwolnionym tempie. Odgłos kroków. Podniesienie karabinów. Ruch do przodu kilku rezerwowych. I w tym momencie płowowłosy odrzucił ciuch. Pod żółtym czapanem ukrywał karabin z odciętą lufą. Czyżby ten sam, którym bawili się z Sieriożą całe wakacje? – zdążył pomyśleć Malik, zanim blondynem szarpnęło, ale natychmiast zdołał unieruchomić broń. Dopiero potem chłopiec usłyszał odgłos wystrzału. I kolejne salwy: jedna po drugiej. Automat nie był ustawiony na strzelanie seriami. Pierwszy upadł książę w papugi. Potem następni, którzy stali najbliżej szefa. Reszta, gdy tylko ciało herszta osunęło się na zakrwawiony trawnik, rzuciła się do ucieczki.

Zerwał się zgodny turkot odpalanych silników, a z podwórka zaczęły znikać auta. Wkrótce na ulicy zostały tylko trzy czarne żiguli i podziurawiona kulami waniliowa zabawka kazachskiego diuka. Z armii oprawców zaś jedynie grupa niedobitków w dresach. Broni mieli jednak pod dostatkiem. Ukryli się za samochodami oraz w klatkach schodowych. Odpowiadali ogniem.

Płowy dostał kilka razy, ale nie upadł. Raz tylko zgiął się wpół, mimo to ustał jak jakiś terminator. W końcu ukrył się za jednym z aut i ostrzeliwał zza otwartych drzwi. Malik nie zwlekał dłużej. Pacnął Sieriożę w bok, a ponieważ kolega się nie ruszył, szarpnął nim mocniej, żeby sprawdzić, czy żyje. Okulary Sieriożу były potrzaskane, a on sam leżał z twarzą odwróconą do dachu, sparaliżowany przez strach. Wokół jego bioder gęstniała kałuża. Widać pogromca ałmysów i wnuk szamanki zsikał się ze strachu, pomyślał z politowaniem Malik. Susem skoczył na dach kolejnego garażu, a potem na następny. Nie myślał już o niczym. Nie obchodził go los kolegi ani pozostawione akcesoria. Za sobą słyszał kolejne wystrzały. Kanonada rozpoczęła się na dobre.

1 maja 2001 roku, Ząbkowice Śląskie, Polska

Zakwitł rzepak i pola wokół Srebrnej Góry wyglądały jak zielony patchwork poprzetykany złotem. Obezwładniająco pachniał pierwszy bez. Na hotelowe balkony wylegli liczni goście. Szkoda było w taki dzień śniadać w pomieszczeniu. Kelnerki bez słowa przynosiły stosy serwetek, które porywisty wiatr nieustannie zwiewał z restauracyjnej werandy. Niebo zaroiło się od paralotniarzy. Mieszczuchy, opatulone szalami i ciepłymi płaszczami, wystawiały twarze do słońca. Na jednym z balkonów jakaś leciwa dama opalała się w rozpiętym futrze i bikini, zaciągając się od niechcenia papierosem w fifce. Choć nie wybiła jeszcze jedenasta, miała pełny makijaż i świeciła brylantami. Jej towarzysz trwał dzielnie obok, skulony pod pledem. Zza rozpostartej gazety widać było tylko wysmagany wichrem nos koloru pomidora. Trudno było go rozpoznać, ale wszyscy wiedzieli, że to Olivier Souille, światowej sławy producent filmowy. Kobieta była Polką i jego żoną. Choć mogli wybrać na odpoczynek jeden z nowoczesnych hoteli z luksusami w każdym zakątku świata, przyjeżdżali w Góry Sowie i od lat zajmowali ten sam apartament ze ścianami ze sklejki i poplamioną wykładziną. Za to z najlepszym widokiem na miniaturową Srebrną Górę porośniętą karłowatymi drzewami. A oni właśnie tutaj się poznali. To z ich pokoju dobiegała teraz trzecia fantazja d-moll na fortepian. Mozart uparcie walczył o pierwszeństwo z hitem disco polo dudniącym z głośników otwartego na podjeździe auta, z którego dachu chwaccy młodzieńcy zdejmowali właśnie rowery, oraz dźwiękami porannego pasma w telewizji. Spomiędzy minorowych dźwięków pianoli i „umpa, umpa" o tańcach w szampanie przebijał aksamitny głos pogodynki, która zapewniała, że tegoroczna majówka zapowiada się nadzwyczaj upalnie.

Drzwi balkonowe w malutkim pokoju 13F w samym rogu na trzecim piętrze były zamknięte na głucho. Tośce Petry nie dane było, tak jak innym gościom, leniwie rozpocząć długi weekend i po raz pierwszy tej wiosny delektować się pełnią słońca. Święto Pracy miała spędzić na swoim stanowisku w klimatyzowanym pomieszczeniu banku. Tej nocy znów spała źle, więc by dodać sobie energii, o piątej udała się na przebieżkę, a potem przez godzinę medytowała. Zanim się wykąpała i wysuszyła włosy, było już kwadrans po siódmej. Nie zdążyła zjeść śniadania. Tak właśnie wygląda jej życie zgodne z jogą, pomyślała ponuro, biegnąc na przystanek autobusowy. Teraz zaś z ołówkiem w ręku siedziała nad stertą papierów i pogryzała znalezione na dnie szuflady sezamki. Delektowała się nimi, choć ich smak mógłby wskazywać, że są tak stare jak ząbkowicki rynek, przy którym ulokowano jej oddział. Do przeanalizowania pozostało jej jeszcze dwadzieścia sześć wniosków kredytowych. Jeśli dobrze pójdzie, skończy wieczorem. Ale czuła się podle. Wciąż nie mogła się uporać z natrętnymi myślami, więc praca szła wolno i Tośka pomyślała, że także nazajutrz część majówki spędzi w tym samym przybytku. Od biurka wstała tylko dwa razy: najpierw, żeby zrobić sobie herbatę, a następnie obmyć twarz lodowatą wodą, bo senność ogarnęła ją, gdy tylko włączyła drukarkę.

Wpatrywała się teraz w łazienkowe lustro pokazujące jej zmęczoną twarz. Ciekawe, czy smugi pod oczyma jeszcze kiedyś znikną, a przedwczesna jak na jej wiek lwia zmarszczka nie zamieni się w brzydką bruzdę i upodobni ją do wiedźmy. Co z nią nie tak? Dlaczego wybiera drogę wyłącznie pod górkę? Czy jej życie zawsze będzie już tylko ciągiem obowiązków? Po co więc żyć, skoro to nie daje radości? I natychmiast gdzieś w głębi serca rodziła się odpowiedź, że na wszystko, co jej się przytrafia, sama sobie zasłużyła. Jeśli nie teraz, to w poprzednim wcieleniu. Na pewno tak było. Bo jak wyjaśnić dojmujące poczucie bezsensu i braku miłości? Wprawdzie tę ostatnią miała w zasięgu ręki, ale odrzuciła. I bardzo tego żałowała, ale wiedziała, że odwrotu już nie ma. Dwa razy do tej samej rzeki wchodzić nie można. To jednak, co Tośka myślała o sobie, a raczej czego w sobie nie doceniała, nie znajdowało odzwierciedlenia w jej wyglądzie i dokonaniach życiowych, gdyż w opinii innych los nie poskąpił jej ani urody, ani tym bardziej szczęścia. Zachwyt postronnych mogły budzić lalkowate rysy twarzy, mimo że sama ich właścicielka całe bogactwo świata oddałaby za choć odrobinę pucołowate policzki z rozkosznymi dołkami i figlarne spojrzenie. Była długokoścista, lecz kształtna tam, gdzie kobieta zaokrąglona być powinna, i jak na standardy polskie wystarczająco wysoka, by móc chodzić po wybiegu. Niestety, nawet w dzieciństwie brakowało jej słodyczy. Ci, których drażniła, zarzucali jej, że się wynosi. A ona jedynie starała się nie stwarzać niepotrzebnych problemów. Miała tylko jedną przyjaciółkę. Starsza o sześć lat Connor była jej przeciwieństwem: odważna, rozbrykana i zawsze żądna przygód. Tośka wolała przebywać ze starszymi od siebie lub dziećmi. Zwykle jednak była sama. Aż pojawił się on. Odmienił w jej życiu wszystko. Nie chciała jednak teraz o tym myśleć. Sprawa była już zamknięta.

Opłukała jeszcze raz twarz i wytarła papierowym ręcznikiem. Smagła cera była teraz ziemista. To wszystko przez brak snu. Osadzone głęboko oczy jak migdały były lekko skośne, w ciepłym kolorze orzecha włoskiego. Zawsze zdradzały czujność i coś w nich wibrowało. Miała brwi grube niczym skrzydła jaskółki, więc nawet jeśli była w dobrym humorze, zdawało się, że patrzy na człowieka wilkiem. Długa kaskada nigdy niefarbowanych czarnych włosów – prostych i gęstych – spływała jej po plecach jak u Indianki. Do tego jedynego daru natury nie miała zastrzeżeń, uznając go za swoją mocną stronę. Ścięła je tylko raz i zanim odrosły, czuła się bardzo źle. I mimo że była ujmująco delikatna, nikt tego nie dostrzegał. W jej wyglądzie było jednocześnie coś egzotycznego i groźnego. Wstydziła się swej kruchości, dlatego odpowiadała jej ta maska osoby drapieżnej. Nie umiała się mizdrzyć czy flirtować. Głos miała mocny, ale mówiła cicho, ledwie słyszalnie, jakby trawił ją nieustanny lęk. Za to nie brakowało jej tego rodzaju chłodu, który momentalnie mroził obserwatora i zmuszał raczej do podziwiania z oddali, niż wyzwalał chęć przytulenia czy pieszczot – tak, lodowatego zimna Tośka miała w nadmiarze. Tylko jeden mężczyzna zdołał skruszyć ten lód, ale chyba nie był jej pisany.

W biurze była jeszcze tylko jej szefowa – Arleta Kobierzycka, zwana pieszczotliwie Kobrą. Tośka lubiła ją z wzajemnością. Kobra przyjęła ją na staż i posadziła przy kasie zaraz po liceum, choć wtedy dziewiętnastolatka nie miała żadnych kwalifikacji. Kobierzycka przyjaźniła się z matką dziewczyny i nie mogła patrzeć, jak Tośka marnuje się za barem w całodobowym klubie U Koniuszego. Mijało już pięć lat, ale dziewczyna nigdy nie zawiodła zaufania kierowniczki. Dostała się na studia, zrobiła licencjat z administracji, a za rok miała bronić magistra. Pracę już praktycznie napisała. Była obowiązkowa, a Kobra potrafiła to docenić. Nie tylko jednak z sympatii awansowała Tośkę i stała za nią murem. Znała jej historię, choć przez te lata rozmawiały tylko raz.

Ząbkowice Śląskie to niewielkie miasteczko na Dolnym Śląsku. Ludzkie sekrety są tutaj powszechnie znane. W taki czy inny sposób informacje przechodzą z ust do ust szybciej, niż zarazki mnożą się na zanieczyszczonej ranie. Kiedy rok temu w wyniku intryg władze miejskie domagały się zwolnienia Tośki, Kobra położyła na szali swoją głowę. Na plotki i oszczerstwa machnęła ręką. Najpierw, niczym surowy śledczy, przesłuchała swoją protegowaną, a potem wynajęła prawnika i uratowała z opresji je obie. Wtedy jednak, po tej rozmowie, Kobierzycka wymusiła na Tośce pełną lojalność. To dlatego dwudziestoczterolatka była gotowa siedzieć dla niej w biurze w święta, choćby i po nocach. Ale Kobra była czujna i miała doskonałą intuicję. Wężowe pseudo przylgnęło do niej nie bez powodu. Dopiero kiedy wyszła ze szklanego akwarium z napisem „Tchórz umiera tysiąc razy. Odważny tylko raz" i ruszyła do wyjścia służbowego, do uszu Tośki dobiegło pukanie.

Pochyliła się niżej nad stertą wniosków kredytowych. Powinny zostać wysłane do centrali już kilka dni temu.

– Jest Petry?

Zachrypnięty głos Romana Grajka niósł się echem po pustym wnętrzu. Mężczyzna dyszał ciężko jak zagoniony pies. A potem zabrzmiała skoczna melodyjka, która umilkła tak samo nagle, jak się rozległa.

Romana zazwyczaj rozpierała energia. Żartował, kiedy miał powód, a kiedy nie miał, sam go sobie znajdował. Tym razem w uszach Tosi dźwięczała niepokojąca cisza. Odłożyła pióro i nasłuchiwała chichotów Kobry, którą Roman zawsze podrywał, podobnie zresztą jak wszystkie kobiety – niezależnie od wieku i urody – napotkane po drodze, czym zasłużył sobie na przydomek Romeo. Tak też mówiono o nim w mieście, rzadko używając nazwiska, mimo że był najbogatszym człowiekiem w regionie i jako lokalnemu krezusowi należał mu się respekt. Kilka hoteli, bazar, sieć sklepów spożywczych w pobliskich wsiach i nowoczesne centrum spa – należały do jego rodziny. Żona, Monia, prowadziła salon piękności, dokładnie pod takim szyldem. Zięć – komis samochodowy, ale plotkowano, że chce zostać dilerem Forda we Wrocławiu. Romeo był ważnym klientem banku od początku jego istnienia. Często wpadał z wizytą, niosąc pod pachą kosz czekoladek czy dobre wino dla Kobry. Tośka przed chwilą skończyła analizę jego wniosku i przełożyła na kupkę „do realizacji". Wiedziała, jak Romanowi na nim zależało. Chciał za te pieniądze uczynić z hotelu w Srebrnej Górze perełkę regionu. Dziś, zamiast upominków, miał w rękach plik urzędowo opieczętowanych papierów i nowiutką komórkę, którą co chwila wyłączał.

– Martwi się pan o swój kredyt? – zaczęła Kobra. – Po majówce prześlemy go do centrali.

– A gdzie tam, pani Arletko – zamruczał basem Romeo. – Wiem, że w pani rękach sprawa jest bezpieczna. Poza tym mam przecież zdolność. Idzie o czas.

Urwał.

– Mogę? – Głos mu zadrżał. – Wolałbym nie mówić w drzwiach.

Tośkę tknęło. Nagle zrobiło jej się zimno. Odsunęła papiery, włożyła przepisowy żakiet i nasłuchiwała bacznie.

– Wszystko w porządku? – dopytywała się Kobra.

– Nie, nic. To znaczy normalnie – zapewnił pośpiesznie Romeo.

Tośka już wiedziała, że kłamie.

– Tylko z młodą chciałbym. Jest, prawda? Prywatna sprawa. W hotelu ich pokój zamknięty, w domu też u niej byłem. Matka powiedziała, że wezwała ją pani do pracy. Dowala jej pani tej roboty, nawet w święta.

Tośka nie wytrzymała. Wbiegła do śluzy, gdzie odbywała się rozmowa. Kobra zmierzyła ją służbowym spojrzeniem. Była w nim dezaprobata.

– Zostało około dwudziestu. – Dziewczyna dygnęła. – Tylko na chwilę wyjdę.

– Rozmawiajcie sobie spokojnie. – Szefowa położyła jej dłoń na ramieniu. – Gdybym była do czegoś potrzebna, będę w pobliżu. Sprawdzę, co to za zgromadzenie przed ratuszem. I złapię dymka.

– Ta, pewnie. Dla zdrowotności.

Romeo udał wesołego i mimo swojej potężnej sylwety gibko wkroczył do środka.

– Co nie odbierasz?

Tośka spojrzała na biurko. Słuchawka leżała odłożona. Zupełnie o niej zapomniała.

– Muszę to dziś skończyć. Są zaległości, a po majówce na kontrolę przyjeżdża Warszawa. Twój jest tam – pokazała. – Pozytywny.

Oboje byli zmieszani. Teraz Tośka mogła mu się przyjrzeć lepiej. Twarz miał upstrzoną czerwonymi plamkami. Błękitna koszula była mokra od potu na piersi i pod pachami. Na nogi biznesmen założył gumowe klapki, choć słynął z eleganckiego ubioru i nawet w upały nie nosił krótkich spodenek, tylko lniane, długie, typu safari. Do nich mokasyny albo markowe pepegi. Na głowie miał zawsze nieodłączną panamę. Dziś wyglądał, jakby nocował na działce i z pewnością się nie czesał. A owłosienia Bozia mu nie poskąpiła. Siwa czupryna wyglądała, jakby jakiś ptak dopiero co wił sobie na jego głowie gniazdo. Po kapeluszu nie było nawet śladu. Monia nie wypuściłaby go w takim stanie z domu. Tośka zrozumiała w jednej chwili, że to zwiastuje bardzo złe wieści.

– Co z nim?

– A nie wiem – wysapał Romeo. – Żarty sobie ze mnie stroicie? Tyle lat, zabiegów, pieniędzy na środki bezpieczeństwa! A wy to wszystko, ot tak, jednym ruchem, do kosza! To ja się ciebie pytam, dziewczyno, co jest, kurwa, grane?

Tośka wpatrywała się w biznesmena, jakby mówił do niej po chińsku. Zanim zdołała coś sensownego wydusić, Romeo zalał ją potokiem narzekań.

– Cały hotel ludzi. Jest komplet plus. Nawet te zapyziałe numery w suterenie się sprzedały. Francuz wydaje jutro bankiet. Niby z okazji remontu placówki po sezonie, choć wiem, że to dla żony. Ann-Marie przecież w majówkę skoczyła. Nie bez powodu przyjeżdżają zawsze w tym terminie. Celebryci, dziennikarze się zapowiedzieli. Władze miasta, politykierzy. Nieważne, ludzi jest w chuj. Co gorsza, wokół pełno mundurowych! Jagoda zarzeka się, że też nic nie wiedziała. Losują ludzi do przesłuchania i straszą mi klientów. Nakazem grożą! Jeszcze brakuje, żeby mi pokoje zapieczętowali. Trzeba było mnie uprzedzić! A może wcale nie zamierzaliście mi mówić? Może miałem się dowiedzieć z radia? – zakończył litanię i dopiero wtedy odetchnął.

– Roman, ale co się stało?

– Kto ja jestem? Jakiś patałach? Żebym ja się dowiadywał ostatni? – Znów się pieklił i trząsł dokumentami. – Niewdzięcznicy! Biegam jak dureń od urzędu do urzędu, załatwiam wizy: dla ciebie, dla mnie, dla Ruczajewa i Anastazji. Tak jak się umawialiśmy miesiąc temu! Płacę łapówki, smaruję, smaruję, wywiaduję się, smaruję, a wy mnie nawet nie uprzedzacie! Od tego smarowania jestem goły jak święty turecki! I wkurwiony. Nie znoszę tracić forsy! Każdą złotówkę oglądam dwa razy. A przecież nie jestem sknera. Ostatnią koszulę bym wam oddał. Przyjaźnimy się, tak? Czy może już nie? Oszukaliście mnie. Tyle ci powiem. Mam żal.

– Nie mów tak! – Tośka podeszła i chwyciła biznesmena za ramiona. – Jesteś dla mnie jak ojciec. Jak mogłabym cię oszukać!

Nie mogła pozwolić, by znów się rozszalał. Poczuła, że cały jest spocony i drży. Jakby w ciągu ostatniej godziny przebiegł półmaraton albo wyszedł z siłowni. I nie pachniał bottegą venetą, jak zwykle. Było źle.

– Ty nic nie wiesz? – Pojął wreszcie.

Rozejrzał się po pomieszczeniu, szukając świadków, choć poza nimi w budynku nie było przecież nikogo.

– Wzięli go do Wrocławia – zniżył głos. – Nie zdążyłem nic zrobić.

Świat w tej jednej chwili runął Tośce na głowę. Czarne motyle zafurkotały przed oczyma. Zgasło światło. A przecież był środek dnia, pełne słońce. Liczyła w myślach do dziesięciu i oddychała. Chciała powiedzieć, że w końcu musiało się to stać. Tego się bała od zawsze i na to czekała. Właściwie od pierwszej nocy, kiedy zostali kochankami. Każde pukanie do drzwi mogło być tym ostatnim. W głowie przewinął jej się przyśpieszony film ich związku. Były tam piękne chwile, magiczne, ale głównie strach i niepewność. Pukań w tym serialu było najwięcej. Poczuła, że oczy ją pieką, ale łzy nie popłynęły. Na zewnątrz nie było widać żadnych emocji. Nowiny nie skomentowała. Klapnęła tylko głucho na krzesło, bo nogi naprawdę się pod nią ugięły, a nie chciała zemdleć jak jakaś mimoza.

– Radia nie macie w tym banku? Całe miasto huczy od plotek.

– Kiedy?

– Dziś rano.

Myśli w głowie Tośki galopowały. Kiedy wychodziła pobiegać, jego już nie było. Gdy wróciła, dom nadal był pusty. Skupiona na sobie i swojej małej rozpaczy nie pomyślała o prawdziwym zagrożeniu. Czuła się jak idiotka. To musiało być wobec tego przed piątą. Jak? Gdzie go zatrzymali? Nic nie rozumiała.

– Nasi czy tamci?

– Nasi. – Roman wyraźnie złagodniał. Pokrzepiła go myśl, że nie tylko on został pominięty w dystrybucji danych. – Media robią z niego mordercę z kałachem. I zbója, który okłamał wszystkich. Ludzie się nastroszyli. Wygląda na to, że będzie z tego spory dym.

Tośka starała się odzyskać spokój. Raz, dwa, trzy, cztery – wdech, pięć, sześć, siedem, osiem – wydech. Czuła, że po plecach spływa jej struga potu, ale zaskoczyło ją, że doznawała ulgi. Tak jakby ktoś zdjął jej z barków ciężar, którego nie była w stanie już dźwigać. Koniec niewiadomych. Jasność sytuacji. Choć wiedziała, że dla jej kochanka aresztowanie to pewny wyrok.

– Dobrze, że żyje. – Instynktownie podniosła dłoń, by zrobić znak krzyża.

W ostatniej chwili się powstrzymała. Ale odruch zaskoczył ją i zastanowił. W kościele nie była od lat. Wzniosła oczy i podziękowała Opatrzności, że nie stało się najgorsze.

– Żyje, żyje – westchnął już przyjaźniej Romeo. – Tylko jest pod kluczem. A jaką promocję regionu nam zapewnił. Chyba wszystkie telewizory się zjechały. Do mnie dzwoniły już trzy ekipy. Nie licząc mojej własnej kablówki. Chociaż w niej mogę wprowadzić cenzurę. Na szczęście nie ma ani jednego miejsca w hotelach. Koczują po domach. Tak w każdym razie słyszałem. A skąd wzięli mój numer? – Potrząsnął komórką. – Przecież jest nowy. Sam go jeszcze nie pamiętam. Posłałem ich na razie do wszystkich diabłów. Ale adwokat mówi, że nie wiadomo, czy nam się nie przysłużą.

– Dziennikarze?

Romeo machnął ręką lekceważąco. Wypatrzył miniwieżę, która stała w kąciku kawowym, i poczłapał w tamtym kierunku. Przekręcił gałkę. Rozległy się trzaski, podano pełną godzinę, a potem wybrzmiał dżingiel zapowiadający wiadomości.

„Ciąg dalszy doniesień z ostatniej chwili. Niebezpieczny masowy morderca z Kazachstanu Kerej Kunanbajew, poszukiwany czerwonym listem gończym przez Interpol, został dziś rano aresztowany w Ząbkowicach Śląskich. Przestępca jest podejrzewany o to, że w Uralsku, w zachodnim Kazachstanie, będąc mózgiem lokalnego gangu, zastrzelił siedem osób i jedenaście ciężko ranił z karabinu typu Kałasznikow. Przestępca, używając fałszywych dokumentów tożsamości, przekroczył nielegalnie granice i ukrywał się w miasteczku na Dolnym Śląsku przez ponad pięć lat. Prokuratura Generalna Kazachstanu już się zwróciła do polskich władz o wydanie zatrzymanego. Ciąży na nim oskarżenie o siedmiokrotne zabójstwo, jedenastokrotne usiłowanie zabójstwa, nielegalne posiadanie broni, fałszowanie dokumentów, posługiwanie się fałszywymi dokumentami, nielegalne przekraczanie granic kilku państw i inne. Mieszkańcy Ząbkowic są zszokowani. Znali przestępcę jako Igora Gorcewa – trenera jogi i uzdrowiciela. Zapewniają, że wielu ludziom pomógł. Na rynku zbiera się tłum manifestujących, którzy nie wierzą w winę miejscowego znachora. Będziemy na bieżąco informować o przebiegu wydarzeń".

Następnie podano prognozę pogody i informacje o imprezach kulturalnych w okolicy. Wybrzmiały dźwięki *Dislove* Frankenstein Children. Ten kawałek Tośka lubiła najbardziej z całej płyty. Słuchali go w kółko, kiedy jedyny raz pojechali na urlop, bo Tosi zamarzyło się pokazać ukochanemu ze stepu polskie morze. Był to jeden z jej najgorszych pomysłów. Kerej nie wychodził z pokoju przez cały tydzień. Wszędzie widział czających się na niego kilerów. Piosenka jeszcze się nie skończyła, ale Tośka podeszła do radia i ściszyła głos. Przepełniały ją tkliwość i smutek, że w takiej chwili jej z nim nie ma. Że nie wytrzymała, stchórzyła. On orzekł, że niewystarczająco kochała – skoro uciekła z ringu przed najważniejszą rundą. Ale bała się o tym powiedzieć Romeowi. Wstydziła się.

– Kto go wydał?

– Ja nie. – Biznesmen wzruszył ramionami. I zaraz dorzucił: – Jagoda też odpada, bo siedzi u siebie i zalewa się łzami, jakby ktoś umarł. Kto nam zostaje? Ty?

Tośka odpowiedziała pogardliwym spojrzeniem.

– Żartowałem – błyskawicznie się wycofał.

– Nie – odparła twardo. – Sprawdzałeś mnie.

Zrozumiał chyba, że przeholował, bo natychmiast zmienił front.

– A kto to może wiedzieć? Skoro nie my, to tylko Ruczajew zna prawdę, ale są teraz z Anastazją na Ukrainie. Kobrze coś mówiłaś? Matce? Bratu?

– Nikt nic nie wiedział. Kłamałam im przez pięć lat.

– To może po prostu jeden z dwudziestu tysięcy życzliwych mieszkańców tego miasta? – diagnozował sytuację Romeo. – Wszyscy przecież znali kogoś, kto znał kogoś, kto chodził do doktora Igora na jogę lub po zioła. Mówiłem, że to się źle skończy. Ale nie, uparliście się. Trzeba pomagać. Masz swoje pomaganie.

Tośka miała na ten temat własną opinię: tajemnice zawsze wychodzą na jaw i to w najmniej oczekiwanym momencie. Taka już ich natura. Ale oczywiście zmilczała.

– Ponoć faks z listem gończym przyszedł ponad tydzień temu. – Roman wreszcie odezwał się konkretnie. – Interpol go namierzył. Kazachowie mieli tutaj swoich szpicli. Kiedy? Kto? Nie wiem. Tyle udało mi się wydobyć od burmistrza, a jemu od komendanta.

Tośka zamarła. Zapamięta wizytę tych trzech panów do końca życia. Mogłaby z detalami podać ich rysopisy. Ich znamiona na twarzy. Identyczne, śniły się jej czasem po nocach. To wtedy właśnie zaczęli się z Kerejem kłócić i ona się poddała. Romana akurat nie było w mieście, a Tośka nie wiedziała do dziś, dlaczego Kerej ukrył ten incydent przed przyjacielem. Biznesmen nie dostrzegł jednak zmiany w jej twarzy. Ciągnął dziarsko:

– Ale nasz sprytny Julek do faksu nawet nie zajrzał i tylko przyczepił go na komendzie do tablicy ogłoszeń. Przez siedem dni wszyscy mijali kwity i nikt nic. Takie w każdym razie mam przecieki.

Tośka podniosła głowę.

– Żartujesz?

– Choć raz w życiu staram się być poważny – nadął się Romeo. – Sioło nie zrobił tego dla ciebie. Miał imprezę z okazji awansu, a potem leciał ze swoją panną na urlop do Tel Awiwu. Ma sprawę o zaniedbanie. Może być zawieszony.

– Nie szkoda mi go.

– Ja też po nim płakać nie będę, ale pół miasta ma z niego ubaw. Trzeba więc uważać, bo na razie jest na służbie i, co gorsza, wściekły chodzi jak giez po koksie. Ponoć złożył raport in blanco o zwolnienie, jakby coś poszło nie tak. W jego interesie jest, by sprawa była krajowa. Albo i międzynarodowa. Coś czuję, że taka będzie. Triumfalne wydalenie zabójcy z Kazachstanu uratuje dupę Julcia, a może nawet umai pagony nowym kwiatuszkiem. Tyle.

– Więc jednak karma wraca – wyszeptała Tośka. – Świat dąży do równowagi. To wszystko prawda.

– Co ty tam mruczysz? – Roman zmarszczył czoło. – Ale dowiem się kto. To ci obiecuję. Znajdę zdrajcę.

To już nie ma znaczenia, pomyślała Tośka i uśmiechnęła się smutno, a potem pocałowała biznesmena w czoło. Nie musiał tego robić – nie musiał angażować się w ratowanie obcego dla siebie człowieka. Był prawdziwym sojusznikiem. Wiernym i niezawodnym. Nie to co ona. Gryzło ją sumienie.

– Wydalą go?

Romeo potrząsnął dokumentami.

– Nie tak szybko! Co się stało, nie odstanie. Nie wlejesz skwaśniałego mleka z powrotem do wymion czy jakoś tak. Zbieraj się, dziecino – zarządził. – Kwadrans temu powinniśmy być w Świdnicy. Lemir już czeka. Ściągnąłem go z leżaka. Jakiegoś mecenasa z Warszawy od praw człowieka załatwi. Wprawdzie to jego rodzina, ale będzie nas to podwójnie kosztowało.

Tośka podniosła brew. Odgarnęła włosy.

– Ja nie jadę.

– Myślisz, że masz wybór? – zdenerwował się Roman. – Jak na razie ja płacę.

Dziewczyna nie odpowiedziała. Usiadła przy biurku, obudziła komputer. Romeo patrzył na nią jak na niezrównoważoną.

– Kasą się nie martw – zaczął łagodniej. – Twój chłop życie mi uratował. Dwadzieścia dwa kilo dzięki niemu zrzuciłem. Inni pacjenci też są mu co nieco winni. Od nikogo nie wziął grosza. Nawet za te warsztaty, dzięki którym burmistrza mamy wciąż tego samego. Connor obiecała, że na bieżąco będzie szpiegować w komendzie. Kobra też wyszła tak ochoczo, bo jest na oriencie. Pewnie twoja matka jest lepiej poinformowana od ciebie. Nie łam się, Tosia. Przyszedł czas odpłaty. Porachujemy się, jak wydrzemy maleństwo z pazurów władzy. Nie takie rzeczy robiło się ze szwagrem. Mam plan.

– Roman, ja nie jadę – powtórzyła Tośka. – To już nie moja sprawa.

– A czyja? – Roman powoli zmieniał się w drapieżnika. – Moja?

– On by tego nie chciał.

– Nie, kurwa, chce wrócić do domu, żeby go zastrzelili.

Tośka nabrała powietrza, jakby miała mu wyznać wielką tajemnicę.

– Rozstaliśmy się. Po gigantycznej kłótni. Czekałam tylko na brata, żeby pomógł mi przewieźć rzeczy z hotelu.

Roman wybuchnął gwałtownym, oczyszczającym śmiechem.

– Ty durna! Wiesz, ile razy kłóciłem się z Monią? Ile walizek zebrałem z podjazdu? Nocy przespanych w biurze nie zliczę. Kobieto, cztery razy wycofywałem od adwokata pisma rozwodowe. Jakie to koszta! I jeszcze potem prezenty na zgodę, a ona lubi brylanty, więc poniżej dwóch karatów zejść już z naszym stażem się nie godzi. Do tego obowiązkowy urlop. Nienawidzę odpoczywać! Biznes mi wtedy stygnie. A robię to dla mojego Kaczątka. Przywitaj się z urokami małżeństwa, mała.

– Ja z Kerejem nie jesteśmy po ślubie.

– Co papier znaczy? – żachnął się Romeo. – Jak kochasz, to rozwiązujesz problemy, a nie od nich uciekasz. Halo, mała, tchórzysz?

Tosia zacisnęła usta i wbiła wzrok w ekran komputera, jakby spodziewała się znaleźć tam rozwiązanie. Za wszelką cenę unikała spojrzenia Romea, który wciąż uważał, że dziewczyna po prostu jest w szoku. Zgłupiała tylko chwilowo. Wreszcie zaczął ostrzej. Taki był w interesach. Znikła jowialna otoczka, rozkoszne żarciki i wsparcie.

– A może ty chcesz powiedzieć coś innego? To zwierz się. Będzie ci lżej na duszy. W sumie to ciekawy zbieg okoliczności, że zgarniają go zaraz po waszej kłótni.

Tośka spojrzała na przedsiębiorcę rozzłoszczona.

– To nie jest zabawne.

– A kto mówi, że ma być?

– Nie mam z tym nic wspólnego. Wiesz, że nigdy bym tego nie zrobiła.

– Ktoś zrobił.

Tego dla Tośki było już za wiele.

– Ale jeśli tak bardzo chcesz wiedzieć, to tak, czekałam na to całe pięć lat – prawie krzyknęła. – To naprawdę dużo dla kogoś, kto ma lat dwadzieścia cztery i właściwie całe dorosłe życie był zmuszony kłamać. Dlatego się rozstaliśmy. Miałam dość życia w strachu, nędzy, ukrywania się i jego alternatywnego życiorysu. Dostawałam świra, wszystko mi się mieszało. To mnie niszczyło. Już nie pamiętam, dlaczego się w nim zakochałam.

– A co miłość ma tutaj do rzeczy?

– Niby z jakiej przyczyny miałabym być z kimś takim jak on? Co o nim wiem? Tyle, że zabił. Naprawdę do nich strzelał. Myślałam, że czterech, a tak naprawdę to siedmiu. Plus ranił tych jedenastu, którzy przeżyli. Bo kłamał też o tym. Miałam po dziurki w nosie fałszu i tej parszywej obsesji, że zaraz po niego przyjdą. Tak się nie da żyć! Ty tylko z nim piłeś, jeździłeś w delegacje, żartowałeś. Ja byłam z nim cały czas. Dzień i noc, dwadzieścia cztery godziny, pięć lat. Nic nie wiesz. Jak się bał, świrował. Nie mógł spać, w kółko szukał wrogów. Wszystkie nasze pieniądze wysyłał tamtej kobiecie. Na tamto dziecko. Ja na nią zarabiałam. Mnie mówił, że rodzinie, ale przecież tępa nie jestem. Czułam, wiedziałam… Jak znalazłam kwity rozwodowe, próbował się wypierać. – Urwała. – Nie mamy nic, Roman. Ani grosza na czarną godzinę, która właśnie przyszła. Tylko kredyt i moją pensję. Leczył ludzi, pewnie, ale za dobre słowo. Bo honor mu, kurwa, forsy od nich brać nie pozwalał. Gdyby nie twoje dobre serce, nie mielibyśmy gdzie mieszkać, bo mamy tylko długi. I walizkę szmat, którą przyniosłam z domu. Starych łachów i zdartych butów.

– Jesteś małostkowa. – Roman machnął ręką. – Wychodziłaś do pracy, on ciężko harował. Rzeczy nie mają znaczenia. Nie przesadzaj! Byliście szczęśliwi. To było widać.

– Mam dosyć noży powkładanych wszędzie, nawet pod poduszkę. – Tośka nie dała sobie przerwać. – Tych ludzi ze szramą, którzy mogli czaić się za winklem. Oni naprawdę chcieli go zabić. Widziałam tych szpicli. To byli bracia tamtych zabitych. Przyjechali się zemścić. Jak to się stało, że skończyło się na rozbitym nosie? Czy twoja Monia miała kiedyś potłuczoną twarz? Paznokcia nie pozwolisz jej złamać. Dlaczego zawrócili? Nie wiem. Ty o tym słyszałeś? Zająknął ci się? Bo nic o tym nie wiem. Kerej nigdy mi nic nie mówił. Dlaczego? Żeby mnie chronić. Pewnie, czułam się zajebiście chroniona. I dlatego powinnam dwa razy w tygodniu chodzić na strzelnicę, choć tego nienawidzę, bo jakby przyszło co do czego, to muszę umieć się bronić. Wiesz, że kupił mi pistolet? Jest w którymś kartonie. U ciebie w pokoju. W razie rewizji znajdą go. Mam też paralizator i gaz. Wiedziałeś? Kastet, kubotan. Linka do duszenia. – Zaczęła wyszarpywać zawartość torebki. – Noszę to wszystko ze sobą. W opakowaniu po strunach do pianina. W razie czego, wiesz... Każda dziewczyna po prostu marzy o takich przygodach! Mam dość, Roman. To dobre na filmie, ale tak się nie da żyć. Bo ja nie jestem taką dziewczyną. Chcę żyć spokojnie, mieć rodzinę. A nigdy nie będę mieć dziecka, bo przecież może się zdarzyć, że któregoś dnia przyjdą i mi je zabiją. Ta zemsta obowiązuje do któregoś tam pokolenia. W kółko to słyszałam. Dlatego wcale nie jestem zdziwiona. Cieszę się, wiesz? Przepełnia mnie kurewska radość. Musiało do tego dojść. I wiesz co, masz całkowicie rację: jak coś się zrobiło, to trzeba wziąć za to odpowiedzialność. A nie od niej uciekać. Możesz mu powiedzieć, że odeszłam, bo mam dość jego tchórzostwa. Zaczęłam nim gardzić.

Zamilkła, przerażona tym, co powiedziała. Ale pierwszy raz od dawna czuła się wolna. Jakby wypluła truciznę i wreszcie mogła spokojnie zasnąć, zrobić sobie przerwę, odpocząć.

Roman po stoicku przetrzymał jej oratorski popis.

– Wybornie – rzekł. – Patrz, jak ci los sprzyja. Marzenie się spełniło. Złapali go. Sprawa wyszła na jaw.

– Nienawidzę cię. Nie to próbuję ci powiedzieć.

– Ile razy ja to słyszałem – wycharczał Romeo. – A potem kocham, kocham i jak dobrze, że jesteś. Ech, baby.

Podszedł do Tośki i ujął jej drobną twarz w dłonie. Zbliżył oczy do jej oczu. Ścisnął jak w kleszczach.

– Kochasz go jeszcze czy nie, to nie ma znaczenia. Rozumiesz? Jesteś mu to winna. Tak po ludzku. Jak my wszyscy. Nie musisz z nim być. Nie musisz go szanować. Ani nawet przepraszać. Co powiedziane, zostanie, ale to przeszłość. A teraz pomóż mu, na ile zdołasz, bo on cię potrzebuje. Nas wszystkich. A to, o czym mówisz, on robił dla ciebie. Każdy porządny facet tak by postępował. Starał się cię chronić, bo jesteś dla niego wszystkim. I to przez ciebie go namierzyli, bo inaczej byłby ostrożny. Nie afiszował się. Ktoś z naszych go wydał. Jeśli go wydalą, będzie to twoja wina. Więc zbieraj w troki ten chudy tyłek i ruszamy do boju.

Po czym wyszedł uprzedzić Kobrę, że resztę wniosków będzie musiała sprawdzić sama.

PO PIERWSZE

PODCHODZIĆ DO RZECZY ZGODNIE I NIE SPRZECIWIAĆ SIĘ

16 grudnia 1991 roku, Uralsk, Kazachstan

Sto trzydzieści siedem twarzy zwróciło się w stronę mistrza Kodara Kunanbajewa, który siedział tuż przy drabinkach, skrzyżowawszy nogi.

Po jego prawicy, na odległość dwóch ramion dorosłego wojownika, zajął miejsce syn – Kerej-ak. Przydomek „ak" nadano mu ze względu na niezwykły kolor włosów pozbawionych pigmentu. Legenda wojowników Bayuły głosiła, że raz na sto lat narodzi się wybraniec – dziecko z płową czupryną – które odmieni los narodu. Takiemu *babisze* szczęście będzie dopisywało całe życie. Członkowie plemienia Tama, do którego należeli Kunanbajewowie, jeszcze takiego daru od losu nie notowali w rodzinnych kiujach. Kerej był pierwszym i jak dotąd jedynym blondynem znanym w Uralsku i w promieniu tysięcy kilometrów wśród kazachskich plemion. Wprawdzie z czasem włosy mu ściemniały, nie były już białe, jak wtedy gdy był chłopcem, ale wciąż odróżniał się od pobratymców, którzy mieli owłosienie kruczoczarne i twarde jak końska sierść. Dlatego też, choć nie najstarszy, Kerej był przez ojca wychowywany na następcę przywódcy rodu. Taki obowiązek w dzieciństwie to raczej przekleństwo niż dar. Kerej-ak zaczął pracować już w trzynastym roku życia. Walczył, odkąd zaczął chodzić.

Po lewicy mistrza ulokowano matę najmłodszego uczestnika zajęć. Jura Pingot, pięcioletni syn dyrektora tutejszej kolei – choć z pochodzenia Polak – miał wielki talent do walki. Mówiono, że to z powodu tatarskich korzeni rodu Pingotów. Tradycja nakazywała Kazachom znać swój rodowód do dziewiątego pokolenia. Mieszkańcy tego kraju, choć innej narodowości, by zyskać szacunek tutejszych, również stosowali się do tej zasady. Tak też uczynił Kazimierz Pingot, znany w Uralsku pod imieniem Siergo. Wcześniej, na Syberii, Pingot był Siergiejem Pingotowem. W Polsce – Piekarzewskim, ale tego nazwiska nikt by tutaj nie wymówił, zresztą Siergo miał pamięć doskonałą, lecz krótką, i pamiętał tylko te fakty z życia, które mogły mu się do czegoś przydać.

Ten zesłany na Syberię kolejarz, prawdziwy pasjonat lokomotyw – dziś kolekcjoner, bo miał czternaście maszyn na własność i potrafił samodzielnie je naprawiać oraz mówić o nich godzinami – dorobił się na sprzedaży walut w Irkucku, a potem na łapownictwie, pośrednictwie w handlu złotem i załatwianiu rzeczy niezałatwialnych. Słowem, miał szeroką sieć przydatnych kontaktów. W tamtym czasie było to ważniejsze niż jakiekolwiek papiery, a już z pewnością ruble. Za młodu dobrze się czuł wśród typów spod ciemnej gwiazdy i mówiono, że musiał uciekać z Rosji, bo zadarł z miejscowymi włodarzami, a za komunizmu oznaczało to skrócenie o głowę. Ukrył się więc najpierw w Ułan Ude, a potem w Uralsku, który po ogłoszeniu niepodległości stał się Orałem, na samym skraju Azji, i tutaj doszedł do wysokiego stanowiska, kolaborując z Sowietami. Pewnie dlatego, że tak wiele im zawdzięczał, tak bardzo ich nienawidził. Najpierw, by przetrwać, a potem żyć godnie i wygodnie, wsparł kazachskich nacjonalistów, a trzeba przyznać, że ukochał kazachską kulturę i naprawdę szanował etos oraz za wszelką cenę starał się wkupić w ich łaski. Nie było tajemnicą, że marzy mu się kariera szarej eminencji, ale do tego potrzebował solidnego kandydata na deputowanego do parlamentu. Z autorytetem i linią rodu nieskalaną kolaboracją z Ruskimi. Tylko takiego poprą najstarsze rody, bo po przewrocie Rosjanie uciekali jak niepyszni, a ich stanowiska obsadzano Kazachami ze starych rodów. Bywało, że dotychczasowi włodarze sprzedawali wszystko w jedną noc, a resztę majątku zostawiali i wyjeżdżali w głąb Sojuza, byle na kraniec Azji.

Siergo nie bardzo miał dokąd wracać. W Rosji, z wiadomych przyczyn, grunt palił mu się pod nogami, a ojczyzny prawie nie pamiętał. Jego tatarskie korzenie kończyły się na pradziadkach i w wieku pięćdziesięciu trzech lat Kazimierz-Siergo musiałby zaczynać od zera gdzieś w Sokółce na polskim Podlasiu. Nawet nie wiedział, gdzie to jest. Drzewo genealogiczne zamówił więc u specjalisty. Trochę je podrasował, korzystając z tatarskiej krwi, ile się da, by skutecznie przeistoczyć się w przyjaciela rodu Tama. Zatem nie bez powodu zagorzale wspierał rodzinę Kunanbajewów i starał się być dla nich prawdziwym oparciem. A jeśli Siergo postanawiał zawrzeć sojusz, słowa dotrzymywał. Byleby widział lukratywne perspektywy.

Kodar, mistrz sambo, żyjąca chwała rodu Bayuły oraz autorytet moralny wszystkich młodych wojowników w Kazachstanie, który z powodu działalności opozycyjnej wobec Rosjan stracił swego czasu niemal wszystko – pracę, dobre imię, bo szykanowano go procesami i nasyłano poborców podatkowych, wreszcie był otwarcie napadany, choć zaniechano tego po czwartym incydencie, kiedy to sam jeden pokonał siedmiu przeciwników niczym legendarny samuraj Mishima – w zmieniającej się rzeczywistości politycznej miał wartość nieoszlifowanego diamentu. To taki kazachski Wałęsa, o którym Siergo czytał ostatnio w prasie i dobrze wiedział, że Kodar może być odkrytym przez niego politykiem tej miary. Może nawet dokonać rewolucji w całym kraju, ale zaczynać trzeba od czegoś małego, najpierw zdobyć przyczółek, a potem stopniowo rozszerzać wpływy, podsycając apetyt. Z tym Siergo nie miał problemu. Wiedział, czego Kazachowie dziś chcą i czego im brakuje. Taka wiedza zazwyczaj wystarcza, by dokonać zamachu stanu. Pingot, rzecz jasna, o przewrocie nie myślał. Nareszcie chciał zaznać spokoju, a bieg historii mu sprzyjał. Po dwóch latach nauk pobieranych przez jego syna u Kodara Siergo wiedział, że mistrz nie bez przyczyny tak malca wyróżnił. Kunanbajew również był zainteresowany tym, aby mający wpływy na kolei dyrektor stał za nim niczym skała. Dostęp do transportu kolejowego i magazynów chcieli mieć wszyscy: gangsterzy, biznesmeni i lokalni politycy. Jak na razie więc cele Sierga i Kodara były zbieżne. Reszta zaś miała się ukształtować – na to obydwaj liczyli.

– Zamknijcie oczy, rozluźnijcie się. Zakończymy nasze spotkanie medytacją dziękczynno-oczyszczającą – zaczął trener.

Nie mówił głośno, ale głos miał wibrujący, ton zdecydowany. Wiosną skończył pięćdziesiąt jeden lat. Jednak wciąż bez trudu, zaledwie w kilku ruchach, potrafił powalić na matę dobrze wyszkolonego przeciwnika. Nikt z zebranych w tej sali nie śmiałby mu się sprzeciwić. Panowała więc idealna cisza. Na kończące się właśnie zajęcia, mimo dnia wolnego od pracy i szkoły, przyszła rekordowa liczba zapaśników. Siedzieli teraz spoceni i głęboko odprężeni po dwóch godzinach walki na macie. Odkąd przed dwoma laty Kodar przy tutejszej szkole utworzył sekcję walki wręcz, uczestników przybywało z każdym dniem. Potem pałeczkę po ojcu przejął syn. Kerej-ak podszedł do sprawy nowatorsko. Miał dryg do biznesu. Założył fundację, płacił za salę, a od uczestników nigdy nie wziął nawet rubla. Z czasem trzeba było wprowadzić zapisy, bo chętni nie mogli się pomieścić. Przez te lata Kodar wyszkolił setki uczniów.

Ten dzień miał szczególny charakter. Sala była pełna dzieci, młodzieży, dorosłych oraz krzepkich starców. Ćwiczyli zdrowi i niepełnosprawni. Kazachowie, Rosjanie, Uzbecy, Ormianie oraz przedstawiciele wszystkich innych nacji żyjących na tym terenie. Nie hołubiono nikogo. Nie miały znaczenia status materialny, narodowość ani wiek. Wszyscy byli równi. Liczyły się godność, honor i szacunek dla innych. Kodar mawiał, że w każdym drzemie wojownik. I dowodził tego nieustannie. Jego uczniowie, zwani Złotymi Chłopcami Azji, z dumą wypowiadali się o trenerze. Początkowo Kodar zamierzał szkolić dzieci głównie z patologicznych środowisk oraz młodzież mieszkającą w biednych osiedlach, która spragniona autorytetu łatwo mogła wpaść w szpony miejscowych gangów. Kodarowi zależało jednak na tym, by poza sztukami walki oraz samoobroną stosowaną przez radzieckie służby specjalne, sztuką do niedawna elitarną, z której on sam zasłynął w całym kraju, uczyć, jak powinien żyć i postępować mężczyzna. Wpajano więc chłopcom zasady moralne, trenowano ciało i ducha. W krótkim czasie Szkoła Sztuk Walki Wręcz imienia Kodara Kunanbajewa w Uralsku, mistrza świata w sambo, dwukrotnego złotego medalisty w judo i legendy kazachskich wojowników plemienia Tama, zyskała renomę na miarę chińskiego klasztoru Shaolin.

Nagle pękła szyba, a mały Jurka Pingot upadł trafiony kamieniem. Tuż obok wylądował sportowy but. Z zewnątrz dobiegły do uszu medytujących śmiechy i przekleństwa, a potem odgłosy szarpaniny. Kodar obejrzał dziecko. Choć mały miał na ramieniu nabrzmiały krwiak, przyjął poprzednią pozycję kwiatu lotosu, jak gdyby nic się nie stało. Kodar dał znak Kerejowi. Jego syn wstał i podniósł kawałek płyty chodnikowej. Obejrzał – nie było żadnego liściku, tylko trochę ziemi. But miał duży rozmiar. Był porządnie rozdeptany, zagraniczny. Kerej-ak odłożył obuwie na parapet. Ocenił straty. Tylko Tusip i Dimasz, dwaj starsi uczniowie, siedzący naprzeciwko okien, zmienili miejsce, bo wokół pełno było odłamków. Reszta nie przerywała medytacji. Kerej przyniósł miotłę i wiadro z wodą. Tusip i Dima szybko zebrali szkło. Ale po chwili znów rozległ się huk, tym razem głośniejszy, a zaraz potem wszyscy usłyszeli świst. Kodar rozejrzał się w prawo i w lewo, żeby ustalić, skąd padają strzały. Wtedy niebo za oknem przecięła gorąca smuga – to były tylko świąteczne race. Ktoś w oddali zaintonował patriotyczną pieśń *Elim-aj*[*], pojawiły się fajerwerki. Słychać było odgłos skandującego tłumu. Gdzieś daleko w mieście trwał koncert z okazji powstania Republiki Kazachstanu. Dla mieszkańców tego kraju był to pierwszy dzień wyzwolenia spod radzieckiego jarzma.

Pierwsze rzędy siedziały wzorowo, ale ulokowani dalej uczniowie, którzy sądzili, że trener ich nie widzi, kierowali się już do wyjścia i chyłkiem przemykali na korytarz. Kodar nie tak wyobrażał sobie zwieńczenie dzisiejszego, świątecznego treningu. Uznał, że z powodu zamieszania czas kończyć.

---

* *Ojczyzno moja*, kompozycja Nukina Kussjina.

– Podziękujcie swoim rywalom i partnerom za dzisiejszą walkę. Przejdzie ona do historii, bo od dziś przyszłość spocznie na waszych ramionach. Niech Bóg poszczęści wam w drodze. Obdarzy was wszystkim, byle nie okrucieństwem tych, którym nie leży na sercu dobro Kazachstanu. Niech zazdrośnikom i wrogom zgorzeją wnętrzności. Nadszedł czas jutra. Przesyłam wam swoje *salem.* – Złożył dłonie jak do modlitwy i ukłonił się, dotykając czołem ziemi.

Uczniowie uczynili to samo i zabrali się do odnoszenia mat. W drzwiach powstał potężny zator. Tłum tak naparł, że jedno skrzydło trzeba było zdjąć z zawiasów. Nagle chudy, bardzo wysoki chłopak z odstającymi uszami upadł na plecy i zwinął się wpół jak po ciosie w przyrodzenie. Kodar popatrzył zbulwersowany. Nie dowierzał, że w ten świąteczny dzień jego wychowankowie zachowali się tak niegodnie. Już ruszał, by zganić młodych za zapalczywość, kiedy tłum się rozstąpił, a prawdziwa przyczyna dziwnego zachowania uczniów ujawniła się sama. Do sali wdarła się zbrojna grupa dżygitów* ubranych w ekstrawaganckie skóry i zagraniczne dżinsy. Byli już zdrowo podchmieleni. Zza pasków wystawały kolby pistoletów. U ramion przybyszy wisiały mocno umalowane i wydekoltowane dziewczyny. Dwie z nich niemiłosiernie zawodziły. Niełatwo było rozpoznać, że śpiewają słynną pieśń ślubną *Żar-żar*. Grupa musiała świętować od rana, bo mężczyźni mieli w rękach butelki z wódką lub winem musującym, którymi potrząsali, po wielkopańsku polewając maty. Największy z nich, iście zwierzęcej postury i tuszy, niósł nad sobą drzwi, które postawił obok przy ścianie, jakby to był arkusz papieru. Był tylko w jednym bucie.

---

* *Dżygit* – odważny i waleczny kaukaski góral lub Kozak; junak. Potocznie: rozbójnik.

– Patrz, jaki Buratino – zaśmiewały się dziewczyny z czerwonego ze wstydu dryblasa z odstającymi uszami.

Wtedy wszyscy dostrzegli, dlaczego chłopiec wciąż leży skulony na ziemi. Jeden z napakowanych dżygitów trzymał wymierzony w niego urzyn. Teraz, zadowolony, schował broń za plecami.

– Isa! – krzyknął Kerej-ak. – Wróć na miejsce!

Chłopak pośpiesznie wycofał się pod ścianę.

Kodar milczał, ale na jego twarzy malował się gniew. Skośne oczy zmieniły się w czarne szparki. Nie pochwalał picia alkoholu w ogóle, a w sali, w trakcie treningu – było to świętokradztwo. Dlatego uczniowie w napięciu czekali na reakcję mistrza, który ruszył do ostatniego rzędu, gdzie stał pobity chłopak z odstającymi uszami. Szepnął mu coś mrukliwie i z chmurą gradową na licu nadal obserwował sytuację. Konflikt wisiał w powietrzu. Starsi wojownicy wzięli do rąk bambusowe kije i stanęli przy ścianach. W każdej chwili byli gotowi do walki, jeśli tylko trener da im znak. Niektóre, co odważniejsze dzieci, również pozostały na sali, czując zew przygody.

– Miko, spójrz! Tam jest bucik naszego Wani – pisnęła do swojego chłopaka jedna z wyfiokowanych ślicznotek, wskazując parapet. Pozostałe zachichotały głupkowato, z pogardą spoglądając na armię Kunanbajewa. – Będzie draka, Bierik. Przedszkole staje przeciw wam.

Kerej wymienił spojrzenia z ojcem i zrozumiał, że jeszcze nie czas na atak. Mimo to ustawił w szeregu swoich najlepszych uczniów. Tusip z Dimaszem chwacko wystąpili z rzędu, deklarując swoją gotowość. Kerej zapamiętał ich zachowanie, choć nie powiedział ani słowa. Ale oni nie potrzebowali wyjaśnień. Przekaz mistrza był prosty: nikt z obecnych nie ma prawa opuszczać sali. Jeśli sytuacja się zaostrzy, będą mieli okazję sprawdzić swoje umiejętności. Nawet ci najmłodsi czuli podekscytowanie.

– Niech żyje Kazachstan! – wznieśli tymczasem toast intruzi.

– Sława! – odkrzyknęły pojedyncze głosy, a zaraz potem zapadła krępująca cisza.

Wtedy na sprzątających maty najmłodszych uczniów naparł rozochocony rówieśnik Kereja. Nie był wysoki, lecz twarz miał piękną, jak wyrzeźbioną z jasnego kamienia, bez zarostu. Wysokie kości policzkowe, nos godny Rzymianina. Oczy duże, lekko tylko skośne, a nad nimi cienkie, jakby narysowane brwi. Włosy krucze, długie. Jedno pasmo było splecione w kłos i ozdobione niebiesko-złotą wstęgą w barwach narodowych Kazachstanu.

– A wy, pacany, co tak siedzicie jak na jakichś torturach? – kpił bezczelnie z maluchów, choć i bez tych słów zrozumieli, że jest przywódcą tej bandy.

Reszta jego grupy zarechotała niemrawo, a potem zamarła, wpatrzona strachliwie w Kodara. Nikt nie odważył się odezwać. Jedynie rozdokazywany piękniś roześmiał się głośno, demonstrując pijacką wesołość. Podszedł do wyższego od niego o dwie głowy Kereja i wyciągnął ku niemu butelkę.

– Dziś świętujemy, bracie-ak. Odcięliśmy się od Sojuza. Mamy wreszcie nasz własny kraj. Będziemy się sami rządzić. Hola!

Młodego Kunanbajewa zmroziło. Pozostali też nie chcieli pić. Ale laluś tylko na chwilę stracił rezon. Oddał szkło kolegom, a potem wskazał olbrzyma, który przyniósł drzwi.

– Wania zgubił but.

Mięśniak jak na zawołanie raźno ruszył w stronę parapetu. Kerej był jednak szybszy. Chwycił adidas i wyprostował się, gotów do ataku. Wania przewyższał wzrostem syna Kunanbajewa i był porządnie spasiony. Jego ramiona przypominały skrzydła małego samolotu. Natarł na Kazacha z impetem, rozkładając ręce, jakby chciał płowowłosego schwycić w szczęki imadła. Kerej pochylił głowę i zamarkował cios w brzuch olbrzyma. Zamiast jednak uderzyć, wykonał półobrót. Błyskawicznie chwycił grubego pod ramię, podciął pod kolanami, zastosował „skrzydełko", wykręcając mu łokieć, a kiedy ten skrzywił się z bólu i odchylił głowę, po prostu nim zachwiał niczym kolosem na glinianych nogach. Zanim panienki przybyszy zdołały wypić kolejny łyk szampana, czołg pięknisia, zwany Wanią, gruchnął na podłogę jak długi. Tak się złożyło, że z tego miejsca maty zostały już zabrane, więc spaślaka przez najbliższy tydzień powinna porządnie boleć każda kosteczka.

Fircyk skinął z uznaniem, lecz natychmiast wysłał naprzód kolejnego śmiałka ze swojej grupy.

– Miko, pokaż, co umiesz – powiedział rozbawiony. – Podobno byłeś na kilku zajęciach.

Mimo że ten napompowany sterydami lisek miał kastet, Kerej poradził sobie z nim jeszcze szybciej. Zanim Miko zdążył wyciągnąć z buta nóż sprężynowy, broń toczyła się już pod ścianę.

Trzeci zawodnik od razu wystartował ze sztyletem.

– Dosyć! – Widząc białą broń, Kodar wystąpił z grupy i stanął w rozkroku. – Kto szuka zła, nie czyni tego z nadmiaru rozumu.

Lalki przybyszy rozchichotały się na całego, ale urodziwy dżygit natychmiast je uciszył. Zmitygował się i pojął, co należy do jego powinności. Oddał flaszkę kolegom, wyplątał się z damskich ramion oraz padł na kolana i nie podnosząc głowy, z powagą się pokajał. Widać było, że nieobce mu są kwieciste przemowy. Po wulgarnym słownictwie i braku ogłady nie pozostał nawet ślad.

– Wybacz, Kodar-san. Niech oko mi wypłynie, jeśli kłamię. Nie zauważyłem cię. Tak mi wstyd.

Kodar nie powiedział ani słowa, oniemiały na widok zdolności aktorskich młodzieńca. Chłopak złożył dłonie na piersi, na twarz wypłynął mu delikatny rumieniec. Choć może był to skutek wypitego alkoholu. Przypominał przebiegłego węża, który tańczy, hipnotyzuje, odwraca uwagę. I tylko czeka na dogodny moment, by zadać jeden cios. Jeden, ale śmiertelny.

Trener milczał jeszcze chwilę, aż wreszcie nakazał chłopcu wstać. To dodało mu pewności siebie.

– Jako dzieciak miałem pokój wytapetowany twoimi plakatami, mistrzu. – Łasił się laluś. – Wielce cię podziwiałem. To zaszczyt w końcu poznać cię osobiście, Kodar-san. Mój ojciec, Jerboł Żyrensze Bajdały, wiele mi o tobie opowiadał. Ja mam na imię Rustem.

– Wiem, kim jesteś – oświadczył Kodar. – Kiedy rodzina twojej matki urządzała *toj* z okazji pierwszej wizyty, ojciec twój prosił, bym mu towarzyszył w swatach. Potem wstydził się swego pochodzenia i mowy. Został Rosjaninem, a gdy był na placówce w Moskwie, ty się urodziłeś. Znam go dłużej, niż ty żyjesz na świecie. Mimo to, proszę, przekaż mu moje pokojowe *salem*.

Rustem się zawahał. Wyraźnie miał ochotę odpowiedzieć wulgarnie na tę potwarz, ale odwrócił się do swoich spłoszonych kompanów i zmienił zdanie.

– Przekażę, Kodar-san – zapewnił najgrzeczniej, jak potrafił, lecz oczy trenera dostrzegły wyzwanie. – Skoro znacie się z moim tatą tak długo, mam wielką prośbę. Nie możesz jej odmówić ze względu na przymierze z Jerbołem.

Kodar czekał. Twarz mu znieruchomiała. Kerej wiedział, że to zwiastun z trudem hamowanego wybuchu.

– Mistrzu, uczyń nam zaszczyt i podejmij się trenowania mojej brygady – kontynuował młody Bajdały. – To, co pokazał twój uczeń, wielce mi się podoba.

– To mój syn – przerwał mu Kunanbajew. – Kerej-ak jest mistrzem świata juniorów oraz mistrzem naszego kraju w karate i sambo. Jego imię nie powinno być ci obce. Bawiliście się razem, kiedy byliście dziećmi.

Rustem natychmiast ukłonił się Kerejowi i jego towarzyszom. Uśmiechał się przymilnie.

– Bądź więc dumny z syna, Kodar-san – pogratulował szczerze. Był w tych słowach respekt okraszony nutą zazdrości. – Jest twoim godnym następcą. Ale czegóż się spodziewać po synu wojownika. Takiej sztuki na żywo jeszcze nie widziałem. Wania był kiedyś bokserem. Nie przegrał ani jednej walki. Bądź naszym mentorem. Z twoją renomą, wiedzą, umiejętnościami, sławą – łechtał próżność i komplementował. Wreszcie zatoczył ramieniem koło. – Pstrykniesz palcami, a my wszyscy pójdziemy za tobą! To, co tutaj robicie, to szkolenie jakiejś armii.

Kunanbajew podszedł do syna i wyciągnął dłoń. Kerej położył na niej rozdeptany but. Trener oddał go Rustemowi.

– Zastanowisz się? – mizdrzył się nadal młodzian.

– Już podjąłem decyzję.

– Wspaniale – ucieszył się młody Bajdały. – Kiedy zaczynamy?

Kodar delikatnie pokręcił głową.

– Dlaczego? – Pięknis aż krzyknął. Nie takiej odpowiedzi na swoje płaszczenie się spodziewał. Chwycił się ostatniej deski ratunku: – Ojciec nie będzie szczędził na waszą fundację. Zadbam o to!

Kunanbajew podniósł dłoń. Rustem umilkł. Zawód zniknął z jego przystojnej twarzy. Zastąpił go gniew. Zacisnął usta i zmrużył oczy. Zdawało się, że płoną jak rozżarzone węgle. Jego rysy wyostrzyły się. Nie wyglądał już tak nadobnie.

– Chcę znać przyczynę!

Kodar wpatrywał się w niego tak długo, aż chłopak zmiękł. Nie pochylił jednak głowy. Patrzył w bok na buty kompanów.

– Chcesz poznać przyczynę? – zaczął bardzo cicho Kodar. – Znasz ją już. Ty nią jesteś. I twoja brygada.

Rustem przymknął powieki. Z trudem przełykał poniżenie. Zdawało się, że rzuci się na starego. Zaciskał pięści i już nie zgrywał niewiniątka. Ocenił jednak swoje szanse i natychmiast złagodniał. Ale to był tylko pozór.

– To znaczy, że odmawiasz? – upewnił się ostatecznie. – Chociaż zdradzasz tajniki wiedzy tym wszystkim brudasom: Ruskom, Ujgurom, Ormianom, a nawet Polakom! Zdajesz sobie sprawę, że takie właśnie *salem* przekażę od ciebie ojcu?

Kodar zaczekał chwilę, zanim ostatecznie potwierdził. Wiedział, że dopiero w tym momencie chłopak mówi prawdę.

– Każdy idzie własną drogą, Rustem – powiedział spokojnie, jakby prowadził zajęcia i przemawiał do wszystkich. Wskazał broń przy paskach ekipy Bajdałego. – Twoja przeczy prawidłom drogi wojownika. Ale żadna sztuka walki nie ochroni cię przed kulą.

Rustem ścisnął w dłoni zniszczony adidas. Chociaż posłał w stronę Kodara kilka złych spojrzeń, zdobył się na ostatni akt szacunku wobec starszego rodu Tama. Skłonił się nisko, jak nakazywał obyczaj, i odszedł, nie odwracając się. Za nim wymaszerowała jego świta.

– Ten chłopak zapowiada się źle – rzekł ojciec do Kereja i z uczniami dokończył sprzątanie mat.

Trzy lata później

Kerej zaparkował przed samym wejściem na targowisko i wyjął kilka paczek z bagażnika nowiutkiego żiguli koloru „mokry asfalt". Był to ostatni krzyk mody w Kazachstanie i wyznacznik prestiżu. Wszyscy przechodnie oglądali się za tym autem. Na ten model mogli pozwolić sobie tylko nieźle prosperujący biznesmeni albo bandyci. Dla postronnych zwykle znaczyło to to samo.

Paczki ułożył troskliwie na donicy stojącej na środku klombu, jedna na drugiej, by potem łatwo podnieść wszystkie naraz. Kluczyki do samochodu oddał Dimaszowi, który bacznie lustrował podjazd. Uczeń nie mógł się doczekać, kiedy zada szyku w mieście.

Na bazarze Zielona Krysza było spokojnie, choć tłumnie. Ludzie handlowali, czym się dało. Ten, kto nie miał opłaconego stanowiska, rozkładał się z polowym łóżkiem przed wejściem, a najbiedniejsi oferowali towar wprost z kraciastych toreb lub rozłożonych na ziemi koców. Deptakiem maszerowali znudzeni milicjanci.

Rosjanin natychmiast usiadł za kierownicą i poprawił lusterka. W tym roku Dimasz kończył dziewiętnaście lat i niemal dorównywał trenerowi wzrostem. Za sprawą oczu w kolorze wody i półdługich włosów spadających falami na twarz, z której nigdy nie znikał szelmowski uśmiech, młodzian wydawał się raczej marzycielem niż wojownikiem, ale to były jedynie pozory. Kapitan drużyny hokejowej i jeden z najlepszych uczniów młodego Kunanbajewa był zdyscyplinowany, uczciwy i hardy. Nie potrafił kłamać. Za przyjaciół gotów pójść w ogień. Wielu sądziło, że to wprost doskonały materiał na bohatera. Niestety bez mądrego opiekuna Dimasz nieustannie przysparzał sobie kłopotów, głównie z powodu błahostek. Owszem, był szybki, ale najpierw robił, a potem myślał. Ojciec Kereja dostrzegł tę słabość sportowca już po kilku zajęciach. Nie podobało mu się to, że spośród setek wychowanków Kerej wybrał sobie na przyjaciela akurat tego raptusa. Za to dziewczyny za Dimaszem wprost przepadały. Na dyskotece obtańcowywał wszystkie po kolei. Z imprezy nigdy nie wychodził sam. Wprawdzie zwykle przygoda trwała krótko, ale żadna się nie skarżyła. Choć ostatnia – długonoga miss Uralska, Sołtanat, zwana pieszczotliwie Swietą – zajmowała niepokojąco dużo uwagi młodego Rosjanina. Okazało się, że potrafił być rycerski, a odkąd pracował u Kereja, pieniędzy mu nie brakowało. W sumie to była dobrotliwa dusza. „Kosmiczny bobas" – mawiała o nim matka Kereja. I tak było rzeczywiście. Dimasz był pełen zapału do życia. Nie dało się go nie lubić. Kerej pamiętał jednak, że trzeba na niego mieć oko. Dlatego rzadko wysyłał go bez asysty ostrożnego Ormianina – Tusipa, z którym Dimasz trzymał sztamę od lat.

– Widzimy się w sklepie – rzucił teraz do hokeisty. – Jak zatankujesz, wracaj, bo Tusip będzie potrzebował pomocy.

I żadnego odwiedzania Sołtanat. Kocha, poczeka. A jak przyjadę od ojca, zmienię was i pojedziecie po drugą partię towaru. Nie wałęsaj się po mieście, rozumiesz?

Dziewiętnastolatek ruszył z popisowym piskiem. Kerej uśmiechnął się rozbawiony. Wiedział, jaką radość sprawia uczniom, pozwalając im używać swoich samochodów. Miał ich teraz jedenaście, a w przyszłym miesiącu zamierzał pojechać do Samary po kolejne dwa żiguli. Sprawa była dogadana. Biznes kręcił się nadzwyczajnie. Wyglądało na to, że kontrakt na hiszpańskie buty, jaki udało im się dopiąć w ubiegłym roku, to po prostu żyła złota. Ludzie mieli dość sowieckiej tandety i gotowi byli płacić spore pieniądze za dobrej jakości obuwie. Zresztą po odzyskaniu niepodległości wielu poczuło, że ma prawo żyć, jak chce: dobrze jeść, mieszkać w pięknych wnętrzach, jeździć na wakacje. Każdy zagraniczny produkt sprzedawał się na pniu. Kerejowi nie starczało ludzi, by przywozić towar.

Chwycił teraz kolumnę paczek i podniósł nie bez wysiłku. Ruszył do wejścia na targ. Ale gdy tylko wmieszał się w tłum, ktoś go potrącił. Pakunek z góry spadł. Taśma, którą był oklejony szary papier, pękła. Ulotki, znajdujące się w środku, rozsypały się po chodniku jak konfetti. Kerej przeklął w duchu bezimiennego niezdarę i odstawił pozostałe paczki na bok. Pochylił się, by pozbierać bibułę, ale ludzie już podnosili je i czytali.

– To Kodar Kunanbajew, mistrz sambo – usłyszał za plecami głosy. – Znam go. Opozycjonista, związkowiec. Był więziony i prześladowany. Będę na niego głosować.

Kerej poczuł ciepło w sercu. Odwrócił się, by zobaczyć, kto wypowiedział te słowa, ale kobieta szła już przed siebie. Usłyszał jeszcze wiele dobrego o swoim ojcu. Mieszkańcy Uralska wyraźnie byli mu przychylni. Po chwili rozsypane ulotki zniknęły z chodnika. Przechodnie wyzbierali je co do jednej. Może to i nie najgorsza forma kolportażu, pomyślał i chwycił ponownie pakunki. Wtedy ktoś pociągnął go za rękaw.

– Proszę, chyba to należy do pana.

Odwrócił się, by obsztorcować intruza. Stał przed nim niestary Kazach. Twarz miał wychudłą, oczy zaropiałe. Był brudny, w podartym ubraniu i ohydnie śmierdział. Nogę miał chromą, a może był ranny, bo podpierał się laską z okorowanej gałęzi. W usmolonej dłoni trzymał plik ulotek wyborczych Kodara. Kerej wziął je, skinął głową i ruszył dalej, mieląc w ustach słowa pogardy. Ale żebrak wciąż podążał dwa kroki za nim. Wyraźnie słychać było stukanie jego laski. Kiedy przekraczali bramę bazaru, mężczyzna znów się odezwał.

– Wspomoże pan biednego nauczyciela. Dziecko w domu głodne, żona nie żyje. Nie pamiętam już smaku baraniny. Chociaż na ćwierć kilo mąki i mleko dla córki. Chora, ma żółtaczkę – utyskiwał jednostajnie.

Kerej nie reagował, mimo że rosła w nim złość.

– Tydzień temu zostałem pobity – ciągnął swoje dziad. – Nogę mam złamaną. Dobry człowiek przemył spirytusem, ale idzie zakażenie. Spod apteki mnie przegonili. Nie mam na chleb, a skąd na leki? Do szpitala nie pójdę, bo dziecko mi umrze, jak nic nie przyniosę.

Tego już Kerej nie wytrzymał.

– Gdzie twoja godność, człowieku? – Huknął na żebraka. – Honor mężczyzny sprzedajesz za kilka tenge. Wstydu nie masz!

Odstawił paczki z impetem i zatoczył łuk ramieniem.

– Ktoś tu dostał coś za darmo?

Handlarze zwrócili już na nich uwagę. Zaczęli szeptać.

– Wszyscy ciężko pracują. Kobiety, młodzież! Nie żebrzą, tylko biorą się do pracy. Walczą o swoje. Ile masz lat, bracie, żeby prosić o jałmużnę? Zamiast tak żyć, lepiej się powieś. Tyle ci dam.

Zapadła cisza. Ktoś poparł Kereja. Inni nawoływali milicjantów, żeby przegonić nędzarza. Ten zaś tylko pochylił głowę.

– Wybacz, panie. Życie zmusiło mnie do upokorzenia. I ja rok temu miałem tutaj stragan. Lutnie i inne instrumenty muzyczne. Lepszej dombry niż u Abaja Kulinszaka nie było w Uralsku. Płyty grające, głośniki, mikrofony. Drogie akcesoria sprowadzałem z Ałamatów. Biznes kwitł. Miałem samochód i daczę. Ale jak zaczęła się sprzedaż, to przyszli po haracz. Zapłaciłem. Podnieśli stawkę. W końcu tyle kazali płacić, że w miesiąc splajtowałem. Pożyczałem u rodziny, potem od znajomych. Długów oddać nie mogłem, więc wszyscy się od nas odwrócili. Przymieramy głodem. Nie jestem pijakiem – zapewnił cicho. Wyciągnął zza pazuchy amulet na rzemyku. Kerej domyślił się, że kloszard jest muzułmaninem. – Do dziś się ukrywam, bo grozili śmiercią.

Kunanbajew milczał, ale też nie odchodził. Na bazarze znów rozlegał się gwar. Sprzedający i kupujący wrócili do swoich spraw. Przedłużające się przedstawienie bez ofiar nikogo już nie interesowało. Żebrak zawahał się i dodał:

– Wcześniej byłem nauczycielem. Pochodzę ze średniego żuzu. Moi przodkowie byli akynami. Cały majątek spieniężyłem, żeby się dorobić. Zabrali mi wszystko. Gdybym był sam, zrobiłbym, jak radzisz. Ale mam dziecko. Ktoś musi je wychować.

Kerej nadal się nie odzywał. Przyglądał się mężczyźnie. Zaniedbanie wręcz odrzucało. Zęby miał jednak wszystkie, a oczy patrzyły mądrze. Opowieść mogła być prawdziwa.

– Mówisz, że z jakiego jesteś rodu?

– Kulinszak. Ród Bahra.

Kerej zmarszczył brew. Była to rodzina intelektualistów, których niewielu było w Uralsku. Większość żyła w stolicy. Jeden z deputowanych, a jednocześnie ceniony publicysta, podpisujący się Merdybaj Umirzakow, pochodził z tej rodziny. Kodar szanował go. W przyszłości, gdy już zasiądzie w parlamencie, chciał zawrzeć z nim sojusz. Popierał jego plan reformy szkolnictwa, a przede wszystkim wprowadzenie obowiązkowej nauki języka kazachskiego. Czytał też regularnie jego felietony w gazecie.

– Piszesz? – spytał Kerej. – Jak twój wuj Umirzakow?

– Kiedyś tak. – Żebrak rozłożył ramiona. – Głównie pieśni i kiuje. Ale dziś poezja nikogo nie obchodzi. A ja brzydzę się polityką. Co najwyżej jakiś skecz mógłbym jej poświęcić – powiedział i uśmiechnął się niepewnie.

Młody Kunanbajew był pod wrażeniem.

– I twoje plemię cię nie wsparło? – Nie krył zdziwienia. – Zostawili na pastwę losu, żebyś zdychał jak pies? Do Merdybaja pisałeś?

– Bali się. Kto z naszych podejmie się walki? My nie wojownicy. Jak twój ojciec dojdzie do władzy, to może coś się zmieni. – Żebrak wskazał na ulotki. – Ale ja tego pewnie nie dożyję. Oby moje dziecko doczekało. To mi wystarczy.

– Jak masz na imię?

– Abaj.

– Jak poeta? – nie dowierzał Kerej.

– Pieśń akyna to wód nieziemskich ruczaj, słuchacz to kreda chciwie ją chłonąca – wyrecytował z powagą żebrak. – I ja kiedyś grywałem na scenie. Merdybaj Umirzakow był na jednym z moich występów. Gdybym miał pieniądze, pojechałbym po wsparcie do krewnego, ale do Celinogradu nie tak blisko, a Ałmaty jeszcze dalej. I nikt mnie w takim stanie nie wpuści do porządnego domu, a tym bardziej do redakcji czy pałacu prezydenckiego, do Merdybaja.

Kerej nie zastanawiał się dłużej. Wyciągnął dłoń.

– Twoi starzy mieli poczucie humoru. To się dobrze składa, bo ja jestem Kunanbajew. Ale nie z twojej linii. Kerej-ak Kunanbajew, z rodu Tama, klan Bayuły – przedstawił się. – Może jesteśmy krewniakami?

– Wątpię. Nie przeoczyłbym takiej wiadomości. – Abaj uśmiechnął się niezauważalnie, a po dłuższym wahaniu wytarł rękę o brudne spodnie i uścisnęli sobie dłonie. – Ale rad jestem ciebie poznać, synu Kodara.

Przyjrzał się wnikliwie Kerejowi, który odruchowo poczochrał się po jasnych włosach.

– Wybraniec. – Abaj pochylił głowę z szacunkiem.

Kerej roześmiał się niemal odruchowo. Był przyzwyczajony zarówno do tak wzniosłych słów, jak i kpin i szyderstwa. Słyszał je od dziecka i puszczał mimo uszu. Teraz wskazał rozerwaną paczkę.

– Dasz radę to podnieść?

Abaj skrzywił się, gdy się schylał, ale sięgnął po nią. Ruszyli do wejścia na bazar w samą porę, bo na podjeździe pojawili się już wezwani przez handlarzy milicjanci.

Świeże owoce i warzywa, ułożone aż pod sufit, tworzyły barwną piramidę. Wieńczyły ją przyprawy oraz bakalie. Jeszcze dziesięć lat temu luksus nie do zdobycia. Na stepie mięso i mleko były zawsze, ale soczystych pomidorów czy pomarańczy nie uświadczyłeś, jak lodów na pustyni. Kiedy Kerej z drepczącym za nim Abajem mijali stoiska warzywne, aż kręciło ich w nosie od pieprzu, imbiru czy goździków. Dalej ciągnął się szereg budek z chabaniną. Na blatach leżały baranie głowy z oczyma, rzędy kończyn krowich, jagnięcych i świńskich. Czerwone płaty bez kości i nawet jednej żyłki wisiały na hakach. Na szklanych paterach lśniły podroby. Rzeźnicy wciąż machali tasakami, a kobiety nie nadążały z odważaniem zamówień. Nabiał był po lewej stronie, ryby po prawej. Nastolatki w białych czepkach pracowicie przeganiały rojące się muchy.

– Rekieterzy – zaczął Kerej, kiedy wmieszali się w tłum. – Kto do ciebie przyszedł?

– Ludzie Nochy. – Słowa Abaja wzmacniał ruch jego ramion. – Ten bazar jest już jego.

Kerej zatrzymał się.

– Kto tak powiedział?

– Sam go sobie wziął. Milicja przekupiona. Wszyscy płacą. Masarze, szmaciarze, ci od chemii, nawet jelty. Za każde otwarcie kumalaków rezuni pobierają od babuszek po dolarze. Gniew duchów przodków im niestraszny. Oni sami są gorsi niż dżiny czy albasty. Wczoraj dzieciaka pobili, co z jajkami ze wsi przyjechał. Nawet siedemnastu lat nie miał. Pewnie biedak taki jak ja. Ile on może zarobić na tym nabiale? Z czego ma płacić? A dług już ma. Nie odpuszczą mu, znajdą, dojadą. A handlarze spirytusem to przecież wszystko ich ludzie. W naszej Mietielce na targu się zbierają. Szklanki kwasu chlebowego się nie napijesz bez ich podatku. Nikt obcy się nie ostał. Znam takich, co wyjechali przez to z miasta. Też bym uciekł, ale obiecałem mojej Alii, że nie dam córki zatracić.

– Nie mogłeś się z nimi dogadać?

– Z tymi szakalami? – Abaj zawahał się. A chwilę potem po twarzy pociekły mu łzy. – Próbowałem. Jak zacząłem negocjować, żonę wywieźli mi na żwirowisko. Było ich siedmiu. Wszyscy ją krzywdzili, po kolei. Jeszcze żyła, kiedy znalazłem ją nad Uralem. Tam ją zostawili, żeby każdy mógł obejrzeć naszą hańbę. Dziękowałem Allahowi, że szybko wziął ją do siebie.

Abaj nie dał rady dalej mówić.

Kerej czekał, aż nauczyciel się uspokoi. Mimo że płaczących mężczyzn miał w pogardzie, ta historia nim wstrząsnęła. Tragedia, którą przeżył ten człowiek, i bestialstwo agresorów usprawiedliwiały każdą słabość.

– Chciałem ich zabić. Wszystkich siedmiu. – W końcu żebrak przestał zawodzić. Uspokoił się i otarł twarz rękawem. – Zapłaciłem takiemu jednemu. Nazywają go Miko. Podobno jego ojciec był w służbach. Miał to zrobić po cichu, ale okrutnie. Ostatnie pieniądze mu wręczyłem, a on im doniósł. Następnego dnia przyszli po moje córki. Ten cały Miko był z nimi. Śmiał się, że tak mnie nabrał. Młodszą zdążyłem ukryć w szafie. Wszystko widziała: gwałt na starszej i poderżnięcie gardła. W tym roku skończy trzynaście lat. Przeżyła, ale wciąż nie może dojść do siebie. Naprawdę ma żółtaczkę.

– Dosyć! – syknął Kunanbajew. – Znasz nazwiska pozostałych?

– Zapamiętam do końca życia. – Abaj podniósł głowę. W jego oczach Kerej zobaczył nienawiść. Prawdopodobnie tylko ona pozwalała mu każdego dnia wstawać i żyć dalej, choćby jak ostatni dziad. Byle ocalić dziecko. Teraz Kerej go rozumiał. – Tylko pamięć mi została. Gdyby znalazł się ktoś, kto się temu przeciwstawi. Ktoś odważny, kto by im pokazał, że nie są wszechwładni. Ludzie by go błogosławili. Wszyscy by za nim stanęli jak jeden mąż.

Hardość Abaja trwała jednak tylko chwilę.

– To niemożliwe. Nikt ich nie powstrzyma, nie ocali nas. – Znów się rozkleił. Zawodził jeszcze rozpaczliwiej. – Oni mają kryszę. A ja nie mogę już nic zaoferować, żeby dokonać zemsty. To też wiedzą. Jestem psem, którym mogą pomiatać. Pluskwą do zgniecenia, jeśli im się napatoczę. Takich jak ja są setki, Kerej-ak. Sprawy nawet nie było. Jeszcze z pogrzebem miałem problemy. Została pochowana dopiero dwa dni później, niech Chuda mi wybaczy. Do dziś nie pojednałem się przez to z Bogiem.

– Bóg widzi wszystko. – Kerej zdobył się na spokojny ton, choć w środku paliła go bezsilna wściekłość. – Chuda wie, że nie ty jesteś winien. Z ongonami pertraktuj. Jeśli jesteś przekonany, że twoja zemsta jest prawa, Bóg ześle ci siłę i zwycięstwo. Rozkaże, by pomagali ci aniołowie, ludzie, *peri* i dżiny.

– Łatwo ci mówić, panie, bo jesteś wojownikiem.

– Każdy mężczyzna być nim powinien – odparł Kerej. – Walka nie zawsze jest krwawa. Teraz musisz pracować, żeby zdobyć środki. Buduj siebie od nowa, a za jakiś czas karta się odwróci. Zawsze się odwraca. Wieczne Niebo nie żąda od ciebie jedynie modlitwy, lecz także aktywności.

– Masz rację. – Pokrzepiony Abaj kiwał głową. – Temudżyn rzekł: niebo i ziemia dodały nam sił i podbiliśmy lud Kereitów.

– Może i tak rzekł – przyznał mu rację młody Kunanbajew. – Nie jestem aż tak biegły w księgach. Ale wiem, że nasz świat nie jest jedyny, w jakim istniejemy i istnieć będziemy. Choć tylko szamani mają wstęp do górnego i dolnego. Obyśmy nigdy nie musieli się tam błąkać.

– Mądrze mówisz, wybrany. – Abaj pochylił głowę na znak uznania. – Jesteś godny swego miana.

– Banialuki. – Kerej machnął ręką i obaj umilkli.

Kiedy minęli część z żywnością i mieli skręcać w bardziej prestiżowy rejon targowiska zastawiony metalowymi budkami, w których sprzedawano odzież, obuwie oraz zagraniczne kosmetyki, usłyszeli odgłos szarpaniny. Początkowo nic nie było widać, bo zgromadzeni zablokowali alejkę, ale po chwili tłum się rozstąpił i Kerej dostrzegł zwartą grupę ubraną w dresy. Sprzedawcy potulnie wręczali zakapiorom zwitki zielonych banknotów. Największego z nich – Wanię – Kerej poznał od razu, mimo że od ich ostatniej walki bokser podwoił masę. Grubasowi towarzyszyła banda chuderlawych opryszków. Jednego z nich, szczurka o imieniu Bierik, choć wszyscy wołali nań Mana, Kerej też pamiętał. Księcia Bajdałego z nimi nie było. Do tak miałkich zadań, jak odbieranie haraczu, Rustem nie fatygował swojego zgrabnego tyłka, pomyślał z goryczą Kazach. Zatrzymał się z rozmysłem i nie spuścił wzroku, jak czynili inni. Mierzył się z nimi długo. Kiedy w końcu rekieterzy natarli na Kereja, Wania powstrzymał ich gestem.

– Przyjdzie pora – odezwał się do swoich i ruszył dalej.

Dopiero na końcu alei rzucił niewybredne przekleństwo, które wzbudziło rechot pozostałych. Po ich wyjściu życie bazaru natychmiast wróciło do normy. Ludzie targowali się, jakby nigdy nic się nie zdarzyło. Znów słychać było szepty i nawoływania. Nagle Abaj szarpnął Kereja za rękaw.

– To ten chłopiec. O nim mówiłem. Wczoraj wyznaczyli mu stawkę. Pewnie nie zebrał wystarczającej kwoty.

Na podłodze wśród rozbitych jajek klęczał przeraźliwie chudy młokos z odstającymi uszami. Twarz ukrył w dłoniach i głośno zawodził. Nikt nie zwracał na niego uwagi.

– Dlaczego się nie broniłeś? – rzucił z daleka Kerej i podbiegł do niego.

Chłopak nie zareagował.

– Isa, słyszysz?

Na dźwięk imienia bardzo wolno podniósł głowę.

– Sensei?

– Co tu robisz? – Kerej był wściekły. – Dlaczego nie jesteś w szkole?

Isa skulił się, purpurowiejąc ze wstydu. Nie dał rady wydusić z siebie słowa.

– Wstawaj! – rozkazał trener. – Weź paczki od Abaja i posprzątajcie.

Były nauczyciel odstawił laskę i natychmiast zabrał się do roboty.

– Chciałem dorobić kilka tenge – tłumaczył się Isa, dla odmiany blady jak ściana. – Babcia coraz mniej mi przysyła, a za kilka dni trzeba opłacić pokój. Namówiłem znajomych ze wsi, żeby dali mi do sprzedania nabiał. Oni by zarobili i ja też. Zawiodłem ich.

Kerej nie słuchał. Wręczył Isie pozostałe ulotki, aż ten ugiął się pod ciężarem paczek, ale nie pisnął.

– Rozkleicie to z Abajem w mieście, a potem wszystko mi opowiesz.

Przed straganem Kereja tłoczyły się kobiety. Wyrywały sobie z rąk buty i bez mierzenia pakowały do siatek. Widać Dimasz zastosował się do poleceń szefa, bo stał teraz wśród rozemocjonowanego tłumu bab i doradzał, wymieniał rozmiary oraz komplementował kształt stóp, choćby były szpotawe. Okrągły na twarzy Ormianin pobierał pieniądze i pilnował, żeby nikt nie kradł.

– Brakuje numerów! – krzyknął radośnie Dimasz, lecz umilkł na widok świty trenera.

– Kluczyki – zażądał Kerej, a dopiero potem zwrócił się do Isy: – Siedziałeś kiedyś za kierownicą? Jak nie, to się nauczysz.

Isa chłodno przywitał się z ulubieńcami Kereja. Był pewien, że znają go z sekcji, ale patrzyli na niego nieufnie. Zawsze mieli go za mięczaka, a on nie zamierzał niczego nikomu udowadniać. Abaj, wciąż trzymając torbę Isy zapaćkaną zaschniętymi jajkami oraz krwią, przezornie pozostał z tyłu. Nie chciał odstraszać klientów nowego sojusznika, za jakiego już uważał syna Kodara.

– Poczekają panie godzinę czy umówimy się na popołudnie? – zwrócił się do kobiet Kerej. – Przywieziemy nowe modele. Skóra na zewnątrz, w środku i na podeszwie. *Made in Spain*. Są nawet czerwone – uśmiechnął się, kiedy zaczęły nawoływać siostry i koleżanki. – Dimasz, zrób paniom herbaty. A ty, Tusip, skocz po figi i holenderskie ciastka. Kup te maślane. U Bałmazego widziałem.

Kobiety były zadowolone. Rozsiadły się na pustych kartonach, a Dimasz, nie marnując nawet chwili, zaczął je emablować.

Kerej tymczasem wyjął zza cholewy swojego buta składany nóż, rozciął kartony i jeden z największych plakatów przymocował do witryny. Z postera w pozycji Bruce'a Lee spoglądał na klientki mistrz Kodar. Napis na dole głosił, że to nowy kandydat na deputowanego z Uralska. W gwiazdkach umieszczono zasługi sportowca i opozycjonisty, a na dole znajdowała się lista jego postulatów wyborczych. Ojciec nie uśmiechał się na tym zdjęciu i Kerej długo dyskutował ze starszyzną, czy właśnie tę fotografię wybrać do powielenia. Ale nie miał racji, bo upozowany na wojownika Kodar natychmiast wzbudził zainteresowanie pań. Abaj też to zauważył i wypchnął Isę, by rozdał klientkom po kilka ulotek, które będą mogły zanieść do domu.

– Te większe przyklejacie na słupach ogłoszeniowych albo przy wejściach do klatek – wydawał polecenia Kerej. – Te małe na przystankach i płotach. Ale tylko w dwóch miejscach na górze, żeby można było je łatwo oderwać.

Abaj z zaciekawieniem oglądał pistolet do klejenia taśmy, który dostali jako wyposażenie. Isa zaś kiwał głową jak zabawka na desce rozdzielczej samochodu. Wciąż jeszcze nie mógł dojść do siebie.

– Od czternastej jestem zajęty – szepnął, kiedy Kerej skończył. – Egzamin z fizyki. I fresk muszę skończyć. Dostałem zlecenie od Sułtana.

– Więc nie zwlekajcie – zakończył dyskusję trener. – Dimasz, powiedz naszym nowym pracownikom, gdzie jest magazyn, i uprzedź Sierga, że przyjadą. Niech zapakują po dach. Za tydzień nowa dostawa. Nie ma co trzymać towaru, bo wyjdzie z mody.

Kobiety były zachwycone.

– Będą też męskie mokasyny. Zamszowe – dodał niby od niechcenia, co je kompletnie rozbroiło.

Wiedział, że będą czekać choćby do zamknięcia. Sprzedaż mieli zagwarantowaną. Jak każdej środy. Najpóźniej następnego dnia powinni wyjechać po nową dostawę.

Kiedy potrzeby handlu zostały ogarnięte, a plakaty zawisły na witrynach, Kunanbajew podszedł do akyna. Sięgnął do kieszeni i wyjął kilka banknotów.

– Jak skończycie, pójdziesz do szpitala, niech cię tam opatrzą. Nakarmisz córkę, wykąpiesz się i przyjedziesz do mnie na trening. Porozmawiamy.

Matki stały już w drzwiach, kiedy Kerej przekroczył próg domu. Musiały obserwować ulicę i widzieć, jak parkował. Ojsze, rodzicielka Kodara, miała pierwszeństwo w powitaniu wybrańca rodu. Była niewielkiego wzrostu, przysadzista. Twarz miała pomarszczoną jak rodzynek. Przywarła do wnuka mocno, wtuliwszy głowę pod jego pachę, jakby nie widziała go co najmniej dekadę, a nie zaledwie kilka dni. Kerej pochylił się, by babcia mogła schronić się w jego ramionach. Stali tak dłuższą chwilę, wymieniając się energią i nic nie mówiąc. Mężczyzna czuł zapach jej włosów – mimo podeszłego wieku wciąż czarnych, tylko gdzieniegdzie poprzetykanych srebrną nitką. Piołun, ser owczy i czosnek stepowy – ta kombinacja zawsze będzie dla niego symbolem domu rodzinnego. Ojsze pachniała nimi niezależnie od tego, czy było lato i na głowie nosiła barwną chustę – bo bez nakrycia głowy nie ruszała się z mieszkania – czy też mroźna zima, kiedy wkładała szubę, a włosy zasłaniała stożkową czapą ze skór wiewiórek, obszywaną lisem i haftowaną kolorową nicią. Kiedyś to ona dawała wnukowi schronienie. Tuliła do snu, kołysała i karmiła. Intonowała kazachskie pieśni, nuciła kiuje. Dziś role się odwróciły – to Ojsze czerpała z jego siły. Dzięki niej Kerej znał historię swojego rodu, a także inne, znacznie starsze legendy z czasów Wielkiej Ordy – o bohaterskich koczownikach ze stepu lub też niemających godności tchórzach. Czasem śniło mu się, że to nie babcia opowiada o dawnych czasach, lecz on sam bierze udział w zimowaniu, wędrówce przez żółty ocean stepu ze stadem koni, owiec i wielbłądów, polowaniach z berkutem czy walce o ziemię z wrogimi plemionami.

Mnaura, młodsza matka, ta właściwa, która przed dwudziestu jeden laty wydała Kereja na świat, śmiała się z tej tkliwości Ojsze. Wszyscy w rodzinie wiedzieli, że nieugięta i nieustraszona babcia ma słabość akurat do tego wnuka. Dziś też, wiedząc, że Kerej przybędzie, Ojsze odłożyła dla swojego ulubieńca sporą misę baranich szaszłyków.

– Jesteś głodny, *telkara*? – zapytała i podreptała do kuchni, ciągnąc Kereja za rękę, jakby wciąż był kilkuletnim dzieckiem, a nie wielkoludem przerastającym ją o kilka głów. Do tego zdawała się nie dostrzegać, że Mnaura też chce przywitać się z synem. – Dla starszych zrobiłam pilaw i samsy. Ale dla ciebie mam coś specjalnego.

– Zaraz przyjdę – uśmiechnął się do niej czule Kerej. – Tylko rozmówię się z ojcem. Ważne i pilne sprawy wezwały do nas dziś starszych rodu.

– Tylko nie zwlekaj, *telkara*. Bo *beszbarmak* całkiem wystygnie, a trzeci raz przygrzewać nie będę.

Dopiero wtedy Kerej pochylił się do własnej matki i Mnaura mogła wreszcie wspiąć się na palce, by złożyć na czole syna długi pocałunek. Życie z Kodarem nauczyło ją, by powstrzymywać się od nadmiernych czułości. Kerej widział jednak po jej rozbłysłych oczach, że też bardzo cieszy się z jego odwiedzin. Potem pogłaskała syna po plecach, uchyliła drzwi do salonu, skąd dochodził głos telewizora, i popchnęła syna lekko naprzód, jakby chciała mu dodać otuchy. Niepocieszoną, wciąż mamroczącą coś do siebie Ojsze zabrała do kuchni. Kerej poczekał, aż drzwi za matkami się zamkną, zdjął buty i przekroczył próg pokoju, w którym toczyła się narada.

Starsi rodu siedzieli w kucki wokół dastorkonu, niewielkiego stołu, na którym matki ustawiły w małych miseczkach same smakowitości. Były manty i samsy, pilaw oraz szaszłyki. Zamiast ciastek na talerzykach przed gośćmi leżały słone kulki kurutu do pogryzania. Mężczyźni musieli radzić już jakiś czas, bo większość naczyń z przekąskami była opróżniona, a na ich twarzach Kerej dostrzegł pewne rozleniwienie. Obok ojca stał kubek po szubacie i cola, na którą Kodar pozwalał sobie wyłącznie od święta. Dwaj wujowie pili wódkę. Byli roześmiani i zadowoleni. Ze szklanego ekranu dudnił głos reportera:

„Jednocześnie idea jedności islamskiej i wartości wyznaniowo-dogmatyczne stanowią jedno z haseł wspólnych dla wielu ruchów opozycyjnych, które stawiają sobie za cel osiągnięcie sprawiedliwości społecznej".

Kerej skłonił się nisko najpierw ojcu, a potem wujom. Wskazali mu wolne miejsce między sobą. Rozlali *szaisah* do czarek i puścili je obiegiem. Była taka, jak nakazuje tradycja: mocna, aromatyczna i gorzka. Kerej odmówił dolania mleka, by ją ochłodzić, ale wziął kostkę cukru *w prikusku*. Zanim padło jakiekolwiek słowo, młody Kunanbajew wyjął zza pazuchy plakat wyborczy Kodara i mężczyźni pochylili się nad nim, mlaszcząc z zadowolenia.

– Już wisi na mieście – oświadczył z dumą. – Najwięcej kazałem rozkleić w naszych dzielnicach i na obrzeżach miasta. Ale odbiór jest dobry. Bardzo dobry. Nie słyszałem ani jednego krytycznego słowa na bazarze.

Potem streścił, co zaszło na targowisku, kiedy najmniejsza paczka z ulotkami się rozerwała. Mówił też o gangu Nochy, pobiciu młodego Isy i poznaniu Abaja, krewniaka Merdybaja Umirzakowa, którego wszyscy w tym gronie szanowali. Kerej zakończył przemowę zapewnieniem, że sfinansuje w całości kampanię ojca, bo handel butami bardzo dobrze idzie. Starsi w milczeniu się zastanawiali. Pojedli, popili, aż wreszcie, zgodnie ze zwyczajem, pierwszy odezwał się najstarszy żyjący członek rodu Tama.

– Dobrze czynisz, Kodarze – rzekł Żosuman, przeszło osiemdziesięcioletni starzec, ubrany w strój ludowy brat zmarłego męża Ojsze. – Choć wcześniej się wahałem, dziś masz moje wsparcie. Widać nadszedł czas, by wojownicy sięgnęli po władzę. Nie mamy wyboru.

Kerej odetchnął z ulgą. Spojrzał na ojca. Kodar z niepokojem czekał na następne opinie. Widać było, że bardzo to spotkanie przeżywa, choć jego twarz jak zwykle pozostała nieruchoma.

– I ja tak myślę – potwierdził chudy i żylasty Bułat, kolejny uczestnik narady. Był niewiele młodszy od kuma, ale zachował wzorową sylwetkę. W dżinsach i w swetrze włożonym na białą koszulę zdawał się tylko kilka lat starszy od Kodara. Na nosie miał druciane okulary. Był szefem szpitala miejskiego i członkiem komisji zdrowia w urzędzie miejskim. – To bardzo dobra reklama. Jeśli chcesz, zadbam, by zawisła we wszystkich naszych poczekalniach.

Twarz Kodara się rozjaśniła. Bardzo długo czekał na aprobatę swoich ludzi, więc wyraźnie się rozluźnił. Ale ulga trwała tylko chwilę. Na jego czole pojawiła się gruba zmarszczka.

– Kiedy porozmawiasz z Tolikiem? – zwrócił się do Bułata. – Dobrze by było, gdyby nas poparł. Bajdały i Darmienow się z nim liczą. Jego słowo będzie miało wpływ na to, czy zaczną stawać nam w poprzek.

– Tolik nie miesza się do polityki. Wiesz przecież. – Młodszy z wujów wzruszył ramionami. – A tamci, owszem, tolerują jego autorytet i pozwalają na sądy rodowe, ale kryszy z Nochy nie zdejmą. Przynosi za duże zyski. A zresztą sam możesz zebrać swoich dawnych kompanów i rozmówić się z senseiem. Porachunki trzeba uporządkować, zanim ludzie pójdą do wyborów. Inaczej czeka nas wojna.

– Której nie wygramy – odważył się wtrącić Kerej.

Wujowie i Kodar spojrzeli na niego groźnie. Do dobrego tonu nie należało, żeby włączali się młodsi, kiedy starsi wymieniają opinie. Kerej pochylił głowę i sięgnął po *kurut*.

– Tolik musi wiedzieć wcześniej – zirytował się nagle Żosuman. – To nie polityka, lecz strategia. Budujemy nasz kraj na nowo. Przy ustalaniu nowych zasad nie wolno pomijać Tolika.

– Ja też wcale nie uważam za swoją powinność mieszanie się do władzy – odparł urażony Kodar.

– Mówiłeś już tak kiedyś. – Bułat odchrząknął. – Nie przeszkadzało ci to krytykować samego Breżniewa. Gdybyś nie założył związków zawodowych w fabryce, ludzie nie mieliby dziś prawa do zasiłku chorobowego, urlopu, gwarantowanego poziomu minimalnej płacy. Z milicji też się zwolniłeś na znak protestu.

– Dzięki temu dobrze wiem, jak ten system działa od środka – burknął Kodar. – Do kryszy zniżać się nie zamierzam ani układać z Nochą czy tym bardziej z Futnikowem. Kiedy na pagonach miałem już belki, dzisiejszy starszy śledczy siedział w dyżurce i parzył komendantowi kawę.

Starsi rodu nic na to nie powiedzieli. W końcu ponownie głos zabrał Bułat.

– W Uralsku nie ma gołych ani głupich. Ludzie docenią twój hart ducha, kiedy trzeba będzie wrzucić kartę do urny. A Tolikiem się nie martw. Przyjdzie czas, to go przekonamy.

Żosuman cmokał z dezaprobatą. Nie podobała mu się ta koncepcja.

– Pominięty obrazi się. Nie pomoże w razie kłopotów. Tego nie chcemy – mruczał gniewnie, jakby objawiał proroctwa. – Nigdy nie wiesz, kiedy przyjdzie pora na niezależnego arbitra. Lepiej nie robić nic niż robić źle.

Kodar poczekał, aż starzec zakończy, i ponownie się odezwał:

– Idzie o co innego, wuju. Nie byłbym taki pewien przychylności sędziego Bayuły. Już sam nie wiem, po czyjej stronie stoi mój sensei. Przecież już raz byliśmy u niego we trzech. Wszyscy przysięgaliśmy mu jak jeden mąż: ja, Sobirżan i Jerboł. A kiedy nasze drogi się rozeszły, mnie usunęli z fabryki, mojej rodzinie przyszło cierpieć biedę. Wiecie to przecież. Tolik nie kiwnął palcem, by się nie narazić silniejszym.

– Mistrzowie zen tak czynią. To miało cię czegoś nauczyć – bąknął Bułat.

– I nauczyło – potwierdził Kodar. – Pokory. Ale nie tylko mnie. Cały nasz ród omal nie upadł na dno. Ojsze haftowała i szyła lisy za grosze. Mnaura poszła sprzątać. Gdyby nie twoja pomoc, wuju, i takiej pracy by nie znalazła. Czy to się godzi, aby żona wojownika zarabiała na chleb, szorując podłogi?

– Twarzy nie straciła – zaprotestował Bułat. – Pracowała uczciwie. A ty nie ugiąłeś się przed Sowietami. Honor rodu uratowałeś. Dziś żałujesz tej decyzji?

– Drogo za to zapłaciłem – odparł cicho Kodar. – Gdyby Mnaura nie była moją żoną, żyłaby jak królowa. Nie mielibyśmy procesu. Milicja nie przychodziłaby do naszego domu, żeby robić kipisz w każdy piątek. Syn skończyłby szkołę, a tak, mając trzynaście lat, musiał pójść do pracy.

– Źle na tym nie wyszedłem – odważył się znów odezwać Kerej. Twarze starszych zwróciły się w jego stronę. On jednak się nie ugiął. Uznał, że skoro jest aprobata dla działań wyborczych ojca, które on będzie opłacał, ma prawo głosu. – Legalnie zarobiłem pieniądze i trzeba je dobrze wydać. Mnie i Bibi zbytki niepotrzebne. Osman jeszcze mały, wykształcić go zdążymy. Obroty rosną, zatrudniam coraz więcej ludzi. Dziś przekonałem się, że liczą na zmiany. Chcą uczciwego reprezentanta narodu. Chcą prawości i odwagi. Nie masz w Uralsku żadnej konkurencji, tato. Taka jest prawda! Wszyscy wiedzą, że Jerboł Bajdały to długie ramię Moskwy i człowiek Darmienowa. Jeśli zostanie na stanowisku, nic się nie zmieni. Przeciwnie. System skostnieje i Nocha zawsze będzie trzymał w garści prostych ludzi. Nikt nie podskoczy. A Sobirżan to zwykły tchórz. Tyle że bogaty. On pójdzie za tym, kto mu więcej zaoferuje. Może i ciebie wesprze, jeśli mu się to opłaci.

– Obrażasz moich przyjaciół, synu – zbeształ Kereja ojciec.

– Przyjaciół? – żachnął się płowowłosy. – Tych, którzy cię zdradzili i zostawili na pastwę losu, by gromadzić majątki!

– Prawdę mówi wybraniec. – Żosuman kiwnął głową. – Bolesna to sprawa, ale tylko tak czyści się rany.

– Już wyjścia nie ma – kontynuował zachęcony dobrym słowem wuja Kerej. – Kontrkandydat jest nam wszystkim znany i wiemy, jaki będzie wynik tej batalii. Zło, represje i brutalność. To się samo nie skończy. Dziś usłyszałem słowa ludu. Jeśli znajdzie się ktoś, kto ukróci władzę Bajdałych, Nocha nie będzie więcej gwałcił i zabijał. W sprawie żony i córki Abaja nie odbył się nawet proces. Dziś będę wiedział więcej, ale przecież przykład idzie z góry. Bajdały utrzymuje kryszę nad Nochą i dzieli się wpływami z Sułtanem.

– Sobirżana Kazangapa w to nie mieszaj.

– Nie wiem, dlaczego go bronisz! – Kerej uniósł ręce w geście protestu. – Myśl, co chcesz, ojcze, ale oni działają razem. Sam wiesz, że Zere, żona Jerboła, ma w garści naszą prokuraturę. Przecież to nie tajemnica, że byliście przyjaciółmi, lecz odwróciłeś się od niego, bo Jerboł sprzeniewierzył się naszym wartościom. Co z tego, że Jerboł kradł i zawierał sojusze z Rosjanami. Dziś mamy własny kraj, a ludzie chcą żyć uczciwie. Ci, co cię znają – przecież jest takich w całym Kazachstanie setki, tysiące, miliony – nie potrzebują zachęty. Wiedzą, jakie życie ich czeka pod dalszą władzą Bajdałych i ich marionetki Darmienowa. Starosta to Rosjanin, ale jak będziesz miał mandat, wymienimy go na kogoś z naszych. Wuj Bułat to idealny kandydat na to stanowisko.

Wspomniany aż pokraśniał z zadowolenia. Żosuman w ogóle się nie odzywał. Siedział zasępiony i słuchał, pogryzając nerwowo kulki słonego sera.

– Musimy przekonać uciśnionych – emocjonował się nadal Kerej. – Tysiące tych, którym ta trójca zawróciła w głowie albo ich zastraszyła. Plakaty dadzą ludziom pewność, że się nie boisz i jesteś gotów do walki. O dobro. Teraz czas na radio i telewizję. Zlecimy zrobienie filmu. Jestem zdecydowany przeznaczyć na kampanię wszystkie pieniądze.

– Dobrze mówi – jeszcze raz pochwalił młodego Żosuman. – Ty, Kerej-ak, sam się nadajesz do polityki.

Wuj Bułat niemal miał łzy w oczach.

– Szkoda, że nie mam takiego syna – dodał i podsunął Kerejowi kieliszek, do którego aż po sam brzeg nalał wódki.

Ku zdziwieniu wszystkich Kodar podstawił do napełnienia także swój. Syn był w szoku. Ojciec od lat nie pił. Ale Kerej cieszył się, że jego gorąca przemowa spotkała się z aprobatą starszyzny, bo wyrywając się przed szereg, mógł narobić ojcu wstydu. Czekał na reprymendę, choć wiedział, że Kodar nie obsztorcuje go przy wujach, skoro jego zapał im się spodobał.

– Więc postanowione – rzekł teraz ojciec i podniósł szkło do ust. Żosuman oraz Bułat poszli jego śladem. – Za duchy przodków.

Wypili jednym haustem. Poprawili trzykrotnie. Za każdym razem – jak nakazuje tradycja – wydychając z całych sił powietrze. Przez długi czas w pokoju panowała cisza. Słychać było tylko dźwięki z telewizora.

„Wśród przyczyn aktywizacji czynnika religijnego badacze wymieniają reakcję na restrykcyjną, antyreligijną politykę w czasach radzieckich – czytał z promptera dziennikarz ubrany w groszkowy garnitur. Za jego plecami jaśniał pałac prezydenta Nazarbajewa z ogromnym malowidłem przywódcy narodu na frontowej bramie budynku. – Brak ideologii państwowej, jednoczącej ludzi, bezprawie skorumpowanych przedstawicieli władzy, łamanie praw i wolności oraz wysoki poziom bezrobocia, a także rażące zróżnicowanie społeczeństwa pod względem dochodów".

– O tym właśnie mowa – odezwał się patetycznie Żosuman. – Jeśli chcemy zapewnić naszym dzieciom bezpieczne życie, musimy stanąć naprzeciw wyzwaniu. Wierzę w tego prezydenta, bo on zapewnił nam, Kazachom, możliwość wyboru. Wielu Sowietów wyjechało lub uciekło. Te miejsca są wolne. Albo zajmiemy je my, albo tamci: Bajdały i reszta. A sprawy osobiste zostaw sobie na później. Zanim przyjdzie czas kampanii, twój proces się skończy i będziesz czysty jak łza.

– Jestem czysty – odrzekł Kodar. – Dobrze o tym wiecie. Sprawa z kradzieżą broni została spreparowana. Ich zdaniem stałem się zbyt silnym liderem związkowym. To nie jest kwestia strachu. Wiesz, że walki się nie boję. Moja Mnaura też zniesie wszystko. Bój leży w naszej naturze. Myślę jednak o tym, co na to przodkowie.

– Starszemu berło, średniemu pióro, a młodszemu miecz – podchwycił Żosuman i głęboko się zasępił.

Ani Kerej, ani nawet Bułat nie śmieli się teraz odezwać.

– Nam przypada miecz. Od wieków walczymy o honor naszych rodów. Bajdały ma zaś pełne prawo do berła. Kiedy wejdę na tę ścieżkę, pogwałcę odwieczne zasady. Ludzi nie oszukasz. To polityka, więc pewne jest, że wykorzystają przeciw nam każdy argument, by udowodnić, że ochoty na władzę nabraliśmy dla szmalu. Komu zdołasz wyjaśnić, że jest inaczej? Kto dziś uwierzy idealistom?

– Czasy się zmieniły. Nie jesteśmy już nomadami, nie mieszkamy w jurtach. Ale wciąż jesteśmy dziewiątym pod względem wielkości krajem na świecie. Mamy bogactwa i nie ma co udawać, że władza nie wymaga pieniędzy. To byłaby hipokryzja – uciął temat Żosuman. – Dobrze wychowałeś syna. Choć Kerej-ak nie mógł chodzić do szkół, zarobił tyle, by umożliwić ci godną walkę. Wyposaży cię, uczyni silnym. Ty jednak sam musisz wejść na ten ring i od ciebie zależy, czy wchodzisz z obawą, czy czujesz, że jesteś tego lauru godzien. A raczej czy chcesz wziąć na siebie odpowiedzialność za swój lud. Nie pytaj nikogo o zdanie, wojowniku. Zapytaj siebie. Jeśli potrzeba ci rady, pojedziemy do *baksy*. W aule Baskunci chyba jeszcze żyje Ajtkurman. Skoro się wahasz, nie będziemy rozmawiali ze starszymi innych plemion. Ani tym bardziej z Tolikiem.

Kodar zmrużył oczy.

– Nie waham się – wychrypiał poirytowany. – Obliczam jedynie, ile przyjdzie zapłacić. Bo trzeba będzie. Jerboła znam i wiem, że ma za sobą mocną strukturę. My naszą będziemy dopiero tworzyć.

– Mamy na to przynajmniej rok – włączył się Bułat, widząc, że dyskusja zmierza w złą stronę. – I pieniądze Kereja, a inni się dołożą. Ja sam cię wesprę. Cała nasza rodzina oraz starsi rodów. To już teraz mogę ci obiecać. Nie damy cię zniszczyć, bo jesteś nadzieją na lepszy start naszych dzieci i wnuków. Ale przecież nie chodzi tylko o nas, Kazachów, lecz o tysiące niewygodnych dla carów i Sowietów, zesłanych tutaj ludzi, którzy znaleźli na stepie swój dom. Oczywiście tych, którzy uszanują nasze przewodnictwo. Reszta winna odejść. I odejdzie.

– Niech więc się stanie. – Kodar w odpowiedzi złożył dłonie jak do modlitwy, ukłonił się w podzięce Żosumanowi i Bułatowi i dodał: – Lecz wiedzcie, że bez waszego błogosławieństwa nie zgodziłbym się.

Po tych słowach Kerej podniósł się i ruszył do kuchni. Jego dalsza obecność na naradzie była zbędna. Starsi będą teraz biesiadowali do rana, ale już nie podejmą spraw politycznych. Dobrze, że matki przygotowały furę jedzenia.

Mimo żartobliwych pogróżek Ojsze po raz trzeci podgrzała *beszbarmak* i właśnie kroiła głowę barana. Na talerzu Kereja wylądowało oko.

– Abyś bacznie obserwował otoczenie, *telkara-ak* – wyszeptała z czułością i pocałowała wnuka w sam czubek płowej głowy.

Nazar, młodszy brat Kereja, tylko zazdrośnie prychnął. Oko uchodziło za największy przysmak z pieczonej owcy i dostawał je najbardziej szanowany wśród gości. Całe szczęście zwierzę miało dwoje oczu, bo nie byłoby co dziś podać Żosumanowi. To jawne faworyzowanie Kereja od zawsze drażniło osiemnastoletniego Nazara. Podobnie jak fakt, że mimo pełnoletności nadal był zmuszony mieszkać z rodzicami. Jego dziewczyna, Nadia, miała niespełna piętnaście wiosen i mieszkała dwa bloki dalej. Spotykali się ukradkiem, bo jej rodzina podchodziła do sprawy zamążpójścia jeszcze ostrzej niż Kodar. Dlatego Nazar przyszłej wiosny planował ją porwać i w ten sposób przyśpieszyć wesele. Już nie mógł się doczekać, kiedy wydostanie się spod kurateli nadopiekuńczej Mnaury. Ponieważ Kerej szybko wyfrunął z domu, na Nazara rodzice przelali całą swoją miłość. Wciąż traktowali go jak dzieciaka, a on odgrywał swoją rolę wzorowo i nigdy nie odważył się zbuntować.

– O tobie, *babisze*, też nie zapomniałam. – Ojsze podsunęła młodzieńcowi ogromne baranie ucho. – Żebyś uważnie słuchał swojego starszego brata.

Nazar w odpowiedzi rozciągnął usta w udawanym grymasie, Kereja zaś kopnął pod stołem.

– Nie wierć się tak – upomniała najmłodszego syna matka, której czujnemu spojrzeniu nic nie umykało.

Znała zachowania swoich dzieci i w pełni rozumiała zazdrość Nazara. Niełatwo mu przychodziło być tym zwyczajnym. Jej wzrok odruchowo powędrował do ołtarzyka, gdzie na wyblakłych fotografiach każdego członka rodziny oraz ich przodków wisiały wotywne tasiemki, a przed chwilą Ojsze ułożyła tam również pierożki ofiarne, by duchy nie złościły się i wspierały żywych w ich dziele. Zaraz też podsunęła Nazarowi pysk z nozdrzami, ale nie dodała: „abyś poczuł zapach stepu", jak zawsze oznajmiała babcia, lecz udała beczenie owcy. Chłopak wybuchnął na to wdzięcznym śmiechem i w mig pochłonął swoje ucho. Już chyba się nie gniewał, bo wkrótce zwędził matce uwijającej się przy piekarniku kilka szaszłyków. Mnaura tylko dla pozoru machnęła ścierką. Miała już w pogotowiu do upieczenia całą blachę następnych. Wiedziała, że skoro Kodar pozwolił sobie dziś na alkohol, dalszy scenariusz jest wielce przewidywalny.

Za chwilę Żosuman i Bułat wydzwonią resztę kuzynów. Zjadą się starsi mniej znacznych plemion. Uczta zaś – zgodnie z kazachskim powiedzeniem: „wiadro wódki to nie picie, tysiąc kilometrów to nie odległość" – przeciągnąć się może nawet do kilku dni. Mnaura zdawała sobie oczywiście sprawę, że Kunanbajewowie potrzebowali wsparcia, by pokonać Bajdałych w przyszłych wyborach, ale nie podzielała ogólnej radości. Przeciwnie, choć sprawę kandydatury Kodara na deputowanego wałkowano w rodzinie od roku, miała nadzieję, że decyzja męża będzie inna. Patrzyła więc teraz z wyrzutem na starszego syna, który był z siebie bardzo zadowolony. A potem zerknęła na babcię, która próbowała karmić jak dziecko dorosłego już Nazara, i rzekła gniewnie:

– A ja sny mam złe, *telkara*. Tylko pożar na stepie i głód.

– Mama znów swoje? – zaczął Kerej z pełnymi ustami, ale ponieważ Mnaura zgromiła go wzrokiem, przełknął i dopiero dokończył: – Stara piosenka?

– Oraz buran – dodała płaczliwie. – Z dżutem na dokładkę.

Syn przyglądał jej się chwilę. Wreszcie podniósł się i mocno przytulił rodzicielkę. Stała jak słup soli, z rozwartymi ramionami; ze ścierką w jednej ręce, w drugiej ze słoikiem smalcu.

– Jak sprawę poprą przychylne nam rody, nigdy już nie będziesz musiała sprzątać, obiecuję. I żaden *dżut* nam nie grozi. Baranów na bazarze mamy pod dostatkiem. Ile chcesz? Przywiozę – uśmiechnął się.

– Kiedy ja lubię sprzątać. Nie o to chodzi, Kerej-ak. Co będzie, jak tamci się dowiedzą?

– Dowiedzą się. – Kerej już usiadł i jadł dalej. Danie było przepyszne. Nikt nie piekł tak dobrze barana jak jego matki. Bibi, jego żona, nie mogła się z nimi równać. Zresztą słaba była z niej gospodyni. W kółko tylko siedziałaby w książkach. – Możliwe, że już się dowiedzieli.

Kerej pokazał matkom ulotkę wyborczą Kodara. Ojsze natychmiast ucałowała twarz syna, jakby to był jakiś święty, i ustawiła nad chlebakiem obok lepioszek dla duchów. Zasłaniała cały ołtarzyk.

– To się źle skończy. – Mnaura nie dała się udobruchać. – Oni nas pogrążą.

– Nie musisz się już bać. Są inne czasy.

– Ty, synek, tego nie pamiętasz, bo i jak miałbyś. Twój brat Kim... On wie dobrze, do jakich intryg zdolni są ci ludzie. – Zawahała się, bo Ojsze nadęła się i położyła palec na ustach, by synowa umilkła. Imienia najstarszego syna w tym domu wypowiadać nie było wolno. Mnaura zaczęła się więc znów krzątać po kuchni. Waliła ze złością garnkami i trzaskała drzwiczkami. W końcu sięgnęła do lodówki i do kolejnych mis z mięsem dostawiła na tacy zmrożoną wódkę. A potem się odwróciła i rzuciła wrogo: – Oni ojca już raz zniszczyli, *telkara*. Zobacz, co z mężczyzny robi brak pracy przez dwanaście lat. Tu nie chodzi o mnie. Jak ci powiedziałam, korona mi z głowy nie spada. W domu sprzątam, to i u kogoś mogę. A w urzędzie to nie ujma. Ale mężczyzna musi pracować, wykazywać się, wygrywać. Być silnym to obowiązek mężczyzny. A jak tu nie być słabym, kiedy kobieta na niego pracuje.

– Przecież tata ma szkołę.

– Zrobiłeś mu zabawkę, żeby czuł się potrzebny – prychnęła matka. – Myślisz, że ja nie rozumiem? A teraz wpychacie go w dużą politykę. To jeszcze mniej poważne i na dodatek niebezpieczne.

– Zamilcz! – stanęła w obronie Kodara Ojsze. Patrzyła jednak nie na synową, ale na plakat wyborczy. – Nie waż się tak mówić o mężu.

– Mama sama wie, o co chodzi – jęknęła Mnuara. Wzięła już tacę w dłonie i kierowała się do wyjścia z kuchni. – Czy mama chce mieć żywego syna i wnuki? Doczekać kolejnych prawnuków?

– Sprawa prawnuków zależy już od Bibi. – Ojsze wydęła usta. – Dzieci to nie jest sprawa mężczyzny.

Mnuara odstawiła na chwilę tacę, nabrała powietrza i wypaliła:

– A może mama woli oglądać zdjęcia bliskich na ołtarzyku dla duchów? Bo Jerboł ma na usługach takie indywidua, które biją i zabijają. Czy my chcemy tak działać? Czy umiemy? A będzie trzeba. Żaden żołnierz nie decyduje sam, z kim ma walczyć. Dostaje rozkazy. To jest przeznaczenie rodu Tama. Nie władza!

– Chyba że ten żołnierz zostanie generałem. Wodzem – podkreślił Kerej. – Sam wtedy wybiera, z kim się mierzy, i nie tylko musi unieść, ale godnie to brzemię dźwigać!

– A Attyla? – włączył się Nazar. – Kimże on był, mamo? Kim byli nasi przodkowie? Jesteśmy wojownikami, ale skrzyżowanymi ze starszym żuzem. Nosimy nazwisko Kunanbajew. Wywodzimy się z Hunów. Nasz przodek podbił Rzym.

– Gadanie! – Mnaura machnęła ręką. – Każdy Kazach swoje drzewo wyprowadza od niego. Ile dzieci miałby ten chłop? Attyla, Czyngis-chan. Kiedy to było? Życia by im nie starczyło na wojowanie, gdyby się tak rozmnażali.

– Nie mieszaj się, córko, do męskich spraw! – pogroziła jej Ojsze. – I nie kalaj więcej autorytetu męża. Tak się nie godzi przy synach.

Mnaura się poddała.

– Nigdy nie powiem tego publicznie. Matka przecież wie. Chciałam tylko, żebyście wiedzieli, jakie jest moje zdanie. Ostrzegam.

– Właśnie dlatego nikt cię nigdy nie pyta – zakończyła dyskusję Ojsze. – Bo gadasz głupstwa i nie wierzysz.

A potem zapaliła w intencji Kodara świecę wśród lepioszek z tandyru, złożonych w ofierze duchom. Płomień zgasł, zanim obie kobiety, udając zgodę, wyszły z kuchni z pełnymi półmiskami. Nikt jednak tego nie zauważył, bo przybywali kolejni goście.

Leżała na boku naga, z bezwstydnie wypiętymi pośladkami, wtulonymi w biodra Kereja. Czuł ciepło jej skóry. Wsłuchiwał się w spokojny, miarowy oddech. Musiała po wszystkim przysnąć, bo choć gładził jej jasne włosy spływające na poduszkę grubymi lokami i szeptał czułości w swoim języku, które brzmiały w jej uszach jak zaklęcia, nie reagowała. Nie odważył się wyciągnąć ramienia spod jej głowy i sięgnąć po kołdrę, by nie burzyć jej drzemki, choć ręka mu już drętwiała. Druga dłoń wędrowała po jej białych plecach, na których w tej pozycji odznaczały się wyraźnie żebra. Potem pieścił brzuch w miejscu, gdzie krzywizna łuku jest najwęższa, i napawał się tym błogostanem wynikającym z posiadania tego pięknego stworzenia na własność. Jeszcze chwila, a sam pogrążyłby się we śnie, na co dzisiejszego popołudnia nie mógł sobie pozwolić, więc przesunął dłoń niżej, przykrył jej łono, starając się w ten sposób wyciszyć źródło jej energii. Zamruczała cicho. Wcale nie spała. Przesunęła jego dłoń niżej, aż poczuł, że znów jest wilgotna i rozpalona. Wtedy odwróciła się do niego twarzą, oplotła jego uda swoimi i pocałowała zachłannie, nie otwierając oczu. Poczuł, że budzi się ponownie.

– Moja dzikuska – wyszeptał, kiedy udało mu się kolejny raz unieść ją w przestworza, a potem bezpiecznie sprowadzić na ziemię.

Krótko się zaśmiała i zaraz schowała pod kołdrą, aż po sam czubek nosa. Łapczywie łapała powietrze, wydychała krótkimi zrywami, tak jak ją nauczył.

– Cała pulsuję – wyznała. – Chcę dziś więcej. Zostań.

Zesztywniał. Próbował się odsunąć, ale mu nie pozwoliła. Wczepiła się w niego i patrzyła jak zranione zwierzę. Zrobiło mu się jej szkoda. Pogładził ją po twarzy.

– Jeszcze więcej?

W jej zielonych oczach zatańczyły figlarne ogniki.

– Chcę, żebyś ty też poleciał. – Chwyciła go za jądra i pogładziła delikatnie. Wstrzymał oddech, aż poczuł prąd idący w kierunku mostka. – Nie trzymaj tych skarbów tylko dla siebie. Dziś możemy do końca.

Dobrze wiedziała, jak go obsługiwać. Był teraz gotów ulec jej we wszystkim. Na szczęście zabrała dłonie. Wyswobodził się z jej objęć, położył na plecach, rozciągając mięśnie. Patrzył w osmolony sufit. Dopiero po dłuższej chwili mógł znów myśleć klarownie.

– Coś tam wykombinujesz – kusiła. – Zgódź się.

Pomyślał, że trzeba pobielić to mieszkanie. Wcześniej nie było na to czasu. Nie chciał, by jego kobieta żyła w takim brudzie. Coś trzeba będzie postanowić.

– Nie mogę.

– Czyli będzie jak zwykle? – W jej głosie pojawiła się skarga. – Nienawidzę sama zasypiać. Jest mi zimno.

– Kupiłem ci grzejnik. Nie działa?

Podniósł się na łokciu i rozejrzał po pokoju. Okno było otwarte. Wiatr bawił się haftowaną firaną. W szybach stojącego przy ścianie kredensu odbijało się zachodzące słońce. Mebel zdawał się płonąć. Na stole leżały jego równo ułożone rzeczy: portfel, zegarek, kluczyki do samochodu. Ten porządek niweczył jej poplamiony biustonosz. Stara, kiedyś kremowa halka, zawisła na jednym ramiączku na oparciu krzesła. Skotłowane ubrania obojga znaczyły drogę, którą błyskawicznie przeszli od momentu, gdy Kerej pojawił się w drzwiach. W jeden z jej długich sznurowanych butów zaplątała się pończocha. Pas był rozerwany. Spoczywał na podłodze niczym martwy zwierz, wciąż przypięty do zniszczonej koronki ze stylonu. Przenośny kaloryfer, opakowany w karton z niemieckimi napisami i obwiązany pieczołowicie sznurkiem, stał pod oknem.

– Nie chcę farelki, chcę ciebie – utyskiwała. – Chcę zasypiać i budzić się przy moim ukochanym. Zjeść razem śniadanie. Wspólnie pożyć. Przynajmniej byś poudawał.

Nie znosił, kiedy zaczynała tak kwękać. Wiedziała, że nic nie wskóra, ale robiła to coraz częściej.

– Dziś mam ważne spotkanie. Wrócę późno – zakomunikował na odczepnego.

Wciąż myślał tylko o tym, komu zlecić malowanie. Abaj i Isa byli nowi. Tusip? Jemu mógł zaufać. Zbiera na wykupienie auta i chętnie podejmie się dodatkowej pracy. Ale wtedy o sprawie dowie się Dimasz. A ten, jak się upije, może wypaplać w roztargnieniu.

Kerej nie wstydził się Wiery. Był pewien swoich uczuć. Po prostu na razie nie widział możliwości, by ich status się zmienił. Europejska kochanka, a nawet kilka, to była norma wśród biznesmenów. Tak samo jak liczne drogie samochody i domy. Żony – wybrane i zakontraktowane przez matki z zaprzyjaźnionych rodów, zwykle jeszcze w dzieciństwie – zadowalały się statusem oficjalnym. Jeśli budżet domowy na tym nie cierpiał, przymykały oczy na „dodatkowe wydatki". Prawie nigdy jednak się nie zdarzało, aby kochanka, często naprawdę darzona miłością przez mężczyznę, gdyż sam ją sobie znalazł i zdobył, wchodziła do kazachskiej rodziny, której dobro było w klanie najważniejsze. Małżeństwo to kontrakt poważniejszy niż bliskość, porozumienie dusz i namiętność. Dobro jednostki, fascynacja i uczucia schodziły na plan dalszy, a jeśli kolidowały z interesem rodu, musiały zostać wygaszone. Wiele romantycznych uniesień kończyło się z powodu roszczeniowej postawy kobiety, która nie potrafiła zaakceptować swojej niższej pozycji w stadzie. Wiera wykazywała niebezpiecznie wiele cech takiej postawy. I choć właśnie jej niezależność pociągała Kereja najbardziej, nijak nie mógł przetłumaczyć swojej wybrance, że musi się podporządkować miejscowej tradycji, by ich romans przetrwał. Ona wiedziała swoje. Uparcie twierdziła, że są sobie przeznaczeni, domagała się zacieśniania więzi, więc chociaż początkowo miał wobec niej poważne plany i rzeczywiście chciał przedstawić ją rodzinie, teraz jego zapał przygasł i Kerej naprawdę nie miał pojęcia, jak to się dalej potoczy. Paraliżowała go wręcz myśl, że Kodar dowie się na mieście, że jego syn wybrał sobie na drugą, nieformalną żonę europejską tancerkę. Paradoksalnie to, co go do niej przyciągnęło, teraz mogło ich pogrążyć. Zanim więc zdecydowałby się na kolejny krok, Wiera musiałaby rzucić pracę w teatrze, zaaprobować zasady klanu i spokornieć. A wiedział, że kocha to, co robi, oraz że nigdy nie będzie taka jak Bibi. Nie miał zupełnie pojęcia, jak się do tego zabrać. Jedyną osobą, której powiedział o istnieniu Wiery, była Ojsze. Ale skoro wiedziała babcia, to Mnaura też pewnie jest już poinformowana.

Na razie jednak obie matki twardo milczały i miał nadzieję, że tak pozostanie, dopóki *telkara* sam nie zdecyduje, co dalej. Zamierzał pozwolić Wierze na udział w jeszcze kilku spektaklach, a potem namówić ją do odejścia z zawodu i dopiero wtedy rozpocząć negocjacje z rodziną. Jeśli zaakceptują Ukrainkę, do ustalenia pozostaną warunki. Bibi jako pierwsza żona miała oczywiście prawo weta, więc jeśli Wiera zacznie się stawiać i walczyć o dominację, wszystko będzie musiało zostać tak, jak jest. Aż w końcu się wypali. Żadna namiętność nie może rzucić cienia na spokój i bezpieczeństwo rodziny, powiedziała mu Ojsze, kiedy ujawnił jej swój romans. I miała rację, pomyślał teraz.

Zerknął na plakat nowego przedstawienia, w którym Wiera tańczyła jako solistka. W skąpym bikini wyszywanym cekinami i z ogonem z piór zdawała się do siebie niepodobna, ale taką oglądali ją wszyscy. Każdy w tym mieście mógł mu oświadczyć, że zna szczegóły anatomii jego blond zdobyczy. To stawiało Wierę na straconej pozycji jako kandydatkę na drugą żonę. Najlepiej byłoby więc utrzymać ten związek jak najdłużej w tajemnicy. Ale czy to jeszcze możliwe?

Kiedy ją poznał, wcale nie myślał o dyskrecji. Pożądał jej od pierwszej chwili, gdy zobaczył, jak w tych swoich sznurowanych butach wysiada z pociągu. Na dworcu odbierał swój towar. Ona z innymi aktorkami z Rosji przyjechała na półroczny kontrakt. Nie podszedł, nie przedstawił się, choć ustalili potem, że też go zauważyła. Miesiąc zmitrężył na obserwację, a w tym czasie nieostrożnie rozpytywał o nią na mieście. Ukrainka prowadziła się wzorowo, choć prawie każda z jej koleżanek z rewii znalazła w tym czasie amatora. Biała kochanka przydawała tutaj mężczyźnie statusu. Nie każdy mógł sobie pozwolić na taki zbytek. Kerejowi interesy szły dobrze, więc i on nabrał ochoty. Nie zastanawiał się wtedy, co zrobi, jeśli się zakocha. Drugi raz w życiu poddał się namiętności, choć jednocześnie wcale nie zaniedbywał Bibi. Wierze słał do teatru kwiaty i czekał na nią wieczorami po próbach. Odwoził do hotelu, w którym ją zakwaterowano. Karmił smakołykami, kupował szampana. Jego romantyczne zabiegi okazały się na tyle skuteczne, że nie minął tydzień, a zostali kochankami. Nie zauważył, by Wiera miała jakieś opory, żeby pójść z nim po kilku spotkaniach do łóżka, choć wtedy nic o nim nie wiedziała. Po pierwszej wspólnej nocy zaczął szukać intymnego gniazdka, w którym oboje byliby bezpieczni. Z jego perspektywy układ od początku był jasny. Skąd zatem te roszczenia?

– Też nie będę mogła wyjść wcześniej – odparła równie zimno. – Gramy dziś pierwszy biletowany spektakl, więc dobrze się składa. Oczywiście nie przyjdziesz?

– Wiesz, że nie mogę.

– Nie muszę cię wpisywać na listę. Załatwiłam lożę. Wejdziesz przez garderobę. Zadbam o to, by była zaciemniona. Mogłabym przyjść do ciebie w antrakcie.

Znów próbowała go dotykać. Odsunął jej dłoń, zaciskając w swojej.

– Nie dam rady.

Zerwała się. Sięgnęła do torebki leżącej na zdezelowanym pianinie. Wyjęła papierosy. Spojrzał z dezaprobatą, ale rozumiał, że w ten sposób próbuje okazać bunt i niezadowolenie. Pozwolił jej. Nie była przecież jego żoną. Mogła robić, co chciała. Usiadła teraz nago na oknie i zaciągała się głęboko dymem. Patrzył na jej drobne stopy. Paznokcie miała pomalowane na czerwono. Uwielbiał ten kolor, a ona o tym wiedziała. Nie wytrzymał. Siłą ściągnął ją z parapetu.

– Jeszcze cię ktoś zobaczy!

Wyrwała mu się. Narzuciła szlafrok i znów usiadła. Paliła w milczeniu.

– Myślałam, że jesteś inny – powiedziała po dłuższej przerwie. – Nie wiem, co planujesz, ale to mi się nie podoba. W jakiej roli chcesz mnie obsadzić?

– Kocham cię. – Przytulił ją. – Chcę, żebyś była częścią mojej rodziny.

Natychmiast rzuciła papierosa za okno.

– Ja ciebie też. – Podniosła głowę. Była rozczochrana, na twarzy miała resztki makijażu. Dopiero teraz spostrzegł, że płacze. Mimo to wydała mu się rozkosznie piękna. – Ale to tak ma być?

– A jak byś chciała?

– Sama nie wiem – skapitulowała. – To wszystko jest takie dziwne. Czasami mam wrażenie, że się mnie wstydzisz. Choć oczywiście schlebia ci biała kokota.

– Nie mów tak.

– Taka prawda – roześmiała się gorzko. – Przychodzisz, pieprzysz mnie. Fajnie, że wynająłeś ten lokal. – Zamilkła na chwilę. – Tylko dlaczego na drugim końcu miasta? Do teatru muszę jechać trzema autobusami. Ty też masz do mnie kawał. Przecież to po to, żeby żadna z dziewczyn nie zobaczyła twojego wozu. No i w recepcji ktoś mógłby się zorientować. Nie chodzimy po mieście za rękę. Całujesz mnie w aucie, kiedy nikt nie widzi. Na początku było inaczej.

Milczał, ale był poirytowany. Nie podobał mu się ten gwałtowny zwrot tak mile rozpoczętego spotkania. Ona jednak nie przestawała.

– A zamknąwszy mnie tutaj, możesz sobie przychodzić, kiedy i na jak długo chcesz. Jestem twoją osobistą prostytutką.

– Sama siebie obrażasz.

– Dziś wchodzimy na afisz. Spektakl będzie na scenie ze trzy miesiące. A potem przyjedzie pociąg, wrócę do Dniepropietrowska i żegnaj, Wiero. Fajnie było. Dobrze, że wpadłaś.

Wstał, zaczął się ubierać.

– Pewnie, zostaw mnie z tym wszystkim. Na pewno pomoże mi to dzisiaj w pracy.

Zapinał już koszulę. Wkładał buty.

– Za dużo mówisz.

Rzuciła się do niego, głośno łkając. Nie odtrącił jej. Objął ramionami i mocno przyciskał, aż się uspokoiła. Wreszcie usłyszał cichy szept:

– Wybacz, kochany. Nie wiem, co mnie napadło.

Nie odpowiedział. Zbierał ze stołu swoje rzeczy.

– To dlatego, że tak bardzo cię kocham, chcę być z tobą zawsze.

Odsunął ją na długość ramion i spojrzał w zielone oczy.

– Robię wszystko, by chronić twoją godność – zapewnił. – Uznaj to, co jest. Znaleźliśmy się nie przypadkiem. Zaczekaj w spokoju. Walczyć o nic już nie musisz. Ja o ciebie zadbam. Nie skrzywdzę. Pozwól mi działać w moim tempie. Wszystko się ukształtuje w odpowiednim czasie. I nie pal. Popsuje ci się cera.

Patrzyła na niego z ufnością, całkiem już uległa. Oboje byli teraz pewni, że łączy ich coś szczególnego.

– Wiem, kochany. Wszystko rozumiem. I to jest właśnie straszne.

W tym momencie usłyszeli chrzęst zamka w drzwiach. Ktoś wszedł do mieszkania. Stąpał ostrożnie, a po chwili kroki całkiem ucichły. Kerej spojrzał pytająco na Wierę. Potem zerknął na zamknięte drzwi. To Wiera je zatrzasnęła, kiedy kładli się do łóżka. Połączył fakty. Ona musiała myśleć o tym samym.

– Wynajęłam mały pokój koleżance z Ukrainy – wyjaśniła pośpiesznie. – Oksana podróżuje po świecie z małą córeczką. Nie ma nikogo, ale to dobra dziewczyna. Handluje na bazarze zrobionymi przez siebie ozdobami. Ulitowałam się, dopóki czegoś lepszego nie znajdzie. Mam nadzieję, że się nie gniewasz.

– Gniewam się – odparł świszczącym szeptem.

Odsunął ją. Posadził na krześle. A potem podszedł do gramofonu i włączył pierwszą z brzegu płytę. Pogłośnił.

– Co ona wie?

Wiera wzruszyła ramionami.

– Właściwie nic.

A więc wygadała przyjaciółce wszystko. Chciał ją zrugać, że złamała właśnie podstawową zasadę zaufania, tym samym niszcząc jego dalekosiężne plany, które wobec niej miał. Kobieta z jego kręgu kulturowego nigdy by tak nie postąpiła.

– We własnym mieszkaniu mam mówić szeptem? Co to jest, akademik? A gdyby przyszła wcześniej, jak hałasowałaś? Co by było, gdybym przyszedł dziś w nocy? Jak mielibyśmy się kochać, gdyby ona z bachorem siedziała za ścianą?

– Nic nie słyszy.

– Drzesz się jak opętana!

Wiera natychmiast wydęła wargi, śmiertelnie obrażona.

– A choćby była i głuchoniema, mam z tym problem, że ktoś tu jest.

– Daj spokój. Ulokowałam ich na końcu korytarza. W tej kanciapie za kuchnią – próbowała się bronić Wiera.

Kerej nie pozwolił jej dokończyć. Zamachnął się. Przez chwilę wydawało się, że cios jest przeznaczony dla niej, ale mężczyzna tylko pokazał na drzwi.

– Wyrzuć ją.

Wiera siedziała z opuszczonymi ramionami. Wyglądała jak mądry pies, który nie wytrzymał i narobił w salonie.

Dłonie schowała w kieszeniach szlafroka i zacisnęła w pięści. Nie ruszała się z miejsca. Wtedy znów usłyszeli pośpieszne kroki, a po chwili trzaśnięcie drzwi. Klucz ponownie przekręcił się w zamku. Zapadła cisza. Oboje długo nasłuchiwali, zanim Kerej podszedł do okna i przyjrzał się sylwetce kobiety w kurtce z samodziału. Była to drobna szatynka z kręconymi włosami, zwiniętymi niedbale w koczek. Szła pewnie, z przerzuconą przez ramię szmacianą torbą z brzęczącymi butelkami. Dziecko chyba spało, sztywno przymocowane wzorzystą chustą do jej pleców. Kobieta żwawo przebiegła przez jezdnię. Weszła do sklepu naprzeciwko. Po chwili wyszła, złożyła pustą siatkę i wsunęła ją do kieszeni.

– Ona handluje alkoholem! Czy ty zamieniłaś się z kimś na głowy? – wysyczał Kerej i huknął głośniej: – Za mało pieniędzy ci daję?

Wiera wstała. Otworzyła kredens. Na półce stało kilka napoczętych kremów, tanie perfumy i szkatułka z lichą biżuterią. Potem zaprezentowała niemal pustą szafę. Wisiały tam trzy sukienki. Butów miała dwie pary: te sznurowane, które walały się teraz na podłodze, i podniszczone tenisówki. Kerej już dawno obiecał jej kilka par z nowej dostawy, ale jeszcze nie zdążył ich przywieźć. Cały czas zapominał.

– To cały mój dobytek – oświadczyła jadowicie. – Mieszczę się w jednej walizce. Jestem aktorką. Jak mam dbać o swój wizerunek? Potrzebuję dodatkowych tenge od handlarki, żeby móc wykonywać swój zawód. Poza tym nie chcę, żebyś mi płacił. To upokarza.

– A wynajmowanie mieszkania jakiejś kombinatorce i narażanie nas na wstyd nie? Co to za kobieta, która włóczy się sama z niemowlęciem po Kazachstanie? Gdzie jest jej mąż?

Kerej otworzył drzwi sypialni i gwałtownie odwrócił się do Wiery. Na jego twarzy malowało się zaskoczenie. Kobieta podeszła do korytarzyka i również spojrzała w tamtym kierunku. Na stole stał olbrzymi bukiet róż. Był większy, niż Kerej kiedykolwiek jej przyniósł. Mężczyzna jednym susem znalazł się przy wazonie, chwycił bilecik. Na karteczce napisano: „Wciąż aktualne. Wielbiciel".

Wiera stała spłoszona, osłaniając się teraz szczelnie szlafrokiem. Gdyby jej dobrze nie znał, może rzeczywiście nabrałby się na tę udawaną płochliwość.

– Od kogo to? – Szarpnął ją za rękę.

– Musiała zostawić Oksana. – Wiera przewróciła oczyma, chwyciła zawieszony na szyi prawosławny krzyżyk i zaczęła go tarmosić. – Pewnie dlatego przyszła. Prosiłam, żeby do wieczora się nie pojawiała.

Ale Kerej wpadł w szał. Połamał kwiaty i rozrzucił je po pokoju. Kobieta roześmiała się szczerze ubawiona.

– Jesteś zazdrosny? To urocze.

Wtedy odwrócił się i zmierzył ją nienawistnym spojrzeniem, jakby szukał potwierdzenia zdrady. Nie miała jeszcze zbyt wiele na sumieniu, więc zdecydowała się powiedzieć prawdę, choć była pewna, że nie spodoba mu się to, co usłyszy. Ale po sprawie z Oksaną nic już nie mogło jej pogrążyć bardziej. Zresztą choć wciąż miała do Kereja straszliwą słabość, coś w niej pękło. Chciała mu dopiec.

– To młody chłopak. Może w twoim wieku, ale niższy i drobniejszy. Azjata – zaczęła bardzo powoli. – Był na premierze. Spodobało mu się, jak tańczę. No cóż, podobało się wszystkim. Pogratulowałbyś mi, gdybyś choć raz przyszedł na spektakl, ale ciebie nie interesuje moje życie. – Urwała i wskazała plik gazet. – Recenzje są bardzo dobre.

Porównali występ naszego zespołu do najsłynniejszej inscenizacji w Moulin Rouge. To jest we Francji.

Odchrząknęła, bo kochanek nadal się nie odzywał. Zamarł w oczekiwaniu, a na jego twarzy znów nie było widać emocji. Ale Wiera wiedziała, że to pozorny spokój. Dopiero teraz młody Kazach mógł być naprawdę groźny.

– Przekupił szatniarza i dostał się w przerwie do garderoby. Tak po prostu, bez ceregieli, spytał, ile chcę za jedną noc.

Kerej zacisnął usta. Oczy zmieniły mu się w szparki. Miotał nimi gromy z wściekłości.

– Spoliczkowałam go. – Uśmiechnęła się triumfująco Wiera. – A po spektaklu przyniesiono mi złotą bransoletkę.

– Nie wzięłaś?

– No co ty? – Zarumieniła się. – A teraz widocznie przysłał te kwiaty. Co za tupet!

– Skąd wie, gdzie mieszkasz?

– Nie wie – zapewniła szybko. – Oksana handluje na bazarze. Może on też ma tam butik? Widocznie się znają – powiedziała i natychmiast schwyciła go za ręce, spoglądając przepraszająco.

– To się zdarza. Niektórzy uważają, że tancerka to dziwka. Już to przerabiałam. Przechodzi im, kiedy nie ma na to reakcji. W przerwach będę zamykała drzwi garderoby na zasuwę, a po spektaklu wracała z dziewczynami albo taksówką. Z czasem zainteresuje się inną i odpuści.

Kerej zdawał się nie dawać wiary tym wyjaśnieniom. Stał zimny jak bryła lodu.

– Powiesz mi w końcu, kto to jest?

– Przedstawił się, ale nie zapamiętałam nazwiska.

– Może być imię. Znajdę go.

– Rustem – wyszeptała ledwie słyszalnie. – Ale nie rób afery. Nie bij się o mnie. To mogłoby ujawnić nasz związek.

Nie wpłynie też dobrze na moje stosunki z dyrekcją. Przecież to błahostka. A ten bałagan posprzątam i wypowiem Oksanie pokój. Obiecuję.

Kerej skinął tylko głową i już go nie było. Nie przytulił jej, nie pożegnał się. Nie powiedział, kiedy się zobaczą. Wypadł z mieszkania, jakby ktoś go gonił.

Wiera podeszła do okna i zobaczyła, jak kochanek wsiada do auta i odjeżdża, nie zapalając świateł, choć zapadał już zmierzch. A potem położyła się na łóżku i długo wpatrywała w plakat, na którym uwieczniono ją jako gwiazdę przedstawienia. Pomyślała, ile jej płacą, i ze złością zerwała poster ze ściany. Zgniotła go i razem z połamanymi kwiatami wrzuciła do kubła na śmieci. To samo zrobiła z najnowszym wydaniem gazet. Kiedy mieszkanie było już uprzątnięte, wykąpała się, wypastowała buty do połysku i zaczęła wybierać się do pracy. Dopiero wtedy ze skrytki w szafie wyjęła aksamitne puzderko. Wewnątrz znajdowała się gruba na palec bransoleta ze złota, wysadzana różowymi kamieniami. Od kilku dni oglądała ją bardzo dokładnie, a nawet odwiedziła jubilera, żeby wycenić. Złoto było najwyższej próby, a aleksandryty prawdziwe. Miała w ręku więcej niż tysiąc dolarów. Włożyła teraz ozdobę na przegub i od razu poczuła się pewniej. Dopiero wtedy zasznurowała swoje stare buty i raźno zbiegła po schodach. Znów była w doskonałym humorze.

Bibi uczyła się jeszcze, kiedy mąż wrócił do domu. Nie zajrzał do sypialni, choć musiał widzieć pod drzwiami zapalone światło. Poszedł prosto pod prysznic. Spojrzała na zegarek. Dochodziła północ. Kobieta stanęła nad łóżeczkiem dziecka. Osman spał z otwartymi ustami, oddychając miarowo.

Poprawiła mu kocyk i ucałowała w czoło. A potem zdjęła stos książek z łóżka, okutała się w podomkę i poszła do kuchni, by podgrzać Kerejowi kolację.

– Śmierdzi spalenizną – usłyszała, kiedy kończyła nakrywać do stołu.

– Po południu omal nie wznieciłam pożaru – odparła cicho, wciąż mieszając w garnku. – Czuć jeszcze?

Kerej pokiwał głową, ugryzł kawałek placka, lecz talerz z mięsem odsunął.

– Nie smakuje ci? – zaniepokoiła się Bibi. – To twoja babcia przyniosła. Wujowie nie byli w stanie wszystkiego pożreć. Może chcesz soli albo chili?

Pociągnął ją do siebie na kolana i wtulił głowę w jej piersi. Opadła potulnie, obejmując go mocno.

– To było przerażające i jednocześnie piękne – szepnęła mu do ucha. Z jej ust czuć było woń nalewki. Bibi w zasadzie nie piła, więc zdarzenie z ogniem musiało ją mocno poruszyć. – Nie wiem, co mnie podkusiło. Zapaliłam dziś świecę z wtopionymi różami. Wosk się stopił, płomienie zajęły kwiaty i zrobiła się z tego pochodnia. Chciałam zdmuchnąć ogień, ale tylko pogorszyłam sytuację. Miska, w której rozlał się wosk, była już gorąca. Nie mogłam jej przestawić. Zaczęłam odsuwać książki i w ogóle papiery. A potem, głupia, zalałam to wodą. Buchnęło jak z ogniska. Płomień był wyższy ode mnie.

– Trzeba było rzucić na to pled albo jakąś szmatę.

– Chciałam namoczyć kołdrę, ale jej pożałowałam. A poza tym ze strachu nie mogłam się ruszyć. Stałam jak sparaliżowana. Patrzyłam w ten ogień i zdawało mi się, że coś tam widzę. Firanka w oknie wciąż falowała. Gdyby ten płomień ją tknął, sama nie wiem, czybyśmy teraz rozmawiali. Ogień rozprzestrzeniłby się błyskawicznie. Myślałam tylko o dziecku. I jaka jestem głupia. Przecież wystarczy jedna chwila, a tragedia zmienia nasz los na zawsze. I nie ma powrotu do dawnego życia. Nic nie będzie już takie samo. To było dziwne. Jak znak.

– Znak, że nie mogę cię zostawiać samej – roześmiał się Kerej, ale twarz mu stężała.

Obrażona Bibi zeszła z jego kolan i usiadła naprzeciwko. Palcami wybrała z jego dymiącego talerza największy kawałek baraniny, jakby to była czekoladka, i włożyła sobie do ust. A potem znów podniosła wzrok na męża, przygwoździła go spojrzeniem i dodała z naciskiem:

– To było koło szóstej. Zadzwoniłam do szkoły i do Dimasza. Przysłał Tusipa. Pomogli mi posprzątać. Zajęli się dzieckiem, kiedy pobiegłam do Kodara. Nikt nie wiedział, gdzie jesteś. – Zawahała się. – Co wtedy robiłeś? Mnaura mówiła, że wyszedłeś zaraz po obiedzie.

Kerej przysunął sobie talerz i zaczął łapczywie jeść.

– Miałem spotkanie.

Spojrzała badawczo. Nie naciskała, ale pytanie wciąż wisiało w powietrzu.

– Z Pingotem – dodał szybko.

– Tym od kolei?

Potwierdził.

– Mamy towar u niego w depozycie. Czekamy na nową dostawę.

– Co się stało, kochany? Masz kłopoty? – Poczochrała go po jasnej głowie jak wyrozumiała matka, która pragnie zachęcić niegrzeczne dziecko do zwierzeń.

– Wszystko dobrze. Nie musisz się martwić – zapewnił. – Po prostu przed wyborami jest dużo spraw do załatwienia. Z ludźmi muszę rozmawiać. Tata zgodził się kandydować. Starszyzna go poprze. To już pewne.

– Wiem. – Bibi wyraźnie się rozluźniła. Sięgnęła do szafki pod zlewem i wyjęła nalewkę. Kerej zdziwił się, bo przy nim nigdy nie piła. Teraz podała dwa kieliszki. Odmówił, więc nalała tylko sobie. – Ojsze pokazała mi plakat. Ładny! – pochwaliła, ale nadal nie spuszczała z niego wzroku. Wypiła swoją nalewkę duszkiem i wróciła do tematu: – Co to może znaczyć? Wiesz, że takie rzeczy mi się nie zdarzają. To było metafizyczne. Martwię się.

– Niepotrzebnie. – Kerej oblizał palce, odsunął talerz. – Chodź spać.

Bibi pokręciła głową, wciąż rozklejona. Przyglądała się brudnym naczyniom w zlewie, jakby zbierała się na odwagę, by dodać coś jeszcze, ale zrezygnowała.

– Miałeś ciężki dzień. Odpocznij. Ja jeszcze posiedzę.

Potem zebrała zastawę i stanęła przy zlewie. Kran zakaszlał kilka razy brunatną lurą. Bibi natychmiast zakręciła kurki.

– Przyniosę ci książki – zaoferował się mąż. – A jutro zawiozę na egzamin. Zdasz na pewno. Nie ma lepszej anglistki w tym mieście.

Uśmiechnęła się smutno.

Ale zanim Kerej zdążył zasnąć, Bibi wróciła do łóżka. Czuł, jak mości się obok, więc przysunął ją do siebie. W ciemności dotknął jej twarzy. Płakała.

– To nic nie znaczy – szepnął. – Wszystko będzie dobrze.

– Bałam się – wyszeptała. – Tak strasznie się bałam. A ciebie nie było. Nigdy cię nie ma. Cały czas jestem sama.

Nie dał jej skończyć. Scałował łzy, a potem ukołysał do snu, jakby była dzieckiem. Sam leżał długo z otwartymi oczyma i różne myśli kłębiły mu się w głowie. Ogień musiał wybuchnąć, kiedy był u Wiery. Czy to przypadek? Nie myślał wtedy o rodzinie i miał o to do siebie pretensje, choć pocieszał się, że jeszcze nic się nie stało. Postanowił, że zerwie z Wierą. Kochał je obie, ale Bibi była matką jego syna, pełnoprawną towarzyszką życia, zaakceptowaną przez rodziców i mimo że nie wybrała mu jej matka, jak było to w zwyczaju, to wobec niej powziął zobowiązania, kiedy tylko okazało się, że będą mieli potomka. Nie wolno mu jej ranić. Jego obowiązkiem jest jej strzec i zapewnić opiekę. Zdecydował, że Wierę zabezpieczy. Będzie musiała to zrozumieć. Może za jakiś czas sytuacja się zmieni? Choć nie dał tego po sobie poznać, nie bagatelizował słów żony. Po prostu nie chciał jej denerwować. Też uważał, że to był znak. Czego? Jeszcze nie wiedział. Nie zmrużył oka do rana. Ale kiedy o brzasku zabrzmiał dzwonek do drzwi, wcale się nie zdziwił. Zupełnie przytomny poszedł otworzyć i dopiero widok wspomnianego w czasie nocnej rozmowy z Bibi dyrektora magazynów kolejowych dał mu do myślenia.

Siergo miał posiniaczoną twarz i zadrapania na rękach. Ubrany był jednak w czystą koszulę i garnitur, jakby wybierał się do urzędu albo na pogrzeb. Pod pachą trzymał grubą teczkę, z której wyjął plik papierów i paszporty. Rozkładał je teraz na stole w kuchni.

Kerej spojrzał na milczącą żonę, która w nocnej koszuli i podomce przygotowywała mężczyznom śniadanie.

– Wyjeżdżam jeszcze dziś – odezwał się Siergo, kiedy Bibi opuściła kuchnię i zamknęła za sobą drzwi.

Słychać było, jak ponownie usypia Osmana, bo chłopiec przebudził się z płaczem. Kerej spojrzał na zegarek. Za dwie godziny obiecał zawieźć żonę na egzamin. Jeśli chciał dotrzymać słowa, powinien załatwić sprawę z Siergiem jak najsprawniej.

– Od kiedy przychodzili? Dlaczego nic nie powiedziałeś? – Kerej zarzucił Pingota gradem pytań.

Siergo wzruszył tylko ramionami, przesuwając dokumenty w kierunku Kereja.

– Tutaj masz wszystko. Przepisałem dzierżawę na ciebie, bo Kodar kandyduje. Nie skończył się jeszcze jego proces i magazyny mogliby mu odebrać w pierwszej kolejności. Wszyscy, którzy handlują, chcą mieć dostęp do wagonów. Tam masz listę płatników. Na czerwono oznaczyłem aktualnie zadłużonych. Nie bawiłem się w odzyskiwanie należności. Po prostu dostają wilczy bilet. Po jakimś czasie tracą zyski i chcą znów odbierać towar, więc sami przychodzą w łaskę. Doliczam im wtedy nieduże odsetki. Po trzysta dolarów od partii. Jeśli ktoś notorycznie zalega, podwajam opłaty. Zasadniczo nie dyskutują. Zysk z magazynów jest pewniejszy niż lokata w banku.

– Nie mogę tego przejąć – powiedział Kerej. – To niezgodne z prawem. Łapówki, lichwa, nielegalny patronat. Trzeba by pilnować kontrahentów i w razie kłopotów rozwiązywać sprawy siłowo. Nie jestem jakimś mafioso. Co ty sobie wyobrażasz, Siergo?

– W tym kraju nie obowiązuje prawo – przerwał mu Pingot. – Wszystko liczy się w dolarach. Ale to i tak lepiej niż w Sojuzie. A wojsko macie. Wasza szkoła i renoma Kodara wystarczą. – Urwał, bo Kerej zgromił go spojrzeniem.

– Wiesz, o co mi chodzi… – Siergo pochylił głowę.

– Nie mam nawet części tych pieniędzy, które zainwestowałeś w lokomotywy. Jak ci je zwrócę?

– Nie po to przyszedłem – żachnął się dyrektor. – To przecież nie moje. Formalnie wciąż państwowe. Po prostu nie chcę, żeby magazyny dostały się w ręce tych szakali. A jak wyjadę bez przekazania pełnomocnictwa, tak się stanie. Aha, zapomniałem, na tyłach składnicy hurtowej masz beczki z ropą. Trzeba tam obchodzić się ostrożnie z ogniem. Za to chciałbym, żebyś mi zwrócił... – Przesunął w stronę Kereja kilka dokumentów. – Pieniądze potrzebne będą mi w podróży. Muszę się jakoś urządzić w nowym miejscu.

– Dokąd wyjeżdżasz?

– Zależy, jakie papiery uda mi się załatwić. Może do Polski? Wisu z Jurką na razie wysłałem do przyjaciół w Buriacji. Strasznie drogo chcieli za azyl, ale nie mogłem ryzykować. Przynajmniej na jakiś czas musimy zniknąć. Co ja gadam, już nie wrócę, Kerej – powiedział Siergo i machnął ręką zrezygnowany. – No i jest jeszcze nasze mieszkanie. Przy prospekcie Nazarbajewa; najlepsza lokalizacja. Wisu projektowała wnętrze. Marmury na klatce schodowej. Francuska tapeta w salonie.

– Wiem, gdzie i jak mieszkasz. – Teraz młody Kunanbajew mu przerwał. – To piękny dom. Całe życie na niego pracowałeś. Mnie nie stać na taki pałac. Zresztą mamy mieszkanie. Czterdzieści metrów w bloku naszej trójce wystarczy. Nie potrzebujemy innego dachu nad głową.

– Skoro tak, to pomóż mi ten lokal sprzedać. Przepiszemy na was, a jak już dokonasz transakcji, weźmiesz sobie trzydzieści procent. Ufam ci. Nie potrzebuję weksli.

Zapadła cisza.

– Niech będzie trzydzieści pięć albo i czterdzieści – podniósł stawkę Siergo.

Kerej zrozumiał, że dyrektor jest pod ścianą.

– To uczciwa propozycja. Koszty oczywiście odliczysz. Nikt nie musi wiedzieć. Zrozum, zostać nie mogę, bo jest na mnie nakaz.

– Skąd wiesz?

– Wiem – uciął Siergo. – Mam kilka dni, góra tydzień. Potem zabiorą mi wszystko, zapewnią wycieczkę do wąwozu i kulka w łeb.

– Pytam raz jeszcze, o co chodzi? – Kerej rozparł się na krześle i rozejrzał po kuchni. – Jeśli mam ci pomóc, muszę wiedzieć.

Siergo wzruszył ramionami.

– O to co zwykle. Wagony, kolej, magazyny. Przecież nie o moje liche pochodzenie. Choć sądzę, że tak to przedstawią staroście. Polak, Rosjanin, Tatar. Wszyscy jeden pies. Na tym stanowisku chcą mieć Kazacha. A ty nim jesteś z dziada pradziada. Znakomity ród. Masz respekt u wszystkich starszych. Nie ruszą cię, choć Darmienow od dawna ma chrapkę na magazyny. Doskonale wie, ile wyciągałem. W tym roku kontrolowali mnie trzynaście razy. Kwity trzepali tak dokładnie, że zyski znają na pamięć. Ale Pak w papierach trzyma porządek, więc nie bój się, mucha nie siada. Radziłbym ci zostawić w księgowości mojego Koreańczyka. Potrafi ten mały żółtek więcej niż nasi ministrowie.

Kerej wstał i podszedł do okna.

– A więc ludzie Bajdałego? To Nocha cię tak urządził?

Siergo nieudolnie zasłonił siniaki i zadrapania. Długo milczał.

– Nie jestem do końca pewien, czy Jerboł ma w tym swój udział – powiedział w końcu. – Może jeszcze nic nie wie. Ale podzielą się. Jak przyjdzie pora, Darmienow złoży jemu i Sułtanowi odpowiednią propozycję. Potrzebna jest mu ich krysza. Ten skurwiel zagiął na mnie parol, odkąd widuje mnie z Kodarem. A teraz, kiedy się ujawniliście z plakatami, działania się nasiliły. Zabezpieczają się. To logiczne. Jakbyście wygrali wybory, przynajmniej na kolei będą mieć swojego człowieka. Wiem jedno: muszę natychmiast spierdalać. Zobacz, jak skończyli Alik z fabryki broni, pułkownik Ryżow czy choćby Chińczycy ze spożywki. Mieli się za krezusów, nieusuwalnych. I już ich nie ma w Kazachstanie. Zwlekali, chytrzyli, więc ich domy stoją puste. Chińczykom dzieci porwali, jak nie chcieli oddać złota. Słyszałeś?

Kerej potwierdził. Wszyscy w Uralsku słyszeli o trzech chińskich chłopcach porwanych z przedszkola i spalonych żywcem w żwirowni. Ich ojcowie byli w radzie banku finansującego sieć nowoczesnych hurtowni. Nie zgadzali się na fuzję. Sprawców tej makabrycznej zbrodni nigdy nie znaleziono.

– Chińczycy ponoć jedli obiady w pałacu prezydenckim. Mówiono o tolerancji, domu wszystkich narodów. Gówno prawda. Ryżow miesiąc okupował jednostkę z oddziałem. Nic to nie dało. W końcu zabrał tylko to, co zmieściło się do dwóch walizek. Jak wyjeżdżał, cieszył się, że ma wszystkie członki. Ilu jego ludzi użyźnia dziś glebę nad rzeką? Nie chcę podzielić ich losu. Wiem, jak będzie, Kerej. Formalnie mnie zdegradują, oskarżą o defraudację, wytoczą proces. Akt oskarżenia już pewnie gotowy. Będę miał szczęście, jeśli zgniję w areszcie, ale pewnie do tego nie dojdzie, bo po co prowadzić przewód sądowy. Jeszcze powiedziałbym coś niewygodnego? Nocha ma mnie na liście do odstrzału. Przekupiłem jednego z nich. To sprawdzone informacje.

– A jak przyjdą do mnie? Przecież ich wszystkich sam nie pozabijam.

– Ciebie nie tkną. Nie odważą się. Jesteś płowowłosym wybrańcem, mistrzem karate i sambo, synem Kodara.

– Pierdolenie! – zdenerwował się Kerej. – Tak samo jak ciebie wywiozą mnie na żwirownię i skasują. Albo nad Ural.

– To myśl, kombinuj. Pokaż im, że nie dla psa kiełbasa! Wezwiesz swoich uczniów, obstawisz wyjścia – zapalił się Siergo. – W biurze masz szafę z bronią. Dasz chłopakom karabiny. Postękają, pokrzyczą i Nocha pogodzi się z faktem. Jeśli Jerboł jeszcze nic nie wie, wkurwi się i da wciry staroście, że robi mu koło dupy. To akurat chciałbym zobaczyć! A Kodar ostatecznie i tak dogada się z Bajdałym. Kiedyś byli kumplami.

– Nie rozmawiają od lat.

– Jeśli mają rywalizować w wyborach do parlamentu, będą musieli zawrzeć sojusz. Publicznie ataku nie będzie. W efekcie podzielą wpływy.

– Wątpię. Dopiero jak Bajdały dowie się o kandydaturze ojca, pokaże siłę.

– Nie doceniasz go. Wie doskonale. Plakaty wiszą w całym mieście. Ludzie na was liczą. Coś zrobił? Przysłał posłańca z pozdrowieniem? Jakieś ofiary? Straty w ludziach, towarze?

Kerej pokręcił głową.

– Sam widzisz. Przyznaję, to sytuacja dla nich trudna. Gdyby Kodar otwarcie nie wypowiedział im wojny…

– My wojny nie zaczynamy. Każdy ma prawo startować. Ty też! Dlaczego sam nie staniesz do wyborów? Uratowałbyś magazyny, dom i nie musiałbyś uciekać.

– Nie jestem Kazachem – zamknął temat Siergo, a Kerej wiedział, że ma rację. – Oczywiście mogę wystartować, formalnie mam obywatelstwo, ale przecież nikt na mnie nie zagłosuje. Zresztą nie nadaję się do tego.

– Wybory dopiero za rok. A ty nadajesz się najbardziej z nas.

– Dziesięć miesięcy. I gadasz jak upośledzony – złościł się Siergo. – Bajdały będzie zmuszony przełknąć tę żabę.

Startuje, więc uda, że okazał respekt dawnemu przyjacielowi. Frontalnie nie zaatakuje – powtórzył. – Wy w tym czasie przejmiecie składy kolejowe, dla pozoru udostępnicie mu jakąś część. Pozostali będą wam płacić.

– A ty? – Kerej przechylił głowę. – Co chcesz z tego mieć? Bo widzę, że naprawdę długo nad tym myślałeś. Plan cichego wspólnika na tip-top!

Siergo odchylił się na krześle i poluzował wzorzysty krawat.

– Kwitów nie potrzebuję. Wierzę wam na słowo. Jesteśmy przyjaciółmi od lat. A tam, gdzie osiądę, też będzie biznes. Możemy handlować. Obadam tylko możliwości. Kasę wysyłałbyś mi kurierem. Może któryś z twoich chłopców? Tusip jest łebski. Albo jego przyjaciel. Hokeista.

– Dimasz – podpowiedział Kerej.

– A najlepiej za każdym razem ktoś inny. Ilu z twoich ludzi jeździ do Samary po towar? Co mu zależy dodatkowo przewieźć paczkę dolarów? Łącznika się załatwi.

– Nie widzę tego.

– Porozmawiaj z ojcem.

– Nie zgodzi się.

Dyrektor był zawiedziony.

– Te magazyny ustawią was na całe życie.

– Jak wiesz, całkiem nieźle mi idzie. Więcej nie potrzebuję.

– Tak ci się tylko wydaje. A jak będziesz woził towar, jeśli stracisz dostęp do transportu kolejowego? Bo utracisz, jeśli nie zrobisz tak, jak ci radzę. Nie dopuszczą cię do tego tortu.

– Samochodami. Tak jak do tej pory.

Siergo tylko się uśmiechnął.

– Na granicy cię drapną. Dowalą cło, podatki. Pozabierają ci auta, pobiją ludzi. Żeby nie było gorzej. Kłują ich w oczy twoje sukcesy, a za chwilę zaczną cię podliczać.

– Nie będę płacił. To nie honor.

– Nie mogę tego słuchać. – Siergo ukrył twarz w dłoniach. – Jeśli nie pokażesz, że jesteś silny, zmiażdżą cię. Nic ci nie zostanie. Wiesz, jak jest. A ojcu masz obowiązek pomóc. Zarobić tyle pieniędzy na kampanię, żeby Bajdały przegrał z kretesem. Już teraz trzeba tworzyć siatkę. Wstawiać zaufanych ludzi do urzędów. Powoli przejmować wszystko. Szpital twojego wuja Bułata już dawno powinien być prywatną kliniką. Nie wiem, gdzie wy macie głowy. Magazyny to przyczółek. Możesz zbudować imperium. To jedyny moment w historii tego kraju. Myślałem, że o to wam chodzi.

– Zupełnie nie o to.

– Głupiś! – zeźlił się Siergo. – Jeśli chcesz coś zmienić, to na razie musisz zaakceptować obowiązujące metody. Gospodarka już niedługo przestanie być dzika. Za chwilę wszystko się unormuje. Klany, które dostaną się teraz do koryta, wzbogacą się i tak pozostanie. Reszta maluczkich będzie pracować dla nich. Gdzie chcesz być? To uroki czasu, w jakim przyszło ci żyć. Albo łapiesz okazję i się rozprzestrzeniasz, albo patrzysz, jak inni to robią. Miałem cię za wojownika. Jeśli się boisz, kalasz miano swoich przodków.

Kerej zaciskał usta, z trudem hamując wściekłość. Pingot miał rację, ale Kazach nie mógł tego otwarcie przyznać. I nie bał się, ale nie zamierzał się przed Polakiem tłumaczyć.

– To gangsterskie metody, Siergo. A ja jestem biznesmenem. Nie będę latał z karabinem z powodu walizki pieniędzy.

– To nie lataj. Nocha na zlecenie Jerboła ukradnie ci to, co wypracujesz legalnie. Nikt Bajdałego nie połączy z bandytami. Ale to on na tym najwięcej zyska. Sułtan go poprze, a Darmienow przyklepie sprawy formalnie. Milicja i prokuratura będą robiły swoje. Ręce wszystkich pozostaną czyste. Zgniotą cię w białych rękawiczkach. Powiedziałem już wszystko. Nie będę się powtarzał – zaperzył się Pingot.

– Nochą i jego ludźmi gardzę. Nie zniżę się do nich – odparował Kerej. – To, co proponujesz, może doprowadzić do wojny domowej. Wiesz, że mam rację. Rody staną przeciw sobie. Dlatego trzeba się dogadać bez rozlewu krwi.

Dyrektor zwiesił głowę.

– Więc nie chcesz mi pomóc?

– Nic takiego nie powiedziałem. – Kunanbajew spojrzał na zegarek. Jeśli Bibi ma zdążyć na egzamin, muszą już wychodzić. – Ale dziś nigdzie nie pojedziesz. Czekaj tu na mnie. Jedzenie masz w lodówce. Chcesz, to się prześpij.

– Więc co proponujesz?

Kerej wziął jeden z paszportów Pingota.

– Fortel – rzekł. – Trzeba ich przechytrzyć.

– Jak?

Siergo nadal nie pojmował. Na jego twarz wypłynął jednak rumieniec nadziei.

– Jest krysza, tak? – zaczął Kerej. – Starszy śledczy, prokurator i wszyscy funkcyjni siedzą w kieszeni Bajdałych. Działają pod ich kuratelą? Reszta z nimi współpracuje.

Polak się zaniepokoił.

– Chyba nie chcesz iść na milicję?

– W żadnym razie. To oni przyjdą do nas. A Nocha i ci, którzy są nad nim, na dodatek będą musieli ten gnój posprzątać. Załatwimy ich własną bronią. Zmusimy do odwrotu. Ile masz tej ropy w magazynach?

Isa wisiał pod sufitem już piątą godzinę. Głowa bolała go od wyginania karku. Domalował cherubinom żółte loki, jak mu kazano, i powiększył biusty. Sutki oznaczył ciemniejszą farbą. Miały być widoczne nawet z dołu, gdyby weselnicy chcieli podziwiać sufit w trakcie uczty. Wrzucił pędzle do wiadra, wytarł ręce szmatą wsuniętą za pasek, a potem dał znak robotnikom, że mogą spuszczać go w dół. Za godzinę miał zajęcia, a po nich chciał zdążyć na trening. Sensei przekonał go, że powinien wrócić do sekcji. Z tego, co poprzedniego dnia zarobił za roznoszenie ulotek, oddał rolnikom za potłuczone jajka i jeszcze sporo mu zostało. Schował gruby zwitek tenge głęboko pod siennikiem, a dodatkowo przykrył listami od babki. Cieszył się, że udało mu się dokończyć fresk przed czasem. Jeśli zapłacą mu w ciągu tygodnia, ureguluje komorne do końca semestru. Od dawna już nie czuł takiej euforii.

Lina zjeżdżała w dół bardzo powoli. Spostrzegł, że w jednym miejscu jest przetarta. Przełknął ślinę i pomyślał, jakie ma szczęście. Przez cały ten czas, kiedy pracował, w sali nie było nikogo. Gdyby spadł, nie miałby szans na ratunek.

Przy wejściu zbierała się liczna grupa robotników. Ale dopiero gdy był już na podłodze, poznał przyczynę zgromadzenia. W przenośnym termosie dostarczono gulasz. Pachniał smakowicie. Isa wiedział, że dla niego jedzenia nie przewidziano, i wcale nie chciał jeść posiłku z tymi ludźmi. Pragnął tylko jak najszybciej opuścić to miejsce.

Zadarł głowę. Malunek na suficie prezentował się okazale. Na błękitnym niebie igrały aniołki w białych szatach. Był zadowolony.

– Niezłe cycki – pochwalił majster, a potem szarpnął go za ucho.

Chłopak skrzywił się, lecz ani pisnął. Liczył, że otrzyma wynagrodzenie i nie będzie musiał tu wracać. Na razie jednak się na to nie zanosiło. Budowlańcy przygotowujący salę do przyjęcia wcale nie interesowali się dziełem Isy. Każdy dostał zadanie i nim się zajmował. Sala wielkości boiska do gry była już pomalowana. Przyklejano sztukaterie. Chociaż sprowadzona z zagranicy podłoga nadal była gotowa tylko przy ścianach, na środku parkieciarze pieczołowicie układali rozetę z różnych rodzajów drewna. W jej centrum znajdować się miała mosiężna ozdoba imitująca złoto. Wesele syna Bajdałych zapowiedziano na następną niedzielę, ale za dwa dni urządzano *toj*. To uczta równie ważna jak same zaślubiny i Isa nie miał pojęcia, w jaki sposób gospodarze zamierzają zdążyć z wykończeniem tego pałacu w tak krótkim terminie.

Majster sięgnął po pojemnik z mięsem.

– Zasłużyłeś.

Chłopak wziął z ociąganiem. Rozejrzał się za łyżką, ale pozostali tylko się roześmieli. Każdy miał własne sztućce. Isa patrzył na dymiącą potrawę i przełykał ślinę.

– Ja skończyłem – odezwał się w końcu. – Na którą jutro?

Majster już na niego nie patrzył. Pakował mięso do ust i co jakiś czas wycierał wąsy z sosu.

– Nie mogę cię zwolnić. Poczekaj na szefa. Zapowiedział, że osobiście dokona odbioru – rzekł, po czym wytarł swoją łyżkę o spodnie i podał Isie. – A teraz jedz.

Chłopak długo przyglądał się darowanej drewnianej chochli, ale nie zanurzył jej w swojej potrawie. Odstawił pojemnik i odparł z godnością:

– Jadłem już, dziękuję.

Ruszył do drzwi.

– Złapię oddech. Cały zdrętwiałem.

Majster schował wzgardzoną łychę do brudnej torby z narzędziami, a potem chwycił chłopaka za rękaw i przytrzymał.

– Pójdziesz. – Uśmiechnął się przymilnie, ukazując wszystkie metalowe zęby. – Ale najpierw pokaż.

– Cały dzień pracowałem – wykręcał się Isa. – Sam nie wiem, czy wyjdzie. Musiałbym odpocząć.

Majster wcale go nie słuchał.

– W grobie odpoczniesz.

Już zwoływał kolegów.

– Ej, chodźcie! Patrzcie, jakie sztuczki potrafi uszaty.

Opróżnił pudełko z papierosów. Położył je na deskę, z której robotnicy zrobili prowizoryczny stół. Obstąpili chłopaka, głośno siorbiąc i mlaskając. Isa wiedział, że nie ma wyboru. Niemal każdego dnia musiał dawać podobne przedstawienie. Przymknął oczy, starając się wyciszyć. Przeszkadzało mu sapanie zmęczonych mężczyzn oraz mieszanina zapachów. Potrafił je odróżnić: farba, kleje, mięso, wczorajszy alkohol i zestarzały pot. Nie był dziś w najlepszej formie: niewyspany, głodny, a teraz jeszcze poirytowany. Warunki wyraźnie mu nie sprzyjały, ale chciał to mieć za sobą. Spojrzał na pudełko, wciągnął powietrze nosem i zatrzymał. Skupił się na napisie wydrukowanym na wieczku. Po chwili nie słyszał już żadnych słów, nie czuł obrzydliwych woni. W brzuchu rosła mu gorąca kula, jakby połknął pochodnię. Wypluł ją ustami, wydając przy tym odgłos, jakby głośno ziewnął. Pusta paczka podskoczyła, a potem długim susem wylądowała na brzegu stołu i spadła. Odetchnął, by złagodzić potworne pieczenie, jakby miał w gardle rozżarzony drut kolczasty. Powinien się czegoś napić, ale nie śmiał poprosić. Wtedy wróciła fonia. Mężczyźni śmieli się, poklepywali go po plecach. Oglądali pudełko i szukali ukrytych sznurków lub przycisku pod stołem.

– Iluzjonista! – Majster cieszył się jak dziecko. – Ale podnieść z ziemi nie dasz rady?

Isa nie był w stanie mówić. Kręcił tylko głową. Miał wrażenie, że zaraz upadnie. Tymczasem publika dopiero się rozochociła. Majster pozbierał do pudełka rozsypane papierosy i popisywał się młodzieńcem, jakby był jego małpką.

– Teraz deska.

– Nie dam rady, szefie.

– Jak nie dasz rady, to kasy nie dostaniesz. Zalejemy twoje bohomazy cementem i od nowa zawiśniesz na tydzień.

Isa wiedział, że brygadzista jest do tego zdolny. Napiął się więc, skulił i próbował jeszcze raz wykrzesać wiązkę energii. Spojrzał na deskę, którą przytargali. Nie była gruba, ale wykonana z jednego kawałka drewna. Na szczęście z boku miała drzazgi. Skupił się na tych najsłabszych elementach przedmiotu. Mocna rzecz, stwierdził, kiedy wyciągnął nad nią ręce i starał się poczuć jej wibracje. Sam nie wiedział, jak długo był w tym stanie. Ocknął się na ziemi, z krwią sączącą się z nosa. Majster cucił go z szerokim metalowym uśmiechem.

– Zmarnowałeś nam stół, nicponiu!

Pokazali mu deskę. Była pęknięta tylko częściowo. Nie był w stanie przeciąć słoju. Uprzedzał, że jest śmiertelnie zmęczony. Ale to wystarczyło im do uciechy. Patrzyli na niego z mieszaniną obawy i szacunku. Był do takich spojrzeń przyzwyczajony. Teraz żaden z nich nie powie słowa o jego uszach. Kiedy spotkają się w mieście, będą omijać go szerokim łukiem. I świetnie, pomyślał.

Wypuścili go wreszcie przed budynek. Osunął się po ścianie i upadł bez sił, czekając, aż minie drżenie kolan. A potem przymknął powieki i starał się odprężyć. Jakiś czas pławił się w cieple promieni słonecznych, które muskały go po twarzy, aż nagle poczuł delikatne igiełki. Kłuły, jakby jakieś zwierzę obserwowało go z krzaków. Natychmiast otworzył oczy i rozejrzał się.

Dom był w oddali. Prowadziły doń trzy alejki obsadzone karłowatymi iglakami. Na podjeździe stało kilka zagranicznych aut. Zdezelowane furgonetki robotników tłoczyły się przy śmietnikach. Naprzeciw sali balowej rozciągał się bajeczny ogród, okolony ze wszystkich stron niskim żywopłotem. Zapach róż był tak silny, że chłopak miał ochotę złamać zakaz i tam wejść. Czuł, że to przyśpieszyłoby regenerację, ale zabrakło mu odwagi. Wtedy w zaroślach ujrzał umykającą dziewczynę.

Miała na sobie fioletową tunikę do kostek i zasłonięte chustą tego samego koloru włosy. Był pewien, że to ona przyglądała mu się z ukrycia. Twarzy jej nie widział. Musiała być jednak młodziutka, bo biegła lekko, jakby unosząc się nad ziemią. Przez chwilę mignęło mu jej drobne liczko, ale nie był pewien, czy rozpoznałby ją, gdyby się spotkali. Wstał i odprowadził ją spojrzeniem, i zapamiętał, za którymi drzwiami domu się skryła. Nie było to główne wejście. Dłużej już nie mógł jej obserwować, bo pod salę przygalopował kary arab. Kamyki, którymi wysypany był podjazd, wzbijały się w powietrze, aż Isa musiał się odsunąć, by nie dostać nimi w twarz. Jeździec zeskoczył zręcznie i podał mu lejce jak służącemu. Dopiero teraz Isa zauważył, jak niski i drobny jest Sobirżan Kazangap, ze względu na majątek, którego się dorobił, zwany przez wszystkich w mieście Sułtanem.

– To twój fresk – oświadczył właściciel włości. – Poznaję cię po uszach.

Sobirżan uśmiechnął się, odsłaniając tak szeroko zęby, że Isa dostrzegł jego różowe dziąsła. Było w tym coś nieprzyjemnego, zwierzęcego. Oczy miał duże, niemal europejskie. Powieki tylko nieznacznie opadały w kącikach. Twarz była wąska jak u szczura. Mężczyzna zaczesywał włosy do góry, co nadawało mu bardzo młodzieńczy wygląd. Mimo dojrzałego wieku wciąż mógł podobać się kobietom. I zresztą skwapliwie z tego korzystał, bo choć miał już trzy żony, mówiono, że przymierza się do wzięcia czwartej. Negocjacji z rodziną szesnastoletniej Kunke jeszcze nie zakończono, ale wszystko było na dobrej drodze. W Uralsku plotkowano, że to małżeństwo da Kazangapowi szansę na poważny kontrakt budowlany w Celinogradzie, gdzie na zupełnym pustkowiu powstawało miasto marzeń – przyszła stolica kraju.

– Stajnia jest za domem. Idź tędy. – Bogacz wskazał chłopcu dokładnie tę drogę, którą wcześniej przebiegła fioletowa zjawa. Sam zaś popchnął drzwi prowadzące do sali i mruknął pod nosem: – A ja sprawdzę, czy zasługujesz na zapłatę.

Isa stał chwilę w miejscu, nie bardzo wiedząc, jak się zachować. Babcia miała kiedyś konia, ale ich bułanek Najman-kok był krępy i niski. Idealnie pasował do dźwigania ciężarów oraz ciągnięcia zaprzęgu. I choć Isa jako mały chłopiec podobno jeździł na nim na oklep, już tego nie pamiętał. To zwierzę było jak sportowy samochód najwyższej klasy: kare, smukłe, o cienkich jak patyczki nogach. Ale Sobirżan Kazangap musiał dziś dać mu porządnie w kość, bo pod skórą pracowały mięśnie i cały lśnił od potu.

– Pokażesz mi, gdzie mieszkasz? – Isa przemówił do zwierzęcia jak do przyjaciela i chwycił uzdę bliżej łba.

Koń parsknął, rozwarł chrapy i sam go poprowadził. Zapewne szli w kierunku wskazanym przez Kazangapa. Kiedy mijali zielone drzwi, za którymi ukryła się dziewczyna z altany, Isa zatrzymał się. Zagwizdał prostą melodię. Koń podniósł łeb, zarżał i uderzył kopytem o ziemię. Wtedy Isa usłyszał stłumiony chichot. Podniósł głowę. Fioletowa chusta zafalowała w oknie i zniknęła. Isa czekał, ale okno pozostało puste.

– To twoja pani? Pozdrowiłeś ją? – zapytał i pogładził szyję araba. A potem, już pewien, że nikt ich nie usłyszy, wyszeptał: – Zdradzisz mi, jak ma na imię?

Stajnie znajdowały się dużo dalej. Minęli padok i podmokłą łąkę. Isa przekazał konia zniecierpliwionemu stajennemu, czekającemu już przed wejściem. Potem szybkim krokiem ruszył w drogę powrotną. Nie spuszczał przy tym oczu z okienka, w którym wcześniej zobaczył nieznajomą. Kiedy miał skręcać, zagwizdał kilka taktów słynnego szlagieru *SOS d'un terrien en détresse*, ale nikt się nie wychylił. Maszerował więc dalej. Wtedy do jego uszu doszedł cichutki dźwięk dombry. Dziewczyna doskonale odtworzyła na instrumencie kilka zagwizdanych przez niego taktów. Zrobiło mu się ciepło na sercu. Wykonał jeszcze jedną zwrotkę. Odpowiedziała. Rozmawialiby tak pewnie dłużej, ale przed wejściem do sali balowej Isa zobaczył machającego do niego majstra. Był wściekły. Isa ruszył więc biegiem.

Kiedy wpadł do sali, Sułtana już nie było. Robotnicy też zbierali się do wyjścia. Wyniesiono termosy z jedzeniem. Na środku została tylko jego uprząż i mały podnośnik.

– Dorobisz aniołom rakiety tenisowe – zlecił Isie majster i już przypinał mu do pasa linę. – Więcej humoru. Jeszcze kto pomyśli, że to jaka cerkiew, a my przecież nie Ruskie.

Isa bezskutecznie tłumaczył, że na dzisiejsze popołudnie ma inne plany.

– Trzeba było nie włóczyć się po posesji – huknął na niego majster. – Zmitrężyłeś tyle czasu na wycieczki po stajni. Szczęście, że Sułtan nie widział, co robiłeś pod oknami Ałgyz. Trzymaj się od córki Kazangapa z daleka. To księżniczka. Dobrze ci radzę, kmiotku.

I znów Isa wisiał pod sufitem, z pędzlem w dłoni. Rozejrzał się po ogromnej powierzchni. Nie chciało mu się nawet myśleć, co będzie, jeśli nie zdoła skończyć fresku do wieczora. Nagle przypomniała mu się naderwana lina. Zawołał majstra, ale ten już wyszedł, by zapalić.

Mylił się jednak brygadzista, sądząc, że Sobirżan Kazangap nie zauważył melodyjnego flirtu młodych. W tej chwili jedyna córka była dla biznesmena cenniejsza niż złoto. Nie dalej niż przed miesiącem wpłynął na jego konto *kałym* od rodziny przyszłego małżonka Ałgyz. Kwota nie była znaczna, ale Sobirżan uważał, że sprawa ma przyszłość. Liczył, że gdy tylko kontrakt dojdzie do skutku, wreszcie będzie mógł robić interesy z rodziną przywódcy kazachskiego narodu. Zaraz po narodzinach Ałgyz, kiedy żyła jeszcze jej matka, przyobiecał ją kuzynowi obecnego prezydenta Nazarbajewa. Salę balową, w której za tydzień elita zachodniego Kazachstanu miała się bawić na weselu Rustema Bajdałego, też zbudował w tym celu. Dlatego nie martwiły go pośpieszne prace i pacykowanie stiuków. Do czasu, aż jego córka stanie na ślubnym kobiercu, zdąży pałac wyszykować w najdrobniejszych szczegółach, by najstarszym rodom oczy zbielały.

Teraz podszedł do jednego z zaparkowanych pod płotem żiguli. Na widok biznesmena kierowca natychmiast chciał wysiadać z auta, ale Sułtan go powstrzymał.

– Sprawdzisz tego dżygita. – Nachylił się i wsunął do dłoni poznaczonej śladami poparzeń kilka tysięcy tenge. – Skąd, z jakiej rodziny? Z kim się prowadza i co robi?

Mężczyzna przyjął zamówienie i uruchomił silnik, gotów do wykonania rozkazu.

– Ale robotę niech skończy. Wrócicie wieczorem, odstawicie, gdzie wskaże. I wtedy go prześwietlisz. Ten gołodupiec nie ma prawa zbliżać się do wieży Ałgyz. Zrozumiano?

– Uciszyć go?

Sobirżan pokręcił głową.

– Powiedziałem chyba wyraźnie, Nocha. Odizolować. Gdyby złamał zakaz zbliżania się, możecie robić, co chcecie.

Po chwili kolumna trzech aut wyjechała z parkingu. Brama wysoka na dwa i pół metra się otworzyła. Opuścili fortecę.

Jekatryna ze swojego balkonu też widziała amory Ałgyz i uszatego malarza. Dziewczyna od lat była jej solą w oku. Czterdziestoośmioletnia kobieta była pierwszą i jedyną oficjalną małżonką Kazangapa i choć od lat nie żyli już ze sobą, to ona tak naprawdę rządziła w tej rezydencji. Najmłodszą żonę, łagodną i uległą Sonię, która powiła Sobirżanowi dwóch synów, Jekatryna łaskawie tolerowała, bo ta po porodach roztyła się, zbrzydła i skupiła całkowicie na dzieciach. Sonia nie wtrącała się też do spraw domowych i całkowicie podporządkowała starszej małżonce, czerpiąc z tego jedynie korzyści. Natomiast z piękną Salimą, matką Ałgyz, która weszła do rodziny Kazangapów jako druga żona, tuż po tym, jak Jekatryna straciła ostatnią ciążę, kobieta zawsze miała na pieńku. Mąż zaskoczył ją tym wyborem, kiedy Salima była już brzemienna, a potem przekupił. Jekatryna nie śmiała się sprzeciwiać, bo miała swoje lata i wiadomo było, że nie da mu już potomka. Wszystkie jej dzieci umarły jeszcze w łonie.

Salima nie żyła już od piętnastu lat, więc to Jekatryna przejęła jej obowiązki macierzyńskie wobec Ałgyz, która od dawna wykazywała symptomy choroby psychicznej. Mdlała bez powodu, szeptała w malignie, dostawała drgawek albo leżała jak kłoda całymi dniami bez czucia. Kilka miesięcy temu zapadła w stan śpiączki i gdyby nie pomoc zagranicznych medyków, którzy podłączyli ją do jakiejś aparatury, możliwe, że nigdy by się nie obudziła. Mówiła zresztą czasem bardzo dziwne rzeczy w nieznanych nikomu językach. Wieszczyła albo rzucała się z nadludzką siłą. Kilku rosłych mężczyzn musiało ją wtedy obezwładniać. Rzadko kiedy się uśmiechała i unikała towarzystwa. Tym bardziej zaniepokoiło Jekatrynę, że to sama Ałgyz zainicjowała kontakt z malarzem. Do tej pory za cały świat wystarczały jej wiersze, gra na instrumentach i haftowanie. Wszystkie kilimy, narzuty i odświętną odzież w tym domu ozdobiły ręce tej wariatki, jak mówiono o niej pokątnie. Lekarze nie byli w stanie zdiagnozować jej choroby. Zabobonna służba mówiła o duchu matki, który opętał małą jeszcze w kołysce, albo o klątwie rzuconej na niemowlę przez Jekatrynę, zazdrosną, bo sama nie mogła mieć dzieci.

Najstarsza żona tych pomówień nie prostowała. Swój autorytet budowała na strachu i okrucieństwie. Ponieważ jednak Ałgyz od urodzenia była przeznaczona kuzynowi obecnego prezydenta kraju, wstydliwe fakty o stanie zdrowia dziewczyny skrzętnie ukrywano. Sowicie opłacani medycy obiecywali, że z tego wyrośnie, ale nikt w to nie wierzył. To dlatego Sobiržan nie wykłócał się o wyższy *kałym*, choć mógł zażądać kwoty dziesięć razy wyższej. Zrezygnował też ze zwyczajowych spotkań pierworodnej córki z przyszłym małżonkiem, by w razie nagłego ataku można było sprawę zatuszować. Zazwyczaj pilnowano jej dzień i noc, a ona od lat nie opuszczała rezydencji. Ale była wykształcona, oczytana oraz na całe szczęście nieszpetna. Fotografowano więc ją na potęgę i przesyłano zdjęcia rodzinie pana młodego, by umocnić sojusz. Nikt nie miał wątpliwości, że szlachetne rysy twarzy dziewczyna odziedziczyła po matce. A odkąd skończyła szesnaście lat, przypominała ją coraz bardziej. Dlatego też Jekatryna po prostu nie mogła na nią patrzeć. Czekała z upragnieniem dnia, kiedy ta wariatka opuści wreszcie jej dom, i dokładała starań, by kontrakt sfinalizowano zgodnie z planem.

Wysłała więc do sali balowej swoich szpiegów, by trzymali rękę na pulsie. Kaszo, osobisty ochroniarz Sobiržana, który nie odchodził od wejścia do jego sypialni nawet nocą, donosił pierwszej żonie o wszystkim, co działo się w domu, a także poza nim. Teraz też cicho zapukał do jej niebieskiej komnaty i wyrwał ją z rozmyślań o córce Salimy.

– Jerboł Bajdały czeka w gabinecie – zameldował. – Za godzinę spodziewają się też Darmienowa. Starosta wyjechał już z biura. Szef posłał mnie po cygara.

– Przed obiadem? – zdziwiła się Jekatryna i odprawiła Tadżyka ruchem ręki, a potem szybko zbiegła do garderoby, skąd przez wywiercony w ścianie otwór mogła podsłuchiwać narady męża.

Odsunęła górę strojów znajdujących się na wieszakach, przestawiła miękki stołeczek, a z kieszeni wydobyła trąbkę, którą przyłożyła do ściany. Potem wysunęła szufladkę z dykty i już miała widok na wybity orzechowym drewnem pokój.

Sobirżan wciąż był w stroju jeździeckim. Chodził nerwowo wokół biurka. Jerboł siedział, ubrany w luźne spodnie i kraciastą koszulę. Spotkanie musieli więc zwołać pośpiesznie. Jekatryna była ciekawa, co za niecierpiąca zwłoki sprawa ich tu dziś przygnała. Twarze mieli ponure i żaden nie pił koniaku, który stał w karafce na srebrnej tacy.

Kobieta w napięciu czekała na rozmowę, ale nic się nie działo. Zdrętwiała już jej ręka.

– Zostawmy to – odezwał się w końcu po kazachsku Jerboł. – Jak Pingot wyruszy, zostanie złapany na granicy i zniknie bez wieści. Po jakimś czasie na kolej wstawimy słupa.

– To nie wystarczy. Co z magazynami? Dzierżawa musi być na papierze. A jak zadbał o przepisanie?

– Wiedziałbym o tym. – Jerboł machnął ręką. – Zere sprawuje nadzór nad wszystkimi notariuszami.

– Trzeba uruchomić Futnikowa. Niech zatrzyma Pingota i wytoczy mu proces.

– Jaki? On do bitki nieskory. A przestępstwa gospodarcze ściągną uwagę na magazyny. Zresztą nie mogę sobie pozwolić na frontalny atak. Z tym trzeba poczekać, aż Siergo zniknie.

Trzasnęły drzwi. Kaszo podał cygara. Jekatryna skorzystała z okazji i rozciągnęła ramiona. Pokręciła głową, ale po chwili znów była na posterunku.

– A dlaczego nie? – dopytywał Sobirżan, kiedy tylko Tadżyk bezszelestnie opuścił gabinet.

– Bo zamierzam kandydować – roześmiał się Jerboł i sięgnął po nożyk do cygar. – Do czego, przypominam, sam mnie namawiałeś. Ale magazyny trzeba bezsprzecznie przejąć. Teraz są wykorzystywane tylko w dziesięciu procentach. Nie ma lepszej lokalizacji. Jak to się stało, że do tej pory o to nie zadbaliśmy? Ufasz Szurze? Może Darmienow trzyma nas z daleka od tych informacji nieprzypadkowo? Mam złe przeczucia.

– To o nich zapomnij. Są ważniejsze sprawy.

– Co jest ważniejsze od pieniędzy?

– Odmawiasz zajęcia się Pingotem. To ja się pytam, kto miałby połączyć to z tobą? – Sobirżan powoli tracił cierpliwość. – Jeśli chcesz, poczekajmy do wesela Rustema. Nocha wyjdzie na godzinę, weźmie swoich, położą kolejarza i jego drobnych cwaniaczków na ziemi, postrzelają im nad głowami. Sami przyjdą po prośbie, by wziąć od nich ten bagaż. Wtedy łaskawie się zgodzimy i jeszcze obiecamy ochronę tym, którzy nas poprą.

– Nie przyjdą – padło z drzwi wejściowych pięknie po rosyjsku.

Jekatryna żałowała, że nie widzi człowieka, którego głosu nie rozpoznawała. Z tego, co jednak mówił jej Kaszo, musiał to być starosta Uralska. Obaj obecni w pokoju natychmiast powstali i ruszyli powitać przybyłego. Widać było tylko puste fotele oraz tacę z karafką. Głosy dobiegały z oddali. Mężczyźni musieli zatrzymać się przy wejściu, bo bardzo słabo słyszała ich wzburzone głosy.

– Zerwałem ze słupa ogłoszeniowego przed urzędem. Ma Kunanbajew tupet – udało jej się znów wyłowić język rosyjski.

– To ci konkurent – prychnął mąż Jekatryny i roześmiał się kpiąco. – Gratulacje, Jerboł. Ród Bajdałych ma się czego obawiać. Kunanbajewowie szykują zamach stanu. Nie wytrzymam. Toż to sensacja stulecia.

– Wbrew temu, co cię tak bawi, Kodar ma spore szanse – odparł bardzo spokojnie Bajdały. Jekatryna zarejestrowała, że musiał o tym wiedzieć wcześniej, bo nie był wcale zdziwiony. – Człowiek z ludu. Uciśniony opozycjonista. Od lat walczący z systemem. Kazach z dziada pradziada.

– A ty nie? – odezwał się Darmienow.

– Ja tak. Ale Zere jest Rosjanką.

– Obywatelstwo można zmienić. Liczy się pochodzenie – zbagatelizował argument starosta. – Granice się zmieniają. Krew starszego żuzu zostaje. I wszystko jest jak należy. Kto to dziś pamięta? Nie to co ja. Że Ruski, widać z daleka. Nic nie poradzisz na tę facjatę.

– Rustem też urodzony w Moskwie. Na dodatek byliśmy wtedy na placówce – dodał cicho Jerboł.

– No i co? – odezwał się w końcu Sobirżan. – Jakie to ma znaczenie?

– Nową żonę sobie szybko dobierz, Jerboł. Tylko z jakiegoś znakomitego rodu – roześmiał się głośno Darmienow. Widać postanowił rozluźnić atmosferę, bo pozwolił sobie na żart: – Zobacz, jak Sułtan odmłodniał, skoro puścił swaty do Kunke. Ty cwaniaku, mów zaraz, ile cię to kosztowało! Szesnastka. O ty! Nie sądziłem, żeś taki jurny!

Jekatrynie aż zabrakło powietrza z wrażenia. Natychmiast odsunęła się od otworu w ścianie. Oddychała z trudem. Była wściekła. Jak to się stało, że Kaszo jej o tym nie doniósł? Poniesie karę ten głupi Tadżyk! Już oczyma wyobraźni widziała, jak go okłada szpicrutą i odbiera procent z miesięcznej pensji. Każde zasłyszane słowo było jednak cenniejsze niż gniew, więc za chwilę znów była na stanowisku. Mężczyźni wrócili w tym czasie na fotele. Doskonale ich teraz widziała i słyszała. Mogła wreszcie odłożyć trąbkę.

– Wystarczy, żeby przejąć tę fabrykę broni, co mi jej nie chcesz oddać, Szura.

– Daj dobrą ofertę, pogadamy. Nie ma sytuacji zamkniętych – odciął się Darmienow. Sięgnął po koniak i polał wszystkim. – A ja tam bym swojej starej nie wymienił na młódkę. Po co? Lepsze jest wrogiem dobrego. Znudzi mi się to ciało, zbrzydnie, a wtedy we dwie będą mi siedziały na głowie. Na dodatek się znienawidzą. Bo nie spotkałem jeszcze rodziny, w której baby nie chciałyby się nawzajem pozabijać. Ty może jesteś wyjątkiem, Sułtan, wnikać nie będę, ale tak poza tym, to zasadniczo nie działa to wasze wielożeństwo. Zaczną donosić na siebie i nawet w domu będę miał młyn, jak w robocie. Wolę szybki przepływ. À propos, widziałeś tę nową tancerkę na plakatach? Boska Vera. Biała jak łabędź.

– Tancerka? Co ty masz w głowie, Aleksandr? – zrugał go Jerboł.

Wszyscy wiedzieli, że Bajdały jako jedyny w tym pokoju był nieuleczalnym monogamistą. Od zawsze wierny żonie, nigdy nawet nie pomyślał o konkubinie. Co innego Zere. Lubiła młodych chłopców. Ale o tym Jerbołowi nikt nie śmiał wspominać.

– To samo, co w spodniach – odparował starosta. – A koligacji z ojcem Kunke ci zazdroszczę. Jeszcze Ałgyz sfinalizujesz i będziesz nie do ruszenia. Kolegów za rok, dwa nie poznasz.

– Z Kunke jeszcze nic pewnego. – Sułtan machnął ręką i skłamał: – Negocjacje się przedłużają. Nie chcą, żeby jedynaczka szła na czwartą żonę.

A potem zwrócił się do starosty:

– A ty, Szura, nieźle sobie radzisz. I taniej ci wychodzi.

Rozległ się gromki rechot.

– Z czym właściwie przychodzisz, Aleksandr? – odezwał się znów Jerboł. Nagle wszyscy stali się poważni. – Jaki mamy problem?

– Kolejowy – padło w odpowiedzi. – Gdyby nie te plakaty, zleciłbym posprzątanie ludzikom Nochy, a tak musicie rozważyć temat, bo się pokomplikowało. Starszy śledczy i milicja już gotowi. Pytanie, czy włączamy prokuraturę. Nie chciałbym Zere przed weselem zawracać niepotrzebnie głowy. W końcu Rusti to jej największy skarb.

– Jest więc tak, jak ci mówiłem. – Jerboł spojrzał na Sobirżana z naganą.

Darmienow słusznie poczuł się wyłączony z obiegu ważkich informacji. Zapadła cisza. Kazachowie czekali na dalsze wyjaśnienia starosty.

– Pingot nie wyjeżdża. Stanęła za nim dzieciarnia Kodara i dziś po południu przegonili z kolei wszystkich waszych.

– Jakim cudem?

– Podobno na nich czekali. Przewodził im Kerej-ak. Wybraniec. Walczyli jeden na jeden, po sportowemu. Tylko była ich armia.

Odchrząknął.

– Dzieciaków.

Sobirżan odłożył cygaro i pochylił się w stronę Darmienowa.

– Że niby pobiły ich dzieci? To chcesz mi powiedzieć?

– Nastolatkowie – sprostował starosta. – I nie pobili, bo mieli w hali trening, a jak wasi weszli, czekała już milicja. Anonimowe zawiadomienie. Sprytnie to obmyślili. Futnikow wprawdzie zgarnął trochę ludzi, ale trzeba było wypuścić. Bo przecież to nieletni. Nazwiska odnotowane. Przetrzepują rodziny.

– Ile?

– W chuj. Pięćset? Chyba pospolite ruszenie zrobili.

– A to bladź – zaperzył się Jerboł i nagle wybuchnął śmiechem. Atak trwał długo, aż mężczyzna zadławił się i zgiął wpół. Sobirżan z Darmienowem początkowo sądzili, że coś mu dolega. Kiedy Bajdały się w końcu uspokoił, mówił stanowczo, tonem nieznoszącym sprzeciwu: – Skoro tak szykuje się do wyborów mój kum, to wyjścia nie mam. Niech Nocha zbierze ludzi i pokaże tym wojownikom, gdzie ich miejsce. Śledczych weźmiecie tym razem sami. Niech obstawią podwórka. Strzelać tuż obok głowy, żadnego więcej sportu. Szybko, głośno, pokazowo. Wybrańca potraktować szczególnie, ale ma zostać żywy. Na razie. Ludzie zrozumieją, że trening na bocznicy był kosztownym wybrykiem. Ukarać dzieci w szkołach, rodziców zwolnić z pracy. Gnębić kontrolami.

– Jak długo? – Darmienow zadał to pytanie, by się upewnić.

– Ile się da. Nikt więcej już za nimi nie stanie. A potem, jak wszystko ucichnie, nie dawać Kunanbajewowi żyć.

– Chcesz zaatakować Kodara? – przestraszył się Sobirżan, ale jedno spojrzenie Jerboła wystarczyło, by poczuł się uspokojony.

– Zaginamy parol na młodego. Wybraniec musi się bać. Nie sprzeda ani jednej pary butów na bazarze, już nigdy nic nie przywiezie koleją. Nękać cłem, podatkami, nie przyjmować łapówek. Areszty, przesłuchania.

– Dziecko porwać, żonę zgwałcić – dorzucił rozbawiony starosta. – Nasze nocne zwierzęta już zacierają ręce.

– Z najbliższą rodziną jeszcze się wstrzymajmy – powiedział niezdecydowanie Bajdały. – Ale kochankę, jeśli ma, skancerować popisowo. To nie Kodar Kunanbajew, ale jego syn ma być pod obstrzałem. Kiedy skończą się dolary, nie tylko nie będzie kampanii, ale i rody się od nich odwrócą. Powoli, stopniowo, pozbawimy go wszystkiego. W końcu Kodar sam przyjdzie do mnie w łaskę. Na kolanach będzie błagał o darowanie życia synowi.

– Nie przyjdzie – mruknął z przekąsem Darmienow i wszyscy uświadomili sobie, że dzisiejszego wieczoru powiedział to już dwukrotnie.

– Będzie musiał – podkreślił Bajdały i dodał po dłuższej pauzie: – Znam jego słabą stronę. Zachowanie twarzy jest dla niego ważniejsze niż życie. Przyjdzie, jeśli jego dzieciak okryje się hańbą. Zapewniam cię, że sam gotów ukarać syna, gdy tylko ten okaże się tchórzem.

– Już raz to przerabialiśmy – wyszeptał Sobirżan. – Kim wciąż jest na wygnaniu.

– Więc przerobimy jeszcze raz – podkreślił Bajdały. – Kodar popełnił wielki błąd, mieszając się do polityki.

– *Anu pizdiec* – dodał starosta. – A Boska Vera tańczy dziś w Variétè. Idziemy, panowie?

Na drzwiach restauracji Blińczik wywieszono kartkę „Remanent – liczenie towaru", choć wewnątrz pełno było gości, a muzyka z sali tanecznej na dole dobiegała na drugą stronę jezdni. Dyrektor Siergo Pingot po spektakularnym zwycięstwie nad bandytami zdecydował się wydać przyjęcie godne imprezy noworocznej i nie pożałował na ten cel pieniędzy. Wieść o przepędzeniu gangu Nochy przez uczniów Kunanbajewa rozeszła się po mieście lotem błyskawicy. Od zaplecza wchodzili więc starzy i młodzi, by posłuchać opowieści, napić się czy choć pogratulować Siergowi. Pingot więc był już zdrowo upity, przytulał na niedźwiedzia każdego, kto napatoczył się przy barze, i dziękował wylewnie za uratowanie mu życia.

– My jak dwa drzewa z jednego pnia – powtarzał, głośno czkając.

Kerej przyszedł do baru, kiedy bal trwał już w najlepsze. Dimasza i Tusipa nie było na górze. W kącie siedział tylko zamyślony Isa. Wyglądał inaczej niż zwykle. Włosy mu sterczały, odsłaniając wydatne uszy. Twarz miał rozluźnioną, spojrzenie lekko nieprzytomne. Kiedy Kerej dosiadł się do niego i postawił przed nim *stakan* wódki, chłopak otrząsnął się jak z głębokiego snu.

– Zakochałeś się czy co? – uśmiechnął się Kerej i wzniósł toast. – Więc *za lubow'*. Trzeci zawsze jest *za lubow'*.

Isa odwrócił głowę do okna.

– Dobrze dziś poszło? – zapytał flegmatycznie. – To wymagało odwagi.

– Wcale. – Kerej wzruszył ramionami. – Ale przepędziliśmy hieny. Pokazaliśmy, gdzie ich miejsce. Szkoda, że nie widziałeś, jak uciekali.

– Nie mogłem przyjść, sensei – wytłumaczył się Isa. – Chciałem, ale zatrzymali mnie u Sułtana. Na zajęcia też nie dotarłem. Biusty malowałem i stringi cherubinom dorabiałem oraz rakiety tenisowe.

Opowiedział pokrótce, co przeżył w domu Kazangapa, a potem zamilkł, znów się zamyślił i dodał:

– Ale poznałem dziewczynę.

– Więc jednak miłość. Mam nosa! – rozpromienił się Kerej. – Ładna?

– Właściwie to nie wiem – przyznał Isa z ociąganiem. – Widziałem tylko rąbek sukienki i słyszałem, jak dziewczyna gra.

Na to Kerej wybuchnął gromkim rechotem.

– Śmieszny jesteś. Bujasz się w pannie, której nie widziałeś?

– Chyba tak. – Chłopak pochylił głowę. – A co gorsza, pracę skończyłem i więcej jej nie zobaczę.

Trener zakreślił łuk ramieniem.

– Spójrz, ile tutaj kobiet. Wybieraj, przebieraj.

– Nie interesują mnie. Tamta jest szczególna.

Kerej zmarszczył brwi.

– Skoro to miłość, to nie bój się, nie myśl. Idź do niej i porozmawiaj.

– Sensei by poszedł?

– Ja poszedłem. Dziś jest moją żoną. Kiedy pierwszy raz zobaczyłem Bibi, miała piętnaście lat.

– Ałgyz też ma pewnie tyle.

– Ałgyz? To stare imię. Oznacza siłę, opiekę i jedność. Przeznaczeniem takiej dziewczyny jest ochrona innych przed złem.

– Czuję, że taka właśnie jest.

– Jeśli idzie swoją drogą, krzywda ci się przy niej nie stanie.

Wypili jeszcze po szklaneczce.

– I co trener zrobił? – wydukał Isa. Tych kilka drinków uderzyło mu już do głowy. – Jak zdobyłeś swoją Bibi?

– Porwałem ją. Wziąłem do hotelu i tuliłem całą noc. Do niczego więcej nie doszło, ale nasi rodzice nie mieli wyjścia. Zgodzili się na ślub, kiedy Bibi skończy szesnaście lat. Rok później na świecie był już Osman.

– Ale ja nie mam pieniędzy.

– Jesteś mądry. Będziesz miał. – Poklepał chłopaka raźnie po ramieniu. – Dziewczyna ma kochać ciebie czy pieniądze?

Isa nic nie rozumiał. Rozejrzał się. Wszyscy się im dyskretnie przyglądali, ale mało kto podchodził. Poczuł się wyróżniony, że siedzi z dzisiejszym bohaterem.

– Kodar nie przyjdzie. – Młody Kunanbajew pochylił się nagle do Isy. – Nie pochwala tego, co zrobiliśmy.

– Całe miasto świętuje. Ludzie chcą przestać się bać.

– Wiem, mały. Ale mój tata jest z innej epoki. – Kerej spojrzał na zegarek i pomyślał o Wierze. Zastanawiał się, czy wróciła już z teatru i czy na niego czeka. – A jeśli naprawdę ci zależy, to jedź, zakradnij się, spotkaj z ukochaną. Zapytaj, czy możesz liczyć na wzajemność zamiast marzyć jak baba.

Isa zerwał się. Bez słowa uścisnął dłoń Kereja i ruszył do wyjścia. Sam do końca nie wiedział, co robi. W jaki sposób zamierzał pokonać kilkumetrowy mur, który okalał rezydencję Kazangapa? Na co liczył? Nie zastanawiał się nad tym. Po prostu poszedł na przystanek.

Jakimś cudem wszystko mu sprzyjało. Autobus podjechał, gdy tylko usiadł na ławce. W płocie, od strony stajni, znalazł wyrwę i po przejściu przez podmokłą łąkę, wzdłuż której prowadził dziś konia ojca Ałgyz, nieniepokojony przez nikogo dotarł pod okno jej wieży. Zanucił znaną melodię. Wychyliła się natychmiast. A potem, owinięta w ciemną opończę, wyszła do altany. Zakradł się tam, niemal czołgając. Siedzieli razem do rana, głównie milcząc i spoglądając na siebie rozanieleni. Znów nie widział dokładnie jej twarzy, ale był pewien, że jest piękna, choć dużo starsza, niż sądził. Pokazał jej sztuczkę z telekinezą. Rwał róże i słał je po ławce bez dotykania. O dziwo, dla Ałgyz wcale go to nie męczyło. Wstawał już świt, kiedy pobiegła do domu. Wiedział, że spotkają się następnej nocy. I choć nie spał ani chwili, tak rozpierała go energia, że zaliczył wszystkie kolokwia, nawet z fizyki kwantowej.

Dopiero wieczorem wrócił na stancję. Wtedy się przeraził. Siennik był porwany. Książki i ubrania rozrzucone. Odłożonych pieniędzy nie było, podobnie jak listów od babki. Zostało mu tylko honorarium, które otrzymał za fresk, a które wciąż nosił w kieszeni. Kiedy zwrócił się do gospodarza, ten zwymyślał go od „agresywnych kerejowców" i kazał się wynieść. Isa nie miał żalu. Wiedział, że mężczyzna po prostu boi się ludzi Nochy. Spakował do worka swój dobytek i ruszył przed siebie. Zatrzymał się przed bazarem. Tam dowiedział się, że Kerej, Tusip i Dimasz zostali wczoraj brutalnie pobici na przyjęciu u Pingota. Położono ich na chodnik i w asyście milicjantów w mundurach strzelano im obok głów. Ludzie z baru uciekli. Siergo wyjechał, a magazyny zostały splądrowane. Z hal składowych zrabowano jedynie towar Kunanbajewa. Pozostałym obniżono opłaty. Mimo że potwornie się bał, tej samej nocy znów poszedł na randkę z Ałgyz. Choć śpiewał długo, nie ukazała się. A przecież wiedział, czuł to przez skórę, że na niego czeka. Sforsował więc zamek i wszedł na szczyt wieży. Znalazł ją leżącą bez ducha na posadzce. Miała na sobie czarną opończę. Musiała zemdleć tuż przed wyjściem do altany. Skupił się i przekazał jej całą moc życiową, jaką wtedy miał. Nic to jednak nie dało. Czuł, jak jej ciało sztywnieje i staje się zimne. Nagle otworzyła oczy i przemówiła głosem jego zmarłej matki:

– Zabierz mnie stąd, Isa. Do domu. Na step.

Więc zabrał. Sam nie wiedział, skąd miał tyle siły, by dźwigać ją taki kawał przez łąkę. Jak załapał się na łebka i dlaczego oddał za to wszystkie pieniądze. Na step było za daleko, zatrzymał się zatem u Abaja, który jako muzułmanin nie przyszedł na wczorajszy zakrapiany bal i nie został pobity. Isie zdawało się, że jego dom jest bezpieczny.

2001 rok, Świdnica, Polska

Mecenas Mirosław Leszczyński był niekwestionowaną sławą dolnośląskiej palestry. Kiedy Romeo zatrzymał się przed jego kancelarią na Różanej, tuż obok gmachu świdnickiego sądu, Tośka pomyślała, że do końca życia będą z Kerejem spłacali ten kredyt. Gabinet był urządzony w łaciatym orzechu. Grzbiety książek błyskały złotem. Efekt psuła wielka, ciemna plama na suficie. W kącie rósł grzyb. Przed zabytkowym biurkiem stały dwa krzesła, a sekretarka czekała na nich z zaparzoną kawą.

– Pan mecenas w drodze – poinformowała i truchcikiem pobiegła po cukier i mleko. – Zatrzymał się w prokuraturze w wiadomej sprawie. Przyszły ponoć dokumenty z Kazachstanu. Tłumaczenie zostało zamówione.

– Poczekamy, kochaniutka – gruchał do leciwej sekretarki Romeo. – Jesteśmy młodzi. Mamy czas.

A Tośce szepnął do ucha:

– Skuteczny skurwysyn, co? Lubię go.

Następnie wsypał do swojej filiżanki sześć łyżeczek cukru i z antycznej żardiniery wziął garść kandyzowanych owoców. Poprawił tuzinem pralinek i mrugnął do Tośki.

– Kerej w paczce, Monia nie widzi, a ty nikomu nie powiesz, tak?

Tośka potwierdziła, kiwając głową, z przyklejonym uśmiechem na twarzy. Zrozumiała już, czemu Romeo zawdzięcza swoją niesportową sylwetkę. Po niecałym kwadransie oczekiwania naczynia z łakociami świeciły pustką.

– Strach chroni przed cukrzycą – skwitował arcypoważnie Romeo, kiedy z patery zniknęła ostatnia landryna. – Nie znam nikogo, kto wcinałby kremówki, umierając z przerażenia.

Po czym wygładził marynarkę. Nie było na niej ani jednego zagniecenia. W aucie Romeo woził ubranie na zmianę, więc po drodze na stację benzynową przeistoczył się znów w pana Romana Grajka, jednego z najbogatszych ludzi na tym terenie. Wchodzący właśnie do gabinetu adwokat powitał go z należnym szacunkiem.

Był to człowiek dystyngowany, o szlachetnie białej czuprynie, precyzyjnie przyciętej, lecz ujawniającej znamiona dużej dozy fantazji w życiu prywatnym. Nosił finezyjnie zawiązany fular i brązowe buty wyglansowane na błysk. Już dzieci w przedszkolu tak wyobrażają sobie prawnika. Wysoki, smukły, w latach młodości zapewne zabójczo pociągający. Ważył każde słowo i przenikał człowieka spojrzeniem. Oczy miał jasne, w kolorze miodu. Tośka nie mogła oderwać od niego wzroku. Przypominał tygrysa, który przywdział ludzką skórę.

– Nie jest wesoło – oznajmił po powitaniach Lemir, jak pieszczotliwie tytułował go w aucie Romeo. Rzecz jasna teraz z szacunku dla adwokata używał pełnej formy nazwiska.

– Z informacji, które udało mi się uzyskać, wynika, że sprawa pana Kunanbajewa w Kazachstanie jest praktycznie zamknięta. Wszystkie zarzuty podawane przez media znajdują potwierdzenie w dokumentacji kazachskiej prokuratury.

– Co pan mecenas ma na myśli? – zaoponował Romeo. – Jak to zamknięta?

– Wyrok już zapadł.

O tym media jeszcze nie informowały, a Romeo i Tośka wiedzieli tyle, ile podało radio. Kobieta zapadła się w sobie. Miała mroczki przed oczyma. Czy to znaczy, że wszystko stracone? Przybyli za późno? Romeo pierwszy doszedł do siebie, ale zanim się odezwał, adwokat podniósł dłoń.

– Kara śmierci. Tam wykonuje się ją przez rozstrzelanie. Z tego, co wiem, bywają trudności z odzyskaniem ciała. W zasadzie nie wydaje się rodzinie, żeby mogła je pochować. To ponoć bardzo częste. – Odchrząknął. – Dodatkowa kara, nieoficjalna. W ten sposób klątwa spada na cały ród. Duchy przodków mają gnębić wszystkich do niego należących, coś takiego.

Petry wydała głośny jęk, ale natychmiast zasłoniła usta. Romeo chwycił ją za rękę i mocno ścisnął. Obydwoje w napięciu wpatrywali się w prawnika.

– Wyrok wydano zaocznie. W tym roku zostały zmienione przepisy i można było wnieść akt oskarżenia oraz skazać pana Kunanbajewa bez przesłuchania, pod jego nieobecność. To precedens w tym kraju. Takiej sytuacji nie było nigdy wcześniej ani, mam nadzieję, nie będzie nigdy później. Wprawdzie wyrok został zaskarżony i sprawa trafiła do ponownego rozpatrzenia, ale nie spodziewałbym się cudów. To formalność. Niestety odwołania tamtejszego obrońcy nie ma w nadesłanych aktach. Staramy się o nie. Bardzo by nam pomogło.

– Komuś musiało na tym zależeć – mruknął ponuro Romeo, pierwszy raz tego dnia powstrzymując się od głupich żartów. Tośka była w szoku. – Wiemy, kim były ofiary. Igor, tfu, Kerej, nie mogę się przyzwyczaić, trochę mi opowiadał. Syn pani prokurator, bratanek podpułkownika, były major i jakiś kuzyn starosty. To były cyngle rządzących. Strzelając do nietykalnych, nasz chłop rozpętał niezłą wojnę. Tak wygląda u nich zemsta rodowa. Oficjalnie czy nie, żądają jego krwi. Wendeta, do której rodziny zamordowanych mają prawo: śmierć za śmierć. Mówił mi, ale mu nie wierzyłem.

Tośka popatrzyła na Romea zaskoczona. Kerej nigdy jej o tym nie opowiadał. Przez pierwsze lata nie pozwalał nawet używać prawdziwego imienia… Twierdził, że wypowiadając imię człowieka, wysyła się energię do wszechświata i prowokuje los. Jeśli myśli się o tym człowieku dobrze, wiązka mocy jin przenika do serca, jeśli zaś źle, a człowiek posiada moc, można nawet odczuwać ból. On sam miał wielką siłę. Tośka wierzyła, że Kazach wie, co mówi. Dla niego przecież zmieniła swoje życie. Nie jedli mięsa. Trzy razy dziennie zmuszał ją do picia słonej wody, by oczyścić organizm. Rano i wieczorem medytowali. Żyli zdrowo, ekologicznie, a to, co robił dla ludzi w miasteczku, było nadzwyczajne. Nie bez powodu nazywano go szamanem. Dla wszystkich tutaj i dla niej był Igorem. Nawet w uniesieniu wymawiała jego przybrane imię. Skoro w ten sposób zyskiwał nowe życie i zamierzał przeżyć je godnie, godziła się na to. Przekonywał, że to nie oszustwo, tylko moc, czysta energia. Ona jest w nas. Jesteśmy tym, w co wierzymy. Kiedyś, podczas jego snu, dotknęła skórzanego amuletu, który w dzieciństwie zawisł na jego szyi z woli matki. Odczytała napis egzotyczną czcionką: „Kerej”. Obudził się natychmiast. Wyrwał jej z rąk i schował. Potem już nigdy go nie zakładał. A teraz usłyszała, że od początku Romeo wiedział aż tyle o tych tragicznych zdarzeniach. Może nawet i wszystko. Poczuła się podwójnie zdradzona. Przypomniała sobie słowa kochanka: „Im mniej wiesz, tym jesteś bezpieczniejsza. To dla twojego dobra, Rediska*. Mężczyzna jest od tego, by chronił swoją kobietę". Tra ta ta! Wszystko dla jej dobra: milczenie, ucieczka, ukrywanie się, zasadzki. Wszystko dla mnie, myślała. Bzdury! Była wściekła. Ale w obecności adwokata nie odważyła się tego okazać. Matka mówiła, kiedy ojciec nabroił: „Niech tylko stary wróci do domu, to się rozmówimy". A to oznaczało karczemną awanturę. Nie była to taka głupia zasada. Niech tylko go dopadnę, niech tylko wróci do domu, myślała gorączkowo. Jeśli kiedykolwiek wróci... Jej rozważania przerwał znów głos mecenasa.

– Tak wygląda stan formalny. Mamy akt oskarżenia i część materiałów ze śledztwa. Prokuratura przekaże nam resztę w najbliższych dniach. Przeanalizuję całość, choć już teraz uważam, że w pierwszej kolejności powinniśmy się zająć sprawą ekstradycji.

– Przecież to nie do pomyślenia! – przerwała mu Tośka. – Nie można kogoś skazać, nie wysłuchawszy tego, co ma do powiedzenia. Nie zabiłby tych ludzi, gdyby go nie napadli. To zorganizowana szajka. Zabijali, gwałcili, ściągali haracze. Dręczyli tamtejszą społeczność. Kerej jest tam bohaterem. Dzieci układają o nim piosenki. Polska nie może go wydać na śmierć!

Adwokat spojrzał na nią groźnie.

– Wie pani to wszystko od niego?

---

* *Rediska* (ros.) – rzodkiewka.

– Oczywiście – fuknęła, powstrzymując się od tyrady o kłamstwach i zatajaniu prawdy, którą przed chwilą ułożyła w głowie. – Nie mam podstaw, by mu nie wierzyć.

– To doprawdy wzniosłe, że stoi pani za ukochanym murem, ale nie radziłbym tego mówić publicznie, a tym bardziej pod wpływem emocji rzucać kalumnii na prawodawstwo Kazachstanu. Zwłaszcza w obecności dziennikarzy, że o organach ścigania nie wspomnę. To nie będzie dobrze widziane. Skoro wiedziała pani, z kim ma do czynienia, czyli, w świetle prawa, z wielokrotnym zabójcą, powinna była pani przekazać te wiadomości policji. Teraz odpowiada pani za ukrywanie przestępcy.

Tośka tylko prychnęła.

– Gdyby napadła mnie uzbrojona banda i broniłabym się, a zupełnie przypadkowo miałabym ze sobą karabin, też oskarżyłby mnie pan o zbrodnię?

– Jako prokurator nie miałbym wyboru – odparł oschle. – Choć wszystko oczywiście zależałoby od okoliczności. Do sprawy karabinu jeszcze dojdziemy. To ważna kwestia.

Tośka nadęła się, zaplatając ręce na brzuchu. Postanowiła się nie odzywać. Nie zamierzała tutaj przecież więcej przychodzić. Po co te nerwy?

– Pan Kunanbajew zaś, będąc ofiarą, winien był zwrócić się o status uchodźcy i prosić o azyl – ciągnął tymczasem mecenas. – Poddać się dobrowolnie procesowi. Prosić o łaskę, by być sądzony jeszcze raz w naszym kraju. Z tego, co wiem, wiele lat ukrywał się pod fałszywym nazwiskiem. Pani zaś mu w tym skutecznie pomagała. Jeśli pani nie będzie milczeć, wkrótce usłyszy pani zarzut ukrywania zbiega.

Romeo westchnął ciężko, a Tośka przestała oddychać z gniewu.

– Więc mam milczeć i patrzeć ze spokojem, jak go wywożą do Kazachstanu i rozstrzeliwują? Nawet nie będzie miał grobu, na którym jego matka położy kamień. Żyłam z nim pięć lat. Nie jest zwyrodnialcem. To była obrona konieczna. Trzeba to udowodnić. Wydawało mi się, że po to się tutaj spotykamy. Czy jestem w błędzie?

– Uspokój się, Tosiu – wtrącił się Romeo. – Pan mecenas robi swoje. Pozwól mówić.

Adwokat lekko się uśmiechnął. Niełatwo go było wyprowadzić z równowagi.

– Nad linią pani zeznań popracujemy później – uciął. – Zresztą nie wiadomo, czy sąd będzie miał okazję pani wysłuchać, bo w tym momencie nie jest tu najważniejsza kwestia winy, lecz ocena obowiązującego w Kazachstanie prawa. A teraz sprawy formalne.

Romeo zareagował natychmiast. Z teczki wyciągnął stos nowiutkich banknotów oklejonych banderolami i położył na blacie. Prawnik skrzywił się ze wstrętem.

– Nie jesteśmy na dzikim Wschodzie. Kiedy przyjdzie czas, wystawię panu rachunek albo fakturę VAT.

– Wolę tę tańszą opcję – mruknął biznesmen. – Kwit nie jest konieczny.

Prawnik nie skomentował. Odsunął gotówkę na brzeg biurka, ale nie kazał zabrać. Tośka zaś patrzyła na stosik i zastanawiała się, ile lat będzie musiała pracować, żeby to zwrócić. Czyste szaleństwo, nic mu nie jestem winna, utyskiwała w myślach. Jeszcze mogę wyjść, zrezygnować. Nie, powiedziała sama do siebie. Przestań się mazgaić. Walcz. Ten chłopak nie ma tu nikogo prócz ciebie.

– Miałem na myśli strategię postępowania – dodał adwokat.

Po czym znów zwrócił się do Tośki.

– Pan Kerej Kunanbajew jest oficjalnie obywatelem Kazachstanu. Nie zwracał się do organów państwa o zrzeczenie się obywatelstwa i tamże mieszkał. Zgodnie z aktem oskarżenia tam popełnił wiele przestępstw. – Adwokat przerwał, sięgnął do dokumentów. Podał kserokopię Tośce i Romeowi i jednocześnie czytał: – Z artykułu osiemdziesiątego ósmego część pierwsza Kodeksu karnego Republiki Kazachstanu groziła mu kara pozbawienia wolności od lat ośmiu do piętnastu lub kara śmierci, z artykułu dwieście pięćdziesiątego pierwszego część pierwsza tegoż kodeksu kara pozbawienia wolności od lat trzech, na podstawie artykułu sześćdziesiątego dziewiątego również tego kodeksu bieg przedawnienia odpowiedzialności za powyższe czyny został zawieszony.

Widząc zafrasowane miny klientów, odłożył papiery na blat.

– Nie będę państwa zanudzał paragrafami. Orzeczono karę łączną, czyli karę śmierci.

– Już pan to mówił – zniecierpliwił się Romeo.

Adwokat w żaden sposób nie dał po sobie poznać, że poczuł się dotknięty, i kontynuował:

– Rzecz w tym, że obecnie pan Kunanbajew przebywa na terenie naszego kraju, w którym karę śmierci zniesiono w dziewięćdziesiątym ósmym. Od dziewięćdziesiątego piątego roku obowiązywało moratorium na jej wykonywanie. W świetle postanowień Europejskiego Trybunału Praw Człowieka oraz Konwencji o ochronie praw człowieka i podstawowych wolności ekstradycja więźnia do kraju, w którym łamane są prawa człowieka, stosowane tortury i orzekana kara śmierci, jest niezgodna z prawem. I tym się będziemy zajmować. Wina lub niewinność pana Kunanbajewa, a więc jego uczciwy proces i kwestia kary, to ewentualnie następny etap.

– Czy to możliwe, że Polska mimo wszystko go nie wyda? – zapytała z nadzieją w głosie Tośka.

Adwokat pierwszy raz stracił pewność siebie.

– To dla mnie wyzwanie zawodowe, przyznaję. I sam temu nie podołam. Będę potrzebował pomocy. Proponuję już teraz zaangażować do niej mojego siostrzeńca. Krzysztof Bucefał mieszka w Warszawie i specjalizuje się właściwie w takich sprawach. Współpracuje z Amnesty International, Fundacją Helsińską i Międzynarodowym Trybunałem Sprawiedliwości w Hadze. Jeśli mamy udowodnić, że Kazachstan to dziki kraj, w którym obowiązuje zasada „krew za krew", to najwłaściwsza osoba.

– To prawda! – potwierdziła cicho Tośka. – Chyba wszyscy to wiedzą.

Roman nie pozwolił jej dokończyć. Kopnął ją boleśnie w kostkę i uśmiechnął się sztucznie do adwokata.

– Niech pan Krzysztof się zaangażuje, jeśli tak trzeba. Środki są.

Po tych słowach ponownie przesunął banknoty w kierunku adwokata. Tym razem Leszczyński nimi nie wzgardził i mówił dalej:

– Przed zemstą rodową nie jestem w stanie pana Kunanbajewa uchronić, ale że prawo w jego ojczyźnie odbiega od standardów europejskich, możemy wykazać. I na tej podstawie powalczyć o proces w Polsce.

Znów przerwał. Spojrzał na plamę na suficie. Wszyscy już w tym pokoju wiedzieli, na jaki cel pójdą pieniądze Romana. Osuszenie takiej kamienicy musi sporo kosztować. Ale los nad nami czuwa, pomyślała Petry. Dzięki ci, Boże, że pan mecenas jest w potrzebie.

– Powtarzam raz jeszcze – powiedział z naciskiem Leszczyński. – Nawet jeśli zgromadzimy dowody na to, że w Kazachstanie pan Kunanbajew nie będzie miał uczciwego procesu, a po ekstradycji zostanie wykonana kara śmierci, przypuszczam, że sąd za wszelką cenę będzie chciał pozbyć się obciążenia, jakim jest proces cudzoziemca. Na dodatek w tak zawiłej sprawie. Koszt przesłuchania świadków, obserwacje psychiatryczne, ekspertyzy psychologiczne, może opinie balistyczne, powołanie konsultantów z dziedziny etnograficznej i historycznej, analitycy prawa międzynarodowego... To wszystko będzie sporo kosztować i płaci za to skarb państwa, dlatego sąd może nie chcieć się narażać i prewencyjnie wyda oskarżonego Kazachstanowi. Ale jeśli będziemy mieli kilka asów w rękawie, jest możliwe przekonanie składu sędziowskiego. Przychylność mediów też nie zawadzi, i tutaj liczyłbym na panią.

– Na mnie?

– Wystarczy, że zapewni pani dziennikarzy, że będzie walczyła o ukochanego i wierzy, że jest dobrym człowiekiem. O tym, co pani mówił, a czego nie, nie musi pani nikogo informować. Liczy się miłość i dobry wygląd. Skoro tutaj pani jest, uczucie to sprawa oczywista. Drugiego także trudno pani odmówić. Ładna z was para.

Romeo zarechotał. Kocham cię, skurwysynu, mówiły jego oczy. Lemir tymczasem ciągnął metodycznie:

– Reporterzy zrobią za nas resztę. Takie love story działa na wyobraźnię. A sąd to teatr. Każdy powinien dobrze odegrać swoją rolę. Śmiem przypuszczać, że nie odważą się zabić takiej miłości, jeśli w sali będzie rząd kamer stacji ogólnopolskich. Czy się rozumiemy?

– Kocham i walczę – powtórzyła tępo Tośka, bo Roman ściskał ją za przegub, aż zbielały jej knykcie.

– Trzeba będzie podważyć niemal wszystkie dokumenty – ciągnął prawnik z ogniem w oczach. Był w swoim żywiole. – Przenicować materiał dowodowy i bardzo możliwe, że znaleźć własnych świadków czy ekspertów, by pokazać prawdziwy przebieg wydarzeń.

Tutaj zatrzymał się i zwrócił do siedzących przed nim klientów.

– Wszystko więc, można tak powiedzieć, w rękach waszych i rodziny oskarżonego. Rozumiem, że możecie na nią liczyć?

Tośka chciała krzyknąć: A skąd mam to, kurwa, wiedzieć? W życiu tych ludzi nie widziałam! Oni nie mają pojęcia o moim istnieniu. Gdzie mam ich szukać? Jacy są? Czy go wesprą? Cholera wie. Spojrzała z nadzieją na Romana, który potakiwał jak marionetka. Wiedziała, że walczy z podobnymi wątpliwościami. On przecież przez te wszystkie lata także nie miał kontaktu z rodziną Kazacha.

– Mam pytanie – odezwała się nieśmiało. – Czy może pan odpowiedzieć szczerze?

Po tych słowach adwokat splótł dłonie i zwlekał ze składaniem zapewnień.

– Jeśli potrafię odpowiedzieć szczerze, odpowiem. Jeśli nie, uchylę się. Czy to panią satysfakcjonuje?

– Nie bardzo, ale nie mam wyjścia.

– Wyraziłem się jasno. Do rzeczy – ponaglił.

– Czy pan mu wierzy? W to, że nie zabił z zimną krwią, ale bronił życia innych i swojego?

– To klasyka. Zagadka filozoficzna. Chce pani usłyszeć moje wyznanie wiary czy zobaczyć ukochanego na wolności?

Przekrzywił głowę. Biała czupryna nastroszyła się, oczy płonęły. Tośka nie miała wątpliwości, że w poprzednim życiu ten człowiek był syberyjskim drapieżnikiem. Chadzał po śniegu i tropił ofiary. Bywał bezwzględny oraz czuły, ale wyłącznie dla członków swojego stada. Teraz Tośka chciała do niego należeć.

– Pan wie, o co mi chodzi. Chciałabym panu ufać. Inaczej współpraca nie ma sensu.

– To prawda. – Adwokat pokiwał głową, spojrzał na grzyb na suficie i ciężko westchnął. – Moim zadaniem jest nie wierzyć, ale szukać elementów w sprawie, które działają na korzyść mojego klienta. Bronić wszelkimi możliwymi sposobami i zgodnie z literą prawa. W tym przypadku materiał dowodowy został tak wyselekcjonowany, by obrona nie miała punktu zaczepienia. Ani ja, ani pan czy pani nie byliśmy tam. Nasze dobre chęci nic nie znaczą. Nasza wiara i miłość, choćby najbardziej wzniosłe, również. A prawda zawsze jest względna. Będę teraz zupełnie szczery: ja sam po świadków do Kazachstanu nie pojadę. To należy do was. Jak to załatwicie, by dowody uzupełnić na korzyść oskarżonego, nie moja, za przeproszeniem, broszka. Liczę, że dacie mi do ręki oręż, którym będę mógł powalczyć o pana Kereja. Bardziej dosadnie nie mogę tego powiedzieć. Czy jest pani usatysfakcjonowana?

– Rozumiemy – bąknął Romeo. – Wszystko jest jasne.

– Więc pan mu wierzy czy nie? – powtórzyła jak echo Petry. – W to, że było zupełnie inaczej, niż podaje prokuratura. To dla mnie ważne.

– Tosiu! – Romeo pacnął ją w ramię. – Przepraszam, panie mecenasie, emocje ją zalewają.

– Nic nie szkodzi... Odpowiem inaczej. Owszem, dopuszczam taką ewentualność. Problem widzę w tym, że dokumenty zostały przygotowane całkiem nieźle. Na pierwszy rzut oka linia prokuratury zdaje się spójna. Ale w każdym materiale są szwy, a w większości luki do uzupełnienia. Zawsze można znaleźć jakiś trop, a następnie odwrócić go na korzyść klienta. Ponadto polski oskarżyciel, wiem to nieoficjalnie, nie planuje samodzielnie gromadzić dowodów, więc przeprowadzenie przewodu będzie spoczywało na barkach sądu. A to nam daje sporo czasu na zebranie korzystnego materiału, bo, jak rozumiem, podróż naszego wysłannika do Kazachstanu trochę potrwa. Dobrze by było, żeby pojechał ktoś anonimowy, kogo się tam nie spodziewają, choć i tak należy się liczyć z inwigilacją. Sprawa pana Kunanbajewa była bardzo medialna w Uralsku. Wszelkie okoliczności zdobywania informacji, przygody i perypetie z tym związane, a także udokumentowane utrudnienia mogą przysłużyć się do odmalowania kolorytu. Sąd lubi emocje, dziennikarze tym bardziej. No i wszelkie dowody na łamanie praw człowieka oraz przeszkody ze strony władz będą dobrym fundamentem do podważenia niekorzystnego wyroku.

Tośka po tej tyradzie odetchnęła z ulgą i nawet zdobyła się na uśmiech. Już wiedziała, że ma w nim sojusznika. Nie szło mu wcale o pieniądze. Chciał wygrać. Definitywnie. Nie mogli trafić lepiej. Na twarzy mecenasa Leszczyńskiego pojawił się nieoczekiwanie delikatny grymas. Jakby jeden z kącików ust nieznacznie się uniósł. Pojęła, że to miał być uśmiech przeznaczony dla niej. Była pewna, że z czasem adwokat otworzy się, i nie mogła doczekać się, aż zdejmie maskę dyplomaty. Ale na razie przeraził się, że zbytnio pozwolił im się do siebie zbliżyć, bo znów mówił jak automat.

– Mam trochę więcej lat niż pani, więc wiem, jak to było u nas za czasów PRL-u. Bywałem w krajach dawnego ZSRR i mogę sobie tylko wyobrazić, jak to wygląda na krańcach Azji. Nie znam wszystkich szczegółów. Nie wiem, jaki był przebieg wydarzeń, ale chyba każdy tu obecny chciałby się dowiedzieć, co tak naprawdę się stało i dlaczego. A jeśli, jak pani twierdzi, mamy do czynienia z obroną konieczną i dostarczycie mi na to dowodów w postaci zeznań świadków, pan Kunanbajew zaś będzie współpracował, to myślę, że możemy uratować jedno cenne ludzkie życie. Słuchałem dziś radia i sądzę, że nie tylko nam na tym zależy. Naprawdę rzadko zdarza mi się czuć rodzaj sympatii do oskarżonego. To miła odmiana. Pytanie do państwa, czy podejmiecie tę grę. Bo sprawa ekstradycji to arcytrudna batalia, ale raczej dla nas, prawników. Z Krzysiem Bucefałem zrobimy wszystko, co w naszej mocy. Was czeka o wiele poważniejsza walka. Jeśli nie uda się wykazać, że dokumenty zostały przygotowane przez tamtejszych śledczych tak, by skazać tego konkretnego człowieka, a oskarżony nie uciekał się do obrony koniecznej, lecz zabił z zimną krwią, pan Kerej może zostać skazany na więzienie w tutejszym zakładzie karnym. To wszystko może trwać lata. A po drodze będzie mnóstwo przeszkód.

– Jesteśmy gotowi – zdeklarował Romeo.

Zaskoczona Tośka nie odezwała się nawet słowem. Skinęła tylko głową z ociąganiem, choć widziała, że biznesmenowi nie spodobał się jej brak entuzjazmu.

– Jeśli będzie trzeba, sam pojadę tam, do Uralska, szukać świadków lub dowodów – dodał Grajek. – Czekam tylko na wskazówki.

– To raczej nie będzie konieczne. – Adwokat tymczasem spoglądał na Tośkę. – A tak poza tym, musi go pani bardzo kochać. Facet ma szczęście. Winszuję mu.

Tośka poczuła się głupio. Nic jeszcze nie zrobiła. Nawet za adwokata płacił przyjaciel Kereja. Zarumieniła się i pochyliła głowę.

– Nie byłabym tego taka pewna – wycedziła powoli. – Rozstaliśmy się w gniewie. Nie wytrzymałam napięcia.

– Sama musi pani podjąć decyzję, czy jest gotowa na ten bój – powiedział adwokat. – Czeka was długa i mozolna praca. A przed wami jeszcze wiele trudnych chwil. Miłość może nie wystarczyć. Ale wiara jest konieczna. I tym sposobem wracamy do pani pytania.

Leszczyński umilkł. Tośka poczuła, że prawnik rzuca jej wyzwanie.

– Bardzo tego rozstania żałuję – dodała. – Będę o niego walczyć. I wierzę w niego. W nas – poprawiła się. – Może pan na mnie liczyć.

– Świetnie. – Adwokat złożył dokumenty i zamknął teczkę. – Takie love story: „piękna Polka i dziki wojownik", bardzo pomoże w pracy z mediami. Jeśli mamy wygrać życie pana Kereja, to sprawa powinna odbić się szerokim echem w całym kraju.

Leszczyński zatrzymał się i zmierzył oboje bacznym spojrzeniem.

– Ale jest pewien kłopot i bez pokonania tej drobnej przeszkody nie podejmę się dalszych działań – westchnął. – Choćby mi na głowę ten grzyb spadł, a pan Roman podwoił stawkę.

Popatrzyli na niego kolejny raz zbici z tropu.

– Pan Kunanbajew konsekwentnie nie przyznaje się do winy. Co gorsza, nie chce też składać wyjaśnień. Odmówił spotkania ze mną. Dlatego wciąż towarzyszy mi sceptycyzm. Od pierwszych chwil naszej znajomości, mimo że ciąży na nim wyrok za masowe zabójstwo, milczy jak zaklęty, odkąd się zgłosił. Państwo rozumieją, że taka postawa wiąże mi ręce.

– Sam się zgłosił? – zdziwił się Romeo.

Tośka zaczęła pośpiesznie składać fakty. To miało sens. Poczuła tkliwość i chciało się jej płakać. Wiedziała, że Kerej zrobił to dla niej. Potraktował jej odejście jako ultimatum. Romeo miał rację: ujawnił się dla niej. To przez nią może teraz stracić życie. Była już pewna, że musi zrobić wszystko, by go uratować. Ale nie powiedziała nic.

– Dziś rano przyszedł na komisariat – wyjaśnił adwokat. – Była kolejka, dlatego czekał dwie godziny, zanim został przesłuchany. Ponoć policjant, który odbierał od niego zeznanie, na początku myślał, że to żart. Nie mógł nawet odnaleźć faksu z listem gończym. Chyba pan Kerej był jego trenerem judo, leczył też jego żoną.

– Wasilewski – mruknął Romeo. – Pogadam z nim. A ten, który nie mógł znaleźć listu poszukiwawczego, to Sioło. Julek, nasz wspólny znajomy.

Romeo spojrzał wymownie na Tośkę.

– Może twój. Ja się z nim nie spotykam. Wręcz przeciwnie.

– To teraz nieważne. – Mecenasa nagle rozsierdziło ich przekomarzanie. – W takiej sprawie w interesie oskarżonego jest mówić cokolwiek. Kajać się, przepraszać. Starać się ujawnić prawdę albo to, co może być za nią wzięte. To nie tylko jest dobrze widziane. To konieczność, jeśli zamierzamy walczyć o złagodzenie kary w ramach obrony koniecznej. A on się zaparł. Może państwo przemówią mu do rozsądku?

Spojrzał na Tośkę.

– Liczę, że pani coś wskóra.

Petry poczuła się tak, jakby ktoś rąbnął ją znienacka kułakiem w brzuch.

Drogi do Srebrnej Góry nie pamiętała. Musieli śmigać po serpentynach i ze znaczną prędkością wspinać się wąską jezdnią aż na szczyt, bo Roman lubił przycisnąć swojego SUV-a, ale Tośka była tak pogrążona w myślach, że zdawało się jej, jakby dosłownie przed chwilą wyszli z kancelarii.

Na kolanach miała plik kserokopii, o które poprosiła prawnika. W ustach czuła suchość, a w piersiach dudnienie.

Słyszała wręcz bicie własnego serca. Roman nie wjechał na podjazd do hotelu. Zatrzymał się wyżej, na drodze do srebrnogórskiej Twierdzy. Wyłączył silnik, uchylił okna. Pachniało wiosną.

– Lepiej będzie, jeśli wejdziesz od zaplecza. – Podał jej stary klucz. – W holu jest horda dziennikarzy. Jak się zorientuję w sytuacji, podeślę do ciebie Jagodę. Jutro bądź gotowa do drogi. Zawieziemy mu potrzebne rzeczy. Może Lemir coś zdziała, to porozmawiacie. Na razie jest groźba mataczenia, więc może się nie udać. Dlatego dobrze by było, gdybyś ten list napisała jeszcze dziś. Spróbujemy go przekazać.

Do Tośki docierało tylko co drugie słowo.

– Jesteś niesamowity, wiesz?

– Bo pomagam przyjacielowi? – Zmarszczył groźnie brwi.

Nic nie odpowiedziała. Każdy komentarz wydawał się trywialny.

– Za to tobie się dziwię. – Romeo postanowił wylać trochę goryczy. I nie zamierzał się nad dziewczyną litować. Jego oskarżający głos brzmiał mocno. – Wcześniej myślałem, że jesteś w szoku. Że to chwilowe. Ale ty chcesz go zostawić. Powiedz mi, co między wami zaszło. I dlaczego? To ważne.

– To było chwilowe. – Otworzyła drzwi. – Ale już nieaktualne. Będę z nim zawsze. Do śmierci mojej lub jego – zadeklarowała, po czym wysiadła z impetem.

Roman nie zatrzymywał jej. Czuła, że jest na nią zły i bacznie ją obserwuje. Była pewna, że do tematu wróci. Teraz jednak nie miała sił na dyskusje. Chciała mu podziękować i zapytać, jak ma się odwdzięczyć. Dodać coś, co ludzie zwykle mówią w trudnych chwilach. Nie była w stanie. Choć nogi miała jak z waty, truchtem wbiegła do lasu. A potem zarośniętą ścieżką dotarła do pordzewiałej bramy, która prowadziła do wejścia kuchennego. Z wysiłkiem przekręciła klucz w zamku. Furty nie używano od lat.

W suterenie było pusto. Przez ściany słychać było tylko jednostajne dudnienie. Domyśliła się, że to odgłosy balu, który producent filmowy wydawał na cześć żony. Akurat dzisiaj, pomyślała. Jak to możliwe, że jeden dzień mieści tak różne ludzkie losy oraz związaną z nimi energię. Ich euforia i jej rozpacz, a wszystko w tym jednym miejscu na ziemi. I jest w tym ład. Przez moment czuła zazdrość, że ona cierpi, a tamci są szczęśliwi, ale zaraz się otrząsnęła. To tylko test. Musi to udźwignąć, choć, do cholery, nie wie jeszcze, czy zdoła. Przecież przez te lata brała radość garściami. Były dni, kiedy i ona się śmiała. Świętowali urodziny, sylwestry, fiesty z okazji jej egzaminów czy jego udanych biznesów. Był czas, kiedy jej rzeczywistość zawęziła się do tego jednego człowieka i związanych z nim spraw. Wszystko ma postać koła. Nie ma końca ani początku. Uroboros. Liczy się tylko przemiana. Nic nie umiera tak naprawdę i nie rodzi się z niczego. Tak rozmyślając, pokonała schody i znalazła się pod ich miniaturowym domem. Drzwi pokoiku 13F były uchylone. Poczuła ucisk w gardle, ale złapała ręką za klamkę i weszła do środka. Pstryknęła światło.

Wszystko zdawało się w takim stanie, jaki zostawiła rano. A przecież cały jej świat wywrócił się dziś do góry nogami. Tymczasem materia pozostała tym, czym była. Kartony i jeszcze raz kartony, worki związane sznurkiem, paczki. Jeszcze trochę kartonów oraz dwie torby podróżne, do których spakowała swoje ubrania. W pomieszczeniu panował zaduch, więc bez namysłu podeszła i uchyliła skrzydło drzwi balkonowych. Do pokoju wpadł gwar rozkręcającego się na dole przyjęcia. Wyjrzała przez szparę na taras, by sprawdzić, czy na podjeździe są wozy transmisyjne stacji telewizyjnych, ale zaraz się schowała. Sąsiedzi obok wylegli na swoją część. Palili papierosy, żartowali. Nie chciała, by ją zauważyli, choć wcześniej zdawało się jej, że to bez znaczenia. Zgasiła światło. Po chwili w ciemnościach zaczęła rozróżniać kształty przedmiotów.

Odłożyła dokumenty na puste biurko obok figurek Buddy i kolorowych słoni, które zupełnie bez okazji darowała kiedyś Kerejowi, a on je poustawiał właśnie w tym miejscu. Mimo że zerwała z nim, nie schował ich. Nie wyrzucił. Widziała tylko ich zarys, a jednak powracały wspomnienia. Przeszłość cięła ją na kawałki. Czuła się znów podle. Nagle, nie zamierzając tego robić, otworzyła szafę, w której wisiały już tylko jego rzeczy. Chwyciła pierwszą z brzegu bluzę do biegania i przyłożyła do twarzy. Poczuła jego zapach i łzy same popłynęły jej z oczu. Porwała całe naręcze jego rzeczy, jakby chciała w ten sposób mieć chociaż jego namiastkę, i rzuciła się na łóżko, głośno łkając. Tak, zwiniętą w pozycji embrionalnej, w plątaninie spodni i koszul ukochanego, zastała ją Jagoda Kusyk – wspólniczka Romana. Dwa lata temu, podczas kuracji odchudzającej Romea Kerej uprosił go, by zainwestował w podupadający hotel w Srebrnej Górze, bo Jagoda po śmierci męża poważnie zachorowała i nie była w stanie prowadzić placówki. A teraz szykowali wspólnie gruntowny remont i wyglądało na to, że będzie to jeden z bardziej luksusowych ośrodków konferencyjnych w regionie. Zdrowiem wdowy Kerej też się zajął. Po stojącej nad grobem bladej suchotnicy nie było śladu. Jagoda odmłodniała, przytyła i została jedną z najwierniejszych sojuszniczek Kazacha. Deklarowała swoją wdzięczność dozgonnie. Dlatego Tośka i Kerej mogli tu mieszkać tak długo, jak chcieli, płacąc naprawdę symboliczny czynsz.

Jagoda nie powiedziała teraz ani słowa. Postawiła herbatę i talerz z kanapkami na szafce nocnej, a potem położyła się obok Tośki. Głaskała ją po głowie i uspokajała, jak spłakane dziecko. Trwały tak jakiś czas, bo dziewczyna kompletnie się rozkleiła. Obie leżały teraz spowite jedynie w świetle księżyca i lamp ulicznych, wpatrując się w sufit. Tośka czuła się jak w kokonie. Nie chciała wychodzić na zewnątrz.

– Boję się iść do domu.

– Przecież nikt cię nie wygania.

– Chyba powinnam, ale zupełnie nie wiem, co powiedzieć mamie. Zawsze go lubiła. To musi być dla niej szok. Ojciec jest pewnie już pijany.

– Nic nie musisz – powtórzyła Jagoda. – I nie martw się. Działaj. Co powiedział adwokat?

Tośka streściła jej przebieg spotkania.

– Będzie ciężko, ale możliwe, że go nie wydadzą – zakończyła relację.

– Mówiłam zawsze, że Kerej to szczęściarz. – Hotelarka ucieszyła się szczerze. – Wywinie się. Ma słońce w Jowiszu.

Tośka była sceptyczna wobec astrologicznych przepowiedni Jagody. Wiedziała, że wdowa spogląda w gwiazdy, zgłębia tybetańskie kalendarze i myje włosy tylko w czasie pełni księżyca, a ścina w nowiu. A może odwrotnie? Nie pamiętała. Jagoda była zawsze taka dobra, oddana, a dziś Tośka potrzebowała wiary tej kobiety szczególnie, więc powstrzymała się przed uszczypliwym komentarzem na temat horoskopu kochanka. Niech jej będzie Jowisz, pomyślała. Byle okazał się skuteczny.

– To może potrwać lata. Niewykluczone, że będzie musiał odsiedzieć karę. Jeśli nie wykażemy działania w obronie koniecznej, górna granica to dożywocie. Oczywiście realnie oznacza to trzydzieści lat. Tak wygląda scenariusz optymistyczny. Najważniejszy jest teraz zakaz ekstradycji.

– I co, że trzydzieści? Nie poczekasz?

Tośka się zawahała.

– Ile ty byłaś z Jurkiem?

– Trzydzieści dwa. Jak Dżery zmarł, też myślałam, że nic tu po mnie. A teraz z Romeem stawiamy hotel na nogi. Jurek czuwa nad tym miejscem, nad nami. To on zesłał nam do Srebrnej Góry Kereja. Gdyby nie twój luby, mnie już by tu nie było. Nie tylko ja jedna w to wierzę.

Przerwała.

– Roman uruchomił kontakty. Nie zginiecie. Jesteście dla mnie jak dzieci. Zawsze możecie na mnie liczyć. Kobra da ci urlop. Już z nią rozmawiałam. Bierz tyle wolnego, ile potrzebujesz. Ona to załatwi z górą.

Tośka rzuciła się w objęcia przyjaciółki i znów zaczęła chlipać. Ale Jagoda nie pozwoliła się jej już mazać. Włączyła lampkę. Podsunęła kanapki i herbatę.

– Pij, bo będzie zimna. Jak na dole się uspokoi, przyniosę ci przecieraki. Pierś z kurczaka wolisz czy schabowego? Mam też pstrąga, ale nie pasuje. Zresztą jest z głową. Ty lubisz tylko filet.

Tośka wzruszyła się, że Jagoda tak o wszystkim myśli i pamięta. Własna matka nie okazywała jej tyle ciepła, co ta zupełnie obca kobieta. Ale Alina Petry miała inne problemy. Tośka nie chciała jej oceniać.

– To mi wystarczy, dziękuję. – Ugryzła kęs kanapki, by nie zrobić przykrości gospodyni, choć apetytu nie miała wcale. – Jagódka, a może ty wiesz, jak to się stało? Jak go wzięli? Podobno sam poszedł. To prawda?

Hotelarka spojrzała na nią czujnie.

– Wiem tyle, ile ludzie gadają.

– Co mówią?

– Że Julek to dureń. Tyle mówią – roześmiała się. – Podobno wysłali Juliana na zwiad, jak ktoś ten faks zobaczył.

– Roman mówił, że list gończy wisiał na ścianie. I że go przeoczyli.

– To wersja oficjalna. Powtarzana po to, żeby ratować honor komendy. Ale ja wiem, że to nieprawda, bo widziałam Julka już wczoraj. I wcześniej też. Jeśli mam być szczera, wiele razy. Tak sprytnie się kamuflował, że babeczki mu nosiłam. Wczoraj całą noc stał w krzakach.

– Gdzie?

– Przed waszym oknem. Za autem hydraulików się zadekował – parsknęła już głośniej. – Nie wiem po co i dlaczego. Przecież gdyby chciał zatrzymać Kereja, toby po prostu wszedł, tak? Nikt tutaj w ciemnej komórce go nie trzymał.

– Dziwne – mruknęła Tośka.

– Teraz też tak to widzę – przyznała Jagoda. – Ale wtedy, przyrzekam ci, sądziłam, że to jakaś romantyczna historia. No wiesz, że idzie o ciebie.

– O mnie?

– Ostatnio między wami nie było dobrze, co? A Julian kiedyś... Sama wiesz. On zawsze miał do ciebie słabość.

– Nie wierzę. – Tośka ukryła twarz w dłoniach. – I pomyślałaś, że ja mam z tym palantem romans?

– Co to, to nie. – Jagoda zaczęła się wycofywać. – Ale Kerej mógł pomyśleć. Bo jak trzeci raz szłam, tak przed północą, z termosem herbaty i bezami, dołączył do mnie. Nie rozmawiali długo. Ale też się nie bili. Hałasów nie słyszałam. Chociaż wiesz, że śpię jak niemowlę. Przy śniadaniu był młyn, bo tylu gości się zjechało, i dopiero przed obiadem dziewczyna z nocnej zmiany zadzwoniła, że twój chłopak zostawił mi kopertę. Poszłam po nią natychmiast. Wewnątrz były kluczyki do auta i gotówka. Kerej napisał, że to za czynsz do końca roku, jakbyś chciała zostać. Do głowy mi nie przyszło, że to pożegnanie.

– Było coś dla mnie? – wyszeptała z nadzieją Tosia.

– Tylko to, co mówię. – Jagoda nagle wstała i poklepała dziewczynę po policzku. – Więc widzisz, że nawet gdybym chciała, nie bardzo mogę się ciebie pozbyć. Kasę wzięłam, a nie ma jej komu zwrócić. A tak poważnie, to rozpakuj się, weź kąpiel. Odpocznij. Matka już pewnie wie. Mogę do niej zadzwonić, że wszystko okej. Chcesz?

– Muszę sama. I nie przez telefon. Zasłużyła na prawdę.

– Słusznie – zaaprobowała pomysł Jagoda. – Tylko nie zwlekaj z wizytą, bo pewnie odchodzi od zmysłów. Kobra jej wszystko powie, ale niektóre rzeczy powinna usłyszeć od ciebie. Rozumiesz?

Tośka spojrzała w ciepłe oczy kobiety.

– Możesz mi coś przechować?

– To zależy.

Tośka rozcięła jeden z kartonów i wydobyła pakunek. Podała Jagodzie.

– Czy tam jest broń? Coś niebezpiecznego?

– Oczywiście. – Dziewczyna była śmiertelnie poważna. A ponieważ Jagoda nieco zbladła i wyraźnie się wahała,

Tośka się roześmiała. – To nasze zdjęcia, listy miłosne. Sterta niepotrzebnych papierów. I dokumenty Kereja stamtąd. Paszport Igora Gorcewa, kimkolwiek jest. Prawo jazdy Władimira Makanina i legitymacja związkowa na jeszcze inne nazwisko. Oczywiście fałszywe. Trzeba to będzie zniszczyć. Na razie jednak niech leżą w bezpiecznym miejscu. Nie wiem, czy adwokat nie zażąda ich w czasie procesu.

– Mam dobrą skrytkę na takie szpargały. – Rozpromieniła się Jagoda. – Jutro zaczyna się remont. Zamurujemy to w jakiejś ścianie. Na dobrą wróżbę dla ojca chrzestnego tej placówki. Żadna policja tego nie znajdzie. A jak umrę, zostawię ci kod zagadkę. Będziesz musiała rozwiązać. A legend o tym będą słuchać turyści.

– Jesteś wariatka.

– No i co z tego? – odpowiedziała z uśmiechem Jagoda, a potem nagle spoważniała. – Lepiej byłoby spalić, jak przyjdzie czas.

– Dam ci znać, jak on zdecyduje.

Po chwili Tośka została sama. Rozebrała się, odkręciła wodę, ale nie weszła pod prysznic. Wyjęła papier listowy, znalazła kilka długopisów. Ułożyła to wszystko na biurku niczym oręż. Nie była w stanie napisać nawet nagłówka. Zerwała się, gorączkowo przeszukiwała pokój. Rozcinała paczki, wysypywała zawartość szuflad. W końcu poddała się i umościła wśród rzeczy kochanka jak w gnieździe. Przymknęła powieki. Pierwszy obraz, jaki się pojawił, to zadymka śnieżna, a potem zmrużone, nieprzeniknione oczy płowowłosego Azjaty. Tylko ona wiedziała, kiedy jest w nich czułość, a kiedy gniew.

1996 rok, Srebrna Góra

Zauważył ją, kiedy tylko weszła, choć w zadymionej sali U Koniuszego panował ścisk, jak przystało na sobotni wieczór w najlepszej dyskotece w okolicy. Drzwi otwarły się z impetem. Jakaś lolitka w szortach zapiszczała i odskoczyła pod ścianę, a pomieszczenie zalało oślepiające światło latarni. Wybrzmiały pierwsze riffy *Creep* Radiohead. Sala gruchnęła aplauzem. Dziewczyna zaś wdarła się do środka wraz z podmuchem wiatru niosącym odgłosy burzy, zapach bzu i falę rzęsistego deszczu. Jakby nie była człowiekiem z krwi i kości, lecz pełnym gniewu żywiołem. Najpierw zobaczył tylko jej aurę. Szerokie pasmo drgającego powietrza otaczało jej sylwetkę ukrytą na tę chwilę w cieniu: smukłe, niekończące się nogi, kształtne biodra, talia tak wąska, że bez trudu objąłby ją w pasie, łącząc palce wskazujące i kciuki; wreszcie niewielki biust, ledwie zarysowany pod niezapiętą kurtką. Stała z pochyloną głową i skulonymi ramionami. Twarz skrywała pod daszkiem bejsbolówki. Kiedy tak wyłaniała się z jasności, nie słyszał bębniącej muzyki i głośnych rozmów. Na chwilę zawiesił się w bezczasie. A zaraz potem poczuł coś nowego – nieuzasadnioną bliskość. Jakby nieznajoma dzieliła z nim ból i wściekłość. Jakby to na nią właśnie czekał, a ona teraz pojawiła się, aby go odnaleźć. Potem drzwi zamknięto, salę ponownie okrył półmrok, gdzieniegdzie tylko rozświetlany pulsującymi reflektorami. Tłum znów się zagęścił, a ona w nim zniknęła.

Kerej gwałtownie wstał, aż przewróciły się kieliszki, a współbiesiadnicy podnieśli głosy, ale nie zważał na to. Rozejrzał się na wszystkie strony, sprawdził pomieszczenie z góry, szukając jej rozpaczliwie. Zielone, czerwone, niebieskie, żółte – kolorowe diody muskały roznegliżowane ciała tańczących. Jej nie było. Usiadł z poczuciem straty i rozczarowania. Jak ktoś, kto zobaczył pięknego ptaka – był tuż obok, na wyciągnięcie ręki – lecz zachował się nieostrożnie i niechcący go spłoszył. Chwilę siedział bez ruchu, głuchy na wezwania towarzyszy, rozmyślając, czy nie był to jednak alkoholowy zwid, projekcja utkana z marzeń, które nigdy nie miały się spełnić. W końcu poczuł, że ktoś stuka go w plecy. To Romeo podsuwał mu nową flaszkę i intonował jakąś żołnierską pieśń, straszliwie fałszując.

– Do boju! – krzyknął przyjaciel i Kerej zgodnie wychylił do dna.

Przełknął wódkę na wydechu, chuchnął trzykrotnie. A potem skrzywił się i zaklął szpetnie po rosyjsku.

– Co to za szuwaks?

Romeo pogładził nalepkę na butelce, jakby chciał ją udobruchać i przeprosić za zachowanie kolegi, a potem uśmiechnął się zawadiacko.

– Smirnoff, sensei. Nektar z żyta. Wszak dziś mam dyspensę od zdrowego odżywiania.

Kerej zabrał pełne szkło, które czekało na dalszą część wieczoru, wszak godzina była jeszcze młoda, i obejrzał zakrętkę. Akcyza była w porządku, wszystkie banderole całe. A potem ponownie wyjął otwartą butelkę z rąk przyjaciela.

– Przy tobie odczyniała? – Upewnił się mieszanką polskiego i rosyjskiego.

– *Nu da* – potwierdził Romeo, naśladując akcent Kereja, co wzbudziło ogólną wesołość. – A co, że niby chujowa?

– Płaciłem za smirnoffa – mruknął Kerej. – A to jest jakieś gówno na spirytusie. Która to przyniosła?

– Spokojnie, mistrzu. Connor zaraz podejdzie. To ta mała z kucykiem i kolczykiem w języku – uspokajał przyjaciela Romeo. – Nie rób awantury. Ona idzie do policji, a mnie się dzisiaj bić nie chce. Ani tym bardziej szarpać z mundurowymi. Taki piękny wieczór.

Towarzystwo zarechotało. Wszyscy wiedzieli, że Romeo do walki wręcz był nieskory, chyba że w biznesie. W trakcie poważnych negocjacji ten pluszowy miś momentalnie zmieniał się w drapieżnika. Dziś przy stole siedziała cała świta Romea oraz wszyscy handlowcy jednej z jego rozlicznych firm. Zakontraktowali tydzień temu duży transport urządzeń ortopedycznych na Ukrainę i wyglądało na to, że będą mieli spokój z zamówieniami na najbliższy rok, bo protezy szły do Dniepropietrowska jak woda. Na dodatek z marżą, jakiej nie dawał już nikt w kraju nad Wisłą. Mieli co świętować i doprawdy nikt nie kwapił się do bójki. Ktoś opowiedział dowcip. Polano znów rozrobiony spirytus. Kerej odmówił wypicia, ale inni się nie zawahali. Z głośników dudnił już *Disarm* Smashing Pumpkins. Dziewczyny ciągnęły panów na parkiet.

Tośka weszła już na zaplecze. Zdjęła kurtkę, strzepnęła z niej wodę. Po namyśle ściągnęła przez głowę top, razem z biustonoszem, bo można go było wykręcać. Spodnie osuszyła ręcznikiem, na ile się dały. Do butów napakowała papieru i czekała dobre dziesięć minut, aż nasiąknie. Mimo to, kiedy je ponownie wkładała, wciąż w nich pluskało. Termometr na zewnątrz pokazywał dwadzieścia osiem stopni, a ona wciąż dygotała.

Ale to nie temperatura ani rzęsisty deszcz spowodowały dreszcze, lecz gniew i rozpacz oraz inne niskie uczucia, które ją ostatnio przepełniały. Jeszcze trzy dni temu chciała skończyć ze sobą. Leżała, jakby ją złożyła nagła choroba, nie mając sił pójść do toalety, mówić ani ruszyć małym palcem. Wciąż tylko ryczała jak ranne zwierzę.

Tego popołudnia obudziła się już całkiem pusta. Wzięła nożyczki, długie, sięgające do pasa włosy ostrzygła tuż przy głowie i dopiero wtedy zadzwoniła do Connor. Przyjaciółka o nic nie pytała. Kazała przyjeżdżać natychmiast.

Tośka wiedziała, że musi wziąć się w garść, jeśli chce zapłacić za studia. Rozwiesiła ubranie na małym grzejniku, pogrzebała w szafce i wyciągnęła jakiś stary T-shirt. Był zabrudzony i podarty w kilku miejscach, więc zawiązała go na supeł pod biustem, odsłaniając niemal cały brzuch. Ale miała w nosie, jak wygląda. Na byle jak ostrzyżoną głowę wcisnęła pożyczoną od brata czapkę i ruszyła za bar.

Connor, filigranowa blondynka ubrana w militarną bokserkę i męskie bojówki, jakby skakała z pułkiem spadochroniarzy, już tam była. Jedną ręką potrząsała szejker, drugą nalewała dżin do szklanek, w których jakimś cudem pojawiały się limonki. Te czynności zupełnie jej nie przeszkadzały w prowadzeniu konwersacji. Po drugiej stronie kontuaru cisnęła się ciżba spragnionych. Amatorów na słynne drinki Connor i jej kąśliwe uwagi, rzucane głosem uroczego pisklęcia, nie brakowało.

Tośka wzrokiem porozumiała się z przyjaciółką i natychmiast zabrała się do roboty. Razem szło im o wiele szybciej. Dopiero kiedy przy barze trochę się przerzedziło, dziewczyny rzuciły się sobie w objęcia.

– A to jebaniec – zapalczywie syknęła Tośce do ucha mała blondyneczka przypominająca hartem ducha Godzillę. – Chcesz, utnę mu jaja i wyślę tej larwie. Niech sobie je zjedzą. Zresztą i tak mu uschnie. Ja, wiedźma, ci to mówię. To najlepsza kara.

– Dobrze, że jesteś – zdołała wyszeptać wzruszona Tośka i natychmiast się odsunęła, bo na samo wspomnienie Julka znów czuła, że zbiera się jej na płacz, choć postanowiła sobie, że będzie dziś pomagać i nie wolno jej się rozkleić.

Connor usadziła przyjaciółkę na beczce z piwem i położyła dłoń na jej ramieniu.

– Będzie dobrze. Zapomnisz. A dziś znajdziemy ci nowego chłopaka. Nic lepiej nie koi złamanego serca jak porządny kutas.

Tośka roześmiała się i wzniosła ramiona w niemym proteście. Connor zawołała gestem kelnera z sali.

– Ale sajgon! – Kamil Woźniak, nie wiadomo dlaczego zwany przez wszystkich Sztabą, brzęknął tacą z pustymi butelkami i oparł swoje piękne muskuły na blacie. – W samą porę wpadłaś, Petry. Bolo nam się wysypał. Naćpał się wczoraj albo zalał. Pewnie jedno i drugie. Chyba siódmy raz w tym miesiącu. Tylko na jedną zmianę zdążył, siurek. Mam nadzieję, że na tyle skutecznie, że jutro dostanę zaproszenie na pogrzeb. Wstępu tu już nie ma, złamas zagilony. Zostawić nas w taką noc! Ruszyły wakacje, zaczął się bal u szatana!

Przydasz się, młoda, bo ludu przybywa. Halo! – krzyknął w głąb sali, ale harmider był taki, że nikt nie zareagował. – Więcej was mamusia nie miała?

– Pomoc psychologiczna potrzebna – huknęła do niego rozbawiona Connor. – Ty, filozof, znasz się z Konfucjuszem i Sartre'em.

– To dwa odmienne tematy – oburzył się Sztaba, ale Connor nie słuchała.

– Nie pierdol. Alfred z Rievaulx też się nada. Weź mi tu zaraz koleżankę pociesz jakąś jego złotą myślą o duszy. Bo taki jeden dupek puścił ją kantem i biedna się smuci.

– Coś słyszałem. – Sztaba spojrzał z litością na Tośkę. – Wsiur straszny z tego Sioły. Nie żałuj nic, mała. Nie znam większego pierdoły. Ale mi się limeryk ułożył.

– Zdolniacha – zachichotała Connor i ustawiła mu w nagrodę piętnaście drinków do zaniesienia na stoły. – Dzięki, poeto. Ludzie spragnieni. Wiersze po robocie będziesz pisał.

– Trochę szacunku, kobieto! – Posłał jej lotnego buziaka Sztaba. – Pan magister, kurwa, kulturoznawstwa. Świeżo upieczony. A filozofii miałem tylko trzy semestry, jakbyś była łaskawa w końcu zapamiętać.

– Ja mam sześć i na chuj mi to było, nie wiem – odparowała Connor. – Teraz tylko pompki robię i wkuwam prawo karne. Oraz oczywiście jestem mistrzynią drinka Nevada. Czeka w kanistrach na zapleczu. Tylko rurka do spirytu się zjebała.

– Za to ostatnie osiągnięcie dałbym ci Nobla, moja droga, a także wszystkie medale od prezydenta! – Sztaba puścił oko do Connor i zgrabnie uniósł tacę nad głowę, aż bułki na ramionach wyeksponowały się niczym na zawodach kulturystycznych.

Trzy dziewczyny przy barze ożywiły się na ten widok, ale Sztaba nawet nie zwrócił na nie uwagi.

– Gratulacje. – Tośka uśmiechnęła się do niego niemrawo. – Ukończenie studiów duża rzecz.

Sztaba nieznacznie pochylił głowę w podzięce. A następnie popisowo okręcił się wokół własnej osi, złapał równowagę i przemieścił tacę z rąk do rąk. W żadnej ze szklanek nie ubyło nawet milimetra płynu. Dziewczęta siedzące obok znów wypięły biusty. Tym razem Sztaba mrugnął i do nich.

– Jaka tam duża. – Kelner machnął ręką. – Kiedy kierunek błędny. Że też mi matka na czas tego pomysłu z głowy nie wybiła. Muskułów bym dziś nie musiał prężyć, tylko szare komóry rozwijał.

– Całkiem niczego sobie te muskuły – szepnęła Tośka absolutnie szczerze. – Wszystkie tutaj czujemy się przy tobie bezpiecznie.

To Sztabie wystarczyło do szczęścia.

– A gdzie kasa? O czym ja myślałem, jak był czas? – Pokiwał palcem na Tośkę. – Patrz na staruchów i ucz się, Petry. Nie ideały się liczą, lecz praktykalia. Dobrze, że idziesz na ekonomię.

– Administrację.

– Wszystko jedno. To przynajmniej jest jakiś konkret. Ta wiesz, dokąd się teraz wybiera? – Wskazał Connor, ale zaraz umilkł, bo blondynka położyła palec na ustach i pokręciła głową.

– Dokąd?

Tośka poczuła się zagubiona. Była tak zajęta swoimi sprawami, że zaniedbała nowiny z życia przyjaciółki. Sztaba nie pociągnął tematu. Zorientował się, że nieświadomie zdradził sekret, więc starał się teraz zagadać gafę.

– Jak jest grunt pod stopami, marzenia same się spełniają – prawie krzyknął i znów mrugnął zalotnie do stada w miniówkach. – Coelho! To jest prawdziwy mędrzec. A o miłości zapomnij. Ona nie istnieje. Durne bajki dla dzieciaków, które jeszcze seksu nie popróbowały. Wsparcie się liczy, zaufanie i forsa. Masz swoją wielką miłość za sobą. Starczy ci.

– Dzięki ci, o wielki guru. Bardzo nam pomogłeś. – Connor wkroczyła między nich, jakby chciała skoczyć Sztabie do gardła, choć sięgała mu ledwie pod ramię. – I weź nie dobijaj mi tu Tosi. Ona i tak ma powyżej uszu bęcków od życia. Lepiej byś przypierdolił swojemu koledze za ten numer, co jej wywinął. Jeszcze za miesiąc komornego musiała zabulić. Tchórz i sknera. Kwalifikuje się do obicia mordy.

– Ty wszystkich waliłabyś po twarzy. Nie chciałbym służyć pod tobą.

– Jak zasłużył, czemu nie? – Connor wzruszyła ramionami. – A gadać to może każdy.

Zwróciła się do tłumu.

– Miękki Julek. Sioło to ciota! – krzyknęła, choć wiadomo było, że nikt nie usłyszy.

Jej wygłupy rozśmieszyły Sztabę, a i Tośka się rozpogodziła.

– Przestań – szepnęła. – Nie ma sensu. Sama jestem sobie winna.

– Wina to ty się napij.

Sztaba cmoknął ją w policzek i ruszył w pielgrzymkę między stołami.

– Tylko się nie zaczep, mistrzu – szydziła Connor. – Gadasz tak, a sam co? Pobawiłeś się trochę na tych studiach, przyznaj. Dziewuch poobracałeś we Wro. Żona w domu przy nadziei. Z dużego miasta przywieziona. Wykształcona, charakterna. Biust jak u Dolly Parton. Przychówku już gromadka, a ty nadal wyglądasz jak młody bóg.

– To dlatego, że krótko mnie trzyma.

Sztaba zawrócił i rechotał tak długo, aż się zapluł.

– Więc chyba opłaciło się kulturoznawstwo – przygadywała mu Connor. – No i teraz wiesz o pijackiej branży wszystko.

– A nabawiłem się. Masz słuszność, ślicznoto. Starczy mi do emerytury. A niektórzy, jak nasz Bolo, lat czterdzieści osiem i nadal mieszka z rodzicami, do tej pory nie mogą przestać. Krótkie gacie, fajeczka i pan filozof na włościach. Ten to dopiero udaje Sartre'a. Ech, los. Wracasz do domu po studiach, widzisz pole rzepaku i chce ci się tworzyć. Tylko żyć nie ma jak z tego pisania. Wiesz, ile opowiadań mam w szufladzie?

– Żeby chociaż jedno dobre.

Connor robiła już nowe drinki. Przy barze ustawiła się kolejka. Nie było czasu na dokazywanie.

– Dwanaście. Pół bańki znaków. Myślisz, że ktoś chce to wydać? Patrzą na mnie jak na debila. Nie wiem, czy któryś wydawca w ogóle to czytał. Nawet ci listu nie przyślą, że złe zło. Nic, zasłona milczenia. Obojętność – największy wróg każdego artysty.

– Idź do gazety. – Connor wzruszyła ramionami. – Romeo kupił udziały w drukarni. Kompletuje zespół do nowego tygodnika. I chyba telewizję chce zakładać. – Wskazała długą ławę w głębi sali. – Tam siedzi. Ma dziś dobrą passę. Sprzedał coś z zyskiem. Jak go znam, opylił pierdyliard tirów i drugie tyle statków. Wszystko jedno czego. Pogadaj z nim. Ma hajs, zatrudni cię i wykorzysta twój łeb. Wiersz mu powiedz, pofilozofuj. Weźmie cię do siebie.

Sztaba przyjrzał się ludziom siedzącym wokół słynnego w okolicy biznesmena. A potem westchnął zrezygnowany.

– O dziurach w drodze mam pisać? Albo laurki twojemu tacie robić? Bo przecież po to im lokalne media. Nie dla misji.

– Tatulek by się nie pogniewał. Następną kadencję też zamierza wygrać – odpysknęła Connor, szczerze ubawiona. – Chociaż nie wiem, czy to zgodne z prawem. A co? Lepiej tace z flaszkami nosić? I pijaków nad ranem wyganiać? Rzygi zmiatać? Z Bolem się użerać?

– Mam plan. – Sztaba mrugnął. – Powieść piszę. Na wszystko jest czas.

– Bosko – skwitowała chłodno Connor. – Pewnie opowieść pijacka. Miejsce akcji U Koniuszego, ale zmienisz na W Siodle. Bolo będzie szwarccharakterem, a ja miłą panną na wydaniu.

– Skąd wiesz? – Sztaba naprawdę był zadziwiony. – Tylko dla Tosi jeszcze roli nie mam.

– Fajnego chłopaka jej zafunduj. Tylko bogatego! – kpiła nadal Connor. Miała już dość roli ratownika, któremu się dostaje po łbie za jego słuszne rady. – I ukatrup Siołę. Bardzo cię proszę. Niech on zginie w pierwszym akapicie.

– Dobra jesteś! – zapalił się Sztaba. – Piszemy razem?

– Nie mam czasu na bzdety. Zamierzam ratować świat w realu. – Uśmiechnęła się figlarnie, złożyła dwa palce i podniosła do ust. – Na pięć minut, mój Bukowski. Staniesz?

– Przecież ona nie pali. – Kelner-kulturoznawca-przyszły-prozaik wzmógł czujność i natychmiast odstawił tace.

– Dziś wieczór jest wyjątkowy. Więc może i na dziesięć. Za to przeczytam twoje wypociny. Dam ci szczery respond. – Connor podniosła stawkę.

– Ale weźmiecie nasz towar? – licytował dalej Sztaba. – Widziałem, że już wszystko wyszło spod stołu. Ludność czeka na naszą nevadę. Nie bądź skąpiradłem.

Ta argumentacja przekonała Connor, więc Sztaba prawie biegiem pozbył się zamówienia, a potem przeskoczył kontuar i zakasał rękawy.

– Przejmuję dowodzenie – krzyknął do odchodzących już dziewcząt. – Ale dziesięć, nie dłużej. Jutro sobie poplotkujecie. Już ja was znam. Całą noc możecie płakać.

– Wal się. – Connor posłała chłopakowi całusa. – I weny twórczej. Może coś cię zainspiruje.

Ruszyły na zaplecze.

– Wszyscy już wiedzą? – odezwała się Tośka, kiedy Connor z papierosem w kąciku ust taszczyła kanister spod biurka; na froncie miał wielki napis „Nevada. Klej do podłóg".

Przyjaciółka zamruczała coś niezrozumiale w odpowiedzi. Szarpała się teraz z reklamówką pustych butelek po wódce. Tośka ruszyła jej na pomoc – razem wyciągnęły wężyk. Pachniał benzyną, a Tośka nie chciała wiedzieć, skąd Connor go zwędziła. Teraz wojownicza blondynka odłożyła papierosa na brzeg biurka, pociągnęła z kanistra i splunęła na podłogę. Po chwili rozrobiony spirytus leciał równym strumieniem. Tośka tylko podstawiała firmowe flaszki. Connor podniosła papierosa, odpaliła od niego następnego. Zaciągnęła się.

– A co cię to obchodzi, Petry?

Tośka wpadła w konfuzję. Podrabiana wódka polała się na podłogę.

– Uważaj! – Connor podskoczyła i przytrzymała butelkę. – Wiesz, ile zabuliłam za ten szajs?

– Jak to, Estera?

– Nie mów tak do mnie. Wiesz, jak nienawidzę tego imienia – ofuknęła ją Connor i ciągnęła, wcale nie zbita z tropu: – Coraz trudniej już o dobry spiryt. Ostatnio Ruskie taki słaby mi sprzedali, aż myśleliśmy ze Sztabą, że się wyda. Ale tego nikt nie pozna. Chyba że jakiś smakosz.

– Albo Rusek – podchwyciła Tośka i zaraz umilkła.

– Lepiej nie. – Connor się zamyśliła. – Byłaby ostra wtopa. Ojciec dałby mi po łbie. A kanistrami po kleju się nie martw. Są czyściutkie, zdezynfekowane. Osobiście z żoną Sztaby szorowałyśmy. Kura to pomocna dziewczyna. Tylko powinna schudnąć. Jak można mieć tyle tłuszczu na biuście?

Tośka nawet nie udawała wesołości. Pochyliła głowę, by ukryć zbierające się w kącikach oczu łzy. Na szczęście daszek od czapki teraz całkowicie zasłaniał jej twarz. Ale Connor i tak się zorientowała.

– Znowu beczysz? Przecież nie będziesz się tłumaczyć obcym ludziom. A niech myślą, co chcą. Olej to.

– Wstyd na całe miasto. Ojciec szaleje. Matka płacze. Nawet Kobra się do mnie nie odzywa.

– Wiem, mała. Ale niech się wstydzi ten, kto robi, nie ten, kto widzi.

– Zrobiłam coś bardzo złego, Connor.

Tośka znów się łamała.

– Co złego? – żachnęła się przyjaciółka i zakręcała już butelki. – Zakochałaś się, tyle. Gdyby u nich nie było wyrwy, wasz romans by nie rozkwitł. Mówił, że kocha? Zapewniał jak skurwysyn. Chciał od niej odejść. Odszedł. Zmuszałaś go? Nie. Nie zrobiłaś nic złego. To nie twoja wina, że stchórzył. Jego rzecz, jego wybór. I powiem ci więcej. Miał prawo do niej wrócić. Nigdy więcej nie biegaj za kimś, kto ciebie nie chce. Obiecaj mi to. Trochę szacunku do siebie.

Tośka patrzyła na przyjaciółkę, jakby ta mówiła do niej w obcym języku. Connor tymczasem kręciła się jak fryga. Pakowała towar, chowała kanistry, wężyki. Liczyła nakrętki, gasiła pety. I dopiero wtedy usiadła. Przytuliły się.

– Myśl teraz o sobie. A tamto się ukształtuje. Wszystko przeżyjemy.

– A ludzie? Mama?

– Zapomną. Pogadają i zapomną. Tak to już jest, moja mała ząbkowicka femme fatale. Wiesz, ile mój stary afer zaliczył? A w przyszłym roku znów startuje na burmistrza. Sądzisz, że gdyby się przejmował, miałby odwagę? To od ciebie zależy, jak będzie wyglądało twoje życie. Chcesz, pokażę ci coś.

I nie czekając na zachętę, odwróciła się, by podciągnąć bokserkę. Na chudych plecach, między łopatkami, miała wytatuowany trójkąt z okiem w samym środku. Malunek okalały węże skrywające się między kolorowymi liśćmi.

– To nie jest iluminati, jakbyś chciała wiedzieć, tylko oko szamana – objaśniła, zanim Tośka zadała jakiekolwiek pytanie. – Jeszcze niedokończony.

– Piękny! – zachwyciła się przyjaciółka. – Ojciec wie?

Connor była szczerze ubawiona. Obciągnęła koszulkę i przesunęła kucyk wyżej, na sam czubek głowy. Tośka patrzyła na nią z zachwytem. Wyglądała teraz dokładnie jak matka Terminatora. Zasługiwała na swoje pseudo w stu procentach. Może nawet była ładniejsza.

– Człowiek, który w moim wieku jeździł po kraju z zespołem, nosił dzwony, jarał trawę i pił na umór, rozumie na starość wszystko. Bo sam wszystko widział i wszystkiego doświadczył. Problem byłby może z matką. Ponoć latała do kościoła i takie tam. Ale odkąd wyjechała z nowym kochasiem, mamy z ojcem spokój. Oby więcej nie wracała ta zdzira. Bo wiesz, on tę sukę wciąż kocha. A jeśli chodzi o tatuaż, to mój tatuś nie tylko wie, ale nawet mu się podoba.

Tośka pomyślała, że chciałaby mieć takiego ojca. Choć matki faktycznie Connor nie zazdrościła. Była niezłą manipulantką. W mieście mówiono, że przed wyjazdem ograbiła ich ze wszystkich oszczędności. Jak widać, w każdej rodzinie są demony i anioły.

– Jest jeszcze jedna nowina – szepnęła konfidencjonalnie Connor.

– Jaka?

Przyjaciółka się zarumieniła. Tośka pomyślała, że wygląda teraz uroczo i dziecinnie.

– Złożyłam papiery. Pierwszy etap mam w kieszeni.

– Poważnie?

Tośka rzuciła się Connor na szyję. Ta zaś nie pozostała jej dłużna. Wrzask radości był niesamowity. Uwiesiły się sobie na ramionach i skakały w kółko, aż opadły z sił.

– To nie wszystko – odezwała się znów Connor, kiedy zatrzymały się, by złapać oddech. – Przeszłam testy sprawnościowe. Jeszcze tylko psychologowie mi zostali i w październiku jadę do Szczytna na oficera. A jak coś pójdzie nie tak, pierdyknę sobie ważkę na grdyce i szlus. Ojciec finansuje. Zresztą jak będzie dobrze, i tak sobie pierdyknę. Obiecał!

– Jezu, jesteś moją bohaterką!

– To dopiero początek! A jak już będę w służbie, postaram się tak dojebać twojemu Julianowi, że bez pudła pojmie, że rzucając cię, bezpowrotnie stracił jaja.

Kiedy tylko wyszły z zaplecza, Connor zwęszyła aferę. Muzyka wciąż huczała, światła pulsowały, ale na parkiecie się przerzedziło, a przy kontuarze zebrała się spora grupa ludzi. Przekrzykiwali się nawzajem. W oku cyklonu znajdował się Sztaba, który gęsto tłumaczył się rozwścieczonemu Romeowi. Biedny liryk miał plamy na twarzy z przejęcia. Dziewczyny słyszały padające co jakiś czas słowa: „policja" oraz „szwindel".

– Na pięć minut człowiek nie może odejść, bo zaraz się dymi – mruknęła Connor i wtargnęła w sam środek awantury, a potem przywdziała słodką minkę. – Co się dzieje, panowie?

Tośka w tym czasie ukryła za barem torby z nevadą. Zanim zdążyła się podnieść, usłyszała rosyjski akcent:

– To ona? Niech zwraca pieniądze. To jest trucizna, nie wódka!

Zadarła głowę. Wyprostowała się. Przed sobą miała wysokiego, barczystego mężczyznę. Dosłownie olbrzyma o azjatyckich rysach twarzy i jasnych włosach. Doprawdy trudno było określić ich kolor. Jakby były wypłowiałe czy pozbawione pigmentu. Pierwszy raz w życiu widziała takie połączenie. Mocno zarysowana szczęka, wąskie usta, wyraźne kości policzkowe i wklęsłe policzki czyniłyby jego twarz nadzwyczaj groźną, gdyby nie okulary bez oprawek. Patrzyła w jego czarne skośne oczy i nie była pewna, czy ten człowiek jest wściekły, czy usposobiony figlarnie. Wtedy się uśmiechnął. Tośka spłoszyła się. Położyła rękę na nagim brzuchu – nagle poczuła się zbyt rozebrana. Dziwne wydało jej się to uczucie.

– W czym mogę pomóc?

– To nie ta, Igor – wtrącił się Romeo. – Connor jest tutaj.

Azjata nie spojrzał w tamtą stronę. Mówił do wszystkich, ale patrzył tylko na Tośkę.

– Koleżanka sprzedała nam chrzczoną wódkę! – huknął mieszaniną polskiego i rosyjskiego. – To nie jest smirnoff.

Petry odwróciła się do Connor. Potem poszukała wsparcia u Sztaby, a wreszcie u Romea, który tylko machał przepraszająco rękoma. Zapadła cisza. Tośka zrozumiała, że wszyscy są zainteresowani udobruchaniem dzikusa. Tylko dlaczego padło na nią? Myślała gorączkowo. Kim jest? Rosjanin? Koreańczyk? Przerośnięty Chińczyk? Musiałby być zmutowany.

– Ile panowie zamówili? – Przyjęła ton uprzejmy, lecz stanowczy.

– Trzy litry – odparł nieznajomy.

Głos miał niski, chrapliwy. Budził respekt. Z takim facetem żartów nie ma. Była pewna, że jeśli go nie uspokoi, może się skończyć rozlewem krwi. Skąd Romeo go wytrzasnął?

– I pół. Te pół nadal jest na stole. Może pani zabrać. To szajs – dorzucił Azjata i jakby złagodniał.

W czarnych nieprzeniknionych oczach zagrała kpina. Tośka zawahała się, a potem rozciągnęła usta w nieśmiałym uśmiechu. Po chwili jednak uznała, że poddańcza postawa tylko olbrzyma rozjuszy. Zaryzykowała.

– Wypił pan trzy litry i dopiero teraz przychodzi?

– Jestem cierpliwy.

– Czekaliśmy na ciebie, Connor, ale gdzieś zniknęłaś – powiedział Roman. – Daj spokój, Igor. Przecież to drobiazg.

– Nie – odparła twardo Tośka.

Spojrzała na bar. Wspięła się na drabinkę i policzyła flaszki. Wyraźnie czuła na swojej wypiętej pupie wzrok nieznajomego. Bała się go trochę, ale też ją fascynował.

– Czy pięć oryginalnie zamkniętych butelek wynagrodzi panu straty?

Zaczęła ustawiać wódkę na barze. Azjata wciąż nie odpowiadał.

– Dorzucę jeszcze to.

Obok czystej wódki ustawiła johnniego walkera i koniak, którego od dawna nikt nie zamawiał. Otarła ręce o kusą bluzkę i spuściła wzrok. Zrozumiała, na co patrzył mężczyzna. Wciąż nie miała na sobie biustonosza. Brodawki sutek były wyraźnie widoczne przez cienką bawełnę. W głowie, pierwszy raz od kilku dni, miała całkiem nową myśl: Co sobie o mnie pomyśli ten facet? A zaraz potem: Co mnie to obchodzi? I szybkie przebłyski: Walczymy o życie; Policja, oszustwo; Jak właściciel się dowie, że handlujemy tutaj lewą wódką, Connor nie trafi do Szczytna, a ja będę miała kłopoty; Sztaba z limeryków nie utrzyma rodziny, a mnie w głowie jakieś bzdury? I wreszcie: Kim on do cholery jest? Wtedy usłyszała jego tym razem cieplejszy tembr głosu i natychmiast zrobiła się purpurowa.

– Jeśli napije się pani z nami, możemy tak zakończyć tę sprawę.

Romeo wysunął się do przodu, by czynić honory gospodarza.

– Poznajcie się więc – rzekł uroczyście. – Igor. Tosia. A wszystkich państwa zapraszam do nas. Kolejka dla wszystkich za zdrowie tej pary! Connor, polewaj!

Rozległ się hałas. Publiczność wiwatowała. Sztaba natychmiast znalazł się obok Romea i zaczął mu opowiadać o swoim pisaniu. Wił się i łasił do biznesmena, nie mogąc uwierzyć we własne szczęście. Kiedy Tośka odchodziła w asyście azjatyckiego olbrzyma oraz świty Romea, Connor, która została za barem, zdążyła szturchnąć ją w bok.

– Drogo nas sprzedałaś, Petry, ale wykorzystaj ten wieczór skutecznie. Klin – klinem! Żadnych skrupułów. Ten tutaj wygląda mi na niezłego wojownika.

– Lada chwila zacznie świtać – oświadczył, kiedy zostali z Tosią przy stole sami. Dziewczyna rozejrzała się i chciała zapytać, skąd to wie, skoro w sali nie ma okien, ale zrezygnowała, bo dodał sentencjonalnie: – Brzask otwiera nowy rozdział. To magiczna chwila. Pomyśl życzenie, a spełni się.

Niedobitki imprezowiczów bujały się w rytmie *Kocham cię jak Irlandię*. Po Romea przyjechała żona i przy pomocy Sztaby oraz kilku osiłków wpakowała go na tylne siedzenie auta. Zresztą strudzony biznesmen wypoczywał na zapleczu już od godziny. Każda flaszka została przez niego wypróbowana i okazała się oryginalna. Tośka też była zmęczona. Kiedy więc Azjata napomknął o marzeniach, do głowy przyszło jej tylko jedno: spać, odpocząć, zapomnieć.

– Już? – upewnił się.

Skinęła głową.

– A ty? – zapytała wyłącznie z kurtuazji.

– Moje życzenie właśnie się spełnia – odparł i na jego twarzy pojawił się grymas, który miał być zapewne uśmiechem.

Tośka poczuła się przyparta do muru. To idzie zbyt szybko, pomyślała.

– Zdejmiesz to w końcu? – Azjata wskazał na czapkę, którą dziewczyna wciąż miała na głowie.

Skrzywiła się, ale była zbyt nietrzeźwa, by zaprotestować. Posłusznie wykonała polecenie. Wyciągnął rękę, pomacał jeden z dłuższych kosmyków i natychmiast zabrał dłoń.

– Miękkie – powiedział. – I krótkie.

– Były dotąd. – Tośka dotknęła biodra. I znów poczuła pełne pożądania spojrzenie, które paliło ją we wszystkie odkryte części ciała, kiedy wspinała się na drabinę za barem. – Do dzisiejszego popołudnia. Obcięłam je sama.

– W moim kraju robi się to na znak żałoby.

Zamarła. Zaczerwieniła się.

– Wdowy obcinają włosy – ciągnął. – Matki po stracie dzieci golą się do skóry. Kiedyś nawet koniom skracano ogony i grzywy, jeśli wojownik zginął w walce.

– Chyba już pójdę.

Wstała, ale się zatoczyła. Chwycił ją, ratując przed upadkiem, i nieomal uniósł w powietrzu. Zakręciło się jej w głowie. Tym razem nie tylko z nadmiaru wypitego alkoholu. Serce waliło jak młotem, mrugała jak idiotka.

– Odwiozę cię – zadeklarował, ale się nie ruszył.

Wciąż trzymał ją w ramionach. Poczuła nagle, że poza nimi nie ma w sali nikogo. Choć to nie mogła być prawda. Gwar, muzykę i powolne rozmowy – słyszała jak zza szyby. Wtedy zbliżył twarz do jej twarzy. Musnął ustami jej usta. Było to tak subtelne, że przeszył ją dreszcz. Czuła teraz, że nie jest w stanie mu się przeciwstawić i cokolwiek on powie, ona się na to zgodzi. Zresztą wiedziała, że będzie z nim bezpieczna, ukryta jak za tarczą. Tego właśnie było jej dziś trzeba.

Obudziła się w małym pokoiku z widokiem na Srebrną Górę. Słońce odbijało się pomarańczowym blaskiem w koronach drzew porastających wzgórze. Zza okna dobiegał popołudniowy gwar. Słyszała każdy dźwięk oddzielnie, zwielokrotniony jak podbite basy. Zamiast głowy miała worek z kamieniami, którymi dodatkowo ktoś potrząsał. Pościel była skotłowana. Kiedy przyłożyła twarz do poduszki, poczuła delikatną nutę wody kolońskiej i zapach tego mężczyzny. Ciało nie pozostawiało wątpliwości, co zaszło w nocy. W łóżku była jednak sama. Leżała jeszcze chwilę, aż pojawiły się przebłyski. Zawstydziły ją te wspomnienia i przestraszyły. Przecież nic o tym facecie nie wiedziała. Zerwała się zdecydowana, by natychmiast wyjść, ale nogi się pod nią ugięły. Żołądek podszedł do gardła. Czuła się jeszcze gorzej niż dzień wcześniej, z tym że, o dziwo, nie była już wcale zrozpaczona. Przeciwnie, jakby ktoś uwolnił ją od jarzma cierpienia. Nie pamiętała zupełnie, dlaczego tak płakała po Julku. To nią tąpnęło. Czyżby Connor miała rację? Te trzy lata życia w iluzji i miesiąc romansu rodem z tandetnej telenoweli wykasowała jedna noc z Azjatą? Usiadła i starała się skoncentrować. Zrozumiała już, że nie powinna wykonywać gwałtownych ruchów.

Jej ubrania ułożył równo na krześle. Pod folią znajdowało się śniadanie. Chwyciła kubek z kawą. Napój był zimny, ale Tośka miała w ustach trampek, więc z przyjemnością go spłukała. Dopiero w łazience zobaczyła, że kochanek przygotował dla niej szczoteczkę do zębów, świeży ręcznik i szlafrok. Była nawet różana sól do kąpieli w wymyślnej flaszce. Nie sądziła, by ten znawca wódki gustował w drogich kosmetykach. Musiał to postawić specjalnie dla niej. Odepchnęła czułości. Rozejrzała się.

Stojąca pod oknem wyświechtana torba podróżna pomieściłaby wszystkie jego rzeczy i jeszcze zostałoby w niej miejsce. Pomyślała z ulgą, że Azjata musi być w Polsce przejazdem. Bardzo dobrze, pocieszyła się. Wyjedzie, zapomni. Ale ciało pamiętało. Była odprężona, wręcz na skraju euforii. Jakby unosiła się lekko nad ziemią, choć czuła każdy mięsień. Nie wiedziała dotąd, że seks może tak smakować. Julek był jedynym mężczyzną, z którym kiedykolwiek spała. Wyglądało na to, że znów jest na rynku matrymonialnym, choć niekoniecznie wróciła nań jako dama. Aż podskoczyła, kiedy zabrzęczał archaiczny dzwonek. Dopiero teraz zauważyła aparat. Podeszła, przyjrzała się podskakującej słuchawce i miała wrażenie, że ten dźwięk rozsadzi jej czaszkę. Kiedy w końcu zapadła cisza, zrezygnowała z kąpieli. Pozbierała swoje rzeczy i zamierzała się pośpiesznie ubrać. Wtedy telefon znów zaatakował. Tym razem podniosła.

– Jak się czuje moje szczęście?

Zatkało ją. Nie była w stanie się odezwać. On zaś zdawał się wypoczęty i w pełni sił. Na dodatek cały w skowronkach.

– Było dziś pięknie. Jesteś dzika. I moja.

– Głowa mnie strasznie boli – wydukała. Szukała krzesła, żeby nie upaść. – I pić mi się chce.

Roześmiał się głośno.

– Ostra i słodka. Moja Rediska. Chrupałbym cię całe życie.

Znów zmilczała. Nie mogła w to uwierzyć. Czy on oszalał? I co, do cholery, znaczy ta *rediska*, myślała gorączkowo.

– Musiałem wyjść, bo Roman nie był w stanie prowadzić, a miał ważne spotkanie. – Azjata kontynuował niezrażony. – Prosiłem, żeby przynieśli ci śniadanie. Smakowało? Jagoda specjalnie dla ciebie upiekła racuchy. Będę za godzinę, pójdziemy na kolację. Lubisz steki czy jesteś wegetarianką?

– Nie dam rady nic zjeść. Słabo się czuję.

Wtedy obok talerza spostrzegła karteczkę. Drobnym, starannym pismem wykaligrafowano: „Jestem za raz. Koham cie".

Miała wrażenie, że traci dech.

– Ja jestem pełen energii. Wszystko dziś załatwiam jak mały śmigłowiec. A ty jak to znajdujesz, kochana?

– Bardzo ci dziękuję – wyszeptała, bo nie chciała, by się obraził. Nie mogła jednak znaleźć żadnego słowa na określenie tego, co czuje. Zdawało jej się, że bierze udział w jakimś przedstawieniu. Chciała tylko spać, więc zdecydowała się na szczerość. – Jestem wykończona. Ledwie żyję. Masz zdrowie.

Znów się roześmiał.

– Moja najdroższa dzikuska. Czułem to. To było niezwyczajne. Nigdy czegoś takiego nie przeżyłem.

– Ja też – potwierdziła. – Bądź pewien.

Odłożyła słuchawkę. Zanim telefon zadzwonił ponownie, już jej nie było. Na schodach zderzyła się z wychudzoną kobietą, która niosła na tacy obiad pod metalową pokrywką oraz polne kwiaty. Wyglądała na miłą, ale uśmiechała się wszystkowiedząco. Tośka odpowiedziała na jej „dzień dobry" i uciekła, jakby ktoś ją gonił.

Przyjeżdżał na przystanek każdego dnia, kiedy Petry jechała z Ząbkowic do pracy U Koniuszego. Za każdym razem blokował zatoczkę i czekał, aż do niego podejdzie, a ona udawała, że tego nie widzi. Wstydziła się, bo ludzie zaczęli już plotkować i wcale nie złościli się, kiedy jego czarny mercedes zajmował miejsce należne autobusom. Co gorsza, kibicowali mu. Przyglądali się jej, ale ona ukrywała twarz w książce i z nikim nie rozmawiała. Po tygodniu nie wytrzymała. Podeszła, by zrobić mu awanturę, a wtedy pasażerowie na przystanku zaczęli klaskać. To ją naprawdę rozzłościło.

– Cześć, Rediska! – Odsunął szybę i uśmiechnął się czule, o ile czułym można nazwać grymas wygięcia wąskich ust i zmrużenie czarnych oczu. – Jedziemy?

Z trudem powstrzymała się przed rzuceniem ohydnego przekleństwa.

– Nie chodź za mną i nie rób mi wstydu.

Patrzył na nią, jakby nie do końca rozumiał po polsku, więc dodała:

– Nie jesteśmy razem.

Milczał bardzo długo, co w sumie jej pasowało. Czuła się jednak fatalnie. Już miała wrócić do zgromadzonych pod wiatą, ale wiedziała, że ta ostentacja tylko podgrzeje atmosferę, zatrzymała się więc w miejscu jak sparaliżowana.

– A to, co przeżyliśmy?

– To był incydent. Nic poważnego.

– Dobrze się czujesz?

– Na pewno lepiej niż wtedy.

Wyciągnął rękę, by jej dotknąć.

– Rediska – szepnął.

Zabrała dłoń, zanim zdołał ją schwycić, i odwróciła się na pięcie.

Więcej nie przyjeżdżał. Każdego dnia wychodziła na przystanek, wypatrywała czarnego mercedesa, ale nie było go ani tam, ani przed barem. Koło jej domu też przestał się pojawiać. I tak jak wcześniej nieustannie się na niego natykała, tak teraz po prostu zniknął. Nie widziała go całe lato.

Było już mroźno, ale bez śniegu. Świat przywdział ponurą maskę. Tośka zarobiła U Koniuszego wystarczająco, by opłacić czesne, bilet na pociąg, a jeśli będzie trzeba, także stancję w Poznaniu. Zdecydowała się na studia zaoczne, bo mama załatwiła z Kobrą, że Petry spróbuje pracy w banku. Od wakacji nie przychodziła już do baru, nawet towarzysko. Connor wyjechała do Szczytna i rzadko wracała do domu. Miała grafik wypełniony po brzegi zajęciami i treningami, a Tośka w niemal każdy weekend była w Poznaniu. Przyjaciółki prawie się nie widywały. Tęskniły za sobą, ale wiedziały, że zobaczą się dopiero w święta. Tylko Sztaba został na posterunku w Srebrnej Górze. Mimo dzielących ich odległości cała trójka była ze sobą w kontakcie. Sztaba relacjonował dziewczynom, że właściciel baru wyrzucił Bola i zatrudnił nowych pracowników. On sam brał tylko noce w weekend, bo Romeo zaproponował mu staż w gazecie. Choć na początku psioczył, że musi robić tabelki zawierające porównanie cen marchewki na bazarach i pisać o dziurach w drodze, bardzo szybko dochrapał się własnej działki. Praca w knajpie i znajomości zawarte wśród policjantów, strażaków czy celników zaowocowały etatem czołowego ząbkowickiego „kryminalisty" w „Głosie". Connor domagała się za swoje proroctwa co najmniej oryginalnej flaszki smirnoffa. Kanistry z nevadą zrabowały z szopy przy barze jakieś małolaty, kiedy tylko Tośka i Connor zaczęły studiować.

Tego dnia Petry miała egzaminy i zdawała jako jedna z ostatnich. Wykładowca prawa konstytucyjnego był nieprzejednany oraz głuchy na uwarunkowania dojazdowe, a zresztą dziewczyna nie miała odwagi poprosić o wpuszczenie jej do kolejki, bo zdawała już trzykrotnie, a z każdym podejściem wiedziała mniej niż wcześniej.

– Następny raz może pani spróbować dopiero po Nowym Roku.

W głosie profesora jak zwykle wybrzmiała nuta satysfakcji. Tośka miała ochotę napluć mu w twarz. Była wściekła, bo jeśli nie zaliczy tego przedmiotu na pierwszym roku, wyleci z uczelni. Co gorsza, właśnie odjeżdżał jej ostatni pociąg. Czekał ją więc spory wydatek na hostel i błaganie Kobry o dodatkowy dzień urlopu.

Kiedy wyszła na zewnątrz, nie poczuła się wcale lepiej. Wyglądało na to, że połowa jej grupy była w identycznej sytuacji. Przed wejściem tłoczyli się rozdyskutowani studenci. Kłócili się, przekrzykiwali, wymieniali dane.

– Idziemy na browar!

Jeden z kolegów pacnął Tośkę bezceremonialnie w plecy. Przystawiał się do niej już od pierwszych zajęć. Była jednak całkowicie odporna na jego zaloty. Twarz miał niebrzydką, zawsze był obkuty na zajęciach i nigdy nie brakowało mu pewności siebie. Ale czuła się przy nim jak żyrafa.

– Tym razem się nie wymigasz, Petry. Porywam cię.

Wahała się tylko chwilę, bo od ostatniego upojenia alkoholowego bardzo uważała, z kim i na ile sobie pozwala. Connor śmiała się z niej, że wkrótce trafi do zakonu.

– Ja tylko na sok. Jestem zmęczona – odparła, nie czując zupełnie zagrożenia damsko-męskiego.

Z dodatkowymi ośmioma centymetrami obcasów, na które wskoczyła specjalnie z okazji egzaminu, musiała porządnie schylić głowę, by wysłuchać, co ma do powiedzenia szczęściarz, który jako jedyny szczycił się tego dnia piątką w indeksie.

– Ciebie też uwalił na prerogatywach prezydenta?

Przystojny konus spróbował ją objąć, ale elegancko się uchyliła. Zaproponował więc, niezrażony, że poniesie jej torbę. Aż go przygięło, kiedy zawiesiła mu na ramieniu komplet podręczników, które przywiozła z domu.

– Odpowiedziałam ogólnie, że to kompetencje głowy państwa. Położyłam to koncertowo.

– To jego stały numer – roześmiał się prymus. – Rzecz sprowadza się do tego, że są to raczej wyjątki w ramach tych kompetencji. Bo ogólnie rzecz biorąc, akty prawne wydawane przez prezydenta wymagają kontrasygnaty Prezesa Rady Ministrów. Bez niego dupa. Katalog tych, które nie wymagają, czyli prerogatyw, jest ograniczony. I zamknięty.

– Wydawało mi się, że w Polsce niepodległej premier nie kontrasygnował jeszcze żadnego aktu prezydenta – zauważyła, a kujona zatkało.

Odmruknął coś niezrozumiałego w odpowiedzi i spojrzał na Petry z respektem. Ruszyli bandą do Blues Pubu na Półwiejską. Mroczny hangar wypełniony dymem i ciężką muzyką tego dnia bardzo mocno wpisywał się w jej nastrój.

Nagle zerwał się wiatr i rozświetlone latarniami ulice zaczęły mienić się śnieżynkami, jak w jakiejś bajce. Było to tak piękne doznanie po oblanym egzaminie, że Tośka aż się zatrzymała. Wyciągnęła ramiona przed siebie. Śnieg osiadał na rękawiczkach. Nawet nie zauważyła, kiedy oddaliła się od towarzystwa. Wkrótce rozpadało się na dobre. Podbiegła, by dołączyć do grupy, bo jej kompani zamykali już drzwi pubu i wtedy spostrzegła postać wyłaniającą się ze śnieżnego puchu. Przełknęła ślinę. Przez moment zdawało jej się, że to złudzenie. Mężczyzna też musiał ją rozpoznać, bo stanął jak wryty na środku jezdni. Dzieliło ich kilkadziesiąt metrów.

– Igor, dokąd ty idziesz, durniu? – usłyszała bas Romea.
– Taka zadymka, drogi oblodzone. Do domu chcę dojechać przed świtem.

Biznesmen utyskiwał jeszcze przez chwilę, a potem nagle urwał i przyspieszył kroku, by się z nią przywitać.

– A co ty tutaj robisz, Tosiu?

Dziewczyna patrzyła to na Igora, to na Romana. Nie była w stanie wydusić ani słowa.

Romeo roześmiał się głośno.

– Czterysta kilometrów nadrobił, bo wmówił mi, że ma tu jakąś sprawę. My ze Szczecina zapierdzielamy. To do niej jechałeś? Umówiliście się?

Tośka pokręciła głową.

– Nic o tym nie wiem.

Azjata nie odezwał się, ale też nie zbliżył. Wciąż wpatrywał się w nią i czekał, zachowując dystans.

Romeo natychmiast odnalazł się w sytuacji.

– To ja chlapnę sobie jednego. Kurwa, sama młodzież. Gdzieś ty mnie przywiózł, sensei? Piwo pewnie chrzczone. Ale może Bazyla zastanę. Kupę lat go nie widziałem. A wy ustalcie zeznania.

I wciąż kręcąc głową oraz śmiejąc się pod nosem, ruszył do tych samych drzwi baru, w których przed chwilą zniknęli studenci.

– Hej, idziesz, Petry? Bo włazimy.

Tośka dopiero teraz przypomniała sobie o koledze z roku. Odwróciła się na pięcie i zabrała swoje książki.

– Dojdę. Nie czekaj.

Czuła na plecach jego pełne wyrzutu spojrzenie, ale już jej to nie interesowało. Podeszła do Kereja. Zadarła głowę.

– Jak mnie znalazłeś?

Wzruszył ramionami i wciąż milczał.

– Zrozumiałabym, gdybyś przyszedł pod szkołę. To logiczne: śledzisz mnie i sprawdziłeś mój plan zajęć. Ale skąd wiedziałeś, że egzaminy potrwają tak długo, a po zajęciach trafimy tutaj?

– Wiem nawet, kiedy będziesz miała okres, Rediska – powiedział i uśmiechnął się smutno. – Czuję cię.

– Czujesz? Jesteś jakimś pieprzonym psem czy co?

Zdjął okulary i przetarł, bo śnieg zgęstniał i bardzo szybko na szkłach topniały płatki.

– Za dużo mówisz.

Podszedł krok bliżej, wziął jej torbę i zarzucił na ramię, jakby ważyła tyle co piórko, a potem podniósł ją, jak wtedy w barze, kiedy była pijana. Znów poczuła łaskotanie w brzuchu i natychmiast przylgnęła ustami do jego ust. Tym razem całował ją żarliwie i długo. Miała poczucie, jakby wszystko wróciło na miejsce.

– Jedziemy? – wyszeptała, kiedy postawił ją na ziemi i znów mogła oddychać.

Tej nocy zamieszkali razem. Mróz skrywał ich tajemnicę aż do marca. Kiedy pojawiły się pierwsze pąki, chcieli ogłosić ją całemu światu.

maj 2001 roku, Srebrna Góra, Polska

Tosia wciąż leżała z zamkniętymi oczyma, zatopiona we wspomnieniach. Nie słyszała kroków na korytarzu, pukania ani nawoływań z dołu. Nawet gdy drzwi się otworzyły, nie ruszyła się z miejsca. Podciągnęła tylko nogi pod brodę i wdychała resztki zapachu Kereja. Jakby bała się, że kiedy ubrania wywietrzeją, utraci kochanka na zawsze. Czuła się pusta, niekompletna. Wiedziała, że jeśli Jagoda przyniesie kolację, nie będzie w stanie przełknąć ani kęsa. Chciała tylko przypominać sobie, co było, odkleić się i choćby we śnie zlać z ukochanym w całość. Dopiero teraz docierało do niej, co zawsze powtarzał: „Ja sam to połowa mężczyzny, ty sama to połowa kobiety". Wszystkie jej durne oczekiwania, wyrozumowane przestrogi i złość na sytuację zniknęły. Znów wypełniało ją wyłącznie ciepło. I tęsknota.

Odchrząknięcie. Szuranie ciężkich butów. Szczęk metalu. Cisza.

– Musisz opuścić pomieszczenie. Mamy nakaz przeszukania – usłyszała, a znaczenie tych słów uderzyło ją jak młotem.

Spojrzała na korytarzyk i zerwała się.

– Jak śmiesz!

Julek miał na sobie mundur. Obok niego stało dwóch techników z metalowymi walizeczkami w rękach. Tośka znała jednego z nich. Jego żona była u Kereja na leczeniu jajników. Zygmunt Wasilewski ewidentnie wstydził się swego udziału w tej scenie, bo aż cofnął się pod ścianę i słał Tosi przepraszające spojrzenia. Uśmiechnęła się do niego oczami. Nie stanął w jej obronie. Pokręcił tylko bezradnie głową i przesunął się jeszcze krok dalej. Za nim stało kilku innych policjantów w czarnych kombinezonach. Na ramionach mieli zawieszoną broń długą, do pasów przytwierdzone pałki. Wyglądali groźnie, ale przypatrywali się dziewczynie z zaciekawieniem. Domyśliła się, że to wsparcie z Komendy Wojewódzkiej.

Teraz interesował ją tylko jej pierwszy chłopak. Choć Julian minę miał równie zbolałą, jak wtedy, gdy z nią zrywał, Tośka dobrze wiedziała, że ta poza zbitego psa jest maską tchórza, gotowego na wszystko, by ratować swój tyłek. A skoro okoliczności znów są przeciwko niej, postąpi równie okrutnie jak przed laty. Kiedy więc Sioło wyciągnął w jej kierunku zmięty papier, nie była zaskoczona. Miała raczej wrażenie dopełnienia. Sytuacja powtarzała się jak refren kiepskiej piosenki. Gardziła nim kolejny raz. I sobą, że kiedyś dała się złapać na ten lep, bo wydawało jej się wtedy, że już nigdy nikogo innego nie pokocha.

– Co chcesz znaleźć?

Wstała, zasznurowała w pasie kusy szlafrok i nie bacząc na spojrzenia czarnych, natarła na Julka. Sioło wyprostował się, unosząc dumnie podbródek.

– Takie mam rozkazy. Nie utrudniaj.

– A może już wszystkie dowody zbrodni ukryłam?

– Zostaniesz więc pociągnięta do odpowiedzialności. – Wyrecytował paragraf i dał znak technikom, żeby się rozłożyli.

To Tośkę rozwścieczyło.

– Po co ta szopka? – Wskazała antyterrorystów. – Nie masz nawet resztki honoru, żeby załatwić to po ludzku? A może to osobista zemsta?

Julek zerknął na towarzyszy.

– To ty nie masz wstydu. Rżniesz się z mordercą.

Uderzyła go w twarz.

– Utrudnianie wykonywania czynności służbowych. Napaść na policjanta – znów zaczął swoją mantrę cyferek. – Ukrywanie zbiega, współudział. Mogę cię zatrzymać na czterdzieści osiem. Przedstawienie zarzutów to tylko kwestia czasu.

Tośka zacisnęła usta i zamachnęła się ponownie. Tym razem zatrzymał jej dłoń w locie.

– Więc aresztuj mnie – wysyczała, nie próbując uwolnić ręki. – Może zaimponujesz pani Pimpek i dostaniesz pochwałę.

Do pokoju wbiegła Jagoda. Bezpardonowo przesunęła mundurowych i doskoczyła do Tośki. Wprost wyszarpała ją z rąk policjanta.

– Juluś, nie denerwuj się. Ona w szoku. Nie wie, co mówi. Pracujcie sobie bez przeszkód. A panów – zwróciła się do pozostałych – zapraszamy do stołowego. Może herbaty się napijecie? Karpatka świeżutka. Pstrągi są i mule. Chyba nie zaszkodzi coś przegryźć na służbie. Przecież nie będziecie stali pół nocy na korytarzu. A nikt nie ucieknie. Zyga, przekonaj Juliana, znamy się tyle lat. Kerej tak wam pomagał. Powiedz coś!

– Żadnych herbatek – zarządził Sioło i pochylił głowę.

Wahał się, czy nie ukarać Tośki prewencyjnie. Jej zaś było już wszystko jedno. Czuła zadowolenie i ulgę, jakby ten wybuch złości czekał w niej całe lata.

– Zabierz ją. – Sioło zwrócił się w końcu do Jagody. – Niech się uspokoi.

– Jestem spokojna – ryknęła Tośka. – W przeciwieństwie do ciebie, skurwysynu. Wykręciłeś mi rękę. Jeśli będą siniaki, zrobię obdukcję.

– Jesteś śmieszna – burknął i spojrzał na swoją ekipę; na ich twarzach malowało się zażenowanie.

– Idźcie już. – Machnął ręką zniecierpliwiony.

– Juluś, mogłaby Tosia tylko ciuchy wziąć? – Jagoda wskazała dotychczasowe legowisko Petry. – Na dole pełno dziennikarzy. Trwa bal. Sam rozumiesz.

– Niczego nie ruszać. – Sioło znów nadął się i rzucił do techników: – Nie stój tak, Zyga. Zaczynajcie. Nie mamy całej nocy.

– Pierdol się – wysyczała mu na odchodne Tośka. – I szukaj sobie do woli. Niczego, poza moimi majtkami, nie znajdziesz. Jeśli chciałeś zdobyć moje brudne gacie, wystarczyło poprosić.

A potem półnaga ruszyła na bosaka do wyjścia.

Jagoda pierwsza wypatrzyła wóz transmisyjny największej stacji telewizyjnej w kraju. Szybko odstawiła talerze, które niosła Tośce ukrytej w sypialni recepcjonistek, i pobiegła po Romea, który ubrany w smoking, pod muchą w grochy, niestrudzenie zbierał w holu podpisy od uczestników przyjęcia. Obok niego, na podwyższeniu, stała wielka plastikowa skrzynia, której zwykle używali do loterii wizytówkowych i zbiórek charytatywnych. Kubik był już w połowie wypełniony pieniędzmi. Żona producenta filmowego, wzruszona historią Kereja, wrzuciła doń dziś czek na kilka tysięcy złotych. Inni też nie skąpili datków. Na froncie skrzynki naklejono podobiznę Kazacha i odręczny napis: „Nasz szaman. Dobry człowiek. Bohater". I choć filmowiec wydawał bal z zupełnie innej okazji, nikt z tej sali nie mówił o niczym innym, tylko o sprawie Kunanbajewa.

– Przygotowujemy reportaż o uzdrowicielu z Kazachstanu. Szukamy jego dziewczyny – przedstawił się mikrus z rudą czupryną, za którym stała cała świta z oprzyrządowaniem.

Czerwone światełko kamery pulsowało. Tyczka dźwiękowca była połączona kablem. Przyjęcie z pompą wydało się reporterom doskonałym preludium do sensacyjnego materiału.

– Wyłącz to, synku – zbeształ redaktora Romeo. – Tak się tego u nas nie załatwia.

I natychmiast posadził dziennikarzy za stołem. Polał im wódki.

– Chcecie mieć wywiad z dziewczyną na wyłączność, musicie się poświęcić.

Nie minął kwadrans, a nawet opór kierowcy został skruszony. Ustalono, że dziennikarze dostaną pokój, co było w tym czasie cudem nad cudy. Jako bonus Romeo obiecał im również ekskluzywny wywiad z Olivierem oraz jego słynnymi gośćmi. Redaktorzy przyjechali jednak w innym celu. W tej sprawie trwały twarde negocjacje, a Romeo był w swoim żywiole.

– Znam wasze metody. Mam własną stację. Sztaba! Gdzie mój naczelny? – Romeo machnął do Jagody. – Zawołaj naszego pistoleta. Panowie chcą dobrej historii, więc ją dostaną. A Tosi powiedz, że ma gości.

– Gdzie ona jest? Jak wygląda? Co to za love story? – Rudy mikrus wyjął notesik i zapisywał wszystko, co usłyszał.

– Historia miłosna jak każda inna. – Romeo rozparł się na krześle i przysunął do siebie paterę z kremówkami. Zanim wypowiedział następną kwestię, sprzątnął już jedną trzecią słodyczy. – Ile masz lat, chłopcze?

– Trzydzieści trzy – odparł rudy.

– A ja prawie sześćdziesiąt, ale wszyscy myślą, że pięćdziesiąt dwa, więc mnie nie wydaj. – Puścił oko do dziennikarza i pożarł kolejne ciastko. – Dlatego znam się na ludziach, wierz mi. Stanąłeś kiedyś oko w oko ze śmiercią? Mierzono do ciebie z kałacha?

Dziennikarze się roześmieli.

– A gdybyś znalazł się w takiej sytuacji? Gdyby ktoś czyhał na ciebie i twoich towarzyszy? – Wskazał ekipę telewizyjną. – Co byś zrobił?

– Broniłbym się – odparł dziennikarz. – Albo uciekał.

– Sam widzisz. Wyjścia są zawsze tylko dwa. Atak lub odwrót. Wchodzisz albo spierdalasz. Akcja – ewakuacja. Tak postępuje prawdziwy mężczyzna. Historia, którą chcesz opowiedzieć widzom, to skutek takiej właśnie decyzji. Jest w niej też, rzecz jasna, miłość, bo happy end w dobrym filmie być musi. Tak samo jak ofiary.

Rudy nie dał sobie zamydlić oczu.

– Dlaczego Kunanbajew zabił tych ludzi?

– Honor. O to szło. Bo widzisz, Kerej mógł uciec, ratując swoje dupsko. Zostawić swoich ludzi na pastwę zwyrodnialców. Ale straciłby twarz. W tamtej kulturze godność osobista jest ważniejsza niż życie. Kojarzysz naszych rycerzy? *Potop*, *Wołodyjowski*, *Krzyżacy*? Wszystkie te książki są właśnie o tym. Ten facet to taki gość. Normalnie nasza krew, jak z Sienkiewicza. A oni wszyscy mordowali. I kochamy ich, prawda?

Dziennikarze kiwali głowami, choć była to oczywista demagogia.

– Zabił ich, bo musiał – ciągnął Romeo. – Ale skutek był taki, że pożegnał się ze wszystkim: rodziną, majątkiem, nawet ojczyzną. Od tamtej pory nie widział swojego syna. Kiedy przyjechał, był jak zagonione zwierzę. Ale odkupił swoją winę tysiąckrotnie.

– Wszyscy w miasteczku wiedzieli?

– O zbrodni? Nikt – zapewnił pośpiesznie Romeo. – Ale przecież rzeczy wielkich zawsze dokonują ci, którzy przeżyli sytuację graniczną. Dlatego nie pozwolimy wydalić go do Azji. A wy nam pomożecie.

– To telewizja niezależna. Nie przyjmujemy zleceń komercyjnych.

– Kto mówi, że ty będziesz robił ten materiał? – Twarz Romea zastygła. – Mam swojego człowieka i fundusze. Nie potrzebuję ciebie, ale twojej stacji. Jeśli jednak przekażesz moją propozycję szefostwu, pozwolę ci wziąć udział w nagłośnieniu tej sprawy.

– Dlaczego miałbym tego chcieć? – obruszył się rudy, który wstał już, gotów odejść od stołu.

W tym momencie podeszli Sztaba z Olivierem. Obok nich godnie kroczyła Edyta. I to ona zabrała głos.

– Ten człowiek pomógł setkom ludzi i wyleczył drugie tyle. Ja, jako pierwsza, dam ci moje świadectwo. On ma moc nieludzką. To szaman.

PO DRUGIE

KROCZYĆ DROGĄ, HARTUJĄC DUCHA I CIAŁO

1994 rok, Uralsk, Kazachstan

Kiedy Kerej wszedł do niewielkiej kuchni Abaja, Ałgyz leżała na dziecinnym łóżeczku, a Isa, z twarzą ukrytą w dłoniach, klęczał u jej wezgłowia. Z drugiej strony uwijała się trzynastoletnia dziewczynka, wytrwale przecierając czoło młodej Kazaszce. Obok leżały mokre ścierki, a w małym dzbanuszku tliły się kadzidła. Ałgyz wyglądałaby jak śpiąca królewna z bajki o kradzionym śnie, gdyby nie okropny grymas lewej części jej twarzy.

– Przeżyje?

– *Inszallah*. – Abaj wzniósł oczy i wyszeptał wersety Koranu. A potem nachylił się do Kereja. – Trzeba ją pilnie do doktora. Cała jest zimna jak lód, a głowa płonie. Serce ledwie bije. To jakaś duchowa choroba.

Kunanbajew podszedł bliżej i dopiero wtedy Isa go zauważył. Odsunął się, by trener mógł przyjrzeć się chorej. Dłonie wyglądały jak przemarznięte. Były sztywne i zaczerwienione. Blada jak kreda twarz w dotyku okazała się rozpalona. Usta spierzchły i popękały. Z kącików oczu nieustannie płynęły łzy. Kerej domyślił się, że to je ocierała dziewczynka.

Pierwszy raz widział kogoś w tak dziwnym stanie. Pochylił się nad piersią Ałgyz i długo nasłuchiwał. Rzeczywiście, tętno było ledwie wyczuwalne. Wokół roznosił się intensywny i słodki zapach. Kerej zastanawiał się długo, co mu przypomina ta woń. W końcu w zakamarkach pamięci znalazł odpowiedź. Jakiś czas temu włodarze kazachstańskich miast nakazali reprezentacyjne klomby i trawniki obsiać marihuaną. Woń gandzi wypełniała całe kwartały. Pachniało, póki młodzież nie zużyła ziela z korzeniami. Wreszcie rabaty zaorano wraz z resztkami „maryśki", a na jej miejsce posadzono tysiące tulipanów. Kwiaty rosły bujnie i jeszcze długo wydzielały tę samą woń.

– Brała coś?

Abaj wzruszył ramionami i rozłożył bezradnie ręce.

– Odkąd tu jest, nie powiedziała nawet słowa. A z tego – wskazał na Isę – nie mogę nic wydusić.

Kerej spojrzał na podopiecznego. Isa włosy miał rozczochrane, a policzki zapadnięte bardziej niż zwykle. Zdawało się, że nie bardzo wie, co się dzieje.

– Ona nie może tutaj zostać. Trzeba do szpitala – zwrócił się Kerej do Isy. – Co zrobimy, jak się nie obudzi?

– Nie! – zaprotestował gniewnie chłopak. – Żadnego szpitala. To ją zabije.

Kerej i Abaj spojrzeli po sobie. Pierwszy raz widzieli go w takim stanie. Był gotów się bić.

– Wiem, co jej jest – dodał już spokojniej Isa, a potem wyciągnął ręce nad piersią Ałgyz i przymknął oczy.

Kadzidła obok wybuchły nagle potężnym płomieniem. Abaj ledwie zdążył zabrać leżące obok żurnale. Jego przerażona córka odskoczyła i wtuliła mu się pod ramię.

– Cichaj, Żanymkul. – Pogłaskał dziecko po głowie. – Nic się nie dzieje.

Po chwili płomień się uspokoił, jakby Isa regulował go z daleka. Czas płynął. Nikt nie śmiał się odezwać. Wreszcie Isą wstrząsnął dreszcz. Chłopak opadł na podłogę z wyczerpania i zajęczał jak poturbowane zwierzę. Ałgyz powoli podniosła powieki. Nie poruszyła się jednak. Pustymi oczyma patrzyła w sufit, zawieszona gdzieś między światami. Mrugnęła jeszcze kilka razy, głośno westchnęła i znów zapadła w sen. Isa rzucił się na nią. Objął ramionami. Długo wył z bezsilności. Kadzidła natychmiast przygasły, jakby nic nadzwyczajnego się nie stało.

Nagle zaskrzypiały drzwi. Na korytarzu pojawił się Dimasz z noszami pod pachą. Za nim oczywiście dreptał Tusip. Kerej położył palec na ustach. Chłopcy natychmiast się zatrzymali. Dimasz bezszelestnie odstawił nosze pod ścianę, a Tusip poprawił temblak. Obaj byli zdrowo poturbowani. Na głowach mieli opatrunki, a Dimasz na dodatek wielkie limo pod okiem. Z ran na ramieniu nie zdjęto mu jeszcze szwów.

– Co jej jest? – przerwał ciszę hokeista. – I w ogóle kto to?

– Córka Sobirżana Kazangapa – wycedził Abaj. – Sułtana.

– Tego baja? – Rosjanin złapał się za głowę. – Skąd się wzięła? Mało mamy kłopotów?

– Uszaty ją przyniósł. I nic nie chce gadać, tylko jakieś czary wyczynia. Szkoda, że nie widzieliście – wyjaśnił gospodarz i znów wyszeptał jakiś werset.

Kerej uciszył ich gestem.

– Możecie się kłócić na korytarzu.

Sam uklęknął z drugiej strony łóżka, na wprost Isy.

– Powiedziałeś, że wiesz, co z nią. Więc mów.

Isa podniósł głowę i spojrzał z niepokojem na trenera. Z twarzy Kereja prawie znikły już siniaki. Ale prawa dłoń po ataku bandy Nochy wciąż była owinięta bandażem. Przekrwione oczy i brunatne pręgi na szyi uzupełniały obraz. Isa jednak nie zamierzał o nic pytać. Teraz nic, poza życiem Ałgyz, go nie interesowało.

– Nie jestem pewien – zaczął z obawą, ujmując zdrętwiałe dłonie dziewczyny i próbując ogrzać je pocałunkami.

Łzy płynęły mu ciurkiem po twarzy. Wcale się ich nie wstydził.

– Gadaj – zniecierpliwił się Dimasz i huknął na najmłodszego z uczniów: – Chcę znać przyczynę, durniu! Czemu nie chcesz jej oddać w ręce medyków?

Tusip wsparł kolegę chrząknięciem.

Kerej spojrzał na obu groźnie i wzrokiem wskazał im drzwi. Dimasz odwrócił się plecami, klnąc szpetnie. Tusip też był zły, ale nie okazywał tego tak wyraźnie. Wzniósł tylko oczy i sięgnął po papierosy. W końcu obaj posłusznie ruszyli na korytarz. Kiedy tylko zniknęli z pola widzenia, Isa nabrał odwagi.

– Myślę, że to duchy.

– Duchy? – upewnił się Kerej. – Zdarzało się to już wcześniej?

Isa skinął głową.

– Ostatni raz leżała tydzień. Rodzina oddała ją do szpitala, podawano jej leki. Ale stan się pogarszał. Lekarze nie chcieli, by umarła u nich. Przygotowali nawet zaoczny akt zgonu i kazali ją zabrać. Podobno zamówiono trumnę, a Kazangap czekał na koniec. Była na wpół martwa. Jej śmierć tuż przed zakontraktowanym ślubem mogła gładko zatuszować sprawę. Ale ona wróciła. – Isa przerwał. Niepewnie spojrzał w oczy Kerejowi, jakby bał się reakcji na to, co zamierzał powiedzieć. – To może być dar. Jeśli go nie przyjmie, duchy ją zabiorą.

– Trzeba ją zabrać do *baksy*. – Kerej odwrócił się do swoich uczniów. – W aule Baskunci żył kiedyś szaman. Ale to było dawno. Znacie kogoś biegłego w tych sprawach?

– Synu Kodara – zabrzmiał łagodnie głos Abaja. – Może jednak szpital? Jeśli to córka Sobirżana, będą jej szukać. Pozabijają nas, jak się dowiedzą.

Dimasz znów wtargnął do pokoju, mimo że Tusip bezskutecznie starał się go powstrzymać. Zdziwił się, że Rosjanin zamiast wziąć stronę Abaja, powiedział:

– Moja przyszywana babcia pomaga. Nie wiem, czy Dżama jest *baksy*, ale powie, gdzie szukać prawdziwego szamana. Żyje daleko w stepie, za wsią Kyzył Kajrat pod Ałmatami. Mnie zawróciła z tunelu, jak byłem mały. Ręczę za jej moc.

Wszyscy byli zszokowani nagłym wyznaniem Dimasza. Nikt po tym raptusie nie spodziewał się doświadczeń z duchami, a tym bardziej tak szalonej propozycji. Na długo zapadła cisza.

Kerej spojrzał na zegarek.

– Ruszajcie zaraz – zdecydował. – Jak opłacicie *toczki*[*], jutro rano będziecie na miejscu. Tylko ostrożnie.

– Sensei, zastanów się! – błagał Abaj. – Czy w Uralsku nie ma uzdrowiciela? Znachorów wszędzie jak psów. Cały bazar pełen jelt. Przecież to tysiące kilometrów. Jeszcze dziewczyna umrze w drodze. Co zrobimy? I nie wiadomo, dokąd dalej trzeba będzie jechać.

Kerej nic nie odpowiedział. Dał znak chłopcom, by rozłożyli nosze. Sprawnie przenieśli na nie Ałgyz. Córka Abaja przykryła ją szalem. Fioletowy kolor rzucał się w oczy, zerwała więc jedyny koc z łóżka ojca. Miał mysią barwę i był z wielbłądziej wełny. Nawet gdyby się ochłodziło, chora pod

---

* *Toczka* (ros.) – tutaj: punkt kontrolny.

nim nie zmarznie. Potem zapakowała do torby czyste ręczniki, wodę i całe jedzenie, jakie mieli w domu.

– Pojedziecie we trzech – komenderował Kerej. – Wieczorem znajdziecie jakiś telefon i porozmawiamy. Masz pieniądze? – zwrócił się do Dimasza.

Hokeista kiwnął głową. Mimo to trener wyjął z kieszeni zwitek banknotów i podał Isie. Chłopakowi spurpurowiały uszy ze wstydu, ale patrzył z wdzięcznością.

– Dziękuję, sensei. Wszystko odpracuję.

Kerej pokręcił tylko głową.

– Dziewczyna jest teraz pod twoją opieką. To o niej mówiłeś?

Chłopak jeszcze bardziej się zarumienił.

– Ona nie może umrzeć – powtarzał jak mantrę.

Kerej zwrócił się do Tusipa:

– Ty dowodzisz. Dimasz odpowiada za podróż i zapewnia kontakt. On może będzie musiał zostać. – Wskazał Isę. – Wy wrócicie. Tutaj robi się za gorąco, więc nawet lepiej, że kilka dni was nie będzie. W tym czasie wszystko się uspokoi. A na młodego uważajcie. Niech się nie wychyla.

– Ukryjemy go jak wiewiórkę w dziupli – roześmiał się Dimasz i z Tusipem zabrali do auta Ałgyz owiniętą jak pakunek.

Isa podążył za nimi. Kerej zatrzymał go jednak w drzwiach. Odwrócił chłopca twarzą do siebie i położył mu dłoń na ramieniu jak ojciec.

– Nie panujesz nad swoją mocą – powiedział z naganą. – To niedopuszczalne. Jak wrócisz, porozmawiamy o tym, co ty masz w sobie. Bo zdolności telekinezy i operowanie żywiołem ognia są największym darem wojownika na poziomie czwartym. Mój ojciec jest na siódmym. Ja na trzecim.

Ale żaden z nas nie ma takiej energii. Medytuj, pracuj. Musisz trenować. Zostałeś wybrany. Nie wolno nie doceniać takiej siły. Ale teraz nie ma czasu na szkolenia. Ratuj ukochaną, skoro los ci ją powierzył.

Nie czekając na odpowiedź, wypchnął oniemiałego chłopca z mieszkania.

– Synu Kodara, bój się Boga! – zaczął znów swoje Abaj, kiedy zostali z Kerejem sami. Był rozzłoszczony i tego nie ukrywał. – Niezamężna, nieletnia dziewczyna, bez dokumentów. Sama z kilkoma mężczyznami. Jeśli to wyjdzie na jaw, wszystkie rody sprzysięgną się przeciw Kunanbajewom i ich sojusznikom. Czy ty wiesz, co robisz?

– Nie wiem, akynie – przyznał cicho Kerej. – Ale czuję, że tak trzeba.

– On czuje, ty głupcze! – Abaj zrobił pokłon. Mamrotał pod nosem swoje zaklęcia. Ostatnią frazę wypowiedział głośno: – Dzięki temu Wieczne Niebo otwarło przede mną drzwi i dało mi wodze. Właśnie twój los splótł się z ich przeznaczeniem. Co ja mówię, wziąłeś odpowiedzialność za ich sekretny związek. To nie są ludzie tacy jak my, Kerej-ak. Oni są nieśmiertelni. Nawet jeśli ich ciała umrą, odrodzą się w przyrodzie. Ich dusza będzie żyła w źdźble trawy albo konarach drzewa.

– Wszystkich nas to może spotkać, jeśli się w tym życiu odpowiednio rozwijamy. Dlatego lepiej, żebyś przeszedł na wegetarianizm – próbował żartować Kerej. – Może zjadasz własnych przodków, akynie.

– Bzdury! – Abaj machał rozpaczliwie rękoma. – To nie moja wiara. Nic takiego nie spotkało mojej żony ani mojej córki.

– Tego nie możesz wiedzieć.

Ale Abaj go nie słuchał. Lamentował coraz głośniej.

– Właśnie ściągnąłeś na nas wendetę rodów. I będą w prawie.

Kerej pochylił głowę, zmrużył oczy. Zwlekał z odpowiedzią i do Abaja w końcu dotarło, że obawy senseia są tak samo wielkie, jak jego, ale mimo to uśmiechał się.

– Skoro ta dziewczyna jest duchowa, znaleźli się z Isą jak w korcu maku. Jest mu widać przeznaczona. I mylisz się, to nie ja zdecydowałem. Los postawił mnie na ich drodze. Tak samo jak przysłał mi ciebie. Człowiek nigdy nie wie, kiedy sam będzie potrzebował pomocy.

– Jakiś ty piękny, mój książę – usłyszał Rustem, a po chwili zobaczył w lustrze twarz Zere.

Roześmiał się w głos, bo wiedział, że okazując zachwyt, matka chwali przede wszystkim siebie. Po mieczu młody Bajdały odziedziczył jedynie skośne powieki i wiotką postać. Powtarzano to podczas wszystkich uroczystości rodzinnych.

– Liczę, że to ostatnia przymiarka. – Efektowna kobieta zwróciła się do krawca, który zdejmował właśnie fastrygi ze ślubnego smokingu Rustema.

– Leży jak ulał, pani – skwapliwie potwierdził brodaty rzemieślnik. – Na taką sylwetkę pasuje wszystko. Tylko jedwabie zostało wybrać. Na kamizelkę, fular i poszetkę.

– Mama się tym zajmie. – Rustem opuścił wreszcie ramiona. Nadal wpatrywał się w swoje odbicie z uwielbieniem. – Mam tego dosyć. Która godzina?

Zere spojrzała na zegarek, lecz nie odpowiedziała. Wygładziła beżową sukienkę z cienkiej wełny. Poprawiła perły, które wzorowo okalały jej smukłą szyję i nie przesunęły się o milimetr. Wyjęła złotą papierośnicę. Przysunęła popielniczkę.

– Rody całe lata będą wspominać ten dzień. Szykujemy wystrzałowy *toj*. Takich kruszców Uralsk jeszcze nie widział.

Odprawiła krawca ruchem ręki. Kiedy tylko zniknął z pola widzenia, stanęła za plecami syna. Przytuliła się do niego jak do kochanka, na bok wydmuchując dym.

– A dokąd ty się tak śpieszysz, synek? Zjadłbyś z matką kolację, zanim inna mi cię zabierze.

– Która by tam śmiała?

– A skąd ja mam wiedzieć, jak się ona nazywa? – Zere mrugnęła zalotnie.

Czuł już, do czego zmierza. Spłoszył się.

– Zawsze mama będzie najważniejsza. To chyba oczywiste – zapewnił szybko, by ją udobruchać.

Jak się okazało, bez skutku. Zere przewiercała go spojrzeniem. Nie mógł dopuścić, by zaczęła go przesłuchiwać. Niestety, jego podejrzenia tylko się potwierdziły.

– Kawalerskie zaczynasz od jutra. Wiem od Wani. Chyba ma do mnie słabość. – Matka znów uśmiechnęła się hipnotycznie.

Odpowiedział jej identycznym grymasem. Dwa urodziwe węże rozpoczęły taniec. Ostrożnie szukały słabości adwersarza i okazji do jednego prostego strzału. Tym razem jednak działali w tandemie. Jad ukrywali głęboko pod policzkami. Na ukąszenia nie przyszedł jeszcze czas.

– A to łachudra. – Rustem udał, że się gniewa. – Ale kto by ci się oparł? Martwego rozwałkujesz i wydobędziesz wiadomości. Jak w robocie? – szybko zmienił temat.

– Zatrzęsienie spraw. – Zere machnęła ręką. – Młody prokurator został szefem trzeciego wydziału. Ojciec bardzo prosił. Sprawa polityczna. Ale okazało się, że to ambitny typ. Buntuje się, walczy, sprawy mi zwraca. Świadków sam szuka. Wyobrażasz sobie? Donieśli mi, że szykuje się na sędziego. Co za tupet!

– Posłać kolegów?

– Mój ty bohaterze. – Kobieta z czułością dotknęła twarzy syna. A potem nagle wykrzywiła usta w gniewie.

Rustem pojął w lot, że młody prokurator kopie sobie grób. Spijał słowa z warg Zere i uczył się. Nikt lepiej niż ona nie rozgrywał takich spraw.

– Był u mnie dziś na dywaniku – ciągnęła matka. – Prawie płakał. Żona w ciąży. Chyba młoda adwokatka. Ledwie przędą. Poradzę sobie jakoś.

– Wystarczy nazwisko. Wania pojedzie, rozmówią się. Będzie grzeczny.

Zere spojrzała na syna rozbawiona.

– Grisza Hajdarowicz – rzekła od niechcenia. – A ta ciężarna to Gujma albo Gaja. Nie pamiętam.

– Ty nigdy niczego nie zapominasz.

Zere z zadowoleniem wysłuchała komplementu.

– Gaja. Jest w siódmym miesiącu i dotąd nie wzięła ani dnia wolnego. Pani pracuś niepokoi mnie bardziej niż jej mąż. Bierze same przegrane sprawy. Gromadzi akta przeciwko naszym.

– Polka czy Białorusinka?

– Wszystko jedno. – Matka znów zademonstrowała lekceważenie, a Rustem zrozumiał, że to jeszcze nic pilnego. Ale nazwisko małżeństwa prawników zapamiętał.

Zere jeszcze chwilę przemierzała pokój, w końcu zgasiła papierosa i usiadła, zakładając nogę na nogę, jakby pozowała do zdjęcia. Twarz jej znieruchomiała, stała się zimna i czujna.

– Więc co z naszą kolacją? – Wskazała ogromny bukiet kwiatów w różowym celofanie, który straszył z parapetu.

Rustem udał, że nie zauważył gestu. Zaczął się przebierać.

– Nie mogę, mamusiu. Śpieszę się do teatru.

Matka z udawanym spokojem przypatrywała się, jak Rustem zdejmuje koszulę i spodnie. Dopiero kiedy został w samych slipach, zaatakowała:

– Ale nie idziesz do tej wywłoki? Nikt już was razem nie może sfotografować!

– Mamo!

– Wania mówił, że ona wciąż dzwoni. Zamierza pismaków nasłać na twój ślub. I w „Hebe" ma się ukazać jakiś wywiad o waszej miłości i zdradzie. Ponoć ta cała Ałła napisała piosenkę dla ciebie.

– Ajsza, mamo. Tak brzmi jej artystyczny pseudonim. Nie możesz tego nie wiedzieć. Ajsza jest sławna. W radiu codziennie można usłyszeć jej pieśni. Naprawdę ma na imię Irka, a zresztą, nieważne. Tyle razy o tym mówiliśmy. Ta przygoda już za mną.

Szarpał się ze spodniami.

– Wiesz, że twój ślub z Dildą jest dla nas bardzo korzystny? Tata ma konkurencję.

Wyciągnęła z kieszeni złożoną kartkę, ale Rustem nie spojrzał na lichy wydruk. Zapinał koszulę i nacierał policzki wodą kolońską. Poprawiał włosy, wygładzając każdy kosmyk.

– Wszystko kształtuje się jak należy. Dilda też będzie zadowolona. Chcę szybko zabrać się do dzieła. Cieszysz się, że zostaniesz babcią?

– Nie mogę się doczekać – syknęła Zere, ale zdołała się przy tym uśmiechnąć; wypadło sztucznie.

Kiedy jednak syn wyjął z wody pęk róż, nie wytrzymała. Podniosła głos.

– Dla kogo to?

– Dla nikogo, mamo. Do teatru idę. Mówiłem.

Pochylił się, by cmoknąć Zere w policzek, i chciał już wyjść.

– Siadaj – padło polecenie. – I słuchaj uważnie.

Wskazała palcem twarz sportowca na zdjęciu. Rustem popatrzył w końcu na plakat Kodara Kunanbajewa. Uczynił to niechętnie, chcąc, aby matka miała tego świadomość.

– Wczoraj całe miasto z tego barachła czyściliśmy – wycedził. – Wiesz o tym, skoro rozmawiałaś z Wańką.

– Cieszę się, że znasz temat, synu. Ale w takim razie jest ci również wiadome, że ty i syn Kodara macie tę samą kochankę. Vera, tak? To dla niej te kwiaty. I moje złoto.

Zaskoczyła go. Poczuł nagle, że znów ma sześć lat i wykrada z piekarnika dodatkowy biszkopt. I choć zachowywał się ostrożnie, matka zauważyła okruchy na kołnierzyku. Dalszy opór nie miał sensu. Rozmyślał, kto mógł jej donieść. Wania nie jest aż tak głupi, a sama Zere nie zauważyłaby braku tej lichej bransoletki aż do śmierci. Przez lata w kasie pancernej zgromadziła tyle złomu, że w razie rozwodu z łatwością wykupiłaby przynajmniej połowę biznesów ojca.

– Widzę, że wiesz naprawdę wszystko. – Zarumienił się, starając się pokryć zdenerwowanie śmiechem. Po chwili wstał, podparł się pod boki i zapytał: – I co z tego? Nie nosisz już tanich błyskotek. Co ci zależy na tych aleksandrytach? Odkupię ci brylanty.

– To z tego, że bransoletka należała do mojej babki. To jedyna pamiątka po niej. Dziadek narażał życie, by ją dla niej ukraść.

Rustem prychnął. Od kiedy to matka jest sentymentalna?

– A po drugie – ciągnęła Zere i beniaminek wiedział, że pozna wreszcie prawdziwy powód jej złości. – Jeśli mam być szczera, to wolałam już tę Ajszę. Przynajmniej jest znaną artystką, dobrze zarabia i reprezentuje jakiś poziom. Znosiłam twoje kaprysy przez długie lata, choć zagrażało to koligacjom z rodziną Dildy. A teraz nagle dowiaduję się, że znów oszalałeś dla jakiejś latawicy, która biega w cekinach. Do tego ubogiej i z Ukrainy.

– Mamo, ty jesteś Rosjanką. Czy ojcu to przeszkadzało?

– Do tamtej się przyzwyczaiłam i nawet cię rozumiem. Ale ta? Widziałam plakaty. Co ona ma w sobie? Bo na sobie tylko kilka sznurków z odblaskowego barachła.

– Jest biała, młoda. – Rustem wzruszył ramionami. – Naturalna blondynka. Wystarczy?

– Nikt nie ma aż tak naturalnych białych włosów, synu. Nawet nasz uralski wybraniec, zbawca rodu Tama – powiedziała z pogardą w głosie matka.

Rustem uśmiechnął się i posłał jej buziaka.

– Przecież nie zamierzam się z nią żenić. To taka, powiedzmy, trochę koleżanka.

– Trochę koleżanka? – Zere pokręciła głową z niedowierzaniem.

To było niesamowite, jak bardzo są do siebie podobni. Ona sama kiedyś nazywała swoich kochanków „takimi trochę druhami". Na szczęście Rustem nie mógł tego wiedzieć, więc tłumaczył się gęsto:

– Napatoczyła się. Miałem nie spróbować? Jest bardzo miła w dotyku, jeśli wiesz, o co mi chodzi.

– Więc spróbowałeś. – Zere podniosła groźnie wzrok. – Po co obsypujesz ją prezentami?

Rustem spojrzał na matkę spokojnie.

– Powiesz mi wreszcie, o co chodzi?

Odetchnęła głębiej i wypaliła:

– Ludzie Kunanbajewa uprowadzili córkę Sobirżana Kazangapa. Ałgyz zniknęła bez śladu. Trwają poszukiwania.

Wszystko odbywa się w tajemnicy. Na razie nikt o niczym nie informuje i pewnie tak zostanie. Ojciec pojechał do Sułtana, żeby dowiedzieć się więcej. Ale to nie najważniejsze.

– Chyba rozumiem. – Rustem pokiwał głową. – Za jednym posunięciem chcesz pozbyć się Kodara i otrzymać wsparcie Sobirżana w kampanii taty. Wciąż się waha?

Zere uśmiechnęła się chytrze.

– Synu, tu nie chodzi o parlament, lecz o biznes w Celinogradzie, którym Sobirżan w praktyce trzęsie, ale z przyjacielem nie chce się podzielić. W naszym interesie jest więc doprowadzić do sytuacji, by takich dylematów nie miał. Oczywiście wówczas poprze ojca i będzie to robił już zawsze. Te haracze z bazaru to nic w porównaniu z sumą, którą Sułtan będzie musiał przekazywać nam, jeśli dobrze załatwisz sprawę. Uprowadzona Ałgyz, sam rozumiesz, może nie wrócić nieskalana. Kto wie, co stało się wczorajszej nocy. A nawet jeśli wciąż jest dziewicą, będzie powód do podejrzeń. Znasz zasady. Kuzyn Nazarbajewa, choćby i siódma woda po kisielu, sam wiesz, jak te koligacje się teraz tworzy, nie weźmie splamionej panny. Choroba psychiczna może być użyteczna we właściwych rękach, ale hańbę zmyje tylko śmierć. Jeśli publicznie tak przedstawi się sprawę, Sobirżan będzie miał twardy orzech do zgryzienia. Przejmiemy więc dziedziczkę z rąk ludzi Kunanbajewa, potrzymamy ją trochę dłużej niż trzeba, a jeśli Sułtan nadal będzie się wahał, podbijemy stawkę. Wszystko zależy od tego, jak szybko uda się twoim chłopcom przechwycić małą wariatkę. Takiej karty przetargowej nie można wypuścić z rąk.

– Załatwione. Daj adres i stawiam chłopców do pionu. – Młody Bajdały zmarszczył kształtne brwi. Wsunął zegarek na przegub i dodał święcie oburzony: – Nadal jednak nie rozumiem, jaki związek z tą sprawą ma moja trochę koleżanka. Czy możemy dokończyć tę rozmowę jutro? Spóźnię się, jeśli zaraz nie wyjadę. Nienawidzę wchodzić bocznym wejściem. Jaki jest sens bywać w teatrze, jeśli nikt cię nie widzi!

Zere przygryzła wargi, wyraźnie zniecierpliwiona, że musi tłumaczyć dorosłemu synowi rzeczy oczywiste.

– Skoro macie z synem Kodara tę samą kochankę, ona dowie się najprędzej, gdzie jest przetrzymywana Ałgyz, i ułatwi nam dostęp do tego, co dziś dla Sobirżana jest najcenniejsze. Najlepiej dziś, mój słodki. Jutro twoi chłopcy powinni być już w drodze. A ty możesz sobie wtedy macać cekiny, ile dusza zapragnie, jeśli naprawdę masz tak okropny gust.

Rustem wstał.

– Więc jednak dobrze, że mam bilety na ten spektakl?

– Oczywiście! – Zere również się podniosła. – Bo zabierzesz mnie ze sobą. Białe biedactwo powinno poczuć się zaszczycone, że pozna osobiście rodzicielkę ukochanego. Boska Vera, tak? Żebym się nie pomyliła z Ajszą. Irka to bardzo ładne imię. Po co je było zmieniać na takie pretensjonalne? Mam nadzieję, że w papierach jest prawdziwe Wiera, bo te jej białe kudły z pewnością są farbowane. Masz, synu, słabość do tanich gwiazd estrady. Kiedyś się nie pozbierasz.

Rustem wybuchnął śmiechem, ale natychmiast umilkł, kiedy matka dokończyła:

– A po operacji „Wariatka" twoja bielutka Mata Hari ma zniknąć bezpowrotnie. Żadnych świadków. Ręce naszego rodu muszą być i będą czyste. Papiery przygotuję osobiście. Hajdarowicz je podpisze. Przy okazji otrzyma szansę na upragniony awans, niech stracę. I przebierz się w jasny garnitur. Jest już ciepło. A dzisiejsza noc jest kluczowa.

– Sto czternaście – zameldował Futnikow, kiedy Aleksandr Darmienow wkroczył do kolejowego magazynu. Mimo półmroku doskonale widział poustawiane w rzędzie beczki, każda z napisem „Łatwopalne". – Brak papierów celnych. Sfałszowane faktury. Jest podstawa. Rekwirować?

– Jaka pojemność?

– Po trzysta litrów.

Aleksandr zagwizdał z uznaniem.

– I dwie otwarte. To towar Czeczeńców, jak nic. Broni nie ma.

– Ktoś go ostrzegł? – Starosta zmarszczył czoło.

– Wątpię. Musieli posprzątać wcześniej. Są tylko dwie skrzynie po automatach. Puste. Nawet zdechłego urzyna.

– A to bladź – mlasnął Darmienow. – Przechowalnia młodego Kunanbajewa przeszukana?

– Czekam na nakaz. Pani Bajdały obiecała, że przyśle człowieka w ciągu godziny. Rozmawiałem z nią osobiście.

– Skoro obiecała, człowiek będzie. A na razie pierdol nakaz. Wchodźcie. Zresztą przede mną nie musisz udawać, Witia. Ptaszki w Uralsku ćwierkają, że się z Zere trochę kolegujecie. W każdym razie tak było w przeszłości. Nie bój nic, Jerboł wciąż o tym nie wie – roześmiał się złośliwie Darmienow.

Mundurowy nie zareagował. Skinął tylko na jednego z oficerów stojących przy wejściu. Szepnął mu kilka słów do ucha i po chwili zostali w hali sami. Aleksandr przysunął zafoliowaną skrzynię. Przysiadł na niej i przypalił papierosa. Milicjant wpatrywał się długo w płomień zapalniczki, a potem wskazał staroście drzwi.

– Świeże powietrze dobrze mi zrobi. Młody jeszcze jestem. Żal umierać.

– Ryzyka nie lubisz? Od kiedy? – Darmienow wydmuchał dym, ale skwapliwie ruszył do wyjścia za Futnikowem.

Stanęli na progu, twarzami do słońca. Darmienow podał koledze pudełko z papierosami. Palili i patrzyli, jak między pawilonami kręcą się ludzie rozwijający jakieś kable. W końcu podłączyli sprzęt, a z drzwi jednego z budynków posypały się iskry. Chwilę później magazyn był otwarty. Nadal jednak nikt nie wchodził do środka. Odwrócili się do starszego śledczego, czekając na rozkazy. Ten, skupiony na rozmowie ze starostą, nie kwapił się z ich wydawaniem. Milicjanci porozsiadali się więc na betonowych okręgach i wachlowali od upału.

– Pingot w biurze? – odezwał się wreszcie Aleksandr.
– Sra w gacie, mam nadzieję.

– Zgadza się, panie majorze.

– Witaliju Jewgienijewiczu Futnikow, ileż to razy prosiłem, żebyście mówili mi po imieniu – ofuknął go Aleksandr urzędowo. A potem zmienił ton na jowialny. – Mało to wódki razem wypiliśmy, Witia? A i naruchaliśmy sporo. Już przestań z tym majorowaniem.

Futnikow obejrzał się na swoich ludzi. Byli zbyt daleko, żeby to usłyszeć, więc zaśmiał się nieszczerze.

– Sporo, Szura. Całkiem sporo. – Wskazał beczki z ropą.
– Opieczętować?

– Przecież nie uciekną.

– A co z pracownikami? Towarowy podjeżdża za kwadrans.

– Niech stanie przed rogatkami. Towar zatrzymać do odwołania. Mogą szykować *wziatki*, ale zrób podwyżkę. Od dziś wszyscy płacą podwójnie. Trzeba będzie Bajdałych opędzić, a i my wchodzimy na inny poziom. I nikogo nie wpuszczaj na teren.

Futnikow skinął głową.

– Komar się nie przeciśnie.

Darmienow przydeptał peta.

– To do zobaczenia na toju Rustema, Witia.

Starszy śledczy nie krył zaskoczenia.

– Nie porozmawiasz z Pingotem?

– On już nie żyje. Co ja jestem, *baksy*, żeby gadać z duchami?

– Przyjąłem – skwitował Futnikow. – Zajmę się tym, ale najpierw sprawdzę, co u króla obuwia.

– Jakby nic się nie działo, rozparceluj całość towaru po naszych. Daj państwowe pieczątki. Do procesu przejmujemy wszystko.

– Jak rozumiem, nigdy do niego nie dojdzie – uśmiechnął się Futnikow. – Jakie proporcje?

– Sam zdecyduj. Twoja zasługa z ropą. Możesz wziąć całość. Przyda się na emeryturze starszemu śledczemu.

– Jeszcze się nie wybieram – odciął się milicjant. – I nie mogę się na to zgodzić. To byłby kredyt, Szura, a wiesz, że ja długów wdzięczności nie lubię.

Starosta tylko czekał na taką odpowiedź, bo odchrząknął z aprobatą i skinął głową.

– My jesteśmy na czysto, Witia. Niech skurwysyn wie, że póki nie przeprosi, nawet pary nie sprzeda. Skończył się okres ochronny. Od dziś Wania zbiera normalną stawkę od Kereja i jego ludzi. Uczniów z tej ich szkoły też nie oszczędzaj. Jakby się trafiło, dowalaj grzywny. Idzie o to, żeby Kereja wyeliminować.

– *Poniał* – odmruknął Futnikow, a Darmienow mówił dalej:

– Ma szczęście, że Jerboł i Sułtan się cykają, bo ja nałożyłbym podwójną karę. Aha, jak nie będzie płacił, ma przepisać stragan na któregoś z braci Chajruszewów. Może tego najmłodszego.

– Manę? – skrzywił się Futnikow, ale powstrzymał się przed komentarzem na temat żigolaka, który podejrzanie uwielbiał gwałty grupowe na mężczyznach. Futnikow zawiesił już Manie całą teczkę tego typu spraw. Starszy śledczy miał na temat orientacji chłopaka własną opinię, ale na szczęście jej teraz nie objawił. Wychodziło, że jakimś cudem temu wyjątkowo ohydnemu gwałcicielowi udało się wkraść w łaski starosty.

– Nie wiem, jakie pseudo nosi na mieście – ciągnął Darmienow. – Kiedy do nas przychodzi, przedstawia się Bierik. Chłopak trzyma sztamę z moim synem. Lubią się i blisko współpracują. A w sumie Chajruszewów jest dziewięciu. Trudno się połapać. Wiem tylko, że reszta siedzi w Moskwie. Podobno regularnie puszkowano ich w sprawach sołncewskich.

– Aż tak wysoko bracia Chajruszewowie nie zaszli, choć to zasługujący na uwagę bandyci – sprostował niechętnie Futnikow. – Tylko niezbyt łebscy. Poza najstarszym. Sierik jest teraz u mnie w wydziale. Niedawno go awansowałem. Zawsze był lojalny – podkreślił. – Ale będzie tak, jak powiedziałeś. Stragan na Bierika. Twój Sława zrobi umowę. Skontaktuję się z nim.

– Wybornie – ucieszył się Darmienow. – Ludzie na bazarze nawet się nie zorientują, że zaszła zmiana. Ta bocznica też jest już nasza. Przyciśnij Pingota. Niech wezwie swojego Koreańczyka i pokaże papiery. Gdyby się buntował, dzwoń do Nochy. Skrupuły Bajdałych nas nie dotyczą.

– Znam te kwity na pamięć, Szura. Kontrole były regularne. Pak od wiosny pracuje już dla nas. Boi się, ale jak to żółtek, zgodny jest i nieawanturny.

– *Mołodiec.* – Aleksandr poklepał Futnikowa po plecach. – Jeszcze jedno.

– Tak?

Starszy śledczy się nastroszył. Zwykle na koniec starosta wydawał najmniej sympatyczne rozkazy.

– Przypilnuj, żeby żadne treningi dzieciarni już się tu nie odbywały.

– Tak jest.

– Nie mówię o pilnowaniu terenu – zeźlił się Darmienow. – W żopie mam twoje działania prewencyjne. Proponuję dobry przykład. Kulka w łeb. Takich małych główek chciałbym mieć ze trzy, a może cztery. Zacznij od małego Jurki Pingota. Pozostali zrozumieją. Będą omijali ten teren z daleka. Znudziła mi się ciuciubabka.

Futnikowa oblał zimny pot. Sam miał dzieci. Wyobraził sobie teraz drobne ciałko własnego ośmiolatka. W kimonie. Rozszarpane przez kule. Ale rozkaz to rozkaz. Przełknął ślinę, postarał się przyjąć obojętny ton.

– To znaczy, że Kerej jest pozamiatany?

– Sam się pozamiatał, rozwieszając ojcowskie plakaty. Tyle że dopiero teraz zapraszamy go do tańca. Ale starego i dalszej rodziny na razie nie ruszamy. Wszystko ma pójść na młodego. Kerej jest zapalczywy. Wierzy w te ich durne kazachskie zasady. Jak się wkurwi, coś zrobi. Popełni błąd, a wtedy go zamkniesz i po zabawie.

– Chyba już popełnił. Słyszałeś o córce Sułtana? Mówią na mieście, że Kunanbajew maczał w tym swojego chuja.

– To nie moja broszka, Witia. – Darmienow aż pokraśniał z zadowolenia na samą myśl o niedoli Kazangapa. – Sobirżan ma teraz kłopot, bo nie upilnował suczki.

– Powiedziałbym, że raczej spory.

– Co się dziwić? Zamiast dopinać wesele córki, Kazangap ugania się za nastolatkami – odparł z satysfakcją starosta. – Ale jak sprawa uprowadzenia Ałgyz wyjdzie na jaw, ród Kunke go już nie wesprze. Baj, baj, stolico. Baj, baj, mająteczku. Oj, gromadzą się nad Sułtanem chmury. Nie mogę się doczekać, aż ten wyniosły cap przyjdzie do mnie w łaskę. Każę mu prosić na kolanach. Może zaczniemy ucinać łby, a może nie. Jeszcze nie zdecydowałem.

– Mnie już poprosił.

– Miał czelność ominąć biuro starosty?

Futnikow wzruszył ramionami.

– Mówię, jak jest, Szura. Żeby nie było niejasności.

Darmienow rzucił grube przekleństwo. Splunął na ziemię, przydeptał.

– Mam nadzieję, że dobrze się wyceniłeś.

– Nie dałem jeszcze odpowiedzi.

– I słusznie. Bo moja dola będzie słona.

– Sułtan twierdzi, że sprawa jest banalna. Ałgyz zakochała się w parobku, który robił malunki w sali weselnej. Służba go widziała, jak nocami podkradał się pod skrzydło jej wieży. To uczeń Kereja. Dlatego Kazangap obstawia, że Kunanbajew pomógł młodym ulotnić się z miasta. Jak dotąd skutecznie. Kryminału tu nie wietrzę. Pewnie za parę dni dzieciaki wrócą i Sobirżan będzie zmuszony oddać księżniczkę gołodupcowi. Sprawy o uprowadzenie nagłaśniać nie chce. Z wiadomych przyczyn. Chyba że uda nam się znaleźć Ałgyz wcześniej, a incydent zachować w sekrecie. Za to obiecał zapłacić sowicie. Kereja możemy rozszarpać.

– Skoro tak, puść psy. Niech niuchają. Ale nie oddawaj dziewczyny za szybko. Stawkę trzeba podbić. Kara musi być, skoro Sułtan mnie zlekceważył.

– Fabryka broni?

– To od dawna mamy już w kieszeni. Wyszukaj tylko dobrego słupa. Zamierzam przejąć wszystko. Pałac Sułtana też mi się nawet podoba.

Dimasz to wymijał na trzeciego, to podjeżdżał do zderzaków, to znów gwałtownie hamował. Kaseta w odtwarzaczu leciała już siódmy raz, ale Tusip tego nie zauważył. Przyglądał się ostrzu swojego noża, który wypolerował na błysk. Dotknął czubkiem palca, a potem sprawdził go na wewnętrznej stronie paska. Choć prawie nie nacisnął, pozostawił płytkie nacięcie. Zadowolony z ostrości klingi schował broń do buta i odwrócił się do tyłu.

Isa drzemał, obejmując mocno Ałgyz owiniętą szarym kocem jak mumia. Twarz dziewczyny wyglądała na maskę pośmiertną. Paraliż postępował, ale przynajmniej przestała łzawić. Jakby w ramionach chłopaka znalazła chwilowy spokój.

– Piękna to ona nie jest – mruknął Tusip.

– On z tymi uszami też nie zdobyłby tytułu Mistera Universum – przyznał Dimasz.

– Rozumiesz coś z tego?

– Ni chuja – zapewnił hokeista. – Zmień kasetę, bo pierdolca dostanę od tego tidaridiridam.

Tusip przekręcił gałkę. Słychać było teraz tylko wycie zarzynanego silnika. Dimasz wierzył jednak w tę maszynę, bo jeszcze docisnął gaz.

– Dobry wóz. Chyba go kupię od Kereja.

– Najlepszy – zgodził się Tusip. Zerknął znów na śpiących, a potem zniżył głos. – Przydałaby się klamka. Masz jakiś pomysł?

Dimasz akurat wyprzedzał, więc nawet nie spojrzał na przyjaciela. Kiedy jednak poradził sobie z bujającą się na wszystkie strony cysterną, cały się rozpromienił.

– A kto powiedział, że nie mamy?

Tusip z trudem ukrył zaskoczenie.

– Co wziąłeś?

– Ze sobą nie mam nic, ale taki jeden Stiopa załatwi mi po drodze. To samo pomyślałem. Wjebaliśmy się masakrycznie.

– My? – Tusipowi zabrakło powietrza. – Na chuj mówiłeś o Dżamie?

– Sam jesteś chuj. To znak.

– Aha – mruknął Tusip. – Znak, żeś dureń, i tyle.

– Mówię ci, że duchy nam to wynagrodzą.

– Co ty pierdolisz?

– Nie wiesz, że byłem tam, gdzie ona – zaczął Dimasz, ale urwał, bo usłyszał rechot.

Rosjanin w pierwszej chwili był oburzony, ale szybko przyłączył się do Tusipa. Kiedy tylko Ormianin na moment stracił czujność, Dimasz dźgnął go kułakiem w przyrodzenie, aż ten się skulił.

– Mięczak z ciebie – szydził Dimasz, widząc, że Tusip wciąż nie może złapać tchu. Zaraz jednak spoważniał. – Miałem siedem lat. Z górnego świata wraca się innym. Z dolnego prawie nigdy. Miałem fart, że rodzice wezwali Dżamę. Po wszystkim masz ochronę duchów pomocników na zawsze.

– Ty masz?

Dimasz nie odpowiedział. Odwrócił kasetę. Z głośników znów bębniło kazachskie disco.

– Tidaridiridam – podśpiewywał teraz Rosjanin, jakby wybierali się na piknik za miasto.

– A jak się nie wraca, co wtedy? Zostajesz demonem? Co jest po tamtej stronie?

– Jak się nie wraca, to się tam zostaje. – Dimasz wzruszył ramionami. – Cholera wie, co tam jest. Nic nie pamiętam. Ale nie może być to nic dobrego.

– Już wolę, jak śpiewasz – jęknął Tusip.

Obaj się roześmieli.

– Myślisz, że twoja babcia ją naprawi? – odezwał się po dłuższej pauzie Ormianin. – I czy to rzeczywiście było konieczne? Nie rozumiem, dlaczego Kerej zgodził się na takie ryzyko. Pewnie puścili już za nami pogoń.

– Nie brzęcz. – Dimasz pogłośnił muzykę. – Dżama wypatrzy tę chorobę, przegoni i przywieziemy dziewuszkę zdrową. Trochę wiary.

– Zwolnij. – Tusip szturchnął kolegę. – Patrol.

Sięgnął do kieszeni i zaczął odliczać gotówkę. Dimasz gwałtownie nacisnął hamulec, polecieli do przodu.

– Co się dzieje? – usłyszeli z tyłu.

– Cicho siedź, Kłapouchy – warknął Tusip. – I przykryj dobrze swoją pannę.

Zatrzymali się. Dimasz wyszczerzył zęby w uśmiechu, ale przypomniał sobie, że ma wybitą jedynkę, więc zaraz przymknął usta i sięgnął po dokumenty.

– Trochę przygazowałem, szefie. Do kobitek jedziemy. Poniosło mnie.

– Chyba nie pierwszy raz. Wyglądacie, obywatelu, jakby was walec przejechał.

Milicjant dał znak chłopakowi, by wysiadł. Tusip w ostatniej chwili przekazał Dimaszowi zwitek banknotów.

– Nie błaznuj – pouczył go, wpatrując się w napięciu w tył radiowozu, do którego trafił Rosjanin.

Trwało to przeraźliwie długo. Tusip w tym czasie rozejrzał się po okolicy. Wzdłuż drogi ciągnęły się żółte pola. Jedyną roślinnością były karłowate ostnice. Gdyby pójść na przełaj, to już step, pomyślał. Z naprzeciwka jechało niewiele aut. Milicjanci w radiowozie pewnie nic jeszcze nie zarobili. Tylko Dimasz pędził jak oszalały na tej trasie. Nagle obok nich przeszedł wielbłąd objuczony skórzanymi sakwami. Za nim człapał dziadek w walonkach. Na głowie miał czapkę z futra. Musiało mu być w tym stroju nadzwyczaj ciepło, choć nie sprawiał wrażenia, że czuje się z tym źle. Starzec zatrzymał się przy radiowozie i zastukał w szybę. Z okna wychylił się wielki otok czapki służbowej. Milicjant uważnie słuchał, a potem wykonał dziwny gest ręką, jakby salutował. Wreszcie podał dziadkowi torebkę z kanapkami oraz butelkę wody. Staruszek odszedł, kłaniając się uniżenie. Za nim, jak pies, podążył dromader. Zwierzę było chude i wyleniałe. Musiało mieć tyle lat, co jego opiekun.

– Nie miałem okazji wam podziękować – usłyszał z tyłu. Głos Isy wyrwał Tusipa z rozmyślań, jakby dobiegał z innego wymiaru. – To dla mnie wielki zaszczyt mieć takich przyjaciół. Dopiero się poznaliśmy, a jednak wyruszyliście, żeby ratować Ałgyz. Przecież prawie się nie znamy.

– Zamknij się – warknął w odpowiedzi Ormianin. – Chyba nie zdajesz sobie sprawy, młody, co nawywijałeś. Gdyby Kerej nie wziął tego na siebie, już byś nie żył. Co ci, kurwa, strzeliło do głowy? Masz kasę, żeby ją wykupić? Wiesz, ile potrzeba na kałym za taką pannę. Nie mogłeś sobie wypatrzyć jakiejś fryzjerki albo nauczycielki, jak potrzebujesz z nią gadać? No ja pierdolę, co za zjeb. Niby student fizyki, a jak dziecko. I nie jesteśmy przyjaciółmi. Zapamiętaj to sobie.

Poleciały bluzgi i Tusip sam był zaskoczony, jak wiele w nim drzemie złości na Isę. Ale kiedy już to z siebie wyrzucił, poczuł się lepiej. Obaj jednak wiedzieli, że to wszystko ze strachu. Isa też się bał. Każdy z nich przeżywał na swój sposób: Dimasz, udając chojraka, Tusip – wpadając w gniew, a Isa po prostu zapadł się w sobie. Skulił się. Zdawało się, że uszy mu się wydłużyły jak spanielowi.

– Ja nic nie chcę wiedzieć – podkreślił już spokojniej Ormianin. – Twoje sprawy mnie nie zajmują. Jadę, bo kazał mi trener. To wasz układ. Jemu dziękuj. Jak tylko dostarczymy dziewczynę do szamanki, wracamy z Dimą do domu i umywamy ręce. Dalej radzisz sobie sam. Nie chcę mieć z tobą nic wspólnego. Ty, kurwa, powinieneś mieć na imię Problem, a nie Isa. Przy Dimce tego nie powiem, boby ci zaraz dojebał, ale nasrałeś sobie porządnie do gniazda i nie wiem, jak to się rozwiąże, więc stul pysk, choćby cię kroili. *Poniał*?

– Dobrze – wyszeptał karnie Isa i przycisnął dziewczynę mocniej do piersi.

Trzasnęły drzwi. Do auta wsiadł roześmiany Dimasz.

– Cztery patole utargowałem – pochwalił się. Widząc jednak markotne miny kolegów, zwrócił się najpierw do młodego Kazacha: – Opierdolił cię jak burą sukę, co?

Isa rozciągnął twarz w uśmiechu. Był wdzięczny hokeiście za te słowa jak nigdy nikomu za nic do tej pory.

– Nie łam się. Tusip to dobry chłop, tylko trochę nerwowy. Mnie ruga cały czas. Z reguły nie wiem za co.

– Wystarczy, że ja wiem – burknął Ormianin. – Ruszaj, bo chłodnica się zagotuje.

– Sam widzisz – uśmiechnął się Dimasz i wcisnął kasetę do odtwarzacza.

Muzyka jednak nie zabrzmiała, bo taśma wkręciła się w rolki. Tusip, sapiąc i rugając się ordynarnie, zabrał się do naprawiania sprzętu. Na długo zapadła cisza. Dimasz jechał teraz wolno, rozglądając się na boki.

– Co jest? Paliwa nie mamy czy co?

– Szukam zjazdu. Gdzieś z boku jest sztuczny zbiornik.

– Jesteśmy na stepie. Kąpać się teraz chcesz?

– Z tej strony nie ma plaży. Będzie tylko turkusowe oczko wodne wśród skał. Drogowskaz ma kierować na Wielkie Jezioro Ałmatyńskie – wymruczał pod nosem Dimasz.

Tusip spojrzał pytająco na Dimasza, ale ten mówił dalej:

– Piękny widok. Może to nie Kajyngdy, ale byłem tam kiedyś z dziewczyną i zadziałało właściwie. Jak ona się nazywała? – Zasępił się, jakby od tego imienia zależało jego życie. – Szesnastolatka. Trochę przy kości. Nad wargą miała taki śmieszny wąsik.

Nagle się rozpromienił.

– Sołtanat! A mówili na nią Swieta, jak na moją obecną. Ładna nie była, ale za to jak się ruszała!

– O bogowie! – wymruczał Tusip. – Jak dobrze, że sobie przypomniałeś. Może w końcu pojedziemy?

Ale Dimasz wciąż nie przekraczał czterdziestu na godzinę. Dopiero kiedy zobaczyli metalowe barierki, a potem wybetonowany podjazd, przyśpieszył. Wjechał aż na trawę i sprytnie ukrył auto za potężną skałą.

– Ty zostajesz – polecił Isie, po czym zwrócił się do Tusipa: – Pilnuj ich. Jeśli ktoś ma nas zapamiętać, to jeden wystarczy.

Rzucił przyjacielowi kluczyki.

– Jakby co, zrzekam się. Tylko obiecaj, że je kupisz od Kereja. To chwacka maszyna.

– Ej, co ty kombinujesz?

Tusip natychmiast wyskoczył z żiguli i chwycił Dimasza za poły bluzy. Hokeista był jednak potężniej zbudowany. Łatwo się wyzwolił i już trzymał przyjaciela za ramiona jak w imadle. Uwolnił go, dopiero gdy ten zaprzestał walki.

– Jeśli pętak ma być dowieziony na miejsce, a dziewczyna uzdrowiona, lepiej, by przeżył mądrzejszy. Głupka mniej szkoda. – Dimasz poklepał kumpla po okrągłym policzku. – Trzymaj nerwy na wodzy, bracie.

I poszedł.

Tusip stał jeszcze chwilę w miejscu, a potem nachylił się do Isy i pogroził mu palcem jak niegrzecznemu dziecku. Po czym, przyklejony do skały, ruszył za Dimaszem. Wychylał się jedynie tyle, by widzieć, co przed nim.

W niecce, otoczonej ze wszystkich stron wysokimi górami, rozciągała się bajkowa panorama. Śnieg pokrywał szczyty, a w samym środku między nimi – niczym oczko pierścionka – skrzyło się w blasku słońca jezioro o nieprawdopodobnie zielononiebieskiej barwie.

Na skraju przepaści, przy wielkim głazie, stał stary wielbłąd. Ten sam, którego dopiero co mijali. Tuż obok był drugi, mniejszy, biały i w znacznie lepszej kondycji. Najwyraźniej samica, bo zwierzęta tuliły się do siebie jak dwójka zakochanych. Dziadek siedział na ziemi, z bosymi stopami i w rozpiętej koszuli. Zamiast futrzanej czapy miał na głowie kolorową, wyszywaną czapeczkę. Wcinał łapczywie jakieś lepioszki, popijając wodą, którą dali mu milicjanci. Wojłokowy namiot był częściowo rozwinięty. Białą, całkiem nową letnią jurtę nawet młodemu niełatwo było w pojedynkę rozłożyć. Wyglądało na to, że koczownik na szczycie tej rozpadliny zamierzał rozbić obóz na dzisiejszy nocleg. Tusip nie sądził, by przygnały go tutaj oszałamiające widoki. Była to niezgorsza kryjówka. Kiedy Dimasz do niego podszedł, stary wyrzekł może dwa słowa, których Tusip nie mógł usłyszeć z powodu odległości. Widział jednak, jak jego sylwetka się podnosi i zbliża do jednej z sakw przytroczonych do garbu dromadera, by wyciągnąć z niej pokaźny pakunek. Po zdjęciu okryć wierzchnich mężczyzna nie wydawał się już tak zgrzybiały. Przeciwnie, był czerstwy i gibki, jakby w przeszłości nie stronił od sportu. Podał teraz wór Dimaszowi, który bez słowa sięgnął do kieszeni. Co przekazał na wymianę, tego Tusip nie był w stanie dostrzec, bo biegł co sił z powrotem do auta. Wyglądało na to, że transakcja zakończy się błyskawicznie.

Kiedy Dimasz wrócił, Tusip starał się uregulować oddech oraz zademonstrować obojętność. Na niewiele się to zdało, ale Rosjanin i tak nie zwrócił na to uwagi. Rzucił Tusipowi na kolana ciężki worek. Kiedy Ormianin rozsupłał sznury, jego oczom ukazał się automat z odciętą lufą, kilka pudełek amunicji i puszka towotu.

– Z tego Baraka śmieszny handlarz bronią – zaczął Dimasz i zamyślił się, jakby szukał słów. – Nazwał swoje wielbłądy ludzkimi imionami. A ja myślałem, że Stiopa to człowiek. Chociaż w sumie jakaś logika w tym jest. To nie Barak przecież ryzykował i przekraczał wszystkie *toczki* bez kontroli, żebyśmy mieli na drogę nierejestrowanego gnata, tylko stary wielbłąd. Poczciwy Stefan! I jaką ma boską blondynę. Nazywa się Nel. Szkoda, żeś nie widział, jak się całowali.

Tusip nie podzielał entuzjazmu przyjaciela. Siedział nieruchomo z urzynem na kolanach, jakby się bał poruszyć, by broń nie wystrzeliła, mimo że nie była nabita ani nawet złożona.

– Wszystko widziałem – mruknął ponuro. – Moim zdaniem to jakiś dziwny dziadzia. I wcale nie śmieszny.

Przeciwnie: mnie przeraża. Zna milicjantów. Okazali mu respekt, jakby był jakimś bajem. To żarcie, które mu wydali... W tej siatce musiało być coś jeszcze. Może to nie była jałmużna, jak wyglądało z boku, ale haracz od gliniarzy? Poza tym powiedz mi, Dimka, tak szczerze, kto normalny, w jego wieku, handluje automatami?

– Mówiłem ci już, żeś parówa? – roześmiał się Dimasz. Był z siebie bardzo zadowolony i nic, nawet niepokój przyjaciela, nie mogły popsuć mu humoru. – Skoro Barak robił to całe życie, dlaczego tylko z powodu upływu czasu ma teraz cokolwiek zmieniać? Ja też na emeryturę iść nie zamierzam.

– W hokeja do śmierci grać nie będziesz.

– Biznesmenem można być do końca – zaperzył się Rosjanin. – Zamierzam zbić potężny majątek.

– Oho – jęknął Tusip. – Oby ci duchy przodków pomogły.

– Sam się przekonasz, że to nie żadne bajki – odparł spokojnie Dimasz i w końcu przycisnął gaz do dechy. – A teraz prosto do Dżamy, bom zgłodniał jak szakal.

Zostało jeszcze pół godziny do przedstawienia, a Wiera była już w pełnym kostiumie. Kończyła malować usta, kiedy do garderoby wpadły piszczące dziewczyny. Zaczęły ją ściskać i tarmosić. Jazgotały tak, że nie była w stanie zrozumieć, z jaką nowiną je przyniosło. Wśród wrzasków przebijało się kilka słów: „kwiaty", „wariat" oraz „nienawidzę cię". Ukrainka zarumieniła się, poprawiła chybotliwą lampkę nad lustrem i omiotła filigranową twarz pędzlem, by zdjąć nadmiar różu.

– Jednak przyszedł – wyszeptała wzruszona.

– Przyszedł, a jakże – śmiały się tancerki. – I to nie sam. Z całą kwiaciarnią. Aż ludzie się oglądali.

– I mamą – dodała inna. – Wytworna kobieta. Jaki on do niej podobny!

– Naprawdę? – Wiera była szczerze poruszona. – Muszę zapalić. Szybko.

Drżącymi dłońmi przetrząsała kosmetyki rozłożone na blacie, ale jak na złość nigdzie nie było zapalniczki.

– Nie teraz! – Któraś z tancerek wyjęła papierosa z ust Wiery i prysnęła jej do gardła solidną dawkę perfum, aż dziewczyna się rozkaszlała. – Oni tu idą. Włóż szlafrok. Nie będziesz przecież naga podczas pierwszego spotkania z teściową.

– Skoro tu idzie, to chyba wie, jaką mam robotę – bez przekonania broniła się gwiazda, ale pozwoliła się ubrać. Brakowało jej tchu, cała drżała.

Chwilę potem kierownik sali zaanonsował gości i wszystkie tancerki skamieniały. Zajęły swoje miejsca przy lustrach i udawały, że każda poza własnym odbiciem świata nie widzi. Zapadła cisza jak przed wyjściem na scenę. Wiera nigdy nie czuła takiej tremy.

– Przeszkadzam? – dobiegło zza wielkiego bukietu, a dopiero potem dziewczyna zobaczyła przybyłych.

Na chwilę zamarła, z trudem ukrywając zawód. Długo nie była w stanie wydusić słowa. Nie tego mężczyzny się spodziewała.

– Dzień dobry – dygnęła uprzejmie, kiedy odzyskała rezon.

Skinęła głową dumnej Kazaszce. Kobieta weszła z fifką, w której tlił się złocony papieros. Wiera pozazdrościła jej dawki nikotyny. Przemknęło jej jednak przez myśl, że to raczej nie jest objaw szacunku. Zrzuciła więc kusy szlafrok, prezentując swoje białe ciało w pełnej okazałości, tylko w newralgicznych miejscach przysłonięte plastikowymi cekinami, i odważnie podeszła do matki Rustema.

– Wiera Borysowna Kostyra. – Wyciągnęła dłoń jak do pocałowania. – Czym zasłużyłam na taki zaszczyt?

– Zere Żyrensze Bajdały. – Matka Rustema ledwie dotknęła ręki tancerki. – Doprawdy wygląda pani jak bogini. Nie dowierzałam synowi. To jednak jest prawdą.

Dziewczęta zachichotały jak chór grecki. Wiera też się uśmiechnęła. Pomyślała, że może jednak myliła się co do wyniosłej Kazaszki.

– To dla mnie? – Odebrała od adoratora bukiet i pozwoliła się cmoknąć w policzek. – Nie trzeba. Premiera była dawno temu.

– Żadne kwiaty nie dorównają pani urodzie, Wiero Borysowna. – Rustem błysnął klawiaturą pięknych zębów i mrugnął porozumiewawczo.

Zrozumiała, że tych tytułów używa ze względu na tancerki. Zrobiło jej się miło. Potem zaś dandys zwrócił się do wszystkich, jakby ogłaszał jakąś nowinę:

– Będziemy panią dziś podziwiać z naszej loży. Zapraszamy w antrakcie na lampkę francuskiego szampana. Po spektaklu zaś, gdyby pani zechciała poświęcić nam dzisiejszy wieczór, mamy stolik w Prezydenckiej.

Tancerki znów zapiszczały.

– Syn wynajął całą salę – dodała Zere. – Nikt nam nie będzie przeszkadzał.

Wiera mogła tylko trzepotać rzęsami. Patrzyła na mężczyznę, który czarował ją nieśmiałym spojrzeniem, i czuła, że krew się w niej burzy. Pociąg fizyczny mieszał się z wyrzutami sumienia oraz widokami na przyszłe korzyści. Sama nie wiedziała, jak to możliwe, że w jednej chwili jest w stanie przeżywać tyle emocji. Rustem tak bardzo różnił się od Kereja. Nie znała go prawie wcale. I nie kochała. Ale to on przyszedł. Pokazał wszystkim, jak bardzo mu zależy, pomyślała. A nie pragnął jej potajemnie i nie obawiał się, że ktoś go z nią zobaczy. Serce jej się krajało, wciąż miała wątpliwości, ale ostatecznie skinęła głową.

– Z przyjemnością. Zawsze po spektaklu dopada mnie wilczy głód – powiedziała i opadła na krzesło, bo Bajdały z matką, otrzymawszy jej potwierdzenie, zaraz się wycofał.

Kerej dotarł do teatru tuż po antrakcie. W ręku miał jedną żółtą różę. Trochę przywiędłą, bo kupił ją od zbierającej się do domu kwiaciarki, a w aucie na dodatek zaparzyła się od upału. Ponieważ zaczęły opadać z niej płatki, wrzucił badyl do kosza i ruszył wprost do garderoby kochanki. Zamierzał porwać ją do domu zaraz po przedstawieniu oraz zostać na całą noc, jak tego oczekiwała ostatnim razem. Miał za sobą straszny dzień. Potrzebował ukojenia. Nie mógł wrócić do Bibi, bo zapytałaby go o Sierga, którego aresztowano kilka godzin wcześniej. Splądrowano i zapieczętowano też jego magazyn. Jak sprzeda wszystko ze sklepu, będzie musiał zamknąć stragan, bo prokuratura przy okazji nagonki na Pingota prześwietlała wszystkich współpracujących z Polakiem. Kerej papiery miał czyste, ale wiedział, że to w niczym nie przeszkadza. Jeśli wciągnięto go na czarną listę, wystarczy drobna nieścisłość, aby utrudniać mu życie. Zastanawiał się, jak przekazać wiadomości o tym ojcu i ile czasu potrwa afera z bocznicą, bo choć miał oszczędności, to jednak nieroztropne byłoby wydawanie wszystkich zaskórniaków na kampanię. No i nie miał żadnych wiadomości od uczniów. Po głowie plątały mu się czarne myśli. Dimasz mógł zapomnieć, zaspać, ale Tusip – choćby umierający – znalazłby sposób, żeby zadzwonić. A jeśli te sprawy się ze sobą łączą?

– Tutaj nie wolno. – W korytarzu zatrzymał go ten sam stróż, który tyle razy brał od niego łapówkę, że już przeszli na „ty".

– Dobry żart – roześmiał się Kazach.

– Wprowadzili nowe przepisy. Kup bilet albo zaczekaj w aucie. Przekażę jej, że byłeś.

Nie spodobało się to Kunanbajewowi, ale sięgnął do kieszeni po banknoty.

– Ile chcesz?

– Nie mogę. Z pracy mnie wyrzucą.

Kerej wpatrywał się w starszego mężczyznę podejrzliwie.

– Ona ci kazała?

Woźny burknął coś pod nosem po kazachsku. Kerej nie znał tak dobrze rodzimego języka. Chwycił więc stróża za kołnierz i podniósł do góry.

– Mów po rosyjsku. Ale prawdę.

– Dyrektor zabronił cię wpuszczać. A jej nie widziałem. Ale jest, bo trwa spektakl. Słychać brawa, więc wszystko normalnie.

– Kiedy zakazał?

– Jak tylko przyszedłem na wieczorną zmianę.

– Prowadź mnie do szefa.

– Nie, Kerej. Nie rób mi tego – błagał woźny. – Obiecuję, że jej powiem.

– O co chodzi?

– Ja nic nie wiem – wił się stróż.

Młody Kunanbajew nie miał wątpliwości, że to kłamstwo. Był gotów przyłożyć strażnikowi, ale po namyśle mu darował.

– Powiedz, że czekam tam, gdzie zwykle. Do północy. Jeśli nie przyjdzie, koniec.

– Oczywiście – zapewnił strażnik i szybko zamknął szklane drzwi na klucz.

Kerej wpatrywał się w plakat przyklejony na szybie, z którego uśmiechała się doń Boska Vera. Chciał rozbić szkło pięścią, ale udało mu się pohamować i w końcu wyszedł. Usiadł za kierownicą. Długo myślał. Potem wrócił, wywołał przerażonego już nie na żarty strażnika i wychrypiał:

– Nic nie mów. Nie było mnie tutaj, rozumiesz? Milczysz jak zaklęty.

– Tak, panie Kunanbajew. Dokładnie tak zrobię. – Nagle zażyłość między nimi zniknęła, co Kereja rozwścieczyło jeszcze bardziej.

– A jakbyś sobie przypomniał, dlaczego mam zakaz wstępu, to wiesz, gdzie mnie szukać. Nie musisz się bać.

– Nie boję się.

– A szkoda, bo powinieneś. – Odwrócił się i tak trzasnął drzwiami, że szyba nieomal pękła. Dorzucił więc gromko, by podsłuchujący usłyszeli: – Obrałeś złego sojusznika.

Godzinę później leżał już w łóżku. Bibi jak zwykle uczyła się do późna. Przyszła do niego, kiedy świtało.

– Telefon dzwoni. – Potrząsnęła nim. – Jakaś kobieta z płaczem.

Przez chwilę nie mógł pozbierać myśli. Spojrzał za okno. Niebo było purpurowe. Zły znak, przypomniał sobie przesądy Ojsze.

– Kto?

– Wisława. Tak się przedstawiła. To chyba żona Pingota. Nie wiedziałam, że jest taka młoda. Mówi, że Sierga zabierają do łagru. Chyba jest pijana. Kupiła już bilety powrotne.

Dziś wieczorem wracają z Jurką do Kazachstanu – wyrzuciła Bibi na jednym oddechu i dodała z wyrzutem: – Nic nie mówiłeś, że przyjaciel ma takie kłopoty.

Kerej zerwał się z łóżka i dopadł do słuchawki.

– Wisu? Co z Siergiem?

– Przyjedziesz do mnie, kochany? – usłyszał znajomą słodycz głosu i czknięcie. A potem Wiera się rozpłakała. – Tak cię potrzebuję. Przepraszam. Zrobiłam coś bardzo złego.

Flaki barana parowały w słońcu, ale Isa czuł tylko zapach piołunu, który porastał step. Dżama podała mu wiadro z krwią.

– Niżej – pouczyła.

Pochylił naczynie tak, by mogła zanurzać w nim dłonie i nacierać twarz chorej, choć już wcześniej nie był w stanie rozpoznać rysów Ałgyz. Kobieta rozłożyła dłonie i odwróciła je wnętrzem do góry. Przymknęła oczy. Zaczęła mamrotać zaklęcia, intonując melodię:

> Aulie, *który jest w świętym starcu.*
> Aulie *z Zachodu,*
> Aulie, *który chodzi po górach,*
> Aulie, *który jest w kamieniach,*
> Aulie, *który jest w jeziorze,*
> Aulie, *który jest na drodze,*
> *Wszystkim życzę nadziei.*

Siedzący w kącie wąsaty mężczyzna uderzał rytmicznie w prymitywny bębenek. W wyszywanym filcowym kałpaku sterczącym na głowie jak wiadro i kraciastej koszuli, która nie dopinała się na wydatnym brzuchu, wyglądał niepoważnie. Młoda kobieta, ostrzyżona do gołej skóry, bez brwi, trzymała na sznurku owcę, która jako kolejna miała być złożona w ofierze. W drugiej dłoni zaciskała inkrustowany sztylet. W miarę jak modlitwa Dżamy nabierała tempa, kołysanie się kapłanki stawało się szybsze, a jej biała szata falowała, jakby unoszona podmuchami porywistego wiatru. W końcu Dimasz musiał zabrać zwierzę, bo kobietą targnęły konwulsje, a przerażona owca próbowała dać nogę, tratując poustawiane na ziemi miseczki z dymiącymi wywarami. Wtedy Dżama podniosła głos i otworzyła oczy. Tęczówki zniknęły. Widać było tylko drgające diabolicznie białka. Nagle jej ciałem wstrząsnął spazm, z ust pociekła ślina. Konopne kudły stanęły dęba jak naelektryzowane. Kobieta zastygła w tej pozycji i przemówiła niskim, chrapliwym głosem:

Mój Kochany Panie Światła,
Właśnie przyszła ta, która ma gęste włosy.
Silna głowa o dwóch podbródkach.
Właśnie przyszedł pan księżyca,
Właśnie przyszedł pan słońca,
Właśnie przyszedł piery *wody,*
Właśnie przyszedł rudy żebrak,
Właśnie przyszło dziesięciu panów.
Także wszystkie piery,
Tak ich zaprosiwszy,
Uważaj moje dzieło za prawe.

Po tych słowach wąsacz odłożył bębenek. Podszedł do leżących na ziemi podrobów i wyłowił płuco. Podał Dżamie. Staruszka zamachnęła się nim, by uderzyć leżącą wciąż bez czucia Ałgyz, ale Isa w ostatniej chwili zasłonił ją własnym ciałem. Poczuł trzy dotkliwe plaśnięcia po karku. Dżama spokojnym, lecz stanowczym gestem przesunęła chłopaka i bez pardonu naznaczała płucem ciało dziewczyny, a z każdym ciosem wzmagała swój śpiew. Potem zanurzyła dłonie w parujących wnętrznościach i zaczęła je gnieść, mrucząc coś niezrozumiale. Mężczyzna w kałpaku, który wcześniej przygrywał szamance, odebrał klingę z rąk młodej, która teraz jak zahipnotyzowana wpatrywała się w zakrwawioną twarz chorej, i dał znak pozostałym.

Tusip i Dimasz chwycili owcę za nogi, unieśli nad ciałem Ałgyz. Stara wciąż znajdowała się w zawieszeniu pomiędzy światami, ale oczy miała już przymknięte. Zastygła z rękami w dziwnej pozycji. Wyglądała teraz jak pomarszczone drzewo, ogołocone z liści. Dźwięki, które wydawała, płynęły gdzieś z jej brzucha. Usta miała zaciśnięte, wargi przygryzione. Nagle ruszyła na ślepo, jakby do paleniska pchała ją jakaś nieludzka siła. Isa przeraził się, że oszalała kobieta wejdzie wprost w płomienie. Ona jednak tylko rzuciła flaki do ognia i zatrzymała się, unosząc dłonie do góry i układając je w kształcie litery „V". Zawodziła głucho jeszcze chwilę, aż w końcu niemal ucichła. Zapachniało smażeniną, żar zamigotał. Nad stosem uniosła się błękitna łuna. Wtedy stary jednym ruchem przeciął gardło wijącego się zwierzęcia. Krew trysnęła na leżącą Ałgyz i rozprysła się maleńkimi kropeczkami na stojących wokół uczestników ceremonii. Zapadła całkowita cisza. Słychać było tylko trzaskanie ogniska, które z jakiejś przyczyny nagle zaczęło przygasać. Isa przetarł twarz rękawem. Nie spuszczał wzroku ze swojej dziewczyny. Czekał na cud, na poruszenie choćby jednym palcem. Nic takiego się nie stało. Rozległ się jedynie łoskot. To wyczerpana Dżama gruchnęła na leżący na podłodze wzorzysty dywanik i natychmiast zasnęła. Wąsaty czule gładził ją po głowie brudnymi od zacieków krwi łapami, jakby tulił do snu niemowlę albo przerażonego szczeniaka. Żelazista, słonawa woń drażniła nos Isy. Stał nieruchomo. Czekał. Wreszcie zerknął na Dimasza i Tusipa, którzy przekazali truchło owcy mieszkańcom osady, a potem się oddalili. Isa widział, jak siadają pod ścianą wojłokowej jurty, podają sobie papierosy i palą w milczeniu.

Chłopiec wyciągnął dłonie, starając się wyczuć energię dziewczyny. Nic, nawet mrowienia. Puls ustabilizował się, ale wciąż był ledwie wyczuwalny. Paraliż się nie cofnął. Chociaż pod maską zakrzepłej krwi trudno było to dokładniej ocenić. Isa poczuł się nagle całkiem wyzuty z mocy. Osunął się na kolana, a potem zwinął na ziemi w pozycji embrionalnej.

We śnie ujrzał jakieś bagno. Czuł przymus, by wejść do grzęzawiska, choć wiedział, że pod powierzchnią czai się monstrualny wąż. Poodginał więc palce u stóp, by gad nie rozpoznał, że jest on człowiekiem, i zanurzył się po szyję. Płynął ze złączonymi kończynami, udając trytona, i liczył po cichu, że wąż da się oszukać, zanim on sam dotrze do szuwarów. Tam, między pałkami wyleniałych tataraków, dostrzegł czółno. Z niego zaś dobiegało kwilenie noworodka. Był coraz bliżej tataraków, a zawinięte w fioletową chustę ludzkie dziecko wołało doń rozpaczliwie, jakby darto mu skórę na pasy. Isa się rozejrzał. Poza nim nie było w okolicy nikogo. Tylko niebo podzieliło się na części: za sobą miał słońce i bezchmurny lazur, przed sobą groźne imadło czarnego cumulonimbusa. Wtedy chwycił go skurcz, a zaraz potem musnął tłusty tułów, gładki i śmiały jak kobieca dłoń. Poczuł gwałtowny ucisk w piersi, aż zbrakło mu powietrza. Zdołał tylko pomyśleć, że potwór, którego się obawiał, zwęszył go, gdy tylko wszedł do bagna, i tylko czekał, aż on, Isa, wejdzie w otchłań grzęzawiska. Wąż oplatał go ciasno, niczym pulsujący pas. Nie pożarł go jednak ani nie dusił mocniej. Unieruchomił na wprost łódki, jakby chciał mu dać szansę na obserwację, bo stare, odrapane czółno przemieniło się nagle w strojną komnatę. Isa wpatrywał się w ten obraz, jakby wyświetlano go na ekranie ogromnego telewizora, a stalowy cumulonimbus obniżał się, zasłaniając błękit. Wkrótce nad głową Isy pojawił się fresk, który malował w sali balowej pałacu Sobirżana Kazangapa. Tylko że anioły miały powykrzywiane ze wstrętu twarze, a zamiast rakiet tenisowych trzymały w dłoniach piekielne pochodnie.

Nie mogąc się ruszyć, chłopak był zmuszony obserwować kołyskę, która bujała się jednostajnie, choć każdym porem skóry czuł grozę. Tymczasem dziecko w białym beciku, otulone magnetycznym fioletem jak aureolą, spało spokojnie i słodko. Dlaczego więc skóra Isy żarzyła się, a wnętrzności płonęły od środka? Strach go paraliżował. Chciał wyrwać się z wężowego uścisku i biec niemowlęciu na pomoc. Nie mógł. Był tylko niemym obserwatorem. Obok znajdowało się monstrualne łoże, całe w koronkach. Leżała w nim zdjęta jakąś chorobą czarnowłosa piękność. Isa wychylił się, by dojrzeć jej twarz, i aż zaschło mu w gardle z wrażenia. Czyżby to była jego Ałgyz? Starsza? Już dorosła?

Płomienie w dłoniach aniołów zawrzały, skwiercząc jak palenisko Dżamy po wrzuceniu płuca i nerki barana, a u wezgłowia piękności Isa dostrzegł korpulentną kobietę w szatach obszywanych złotem i paciorkami. Musiała być kiedyś urodziwa, ale roztaczała inny rodzaj czaru niż szlachetne lico chorej. Kobieta przybliżyła czarkę do ust leżącej, delikatnie przytrzymując jej potylicę, by się nie zadławiła.

Złożona jakąś zarazą wypiła zawartość, nie otwierając oczu. Kiedy piastunka odeszła, z nozdrzy leżącej wyciekła strużka krwi, a głowa opadła na poduszki. Wtedy dziecko obudziło się i zaczęło kwilić. Isa wytężył całą swoją magiczną siłę. Rozerwał cielsko potwora, jakby to była deska do popisywania się przed majstrem. Pochwycił niemowlę i przycisnął je do piersi. Wyskoczył oknem. Spadł wprost na łódkę i zaczął wiosłować. Nie był jednak w stanie dotrzeć do błękitnej części świata. Imadło nad jego głową rozszerzało się i pęczniało. Obudził się zlany potem, z obolałymi ramionami.

Była już późna noc. Wiatr zasypywał mu twarz piaskiem. Ubranie miał wilgotne od leżenia na ziemi. Wąsacz, wciąż z krwawymi zaciekami na rękach, grał jednostajną melodię na drumli. Dżama siedziała obok z zamkniętymi oczyma i wzniesionymi rękoma, zbierającymi energię. Kiedy tylko usłyszała gramolenie się Isy, wskazała chłopcu herbatę oraz chleb z masłem, które czekały na metalowej tacy. Obok stał butelkowany maksym kultowej kirgiskiej marki Szoro, którego wesołe naklejki nijak nie pasowały do siermiężnego wnętrza jurty. Isa nie miał ochoty jeść ani tym bardziej pić napoju ze sfermentowanych ziaren zbóż.

– Nie udało się. – Wskazał Ałgyz, która miała sztywne, nienaturalnie powyginane, jak u lalki, ręce.

Przestraszył się, że jest martwa. Dotknął jej policzka i natychmiast cofnął dłoń, tak był rozgrzany. Odetchnął ciężko.

Stara ponownie przesunęła w jego kierunku czarkę z gorącym napojem i podała kanapkę na brudnej dłoni. Skrzywił się ze wstrętem, ale ugryzł, choć kęs rósł mu w ustach. Gdyby nie szacunek, z pewnością wyplułby jedzenie za siebie. Czuł się jednak w obowiązku zjeść wszystko, co do okruszka.

– Duchów nie wolno pośpieszać – powiedziała Dżama, kiedy ostrzyżona kapłanka pozbierała naczynia i zostali sami. – One tego nie lubią.

– Co jej jest, babciu? – nie wytrzymał chłopak. – Czy ona wróci?

Starucha wzruszyła ramionami. Zmrużyła oczy i znów się skrzywiła, tym razem okazując wyraźne zniecierpliwienie z powodu jego braku wiary.

– I co teraz?

– Tam będziesz spał. – Wskazała duże łóżko w rogu przykryte kolorową kołdrą uszytą z kawałków materiałów. Wokół niego była rozpięta cienka i bardzo brudna moskitiera. – Do rana jeszcze wiele może się wydarzyć. Albo i nic.

– Będę czuwał – zapewnił.

– Ona jest w drodze. Nie zmusisz jej do powrotu – ucięła rozmowę stara i dała znak grajkowi. – Ajtkurman był z nią i może zaręczyć, jak bardzo daleko ona odeszła. A teraz wszyscy musimy odpocząć.

Po tych słowach wąsaty wstał, a Isa wpadł w popłoch. Mężczyzna zwany Ajtkurmanem był cały włochaty i ogromny jak zwierzę. Isa był pewien, że zwariował, skoro nie dostrzegł tego wcześniej. Dałby sobie rękę uciąć, że przed rytuałem wyglądał jak dobrotliwy dziadzia z bazaru. Dopiero kiedy w jurcie zostali we troje: Isa, Ałgyz i Dżama, szepnął:

– Babciu, miałem sen.

– Wiem. I będziesz miał ich jeszcze wiele. – Dżama podeszła, by dotknąć jego twarzy. Zdziwił się, że nie czuje smrodu, choć dłonie miała w kolorze ziemi, a z zębów zostało tylko kilka korzonków. – Jej duchy tylko z tobą chcą rozmawiać. Rozumiesz?

Isa najpierw pokręcił głową z niedowierzaniem, a potem potwierdził.

– Ma ich trzynaście – ciągnęła Dżama. – To rzadkość w jej wieku.

– Ałgyz jest *baksy*?

– Jeśli przyjmie dar, będzie potężna. Ale musi się wiele nauczyć. To niełatwa droga. Życie w ubóstwie, ascezie. Czasami duchy wymagają ślubów czystości. Teraz jednak nie czas na otwieranie, bo *aulie* domagają się jej dla siebie. Ciąży na niej klątwa. Rzucona przez potężnego czarownika będzie trwać kilka pokoleń w jej rodzie.

– Możesz ją odczynić?

Dżama zasłoniła swoje białe włosy chustą, zaplatając ją na głowie jak turban.

– Nigdy jeszcze nie spotkałam się z taką siłą. Dlatego nie mogłam nic zrobić. Jestem za mała. Ajtkurman poszedł jednak za nią. I bądź spokojny, bo Ałgyz nie jest tam sama. Najważniejszy *aulie* chroni ją, dlatego ukrywa przed naszym światem. To jej matka, babka albo inna kobieta z rodu.

– To ona mi się śniła – domyślił się Isa. – Była tak podobna, że w pierwszej chwili je pomyliłem.

Dżama zmarszczyła brwi i spochmurniała.

– Co widziałeś?

Chłopak streścił uzdrowicielce swój sen i dokończył z zaangażowaniem:

– Została otruta. Rozpoznam twarz morderczyni!

Dżama podeszła do Ałgyz. Poprawiła koc, którym dziewczynę przykryto. Dotknęła zaskorupiałej krwi, która ściągnęła jej twarz i upodobniła do mumii.

– Jeśli z nią zostaniesz, zaśniecie razem, a jej duchy powierzą ci swoje sekrety. Dowiesz się wszystkiego, z górnego i dolnego świata. Będziesz razem z nią wspinał się po drzewie mocy. Nie wolno ci będzie się bać, opuścić jej czy zapomnieć. Żadnej z tych rzeczy nie wolno ci uczynić.

– Nigdy nie zapomnę.

– Wyzbędziesz się też lęku. Nie dopuścisz, by strach wziął cię w swoje władanie.

– Pokonam strach i nie zostawię jej.

– To może boleć.

– Nie boję się bólu. Potrafię znieść więcej niż przeciętny człowiek.

– To dobrze, bo twoim obowiązkiem będzie zrobić dla niej coś w świecie żywych. Czy jesteś gotów?

– Zemsta? – odgadł chłopak.

– Raczej wymierzenie sprawiedliwości. – Dżama wzruszyła ramionami. Nagle odwróciła się i wyszeptała: – Możesz to przypłacić życiem.

– Wtedy wstanie?

– Wtedy duchy zostaną ukontentowane ofiarą i przestaną nią szarpać. Ałgyz zaś sama będzie mogła zdecydować, czy chce żyć z nami, czy woli dołączyć do matki. Ty natomiast będziesz musiał uważać. Będą cię ścigać i próbować zgładzić.

– Duchy? – zdziwił się Isa.

– Ludzie – uśmiechnęła się szamanka. – Ci, których tajemnice powierzy ci Ałgyz.

– Jestem gotów.

Dżama przyglądała się chłopcu, jakby prześwietlała jego myśli. W miodowych oczach widać było tkliwość i wzruszenie. Patrzyła wzrokiem bardzo młodej dziewczyny, zaklętej w wyniszczonym ciele wiedźmy.

– Kochasz istotę duchową – powiedziała strapiona. – Ale sam też jesteś duchowy. Niewiele muszę ci tłumaczyć. Dlatego pamiętaj, że złożyłeś przysięgę. Jeśli chcesz się wycofać, to tylko teraz. Łóżko w pokoju, gdzie śpią twoi towarzysze, jest zaścielone. Decyduj!

– Zostaję tutaj.

– Kiedy będziesz zasypiał, pamiętaj o jednym: nie bój się – ostrzegła go po raz ostatni. – Śmierć to tylko brama. Ona niczego nie kończy, wprost przeciwnie zaczyna.

A potem poklepała chłopca po plecach i rozłożyła ramiona, jakby startowała do lotu.

– Spać! Czas mija i niewiele snów opowie ci twoja pani. Ja mam swoje zadanie. Ajtkurman! – zaskrzeczała jak ptak i po chwili jej nie było.

Isa podszedł do ukochanej. Pogładził włosy, pocałował czoło ściągnięte brunatną powłoką.

– Wróć do mnie – poprosił cicho. – A jeśli wolisz tam zostać, zabierz mnie ze sobą. Przydam ci się, dokądkolwiek się udajesz.

Wania uparcie wyciągał pas bezpieczeństwa, ale wciąż był za krótki, by opasać jego obfity brzuch.

W końcu nabrał powietrza, wcisnął zatrzask i pierdnął głośno i smrodliwie.

– Pojebało cię? – Siedzący z tyłu zbluzgali go okrutnie. Tylko chudy kapitan z kręconymi bokobrodami, który siedział obok Wańki, roześmiał się głośno i odkręcił szybę.

– Nikt ci mandatu nie wlepi. Nam podlega milicja w każdym mieście.

Były bokser odwrócił głowę do okna i długo przyglądał się bezkresnym żółtym polom, zanim odpowiedział:

– Pierwszy raz z tobą jadę.

– Boisz się?

– Mówię tylko, jak jest. Nie znam cię, nie ufam. Chyba logiczne.

Umilkł, a funkcjonariusze znów zarechotali. Komentowali bąki i powiedzonka Wani, osiągając poziom abstrakcyjnych obelg w rodzaju „obsrane gacie", jakby byłego boksera w aucie nie było. Rosjanin mocniej zasznurował usta. Znosił wszystko z godnością, choć pas uciskał mu żołądek, a jądra pulsowały. To ostatnie sprawiało mu nawet niejaką przyjemność. Od dawna nie czuł ich już tak wyraźnie.

Miał wprawdzie żal do Rustema, że wysłał go samego ze współpracownikami Futnikowa. I od chwili, kiedy w nocy otrzymał rozkaz wyjazdu sam jeden z tajniakami, nie mógł pojąć, dlaczego Bajdały podjął taką właśnie decyzję. Jakby Wania nie mógł wziąć jako wsparcie braci Chajruszewów – Bierika i Sierika, albo choćby Nochy, tak jak zazwyczaj. Nic to, pomyślał, tak widać przyszło z góry, a młody przed ślubem nie chciał rozdrażniać ojca. Dobre było tylko to, że milicjanci błyskawicznie zidentyfikowali osadę, w której żyła wiedźma i gdzie ponoć miała być przetrzymywana córka Kazangapa. Otrzymali rozkaz przywiezienia Ałgyz żywej. Los pozostałych nikogo nie interesował. Jeśli Wania spotkałby chłopaków Kereja, mieli zostać unieszkodliwieni na miejscu. Nikt nie przejmował się, że zwierzyna obeżre ich kości i ślad po nich zaginie. To nawet lepiej. Ale po co mieszać do tego milicjantów, i to w stopniu kapitana? Tego Wania nie pojmował. Zatrzymywali się kilka razy, żeby coś zjeść i się odlać. Jadący z nim wciąż pili. Wania odmawiał, choć aż skręcało go na widok zmrożonej wódki. Ale psom w cywilu po prostu nie wierzył. A po powrocie czekała go jeszcze robota z tancerką, która dostarczyła informacji. Wolał być przytomny i w pełni skoncentrowany. Na wszelki wypadek. Patrzył więc na wstawionego kapitana, którego imienia nie znał i nie chciał poznawać, i zastanawiał się, czy rzeczywiście dowiezie ich do Ałmatów w całości.

Kiedy samochód się zatrzymywał, salutował im każdy patrol na drodze. Funkcjonariusze jednego z radiowozów zameldowali, że ostatniego przedpołudnia jechało tędy dwóch dżygitów w czarnym jak „mokry asfalt" żiguli. Auto należało do mieszkańca Samary, numery rejestracyjne nie zgadzały się z tymi w papierach, ale Wania wiedział, że maszyna nie została jeszcze przerejestrowana i że to najnowszy nabytek młodego Kunanbajewa. Byli na tropie.

Bokser spojrzał na zegarek i w tej chwili zaburczało mu w brzuchu. Gliniarze znów zaczęli coś o gaciach. Nie słuchał tego. Zamknął oczy, zdecydowany się zdrzemnąć. Kiedy się ocknął, tuż przed przednią szybą przeleciał ogromny puchacz śnieżny. Kapitan szarpnął kierownicą. Odbił w lewo. Z naprzeciwka nadjeżdżał sznur ciężarówek. Ratował się więc zjechaniem do rowu. Samochód przekoziołkował i zatrzymał się na dachu. Wszystko stało się tak szybko, że Wania zdążył tylko kilka razy mrugnąć. Spróbował zmienić pozycję. Bez skutku. Cielsko zakleszczyło się, a pasy bezpieczeństwa zablokowały automatycznie. Nie mógł więc sprawdzić, w jakim stanie są podróżujący z tyłu. Kapitana widział bardzo wyraźnie. Miał zakrwawioną twarz i zwisał bez ruchu. Nie oddychał. Dźwignia biegów wbiła mu się w brzuch. Wreszcie Wania zdołał odpiąć swój pas. Poza kilkoma siniakami i zadrapaniami nic mu się nie stało. Nagle ponownie zobaczył białą sowę. Była naprawdę wielka. Przypominała staruchę o rozczochranych włosach z siwymi końcówkami, jak upierzenie ptaka. Ubrana była w poszarpane łachy, na rękach i twarzy miała krew, a na głowie zapleciony misternie kolorowy turban. Żółte oczy błyszczały nienaturalnie, jak podłączone do baterii.

Ale trwało to tylko chwilę. Potem puchacz odfrunął na gałąź pobliskiego drzewa. Wania chwycił za klamkę, chcąc się wydostać. Zamek był uszkodzony. Łokciem więc wypchnął resztki szyby, żeby wygramolić się przez okno. Był do połowy na zewnątrz, kiedy drzewo zaczęło trzeszczeć, wyraźnie chyląc się do ziemi. Słychać było świst, jakby zrywał się buran, a przecież zmora koczowników na stepie wieje tylko zimą. To była ostatnia myśl byłego boksera, bo drzewo zwaliło się na samochód i go przygniotło.

2 maja 2001 roku, Srebrna Góra

Dzień dobry, moje Najwszystko!

Jest drugi maja, druga w nocy. Dopiero drugi dzień Cię nie widzę, a już umieram. Nie mogę spać. Chyba nigdy nie zasnę. Wczoraj był straszny dzień. Płakałam bez przerwy. Romeo zabrał mnie z pracy do mecenasa. Dopiero od niego się dowiedziałam, choć całe miasto już huczało. Wszyscy są za Tobą, Ukochany! A ja żałuję... Tak bardzo żałuję, że nie było mnie u Twego boku, kiedy podejmowałeś decyzję. Nie mogę zmieścić tego żalu, to ponad moje siły. Dostałam od adwokata akta. Na razie nie jestem w stanie ich czytać, choć wiem, że muszę, bo trzeba zgromadzić dokumenty. Jak najwięcej dokumentów przeciwko ekstradycji! Każdy element może być decydujący. Jest jeszcze drugi adwokat, z Warszawy, który współpracuje z Amnesty International i Fundacją Otwarty Dialog, i oni obiecali, że się włączą natychmiast. Wyobraź sobie: akurat przygotowują raport o Kazachstanie. Będziemy mogli przedstawić to w sądzie! Może być naprawdę ważne, bo oni są obiektywni. Mają badania, ekspertów i pomogą udowodnić, że Twój przypadek nie jest odosobniony, a to dla sądu klucz. Są też nowe pomysły, ale nie będę Ci ze szczegółami pisała, bo nie mam pojęcia, kto będzie to czytać. A zresztą jest za wcześnie. Nie wiem, ile z tych planów się ziści. W każdym razie mamy listę organizacji, które – to naprawdę niebywałe – zgłaszają się z propozycjami.

Twoja sprawa to precedens w prawie międzynarodowym. Zmiana przepisów i zaoczny proces oraz oczywiście skazanie Cię na śmierć to już grubsza polityka. A musisz wiedzieć, że tam, u Ciebie w kraju, są teraz zamieszki. Jakieś polityczne dymienie, dokładnie nie wiem, ale atmosfera gorąca. Adwokaci mówią, że to dobrze i źle – wszystko zależy od tego, jak to rozegramy. Chyba trzeba im zaufać.

W mieście pełno dziennikarzy. Wczoraj wieczorem nagrali mnie, Romea, Jagodę i wszystkich naszych przyjaciół. Nikt nie powiedział złego słowa. Może nawet pojadą do Twojej rodziny. Jeden dziennikarz ze stacji ogólnopolskiej strasznie się zapalił. Romeo dogadał się z nim, że wezmą Sztabę (wiesz, lepiej, żeby ktoś z naszych czuwał, jak będą nagrywali tam na miejscu; trzeba dmuchać na zimne). Ponoć już załatwiają to z Twoim tatą. Roman rozmawiał z nim na razie ogólnie, bo wasz numer pewnie jest na podsłuchu, ale przekazał mi, że Twoja mama pobłogosławiła nas. Pytała też, czy masz swój amulet. A przecież Ty go zdjąłeś... To wtedy zaczęły się problemy... Mam nadzieję, że jest z Tobą i Cię chroni, bo szukałam go dziś w naszym małym domku, przerzuciłam wszystko, ale nie znalazłam. To było chwilę przed tym, jak weszła do nas policja. Obejrzeli wszystko, zabezpieczyli jakieś Twoje drobiazgi i wiesz... starali się nawet zostawić po sobie porządek. Jednym z techników był ten Zygmunt, którego żonie pomagałeś. Myślę, że on o to zadbał. Miły człowiek. Widziałam, że mu głupio, że musi nas tak inwigilować. Resztę opowiem Ci, jak się spotkamy, bo było nieprzyjemnie. Ale bez nazwisk tutaj... Wiesz, nawet Olivier, ten słynny producent filmowy, który przyjeżdża do nas co roku, wypowiedział się dla telewizji. Pamiętasz, ten, który wtedy tak ładnie się zachował, chociaż nie musiał. No i podkreślił, że pomogłeś jego żonie. Powiedział, że gdyby nie Ty i Twoje rytuały, byłby już wdowcem. Chociaż Edyta znów pali... W gazecie jutro będzie, że uratowałeś jej życie. O Ann-Marie też mówili i widziałam, że ten dziennikarz prawie miał łzy w oczach, choć on nie z tych, co się łatwo wzruszają. Kiedy skończyli, obiecał, że zrobi wszystko, żeby Ci pomóc, i będzie publikował o tym, gdzie tylko zdoła. Zawiadomi też swoich kolegów i koleżanki z gazet w Warszawie. Adwokat mówi, że ja mam z nimi wszystkimi gładko rozmawiać, że to potrzebne. Zobacz, Twoi pacjenci wszyscy pamiętają i są wdzięczni, a mecenas chce, żeby o Twoim darze uzdrawiania mówić jak najwięcej, choć ja wiem, że Ty byś się obruszył i zaraz zaprzeczał. Ale to jest niepotrzebna skromność, Kochany. Jesteś moim Magiem i Szamanem wszystkich tutaj. Ludzie mówią o Tobie jak o cudotwórcy. Nie złość się, proszę. Odżywiaj się dobrze, ćwicz i dbaj o dobrą opinię w areszcie.

Ja wkrótce pojadę do wydziału do spraw uchodźców i porozmawiam z tym kierownikiem. Może da się jeszcze od nich dostać jakiś papier. Pamiętasz, wtedy rozmawialiście nieoficjalnie. Ja wiem, że statusu Ci nie dali, bo musiałbyś się ujawnić, ale to były względy formalne. No i on rozumiał, że się boisz i czego. Tyle lat się ukrywałeś, a oni nie chcą się narażać. Ktoś tam na górze mógłby pociągnąć go do odpowiedzialności. Nie zgłosił przecież tego policji. Zresztą jak ten dziennikarz się dowiedział, że nawet oni na

Ciebie nie donieśli, to nie wierzył. Nikt nie wierzy, że tyle ludzi Cię chroniło tyle lat, Najdroższy. To jak jakaś bajka... Romeo uważa, że te medialne doniesienia o uzdrawianiu ocieplą Twój wizerunek, więc chociaż wiem, że nie wolno się tym chwalić, i znam Twoje poglądy, skłaniam się do tego, co mówi Roman. To trzeba ujawniać. A zresztą jestem pewna Twojej mocy. Tym, co przez ten czas robiłeś u nas, swoją winę odkupiłeś tysiąckrotnie. Powtarzam teraz słowa Edyty (szkoda, że nie widziałeś... broniła Cię przed kamerami jak lwica). Ale też sama tak uważam. Pewnie dlatego los nam tak długo sprzyjał. Wszyscy są za Tobą (może poza moim ojcem, ale znasz go... Zresztą jeszcze z nim nie rozmawiałam). Olivier powiedział też, że są z żoną poruszeni, bo nasza historia to materiał na najpiękniejszy film o miłości. I że jeśli Polska wyda Cię na śmierć, to będzie hańba.

Słuchałam tego, w gardle miałam gulę i myślałam, że spalę się ze wstydu, bo przecież to ja zawaliłam na całej linii. Powinnam być bardziej cierpliwa, nie tracić wiary, a Cię zawiodłam. Jeśli coś Ci się stanie, nigdy sobie nie wybaczę. To mnie przeraża. Jak można kogoś tak kochać i stchórzyć? Wybacz mi, jeśli możesz. Będę z Tobą zawsze, pamiętaj. Już Cię nie opuszczę. A teraz biorę się w garść i będę o Ciebie walczyć. Od dziś zaczynam wysyłać pisma we wszystkie strony świata. Pójdziemy do polityków, jeśli będzie trzeba. Roman zaczął rozmowy, żeby pojechać do Twoich uczniów i przyjaciół w Uralsku. Papiery wizowe też są w toku. Dobrze, że zaczęliśmy procedurę, zanim Cię zatrzymali. Teraz to pewnie byłoby ciężko. Zdobędziemy nagrania! Sami przekonamy świadków, żeby zgodzili się zeznawać przeciwko kazachstańskiej prokuraturze, zobaczysz! Nie martw się o pieniądze. W tym tygodniu złożę wniosek o nieoprocentowaną pożyczkę. Mam do tego prawo, a ni-

gdy nie korzystałam. Tylko zaczekam, aż Kobra oszacuje, ile mogą mi dać. Wezmę maksymalną kwotę. A jakby chcieli coś naliczyć, a dadzą więcej, to też wezmę. Jakoś to potem odpracujemy. To nie wystarczy pewnie na adwokatów i na podróż, ale Romeo na razie za wszystko płaci i powiem Ci, że on strasznie się wciągnął. Oczywiście nie chce słyszeć o oddawaniu, ale znasz go. Nie chcę, żeby się zbiesił. Pogadam z nim, czy nie moglibyśmy mu oddawać w ratach. A Jagoda zwróciła mi to, co jej zostawiłeś na nasz czynsz, i powiedziała, że to jej wkład w Twoją obronę. Mogę u niej mieszkać, jak długo chcę, a jak Ty wyjdziesz, to dostaniemy większy pokój. Jest kochana, prawda? Jutro wraca Ruczajew z Anastazją, to ustalimy, kto jedzie i kiedy. Będę Ci na bieżąco pisała.

Jak sobie pomyślę, ile jest do zrobienia, to mi lepiej, bo nie będzie kiedy myśleć. Ani płakać. Już chyba wypłakałam wszystko, co mogłam.

Ukochany, to musiało pęknąć! Musiało, tak to widzę. To jest cena za normalne życie przez tyle lat. Ale nie pozwolę, żeby to się skończyło jak na filmach, bo w tych najpiękniejszych finał jest zawsze tragiczny. Oni się szaleńczo kochają, ale los układa się źle, więc on albo ona ginie. I choć wydaje się, że nic ich nie rozdzieli, to przychodzi nieubłagana śmierć, a ta druga strona zostaje sama. W kółko o tym myślę. Żeby mi Ciebie nie zabrali... Jeśli będzie trzeba, pójdę do piekła, żeby Cię z tego wyciągnąć. Tylko... wybacz mi tamte słowa i to, że chciałam „oddechu". To nie była prawda. Byłam zmęczona i się bałam. Wróć do mnie i już bądźmy razem. Nie wyobrażam sobie życia bez Ciebie. Chyba dopiero teraz dociera do mnie, jak czuły się te wdowy, które szły na stos za swoim zmarłym mężem. Przysięgam Ci, że poszłabym za Tobą. Bo wtedy bylibyśmy razem.

W tym innym świecie... Jedyny, niepotrzebnie o tym piszę. Do niczego takiego nie dojdzie. Wyjdziesz, będziemy mieli dzieci i wspólnie się zestarzejemy. Kocham Cię, mój Wyśniony, i nic się nie martw. My tutaj walczymy o Ciebie.

Tosia

PS Spakowałam Ci paczkę i postaram się ją jutro dostarczyć. Nie mam sznurka, a przepisy wyraźnie mówią, że musi być obwiązana, więc rano jeszcze pojadę szukać jakiegoś sklepu ze sznurkami. Kupię jak najwięcej, żeby móc słać Ci wszystko, czego tylko potrzebujesz. Napisz, jakie książki chcesz. I które ubrania? Niestety nie wszystko można. Perfum, dezodorantów itd. zabraniają. Resztę możesz dokupić w więziennej kantynie. Roman zasilił ci konto. Masz fundusze. Ja będę czekała i każdego dnia przed zaśnięciem myślała o Tobie. Może będziemy razem przynajmniej w snach? Jak kiedyś... Myślałam, że Cię jutro (znaczy się dziś, bo już prawie czwarta) zobaczę, ale okazuje się, że to nie jest takie proste. Groźba mataczenia, co jest bez sensu, bo przecież mnie tam nie było, kiedy doszło do zdarzenia... I proszę Cię, nie zacietrzewiaj się. Rozmawiaj z adwokatem. Milczenie nic nie da. W tym kraju lepiej kłamać niż siedzieć cicho. Potem zawsze wszystko można odwołać. To nie to co u was. Ale wiem, że nie mogę Cię do niczego zmusić, jeśli sam nie zechcesz. Więc tylko powiem, co uważam. Mamy szansę Cię uratować tylko wtedy, gdy podasz szczegóły zajścia. Kluczową kwestią jest to, skąd miałeś karabin. I ile broni mieli oni. Proszę Cię, spotkaj się z adwokatem. Ustalcie, jaką wersję przyjmujemy. I pisz do mnie. Tak dojmująco tęsknię.

Tośka odłożyła pióro i spojrzała na upstrzony kleksami list. Przeczytała kilka razy. Przedarła z furią. A potem położyła się w skłębionych ubraniach Kereja i leżała tak z otwartymi oczyma do pierwszego brzasku. Budzik zadzwonił, kiedy była już po kąpieli. Jagoda czekała ze śniadaniem, ale Tośka wypiła tylko kawę. Umalowała się, ubrała w garsonkę i wzięła nowy arkusz papieru. Podarła go na małe paski i na każdym z nich napisała:

Ukochany!

Stoję u Twego boku i nie pozwolę im Cię pożreć. Kazali mi Cię przekonać, żebyś rozmawiał z adwokatem... Nie musisz się tłumaczyć. Ja Ci wierzę. Jeśli nie chcesz zeznawać, broń się, jak Ci serce dyktuje. I tak Cię z tego wyciągnę. Wolę umrzeć niż patrzeć, jak mi Ciebie zabierają. Wybacz mi, jeśli mnie kochasz. Ja bez Ciebie to połowa kobiety. Ty beze mnie to połowa mężczyzny. Razem pokonamy śmierć. Twoja.

Wzdłuż więziennego muru ustawił się szpaler wystrojonych kobiet. Feeria barw kusych spódniczek i świecących botków nie pozwalała odwrócić wzroku. Kiedy smętna Tośka w szarej garsonce i z nienadaną paczką spacerowała wzdłuż płotu, drogę zastąpiła jej rozłożysta blondyna w błękitach.

– Ogień masz?

– Nie palę – wyszeptała zaskoczona.

Blondyna zamruczała coś w odpowiedzi, a potem wyrzuciła wszystko z torebki na trawę. Tośka odruchowo wytypowała zawód kobiety po tuzinach prezerwatyw umajających rabatki.

– To dla mojego dziubdziusia – roześmiała się i poutykała produkty antykoncepcyjne w różowym serduszku z futra, zasuwanym na zamek. – Obiecałam przeszmuglować.

– Tam jest? – z grzeczności zapytała Petry.

– Wczasuje się – zaszczebiotała radośnie blondyna. – Twój też? W którym pawilonie?

Tośka rozejrzała się po deptaku. Kobiety pokazywały coś na rękach. Dopiero wtedy w oknach dostrzegła twarze mężczyzn. Odpowiadali w ten sam sposób.

– Nie mam pojęcia.

Blondyna spojrzała na Tośkę z uznaniem.

– Pierwszy raz? – Uśmiechnęła się niemal czule.

– A twój który? – odważyła się zapytać Tośka.

– Kto by to spamiętał? – Kobieta machnęła lekceważąco ręką i wskazała pakunek Tośki. – A zresztą z daleka widać, żeś świeżynka. Dlatego do ciebie podlazłam. Masz paczkę niewysłaną.

– Nie wiedziałam, że dziś nie wolno. Cały dzień jechałam. Nie bardzo wiem, co teraz. Chyba zaniosę do adwokata.

– Kasę masz?

– Ile?

– Ze stówkę.

– To dużo.

– Dobra, pięć dych też może być – natychmiast obniżyła cenę blondyna, a Tośka zrozumiała, że i tak doliczyła spore przebicie. – Dziewczyny resztę dołożą, a ja muszę mojemu dziubdziusiowi te gumki dostarczyć. I to najlepiej dzisiaj, bo jutro mnie ta suka z roboty nie zwolni.

Tośka czekała.

– A po co mu one w więzieniu?

Blondyna zgasiła peta o podeszwę ażurowych botków i zatrzęsła się ze śmiechu.

– Lepiej, żebyś nie wiedziała.

Petry przycisnęła paczkę mocniej do brzucha.

– Nie bój się. Mamy człowieka na bramie. Przypału nie będzie.

Tośka spojrzała tęsknie na rząd okien. Zamierzała już odchodzić, ale blondyna szarpnęła ją i zatrzymała.

– Nie, to nie. Ale jak ty pomożesz nam, to my pomożemy tobie. Nie chcesz mu nic napisać? Majtek posłać?

– Majtek? – powtórzyła jak echo zszokowana Tośka.

– Kurwa, majtki są tam na wagę złota. Nawet nowe z metką. A już używane? Kochana!

– A list? – Tośka się zatrzymała. – Karteczkę przemycisz?

– Byle nie siedem stron maczkiem. Chyba że w książce. I tak bywało... Paula jestem. Ale wszyscy mówią Ruby. Bo tam niżej jestem naturalnie czerwona. Ten blond to kamuflaż służbowy. – Mrugnęła zawadiacko.

– Tosia.

Podały sobie dłonie i po chwili paczka przeszła w inne ręce.

– Mój już niedługo wychodzi. Gumki ślę mu na handel. Nie bój nic i dawaj ten liścik oraz kasiorę – ponaglała Ruby.

Tośka posłusznie wyjęła z portfela banknot. Wylosowała jeden z pasków, które nad ranem tak pieczołowicie przepisywała. Czuła się nieswojo, kiedy obca kobieta go czytała.

– Nazwisko.

– Kunanbajew. Kerej. Syn Kodara.

Ruby podniosła głowę.

– Ten morderca?

Tośka zamrugała kilka razy. Nie dała rady nic powiedzieć.

– Ej, sikorki! To dziewczyna szamana! – wrzasnęła Paula-Ruby. – Tego gostka z telewizora od Azji. Co ma wyrok śmierci i kilerzy go nie dopadli.

Zbiegły się wszystkie. Zarzuciły Tośkę pytaniami. Tośka nie nadążała z odpowiedziami, ale żadna chyba na to nie liczyła.

– Ma dużego kutasa? – padło wreszcie ostatnie pytanie.

Tośkę rozbroiło to zupełnie. Przysiadła na pobliskiej ławce i nieznacznie skinęła głową, wzbudzając salwę śmiechu.

– Ruby, wywołaj swojego. Niech gołąbki pogruchają. Uczynek dobry. Bozia wynagrodzi.

– Umiesz? – Ruby wykonała kilka gestów rękoma.

Tośka odpowiedziała wzruszeniem ramion.

– To proste. – Blondyna zademonstrowała parę machnięć.

Tośka zrozumiała tylko „kocham", kiedy kobieta pokazała serduszko.

– Rzeczywiście bardzo łatwe – skwitowała. – A co powiedziałaś?

– Przetłumaczyłam twój list.

– W pięć sekund?

– Nie martw się. I tak go przemycimy.

Po czym zagwizdała przeciągle. Ten sam gwizd przenosił się z okna do okna. Chwilę później w jednym z bocznych pawilonów ukazała się twarz. Ruby pokazała coś rękoma. Mężczyzna w oknie odpowiedział. Ruby podniosła rąbek i tak niewiele zasłaniającej spódnicy, wydęła wargi i powoli je oblizała. Rozległ się gremialny śmiech.

– Co on mówi?

– Że będzie to kosztowało Ruby dodatkowego loda – objaśniła któraś.

– A ja mu na to, że będzie prosił o wolność, jak go w końcu dopadnę – dodała Paula i położyła dłoń na ramieniu Tośki. – Szukają twojego. Zastanów się, co chcesz mu powiedzieć. Tylko nic o cierpieniu i lowikach. Seks może być, to go wzmocni. Konkrety, pamiętaj. Ryzykujemy dla ciebie przepustki i widzenia. Czasu jest mało. Zawsze jakiś jebaniec może donieść.

Tośka nic nie słyszała. Widziała już tylko jedno okno, w którym stał on. Dziwiła się, że z tej odległości rozpoznała go natychmiast. Pokazała mu serduszko. Odpowiedział tym samym. Ciężar spadł jej z ramion. Ludzie wokół stanowili jedynie tło.

– Przetłumacz – zwróciła się do Ruby.

– Dawaj, nie ma czasu. Dziś mam radę pedagogiczną – odpowiedziała blondyna.

Tośka spojrzała na nią z uznaniem.

– Jesteś nauczycielką?

– Wicedyrektorką. – Paula machnęła ręką i pokazała coś Kerejowi.

Odpowiedział, korzystając z pomocy innego więźnia. Tośka najpierw usłyszała za plecami chichot, a potem przeciągły jęk zachwytu.

– Mówi, że ci wybaczył – tymczasem tłumaczyła Ruby. – I że pięknie wyglądasz.

– Powiedz mu, że żałuję i go kocham.

– On to wie – buntowała się Ruby. – Lowiki odpadają.

– Powiedz! – nalegała Tośka.

Ruby pokazała. Kerej coś na to odpowiedział. Ruby tłumaczyła symultanicznie.

– Dobrze, że przyszłaś, mówi. I będzie zeznawał.

– Naprawdę? – rozpromieniła się Tośka.

– Pomyliłam się. – Zmarszczyła czoło Ruby. – Mówi, że będzie zeznawał, jak przyjdzie czas. Masz się nie bać. On o ciebie zadba. Rób swoje, wysypiaj się i coś jedz.

Nagle przerwała.

– Coś tam się dzieje.

– Zapytaj go, kogo szukać. Potrzebujemy listy nazwisk.

– Dostaniesz. – Ruby odwróciła się do Tośki i przytuliła ją. A potem szepnęła jej do ucha: – Powiedział, żebyś uważała na dach.

– Dach? Tak się wyraził?

Ruby tylko wzruszyła ramionami.

– Pokazał dach. Nie wiem, co to może znaczyć. Masz na siebie uważać.

Petry była blada, a oczy miała szkliste.

– Fajny ten twój chłop. Porządny. Trzymajcie się. I nie daj go zabić.

– Postaram się, pani dyrektor! – wydusiła z siebie Petry z trudem, a Ruby dowcipkowała dalej:

– Migowego się podducz, bo on trochę posiedzi. Codziennie mnie tutaj nie będzie? Już mówiłam, że mam sukę za szefową. To moja była teściowa. Czaisz?

Prokuratura Generalna
Republiki Kazachstanu
6 maja 2001, nr 36/1026/01

Ministerstwo Sprawiedliwości RP
Szanowni Państwo!

Prokuratura Generalna Republiki Kazachstanu wyraża swój głęboki szacunek Ministerstwu Sprawiedliwości RP i zgodnie z polskim prawodawstwem i polityką międzynarodową zwraca się z prośbą o wydanie władzom Republiki Kazachstanu Kunanbajewa Kereja, ur. 1973 rok, w celu pociągnięcia go do odpowiedzialności karnej za czyn z art. 88 cz. 1 p.p. „b", „d", „z", art. 88 cz. 1 p.p. „a", „c", art. 15 cz. 2 i art. 251 cz. 1 Kodeksu karnego Republiki Kazachstanu.

K. Kunanbajew podejrzany jest o to, że będąc autorytetem przestępczym w Uralsku, w obwodzie zachodniokazachstańskim, przy ul. Żdanowa 46/1 w wyniku sprzeczki, działając umyślnie i z pobudek chuligańskich, zaczął strzelać z bliskiej odległości z posiadanego pistoletu Kałasznikow w ważne dla życia części ciała obok stojących Rustema Bajdałego, Andrieja Mikroruszników, Erika Sułtanowa, Bierika Chajruszewa, Aruna Babajewa, Turana Tiemnego i Elii Baszmakowa, którzy doznali licznych ran w postaci przestrzelenia miednicy, okolic klatki piersiowej, brzucha, wątroby, płuc, bioder i uszkodzeń arterii. W wyniku odniesionych ran wymienione osoby zmarły.

S. Amangalijew, R. Kieudienow, N. Abenow, D. Futnikow, G. Gryka, S. Saparow, Z. Giełkin, S. Darmienow, M. Marko i inni doznali obrażeń w postaci ran postrzałowych bioder, przestrzelenia pośladków z rozerwaniem jelita prostego i kości kulszowej. Ich życie uratowało natychmiastowe udzielenie im pomocy lekarskiej.

Po dokonaniu przestępstwa K. Kunanbajew zbiegł i ukrył się przed organami ścigania. W toku śledztwa wobec K. Kunanbajewa wydano postanowienie o przedstawieniu zarzutów (umyślne zabójstwo dwóch lub więcej osób dokonane z pobudek chuligańskich w sposób zagrażający życiu wielu osób; nielegalne nabycie oraz posiadanie broni palnej i amunicji). Wydano również postanowienie o zastosowaniu wobec wymienionego środka zapobiegawczego w postaci tymczasowego aresztowania i za pośrednictwem Sekretariatu Generalnego Interpolu rozesłano międzynarodowy list gończy.

Za przestępstwo przewidziana jest kara pozbawienia wolności od 8 do 15 lat lub kara śmierci.

Termin przedawnienia odpowiedzialności K. Kunanbajewa za popełnione przez niego czyny został zawieszony. Wina została udowodniona na podstawie zeznań licznych świadków zdarzenia, wyników badań sądowo-medycznych, ekspertyz kryminalistycznych i innych materiałów śledztwa.

K. Kunanbajew jest obywatelem Kazachstanu. Nie zwracał się nigdy do organów państwowych w sprawie zrzeczenia się obywatelstwa i mieszkał w Republice Kazachstanu.

Prokuratura Generalna RK, na zasadzie art. 530 Kodeksu postępowania karnego, zapewnia, iż K. Kunanbajew nie zostanie pociągnięty do odpowiedzialności karnej, skazany ani wydany innemu państwu bez zgody Rzeczypospolitej Polskiej za inne przestępstwo.

Ponadto, na zasadzie wzajemności, Prokuratura RK zobowiązuje się do wydania każdego polskiego obywatela, który popełnił przestępstwo na terytorium Polski, i do wykonania wniosków organów ścigania RP o udzielenie pomocy prawnej w sprawach karnych. Prośba o wydanie K. Kunanbajewa dotyczy wyłącznie opisanych przestępstw i nie dotyczy jego poglądów religijnych, politycznych ani narodowościowych.

W związku z powyższym Prokuratura Generalna RK zwraca się z prośbą do Ministerstwa Sprawiedliwości RP o wydanie wyżej wymienionego organom ścigania Republiki Kazachstanu w celu pociągnięcia go do odpowiedzialności karnej.

Proszę przyjąć nasze zapewnienia o gotowości do owocnej współpracy z właściwymi organami RP w walce z przestępczością.

Załączniki: na… stronach (słownie dopisek 34)

Z szacunkiem
zastępca Prokuratora Generalnego
A. Toleuchanow (podpis nieczytelny)

Okrągła pieczęć Prokuratury Generalnej RK

Zanim Petry wysiadła z taksówki, rozejrzała się, by sprawdzić, czy nikt jej nie śledzi. Obrzuciła wzrokiem skwerek przed sądem. Poza kobietą z wózkiem nie dostrzegła nikogo. Na bazarku naprzeciwko również było pusto. Nawet straganiarze wyszli przed dziedziniec sądu, by obejrzeć manifestację. Największy transparent trzymali Romeo i Jagoda. Wypisano na nim wielkimi literami: „Kerej to dobry człowiek, społecznik, a nie morderca". Monika, żona Romana, uwijała się wśród uczestników i zbierała podpisy. Tośka przełknęła ślinę, poszukując wzrokiem znajomych twarzy. Nie dostrzegła ani jednego cudzoziemca. Żadnego Azjaty. Odetchnęła z ulgą. Inne transparenty krzyczały: „Prokuratura Kazachstanu kłamie", „Stop ekstradycji", „Zostawcie naszego znachora".

– Wysiada pani czy jedziemy dalej? – wyrwał ją z letargu kierowca.

Podała mu banknot i wygramoliła się z taksówki, nie czekając na resztę. Ruszyła szybkim krokiem. Romeo machał do niej z daleka. Przytulił, kiedy podeszła do manifestujących.

– Nie zaplanowaliśmy tego. Ludzie sami przyjechali. Miło, nie?

Skinęła głową i lekko się uśmiechnęła.

– Myślisz, że będą nas dziś przesłuchiwać?

– Przydałoby się. Lemir szkolił cię ponad tydzień. Sądzę, że to Kerejowi może pomóc.

– Spotkali się?

– Dobra robota – stwierdził Romeo. – Ale nie licz, że od razu go wypuszczą. Za bardzo się cykają. Raczej przedłużą areszt o pół roku. Ale dobre i to, dostaniemy czas. Ruczajew pojedzie ze mną do Kodara i przywieziemy, co trzeba. Sztaba urabia telewizory. Jakby co, zrobimy film moją kablówką. Olivier wyprodukuje. Choć lepiej byłoby mieć promesę z prawdziwej stacji. Taniej.

Tośka znów obejrzała się strachliwie.

– Może i lepiej, że go nie wypuszczą. W więzieniu jest bezpieczny.

Romeo oddał transparent żonie i pociągnął Tośkę na bok.

– Czegoś znów nie wiem, Petry?

– Nie ma takiej opcji – obruszyła się. – Po prostu kobieca intuicja. I zabobony. Przeczucia, złe sny. Świruję. To wszystko.

– Co za banialuki? Teraz idziemy drogą formalną. Nie ma już zagrożenia.

– Nie ma – powtórzyła niemrawo Tośka i ugryzła się w język, choć bardzo chciała się Romeowi zwierzyć.

Ale z jakiegoś powodu Kerej przemilczał ten incydent przed przyjacielem. Musiała być tego jakaś głębsza przyczyna, której Tośka nie znała, więc postanowiła na razie trzymać język za zębami i nawet nie zająknęła się o wizycie mścicieli.

Tak bardzo tęskniła do czasu sprzed aresztowania Kereja. Żyła chwilą i oczekiwała od losu tylko tyle, ile zechce jej dać. Każdy dar ma swoją cenę, a czas odpłaty przychodzi w najmniej oczekiwanym momencie. Wydawało jej się, że jest na to gotowa. Nie brała jednak pod uwagę jednego: śmierci. Kiedy zimą pierwszy raz to widmo zawisło nad ich szczęściem, choć dzień był mroźny, poczuła gwałtowne uderzenie gorąca.

Przyjechało ich trzech. Jeden wysoki i dwóch niskich, krępych. Gdyby nie ohydne nacięcia na lewym policzku, które mieli wszyscy, wzięłaby ich raczej za bazarowych handlarzy niż oprawców. Mimo chłodu ubrani byli w cienkie skórzane kurtki. Zza pazuchy wystawały kolby pistoletów. Wcale się z tym nie kryli. Choć nieźle znała rosyjski, nie chcieli rozmawiać ani słuchać wyjaśnień. Mignęła jej przed oczyma jakaś legitymacja. Pod nos podsunęli jej wymięty papier. A potem chwycili ją pod ręce i pociągnęli do auta. Zapewniali, że tylko o Kereja im chodzi. Mają rozkaz go znaleźć, a on do dziewczyny przyjdzie jak po sznurku.

– *Żeńszczina* go przechowała i *żeńszczina* go zgubi – kpili. – Jest przecież honorowy, ten jebany obrońca uciśnionych, szlachetny Bałazy. Nasz kazachski Robin Hood.

W innych okolicznościach Tośka uznałaby ich za sympatycznych ludzi, ale wtedy od razu dostała pięścią w twarz. Na chwilę straciła przytomność. Ocknęła się na tylnym siedzeniu zdezelowanego busa. Gdyby nie przejeżdżająca furgonetka z pieniędzmi i szwadron ochroniarzy z banku, którzy zatrzymali bandytów do rutynowej kontroli, nie udałoby jej się wtedy wymknąć. Miała szczęście, że jej nie związali. Schowała się w bramie, poczekała parę minut, które zdawały się jej wiecznością, a potem całą drogę biegła, ustanawiając rekord życiowy. Jak, którędy? Z wydarzeń tamtego dnia niewiele zapamiętała, jak po przebudzeniu z koszmaru.

Kereja znalazła w szkole. Kończył zajęcia jogi. W sali gimnastycznej był komplet uczestników. Przywitali ją serdecznie. Znała ich wszystkich, a oni ją. Odprężeni, uśmiechnięci, chwalili zajęcia. Były wyjątkowe, relacjonowali kwieciście.

A czas mijał. Tośka dreptała w miejscu, ręce jej się trzęsły. Kerej nie od razu dostrzegł panikę w jej oczach. Dlatego spokojnie dokończył rozmowę z rodzicami dwunastoletniego Michała, którego leczył od dwóch miesięcy z astmy. Zapisał na kartce kolejne mieszanki ziół, które chłopiec powinien pić. Przypomniał o oddychaniu i medytacjach. Tośka czuła się tak, jakby mówił też do niej, bo zachłystywała się powietrzem, z przerażenia nie mogąc złapać tchu. Ale miała gdzieś jego rady. Z trudem zachowywała spokój. Chciała krzyczeć: „uciekaj", ale zamiast tego stanęła przy oknie i apatycznie czekała, aż tych trzech ich dopadnie. Zastanawiała się, czy to milicja, Interpol, a może kilerzy, przed którymi całe lata tak drżał. Ona zaś w nich nie wierzyła.

Sama nie wiedziała, które zagrożenie by wolała. Poza lękiem po raz pierwszy odczuwała wstyd. Nagle dotarło do niej, że ci wszyscy ludzie zobaczą jej upokorzenie. Co sobie pomyślą? Jak dalej w tym mieście będzie funkcjonowała jej mama? Ile gorzkich słów usłyszy znów od ojca? Czy straci pracę? Z czego będzie żyć, jeśli on zginie? Co będzie, jeśli poza nimi ucierpi ktoś jeszcze? Na przykład jakieś dziecko. Ten Michał od astmy albo mały Kamilek, którego Kerej dopiero co wyprowadzał z opętania. Przecież jeśli przyjechali zabić pobratymca, nie zawahają się usunąć świadków. Tak w każdym razie pokazują to na filmach... Czuła się jak w pułapce. Wiedziała, że to działania bezprawne. Pocieszała się, że on nie jest niczemu winien. Żyła z nim tak długo – mogła wystawiać certyfikaty, że nie jest złoczyńcą. Ale na co komu jej wiara? Kto będzie jej słuchał? Nie mogli pójść na policję. A uciekać nie miała już sił.

Gdy ludzie wyszli, rozpłakała się. Kerej przytulił ją, uciszał, głaskał po głowie. Mówiła nieskładnie. Głównie przeklinała. Tak długo jednak czekali, aż to nastąpi, że niewiele słów starczyło, by wiedział, na czym stoją. To była, jak dotąd, najgroźniejsza konfrontacja z jego przeszłością. Zdarzały się już listy, ktoś widział kogoś na obrzeżach miasta. Ktoś inny słyszał, że przyjechało dwóch takich dziwnych, skośnych, mówiących po rosyjsku. Zawsze się udawało. Do tamtego dnia.

Kerej, jak zwykle, zachował zimną krew. Wykonał dwa telefony i ruszyli do tylnego wyjścia. Musiały być jakieś kłopoty, bo nie zawiadomił Romea. Nigdy nie dowiedziała się dlaczego. Na dole czekał samochód Ruczajewa, a za kierownicą siedziała jego żona – piękna Anastazja. Miała żal, że mieszają ją w jakieś ciemne sprawy. Tośka milczała całą drogę. Zastygła jak posąg, głucha i ślepa na to, co się dzieje. Przyglądała się tylko mijanym przechodniom, wypatrując tych trzech ze szramami. Naburmuszona Anastazja dostarczyła ich bezpiecznie do zamkniętego na czas zimy komisu niemieckich mebli, który prowadziła z mężem pod miastem. Ruczajew miał u siebie w hali kamery, stały monitoring i najnowocześniejszy alarm. Nikt niepowołany nie przedostałby się do środka bez ich wiedzy. Działało to także w drugą stronę. Kiedy podniesiesz most zwodzony, zatkniesz szpikulce na flanki, sam zostajesz uwięziony w twierdzy. I za towarzysza masz tylko własny strach.

Tośka do dziś nie rozumiała, jakie interesy połączyły tę parę z Kerejem. Co z tego mieli? Ile im zapłacił? Czy było rozsądne nagłe wprowadzenie ich w temat po tylu latach? Czy to przypadek, że kilka miesięcy później on zgłasza się na komisariat? Urodziwej Nastii nie ufała za grosz. Jej poprzedni mąż również był biznesmenem. Gdy tylko zbankrutował, przeprowadziła się do Ruczajewa. Nie minęły trzy miesiące, a była w ciąży. Zanim dziecko się urodziło, Anastazja przeprowadziła rozwód, nosiła nazwisko Ruczajew i kończyła remont nowego domu. Tylko rezydencja Romea była w regionie większa i bardziej luksusowa. Tośka była zdania, że tego typu kobiecie nie powierza się sekretów. Ich ujawnienie to tylko kwestia honorarium. A przez całe lata, poza Romanem i Jagodą, nikt nie był wtajemniczony w sprawy Igora Gorcewa. Nawet rodzice Tośki nie znali prawdy o przeszłości uzdrowiciela. Ona sama wiedziała niewiele. Kerej twierdził, że gdyby ją wzięto na spytki, tak będzie bezpieczniej. To ciekawe, bo wreszcie przyszedł ten dzień, a adwokat zapewniał, że jej zeznanie może być kluczowe.

Po tamtym incydencie przez dwa tygodnie nie chodziła do pracy, praktycznie nie jadła. Nie mogła zasnąć ani się obudzić. To była najdłuższa kwarantanna, jaką kiedykolwiek odbyła. Dni dłużyły się, a ona umierała z niepewności. Zapadła się w sobie. Zdawało jej się momentami, że jest bliska obłędu.

Kereja nie było niemal cały czas. Kiedy wracał, kłócili się. Tośka nie miała siły nawet płakać. Miłość się ulotniła. Został tylko żal. Wtedy zrozumiała, jak to jest, kiedy obręcz zaciska się na gardle i nie można nic, zupełnie nic. Któregoś dnia, kiedy wstała o świcie, a jego nie było już piąty dzień, pierwszy raz pomyślała, że tak naprawdę jest sama. Straciła kontrolę nad własnym życiem, oddała ukochanemu siebie. W zamian dostała tylko cierpienie i ból. Zrozumiała, że wtedy, na zaśnieżonej poznańskiej ulicy, podjęła najgorszą decyzję w swoim życiu. Ale miała już dość. Wcale nie chciała dalej żyć jak zagonione zwierzę. On musi się ukrywać, ona nie. Co by było, gdyby zaszła w ciążę? Porwaliby jej dziecko, może zabili? Jak miałaby je ochronić, skoro nawet nie bardzo wie, dlaczego go szukają? A może mają rację? I to on jest winien? Dlaczego milczy? Przecież gdyby jej ufał, wyznałby wszystko. Biła się wtedy z takimi myślami: „Jak mam mu ufać? Szczere uczucie nie powoduje cierpienia. Miłość to szczęście, radość, spokój. Ludzie wiążą się ze sobą, by im było lżej. Kiedy boli, należy dotrzeć do źródła i przywrócić równowagę. Czy to jest miłość? A może raczej nałóg? Jestem narkomanką. Uzależnioną jak ojciec – biczowała się. On od alkoholu, ja od huśtawki emocji, adrenaliny, strachu, seksu. Od niego! Przecież ten człowiek się ukrywa. Nigdy się ze mną nie ożeni. A zresztą czy bym chciała? Nawet nie wiem, kim on naprawdę jest".

Wszystkie te diabły kusiły ją, podjudzały. Była tak strasznie słaba. To wszystko jest chore, zadecydowała. Po prostu wyszła z hurtowni, nie trudząc się włączaniem alarmu. Mama przyjęła ją bez słowa. Nawet nie spytała, co się stało. Miała własne problemy, którymi natychmiast zaczęła obarczać córkę. Ojciec miał fazę absolutnej trzeźwości, więc chodził zły jak szerszeń i oglądał telewizję do rana, non stop. Ale dzięki temu Tośka miała pewność, że do żadnej zbrodni nie doszło. Nawet mikra sensacja nie zaburzyła spokoju w mieście.

Dwa dni później Roman dał jej znać, że jadą z Igorem, bo tak go wtedy nazywał, załatwiać biznes do Szczecina. Upewniła się tym samym, że Kerej jest cały i zdrów. Ulżyło jej, choć dotkliwie ją zraniło, że jej nie szuka. Może nawet nie zauważył, że odeszła.

Nie rozmawiali przez kilka tygodni. To było ich pierwsze tak długie rozstanie. Wcześniej byli jak zrośnięci. Spędzali ze sobą cały wolny czas. Niemal wszystko robili razem. Z czasem rozpacz przemieniła się w gniew. Gniew w lekceważenie, a to w pustkę. Wciąż nie rozumiała, dlaczego Kerej nie chce jej niczego wyjaśnić. Nie zabiega jak kiedyś. Przecież był niestrudzony w staraniach, kiedy mu zależało. Wysnuła prosty wniosek: wycofał się. Więc i ona schłodziła się, zdystansowała. Dwa razy spróbowała miłości i za każdym razem płonęła żywcem. Zostały z niej popioły. Uznała, że się do tego nie nadaje. Schowała się w swoim czołgu. I nie zamierzała już przed nikim otwierać włazu.

Kiedy po miesiącu Kerej zadzwonił, rozmowa nie kleiła się wcale. Byli tak daleko od siebie, jakby on wrócił do Azji, a ona została w Ząbkowicach. Potem jeszcze kilka razy odzywał się zdawkowo. Odkładając słuchawkę, miała dojmujące poczucie obcości. Wiedziała, że jest już sama, ale przynajmniej nie bolało. Nie czuła nic. W końcu całkiem się uspokoiła, cały ten związek uznając za uzależnienie. Wspólny wróg bardzo ludzi jednoczy. Kiedy zostaje pokonany, relacja staje się miałka. Rozpada się. Dlatego sama zaproponowała „odpoczynek i zebranie myśli", kiedy Kerej nagle przyjechał, by zapewnić ją, że są bezpieczni, bo tamci wyjechali. Kim byli ci ludzie, czego chcieli? Nie dowiedziała się do dziś. O tym, że opuściła kryjówkę, nie powiedział ani słowa. Zawsze wszystko rozumiał.

– Nie chcę cię narażać, Rediska – przychylił się do jej prośby. – To dobra decyzja.

Nie była w stanie zaprotestować. Co mogła dodać? Jak się usprawiedliwić? Czy jeśliby wtedy wyznała, że strach zabił jej uczucie, byłoby im lżej? On nie chciał litości. Gardził współczuciem. I znał ją lepiej niż ktokolwiek. Czuł ją jakimś szóstym zmysłem. Czytał w niej jak w książce, dlatego dalsze słowa były zbędne. I z czasem pojęła, że tak było z nią. Bo ona też, od początku, wiedziała dokładnie, z kim ma do czynienia. Od tego pierwszego wieczoru U Koniuszego, kiedy bała się go i jednocześnie ją fascynował. A po ich wspólnej nocy, kiedy pierwszy raz zdezerterowała, czuła przez skórę, że i on przed czymś ucieka. Spotkała się więc dwójka tułaczy, by sobie pomóc, coś nawzajem pokazać, może pokonać lęki. I z całą pewnością odkupić winy. To zadanie mieli już za sobą.

– Ot, stało się – powiedział wtedy, kiedy się żegnali, i przytulił ją mocno. Jak zwykle poczuła tkliwość, bliskość i pożądanie. To było niesamowite, że tak na siebie działali. – Czas leczy rany. A może to miłość? Bądź szczęśliwa, Rediska.

„To nie jest koniec. Nigdy nie będzie! Potrzebujemy czasu!" – chciała wykrzyczeć, jak dzieje się zwykle na ckliwych filmach, ale tylko odwróciła głowę.

Mieszkali jeszcze ze sobą dla pozoru do wiosny, mijając się w tym miniaturowym domu i z trudem patrząc sobie w oczy, z każdym dniem raniąc bardziej oschłością lub skargami. Pod koniec kwietnia zgodnie ustalili: dość tortur. Tośka znalazła inny dach nad głową. Kupiła kartony, spakowała swój lichy dobytek. Podczas majówki, kiedy będzie kilka dni wolnego, brat miał pomóc przewieźć jej rzeczy. Ofertę pomocy Kereja odrzuciła honorowo. Była absolutnie przekonana, że z tym człowiekiem nie ma już nic wspólnego.

Następnego ranka jego miejsce w łóżku było puste, co uznała za tchórzostwo. Gardziła nim, że nie starczyło mu odwagi na godne pożegnanie jej, a po południu wszystko stanęło na głowie i jechała z Romeem do adwokata. Dziś miała zobaczyć go pierwszy raz od tamtej chwili. Nie licząc widzenia w więziennym oknie, ale zdawało się jej, że to był tylko majak senny.

– Jestem gotowa – zapewniła Romea.

– Dajmy im więc popalić! – Biznesmen zatarł ręce i jak przed każdą swoją batalią w dwóch kęsach zeżarł milkę oreo.

Sala, w której miała się odbyć najbardziej medialna od czasów wojny sprawa w tym sądzie, wielkością przypominała składzik na szczotki. Za stołem sędziowskim czekało tylko jedno krzesło. Dopiero po zawieszeniu na drzwiach wokandy strażnicy przynieśli trzy kuchenne taborety: dla ławników i protokolantki. Z oddali wyglądało to trochę jak spontaniczna impreza w akademiku, kiedy wpadają goście z przeciwległego skrzydła. Tośka zastanawiała się, czy tak upokarzający wybór miejsca na posiedzenie jest przypadkowy. Nie było nawet mowy, aby publiczność i dziennikarze, którzy już dawno się akredytowali w liczbie trzycyfrowej, pomieścili się w tej klitce. Okno było tylko jedno. Klamka złamana. Jeszcze przed rozpoczęciem rozprawy duchota była straszliwa.

Mecenas Mirosław Leszczyński siedział w ławie dla obrońcy i pieczołowicie układał dokumenty. Na jego czole nie było ani jednej kropelki potu, choć już po kwadransie większość zebranych pożyczała sobie chusteczki. Tośka nigdy nie widziała mężczyzny tak dobrze wyglądającego w różowej koszuli. Kiedy stenotypistka przygotowywała sobie sprzęt do pisania, do salki wdarł się tłum z transparentami. W gronie tych uśmiechniętych ludzi Petry poczuła się raźniej. Dziennikarze kłócili się o najlepsze miejsca, a nie było ich zbyt wiele. Dokładnie dwa – prawe i lewe, tuż obok ław dla oskarżyciela i obrony – bo na środku tej dziupelki ustawiono monstrualną mównicę dla świadków. Reporterzy pogodzili się wreszcie. Wynegocjowali współpracę w zdjęciach. Rozpoczęli rozstawianie kamer. Dźwiękowcy, niczym masajscy wojownicy, ze swoimi długimi tyczkami zakończonymi włochatymi czapami na mikrofonach u boku ustawili się rzędem. Radiowcy przepychali się aż do sędziowskiego stołu, by jak najlepiej ulokować swoje kostki nagraniowe oraz dyktafony.

Tośka wyprostowała się, poprawiła garsonkę, bo Romeo dał jej znak, że korzystają z zamieszania i już zaczęli filmować. Wypięła dumnie pierś, przywdziała na twarz wyraz chłodnej godności. Zdołała się nawet uśmiechnąć. Nie chciała, by na przebitkach w telewizji ktokolwiek zobaczył, że cierpi.

Nagle zgromadzenie popleczników Kereja rozstąpiło się. Rozległ się stłumiony śmiech, a potem szepty. Tośka odwróciła się, myśląc, że doprowadzili już oskarżonego, ale przed sobą miała Julka Siołę. Policjant był w garniturze. Wyglądał nadzwyczaj reprezentacyjnie. Obok niego kroczyła asymetrycznie ostrzyżona pulchna kobieta w przyciasnej falbaniastej mini. Miała naprawdę niezłe nogi. Togę, lamowaną na czerwono, przerzuciła sobie nonszalancko przez ramię. Agata Harpula obrzuciła tanie ciuchy Petry jaśniepańskim spojrzeniem i gibko zajęła swoje miejsce naprzeciwko adwokata. Wygładziła spódniczkę, by żadna falbanka się nie pogniotła, a potem podniosła głowę i rzekła w próżnię, choć Tośka wiedziała, że te słowa przeznaczone są głównie dla niej:

– Czyste sumienie to najczęściej efekt słabej pamięci.

Julek spłonił się i zaraz obrócił na pięcie.

– Zaczekam na zewnątrz, Pimpku – szepnął do ucha pani prokurator.

Kobieta wygięła usta w pogardliwy grymas.

– Nie przywitałeś się ze swoją byłą koleżanką. Co za nietakt.

Tośka zaraz przepchnęła się przez tłum i ruszyła za Julkiem. Była wściekła. Chciała mu rzucić w twarz, że ten rodzaj upokarzania publicznego uważa za niegodny, ale mężczyzna zniknął za winklem, zanim zdążyła go zawołać.

Po chwili salę opróżniono i publiczność z transparentami skandowała przed wejściem. Konwojenci doprowadzili Kereja w kajdankach. Tośka przetarła oczy, bo nagle zaszły mgłą. Omal nie zemdlała. Kunanbajew był w białej koszuli, czarnych spodniach od dresu i butach sportowych bez sznurówek. Zapamiętała, by przysłać mu komplet wyjściowej odzieży na czas procesu. Choć wymizerowany, szedł pewnie, wyprostowany jak struna. Na widok Tosi twarz rozjaśnił mu szeroki uśmiech. Nie zastanawiając się, rzuciła się w jego kierunku, ale zastęp konwojentów natychmiast otoczył więźnia murem. Kochankowie zdążyli się ledwie musnąć opuszkami palców. Słyszała, jak strzelają migawki aparatów, docierały do niej piski i komentarze zebranych, lecz teraz, poza oczyma Kereja, nic się nie liczyło.

– Kocham cię – szeptała. – Będę o ciebie walczyć, rozumiesz?

– Pięknie wyglądasz – odparł i podniósł dłoń, jakby delikatnie gładził jej policzek, choć wciąż rozdzielał ich kordon strażników. – I znów nie spałaś? Śpij. To lekarstwo. Niedługo cię przytulę.

– Więc się nie gniewasz?

– Nic nie wiesz o miłości, Rediska.

– Bardzo tęsknię – krzyknęła.

I to było całe ich spotkanie.

Resztę pamiętała fragmentarycznie. Sąd odmówił przesłuchania świadków z Ząbkowic Śląskich i Srebrnej Góry, którzy znali Kereja z jogi i przychodzili doń na leczenie, przychylając się tym samym do wniosku prokuratury. Tośka, Romeo czy ktokolwiek inny nie musieli dziś stawać przy mównicy. Nikt nie wiedział, po co umieszczono ten zawalikąt, bo przewód szedł błyskawicznie. Do materiału procesowego dołączono raporty organizacji walczących o prawa człowieka w Kazachstanie i wyrażono zgodę na przesłuchanie ich przedstawicieli w przyszłości. Prokuratura chciała mieć najpierw możliwość zapoznania się z badaniami. Zgodnie z tym, co zapowiadał Romeo, przedłużono Kerejowi areszt na najbliższe pół roku, a dalszy przebieg rozprawy utajniono. Zanim jednak to nastąpiło, Kerej wstał i poprosił o możliwość odczytania oświadczenia, które samodzielnie napisał dzisiejszej nocy. Mina adwokata ujawniała, że klient tego z nim nie skonsultował. Krzaczasta brew Leszczyńskiego się podniosła i tak została aż do końca wystąpienia podsądnego. Widać było, że mecenas wielce obawia się tego, co pragnie wyznać Kunanbajew. Ten jednak nie tylko pisał, ale i mówił biegle po polsku, niemal bez zaśpiewu, jaki zwykle zostaje u mieszkańców Wschodu. Oświadczył z przekąsem, że to zasługa jego dziewczyny, która pomogła mu poznać polską kulturę i język. Ta uwaga szczególnie spodobała się reporterom. Sąd upewniał się kilka razy, ale Kazach odmówił pomocy tłumacza. Ponieważ ostatecznie publiczność i dziennikarzy z sali usunięto, nikt poza składem sędziowskim, obrońcą i oskarżycielem miał nie usłyszeć wyjaśnień zabójcy. Prokurator Harpula bardzo o to zabiegała.

Stało się jednak inaczej. Tekst ten został następnego dnia opublikowany we wszystkich gazetach, a stacje telewizyjne i radiowe nieustannie powtarzały jego fragmenty. Błędów stylistycznych i gramatycznych nie poprawiano. Wielu nie wierzyło, że Kazach napisał tę spowiedź samodzielnie. Ale to była prawda. Nikt nigdy nie dowiedział się, jak to się stało, że materiał wypłynął do mediów.

Wysoki Sądzie,

nie jestem mordercą, jak to chce przedstawiać Prokuratura Kazachstanu. W tym czasie byłem młodym chłopakiem i robiłem wszystko to, co robią chłopcy na całym świecie. Chciałbym jednak zwrócić uwagę Wysokiego Sądu na inną mentalność mieszkańców państwa Azji w porównaniu do mentalności Zachodu. Z pewnością pomoże to zrozumieć bardziej motywy moich poczynań. 26 sierpnia 1994 roku było zagrożone życie moje i wielu innych osób. Motywy są diametralnie przeciwne co do zarzutów przedstawianych przez prokuraturę.

Mówiąc o wymiarze sprawiedliwości w państwach byłego Związku Radzieckiego, trzeba dodać, że wyżej wymieniony wymiar był katem własnego narodu. Jest to fakt historyczny. Nie ma w tym oceny subiektywnej. Organy prokuratury Polski i Kazachstanu łączą tylko nazwy. W Polsce prokuratura ściga przestępców, w Kazachstanie kieruje zorganizowaną przestępczością i jej broni przed prawem, dając tak zwaną kryszę, czyli opiekę za dobrą służbę. Bardzo popularne powiedzenie naszych stróżów prawa: „daj człowieka, a wyrok ma gwarantowany". To od prokuratora zależy, czy człowiek będzie skazany, czy nie. Realną władzę ma w Kazachstanie ten klan, który ma najwięcej swoich ludzi w tym urzędzie. W Polsce zawód prawnika oznacza szacunek. W moim kraju to uczestnik zorganizowanego gangu. Normą są zamówione sprawy sądowe, których koszt waha się od dziesięciu tysięcy dolarów do stu tysięcy.

Fakt, że urodziłem się w rodzinie dysydenta, miał ogromny wpływ na nastawienie do życia i mój charakter. Od dzieciństwa byłem uczony, że godność i odwaga są największą zaletą mężczyzny. Honor jest dla mnie cenniejszy niż życie. Pochodzę ze szlachetnego rodu Tama. Mój pradziadek zginął z rąk komunistów, ojciec to znany zapaśnik, bardzo szanowana osobistość w naszym społeczeństwie. Jego uczniowie wygrywali mistrzostwa świata i Azji. Startował do parlamentu i przez wiele lat działał jako opozycjonista. Zna strukturę milicji mojego kraju, bo w latach osiemdziesiątych był tam zatrudniony jako trener sambo, w ówczesnym czasie niedostępnej wiedzy na temat walki wręcz bez użycia broni, stosowanej przez tajne służby. Jego imię zna każdy chłopiec w Kazachstanie, który podąża drogą wojownika. Jestem dumny, że jestem synem Kodara Kunanbajewa, i dlatego kiedy było zagrożone moje życie oraz moich przyjaciół, nie mogłem postąpić inaczej. Ja, syn słynnego sportowca, miałem się poddać i dać zabić jak tchórz? Zhańbiłbym swój ród i nazwisko. Mój syn byłby sierotą. Nawet nie brałem tego pod uwagę, kiedy wybiegałem z klatki schodowej i usłyszałem strzały. Napastników było trzydziestu. Nas troje. Najmłodszy z moich uczniów miał niespełna siedemnaście lat.

Nie jest moją winą, że przeżyłem. Każdy ma prawo do obrony swojego życia. Według tradycji mojego narodu każdy, kto się broni, ma prawo zabić wszystkich, którzy nastają na jego życie. Nie skorzystałem z tego prawa. Strzelałem tylko do tych, którzy strzelali do mnie. W Kazachstanie dopuszczalne są dość radykalne posunięcia z punktu widzenia zachodniego człowieka, na przykład jeśli ktoś ubliży matce, ojcu czy żonie, może być poturbowany albo i zabity. U nas nikt nie mówi takich słów, by grozić. Jeśli ktoś wyciąga broń – czy to jest karabin, czy nóż – to tylko po to, by nim skutecznie działać. Dlatego, kiedy usłyszałem, że „jestem skończony" i „będę wywieziony za miasto", miałem pełne prawo uważać, że to się dokona. Bardziej niż śmierci bałem się zgwałcenia. To wielka hańba dla mężczyzny na całe pokolenia i wtedy musiałbym popełnić samobójstwo. A to żwirowisko, do którego chcieli nas wywieźć, to znane miejsce egzekucji mafijnych. Ten gang specjalizował się w gwałtach zbiorowych i brutalnych zarżnięciach. Na zwykłych ludzi kul było im szkoda. Dobrze naostrzony kindżał nosi u nas w bucie każdy podrostek.

Zanim dostanie od ojca broń białą, ćwiczy na drewnianej, własnoręcznie wystruganej zabawce. Są i tacy, którzy potrafią zarżnąć kawałkiem drewna. Kwestia wprawy i doświadczenia.

To nie jest tradycja stepu. Tak na stepie kiedyś nie bywało. To się stało, kiedy szalał u nas dziki kapitalizm i powstawały bojówki, takie jak ta, która zawłaszczyła bazar, na którym handlowałem. Oczywiście w tej kamienicy, na strychu, pojawiły się myśli, żeby uciec, i mogłem to zrobić. Wystarczyło przebiec po dachach. A choć pochodzę z rodu wojowników, ta sytuacja przerastała nawet mnie. Byłem pewien, że nas wykończą, i się bałem. A jednak wróciłem na dół, mając świadomość, że to będzie moja ostatnia potyczka. Honor nakazywał mi tylko jedno: umrzeć i się z tym pogodzić. Kiedy wyrwałem jednemu z napastników broń, zupełnie straciłem kontakt z rzeczywistością. Miałem przed sobą całą armię. Działałem na oślep i nie stałem w jednym miejscu. Nacierałem na tych, którzy strzelali do mnie. Byłem pod wpływem takich emocji, że nie czułem bólu. Krwawiłem, ale szedłem i naciskałem spust. Tak było. Bo postanowiłem walczyć do końca. Wiedziałem, że zginę. Prokuratura Kazachstanu robi ze mnie bandytę, podczas gdy ta trzydziestka osób, która przyjechała, wszyscy mieli ochronę właśnie tego urzędu, a wielu z nich było funkcjonariuszami organów ścigania lub byli z nimi spokrewnieni. Boję się wrócić do swojej ojczyzny. W sytuacji obecnej, nawet jeśli kazachstański sąd nie skaże mnie na śmierć, zrobią to ci, którzy wcześniej próbowali pozbawić mnie życia. Zemsta krwi wciąż u nas obowiązuje.

PO TRZECIE

PRÓBOWAĆ WSZYSTKICH MOŻLIWYCH DYSCYPLIN SZTUKI RYCERSKIEJ

1994 rok, gdzieś na stepie, Kazachstan

I oto leżą niedoszli niegodziwcy pod zwalonym drzewem. Tylne koła auta na sztorc, przednie w powietrzu. Z wysokości, na jakiej znajdują się teraz śnieżna sowa i napasiony berkut zataczający kręgi w oddali, wrak z trupami wygląda niepozornie. Niby szczekuszka na wietrze. Będzie miał kłopot starszy śledczy, major Witalij Jewgienijewicz Futnikow, bo wieści o tych zmarłych rychło rozwieje wiatr. Nie będzie komu kurhanu im usypać, przyłożyć kamieniami truchel. Wokół ocean stepu, spalona trawa. A zwierzęta już czują świeżą krew. Gromadzą się.

– Nie przyjdzie wasz czas – pohukuje donośnie sowa i zniża lot. – Drzewo było tutaj tylko jedno. Czekało na wyrównanie win całe wieki. Teraz puści pędy, odrodzi się w innym miejscu. Ta ziemia będzie już spalona.

A na razie puchacz przysiada na gałęzi, by odpocząć. Bokiem, jak kobieta w damskim siodle. I przywdziewa na moment ludzką postać.

– Śmierć nie istnieje. Sens ma tylko przeistaczanie. – Dżama pociesza rozbitków przed przeprawą do świata duchów, spoglądając na Ajtkurmana, który kołuje nad skałą z szeroko rozpostartymi skrzydłami. Nawołuje stare *aulie* i prosi je o wsparcie nowicjuszy w misterium odejścia. Wie, że czas nagli, bo demony i szatany już pędzą po swoje, zwabione zapachem strachu. Lgną do świeżych umarlaków jak pszczoły do kwitnących drzew.

– A dusze wasze uciekają jak myszki – śmieje się diabolicznie Dżama, przemierzając wzrokiem trasy ich kryjówek. – Ale bezskutecznie ukrywacie się w norkach. Będziecie mi teraz służyć. Takich właśnie duszyczek potrzebowałam w krainie Tanatosa. Dziewięćdziesięciu dziewięciu Tengri, Itoga i Etugen, a także Kam to jednia. Liczą się wyłącznie wszechmocne Niebo i boska Ziemia. My dla nich pracujemy. W jakimś wąwozie na waszą cześć powstanie *obo*, a na jego krańcu, gdy ziemia się poruszy, zostanie złożona ofiara z niewinnego. Tak się musi stać. Etugen czeka na nowy kamienny kopiec na przełęczach. Znacie więc już wznoszącą się do niebios klątwę *baksy* Ałgyz. I uniknąć jej nie możecie.

Dżama nabiera tchu. Znów jest białą sową. Berkut zjawia się nagle, pikując z góry. Przynosi orzeźwiający podmuch gorącego powietrza. Sypie piaskiem, pyli łubinem. Trawy grają swoją senną melodię. Ajtkurman pracuje wytrwale. Wznosi z gorącego piasku zasłonę dla żywych, by złe oko nie rzuciło uroku na miejsce mocy. Nie przysiada nawet na chwilę mimo zmęczenia. Nie jest już młody ten *ałmys*. To jego ostatnie wcielenie. Dlatego rzadko opuszcza swoją kryjówkę w porę niezimową, ale to sytuacja wyjątkowa. Wciąż więc krąży nad roztrzaskanym samochodem. Tuman kurzu wzmaga się, unosi. Wreszcie chmury nad autem rozwiewają się, niebo znów staje się klarowne. Krąg się zamyka.

Stary szaman rozumie się ze swoją wychowanką – Dżamą – bez słów. Śnieżna sowa patrzy na mistrza z podziwem. Wie, że i on potrzebuje nowych duchów do swoich ceremonii. A takimi pierami można się podzielić. Wystarczy ich wszystkim – cieszą się *baksy*.

Nagle tak pieczołowicie wzniecony tuman rzednie. Pojawiają się szczeliny. Dżamę ogarnia niepokój.

„Nie tak miało być!" – przyzywa myślami berkuta.

– Widać nie wszyscy są martwi – odpowiada ze spokojem Ajtkurman.

– Czyżby któregoś pasażera duchy ocaliły? – dziwi się Dżama. – Wszak żaden na to nie zasługiwał.

– Bogowie wciąż go zatem kochają i nie zapomnieli o nim – wyjaśnia mistrz. – A nawet jeśli dali mu takie, a nie inne życie, to przecież nie kierowali się złą wolą, bo nawet oni nie wiedzą, co jest komu pisane w księdze losów. Bo piszą ją z zamkniętymi oczyma. I nawet jeśli na kogoś zwali się worek nieszczęść, nie znaczy to wcale, że został uznany za najgorszego z najgorszych czy też sobie na to zasłużył. Nikt nie wie przecież, gdzie i kiedy znienacka pojawi się powodzenie, a karta odwróci na lepsze, bo może być tak, że w księdze wszystko tylko na ślepo zapisano.

– Czas wracać. Droga daleka przed nami – zarządza Ajtkurman, bo zadymka jest już porządna i choć nie do końca szczelna, to w smugach wirującego piasku żaden człowiek nie dojrzy z szosy rozbitego auta.

A piekło już chłonie te myszki. W ogniu przeistoczenie dokona się samo. Brama się otwiera. Kto nie zdąży przez nią przejść, zostanie na stepie na zawsze. Diabelski cmentarz wiele takich opieszałych pamięta. I przyjdą następni.

– Niech więc bogowie zadecydują – zgadza się Dżama i rozkłada skrzydła.

Ptaki odlatują, zanim pojawia się dym i pierwsze płomienie z rozlanego na żółtą ziemię paliwa.

Isa poczuł ucisk i pazury ptaka na piersi. Tchu mu zabrakło, kaszlnął kilka razy. Z ust bokiem pociekła mu ślina z krwią, ale nie był w stanie poruszyć ręką. Biała sowa szarpała się na nim. Bał się jej wielkiego dzioba i żółtych ślepi. Zaciskał powieki. Czuł, że śmierć jest blisko, a nie chciał odejść z tego świata z wydziobanymi oczyma. Dopiero kiedy poczuł rdzawy smak krwi, poddał się. Otworzył oczy.

Nad nim stała czysta i uśmiechnięta Dżama. Dłońmi ściskała poły jego kubraka.

„Jesteś? Wróciłeś?" – pytały jej miodowe, dziewczęce oczy.

Isa słyszał jej słowa, choć nie otworzyła ust i nie wydobyła z siebie żadnego dźwięku.

– Miałem sen – wychrypiał. Zdziwił się, bo nie był w stanie mówić. Z ust rozlegał się tylko charkot. Odchrząknął. – Śniło mi się, że umarłem. Że strzelali do mnie i do moich przyjaciół. Do Kereja, Dimasza i Tusipa.

Dżama podała mu wody w ciepłej czarce.

– Zapamiętałeś twarze oprawców?

Pokręcił głową.

– Tylko huk wystrzału. I ból.

– To Ałgyz do ciebie mówiła.

Isa poderwał się, ale zakręciło mu się w głowie i zaraz opadł na poduszkę. Flesze, prześwity, świetliste kule i ogień. Tyle w jednej chwili przemknęło mu przed oczyma. A potem obraz zadrgał jak na zepsutym ekranie telewizora i zniknął. Dżama znów miała twarz ptaka. Widział wyraźnie.

– Biała sowa. Siedziała na drzewie. Było zwalone. Pod nim wóz. Płonął. Widziałem z góry. To ty byłaś tam ze mną?

Dżama ściągnęła usta i przyjrzała się chłopakowi.

– Czy z twojego rodu wyszli jacyś ludzie duchowi?

Isa zaprzeczył gwałtownie.

– Ale ty wiesz – upierała się. – Ten, który wie, ale się boi. Największa klątwa. Ciężkie życie mieć będziesz.

– I ty masz niełatwe.

– Sami o tym nie decydujemy – odparła kobieta i nalała mu więcej naparu.

Chłopak chciwie wypił kolejną czarkę. Ciepły płyn przyniósł ulgę spierzchniętym wargom. Isa dotknął kącika ust. Odkrył rozcięcie. Krew już zakrzepła, ale zranione miejsce nadal piekło i bolało.

– Jak długo spałem?

– Trzy dni. – Staruszka podniosła się. Imbryk i naczynia odstawiła na podłogę. – Chodźmy. Twoja miła dawno jest już po tej stronie. Jesteśmy w komplecie. Udało się.

Ałgyz stała odwrócona plecami i ledwie widoczna w smudze cienia. Choć Dżama stąpała cicho jak kot, a Isa nie pisnął nawet słowa, odwróciła się, gdy weszli do jurty. Wciąż miała na sobie fioletową tunikę i szal zakrywający włosy. Jej twarz znów była gładka, choć sprawiała wrażenie starszej. Niepokojąco przypominała martwą postać ze snu. Chłopak poczuł, jak narasta w nim niepokój. Czy to na pewno Ałgyz? A może duch tamtej?

– Trzeba wam pomówić. – Dżama zaanonsowała Isę, ale nie od razu dała chłopcu dojść do głosu.

Stał więc i wpatrywał się w swoją wybrankę, nie wiedząc, w czym tak naprawdę bierze udział. Był jednak pewny, że musi się poddać temu, co do niego przychodzi.

– Twoi nie chcieli dłużej czekać. Znudziło im się albo stracili wiarę. Mają widać inne zadania. I dobrze, bo kiedy ich brakło, Ałgyz wróciła. Już tutaj zostanie. Będę ją uczyła.

– Naprawdę?

Ałgyz rzuciła się w objęcia szamanki. Znów zachowywała się jak dziewczynka. Isa się rozczulił. Miał wrażenie, że zaraz wyjmie swój instrument i zagra na nim. Wtedy staruszka zwróciła się do niego.

– Ty też możesz. Dla mężczyzn są baraki pod miastem. Od lat wielu przyjeżdża do nas na praktyki duchowe. Większość ma za sobą narkotyki, alkohol, ayahuascę, święte grzyby. Próbowali wszystkiego, chcąc pozbyć się cierpienia. Ale to tylko ucieczka. Najpierw trzeba uwierzyć. Potem ruszyć w drogę. Nie odwrotnie. Wierzysz?

– Ja? – zamyślił się Isa. – W co?

– Złe pytanie – powiedziała Dżama i powtórzyła: – Tak czy nie?

– Ja wierzę! – zapewniła Ałgyz.

– Ty jeszcze długo musisz się uczyć – roześmiała się szamanka. – Tym się zajmiemy.

– Nie wiem – przyznał się Isa po dłuższym namyśle.

Dżama spojrzała na niego z uznaniem.

– Wracasz czy zostajesz? Za godzinę możemy odwieźć cię na pociąg. Jutro rano będziesz u swoich.

Isa się zerwał. Chwycił dłoń Dżamy. Poczuł ukłucie, jak po dotknięciu klingi albo ostrego, zakrzywionego pazura. I znów poczuł ten zapach. Piór, kurzu, spalenizny. To trwało tylko chwilę.

– Powiesz mi, co to było?

– Sam się dowiesz, kiedy nadejdzie pora. Mistrz przychodzi, kiedy uczeń jest gotów. Dobrze, że nie chcesz odwoływać się do rozumu. Objaśnianie spraw duchowych to strata mojego i twojego czasu. A mamy go zbyt mało. Zresztą nie ma tutaj nic do rozumienia. Ktoś cię potrzebuje. Ktoś jest ci przeznaczony. – Wskazała dziewczynę w fioletach. – Ciesz się. Takie spotkania zdarzają się raz na tysiąc lat.

– Mam szczęście. – Isa uśmiechnął się do Ałgyz, a ona spuściła wzrok i uroczo się zarumieniła.

Dżama nie zwracała już na nich uwagi. Podeszła do ściany z wojłoku ozdobionej kolorowymi kilimami. Z zawieszonej na niej sakwy wyciągnęła młotek i gwoździe. Podała młodzieńcowi.

– Napraw płot. Twoi połamali przy wyjeździe. Mam z nimi skaranie boskie. Napytają sobie kiedyś biedy, bo ja, przysięgam, nie będę wiecznie Dimasza pilnować.

Auto wlokło się w żółwim tempie, choć Dimasz nie spuszczał nogi z pedału gazu. Tusip milczał już przeszło godzinę. Patrzył na coraz mocniej trzęsące się ręce bladego jak ściana i nieskorego do żartów przyjaciela. Pierwszy raz, odkąd się znali, widział go w takim stanie. Hokeista bał się i wcale tego nie ukrywał.

– Nie przeklnie cię. To twoja rodzina – mruknął w końcu łagodniej Ormianin. – Dobrze zrobiliśmy.

Auto zwolniło jeszcze bardziej. Dimasz włączył kasetę. Najpierw usłyszeli krótki gulgot, a potem jednostajny szum. Kiedy włączył radio, zapanowała cisza.

– To dlaczego nie działa?

– Zakłócenia. – Tusip wskazał przeciwną stronę drogi. – Tereny wojskowe. Mają w chuj anten.

– A budki telefoniczne?

– Kereja nie ma w chacie albo odcięli im telefon. Nie zdziwiłbym się, gdyby go aresztowali. Przecież opowiedział się po niewłaściwej stronie.

– Na całej trasie nie działała ani jedna budka, do której wchodziłem! – Dimasz podniósł głos. – W hotelu etażowa przy mnie pytlowała przez telefon z koleżanką, a kiedy tylko wykręciła numer, który jej podałem, padła cała linia. Nawet do matki nie mogłem się dodzwonić. Ani do ciotek w Samarze.

– Sierioża odebrał. Nie ma się czym przejmować.

– Nie słyszał mnie, durny okularnik!

– Zakłócenia – upierał się Tusip.

– A akumulator? Też zakłócenia?

– No jakoś się turlamy…

– Gąsienica z rakiem nas wyprzedzi – pieklił się Dimasz. – W życiu tak wolno nie jechałem. Jeszcze chwila i się tutaj rozkraczymy.

Tusip rozejrzał się po stepie.

– Jakiś warsztat znajdziemy.

– Raczej kurhan.

– Załapiemy się na łebka. Mamy *dieńgi*.

– Za mało na nowy wóz – burknął Dimasz. – Słabo to widzę.

– Może coś z elektroniką? Pas rozrządu, transformator? Co to może być? – Tusip za wszelką cenę starał się trzymać rzeczywistości, co Dimasza jeszcze bardziej rozgniewało.

– Pierdolicie, Hipolicie! Dżama nas przeklęła.

– Gdyby miała moc, już by nas nie było. To wariatka. Sam widziałeś, że nic nie zrobiła. Śpiąca królewna jak spała, tak spać będzie. Daj Boziu, aż do śmierci. I to moim zdaniem rychłej. A my? Po prostu szczęście nam się skończyło. Od początku ta wycieczka była dziwna. Zresztą sam ją wymyśliłeś, to masz za swoje.

Dimasz nie chciał jednak słuchać racjonalnych argumentów.

– A stacje benzynowe? Wszystkie nagle pozamykali?

– Zaraza? Święto debili? Ćwoków pozatrudniali? – starał się rozśmieszyć przyjaciela Tusip.

– Mówię ci, że to ona. Zablokowała nas. Trzeba było czekać. Obudziłby się uszaty i byśmy porozmawiali.

– To mogło trwać rok!

– Raz dziewczyna prawie się ocknęła.

– Tak, jak Isa zaczął się dusić. Wolę nie mieć ich obojga na sumieniu. Im dalej od nich, tym lepiej – wymruczał Tusip. – Kerej nie musi wszystkiego wiedzieć. Jak było, tak było. Wrzuć na luz.

– Jest wręcz przeciwnie. Wracamy bez niej. A może być tak, że młoda Sułtana to nasze myto. Zanim natarłeś na ich osadę, trzeba było pomówić z trenerem. Matka mnie zabije, jak sprawa wyjdzie na jaw.

– Dżama przecież nie przyjeżdża. Telefonu nie ma.

– Są inne sposoby komunikacji – odparł lodowato Rosjanin.

Tusip umilkł. Na takie dictum nie miał już argumentów. Znów zapadł się w sobie.

– Lać mi się chce. – Dimasz zdjął nogę z pedału gazu i pozwolił, by auto doturlało się na pobocze.

Wysiadł gwałtownie, nie gasząc silnika. Ruszył w step.

Tusip patrzył apatycznie za przyjacielem, widząc, jak ten maszeruje. Odwrócił głowę dopiero, kiedy sylwetka Dimasza stała się figurką postawioną na środku ogromnego stołu. Gdzieś na granicy horyzontu widoczne były niskie kamienne pagórki. Ormianin wychylił się przez okno i spojrzał w niebo. Nad autem szybowały czarne ptaszyska. Nie znał się na ornitologii, ale musiały być jednego gatunku. Wszystkie miały żółte dzioby i czerwone łapy. Skrzeczały przeraźliwie. Zakrakał jak one, próbując poprawić sobie nastrój.

W odpowiedzi dostał strzał kałomoczem. W ostatniej chwili zdążył się schować do auta. Postanowił zapalić. Ale choć obszukał wszystkie skrytki, nie znalazł zapalniczki. Wygramolił się więc z żiguli, zdecydowany zabić czas rozciąganiem. Ćwiczył kilka minut, gdy nagle go tknęło. Ptaki nie wydawały już żadnych dźwięków. Usiadły po drugiej stronie szosy – tam, gdzie powinien być Dimasz. Ale choć nic nie zasłaniało widoczności, przyjaciela w zasięgu wzroku nie było. Tusip spojrzał na zegarek. Nie chodził. Potrząsnął ręką, spróbował nakręcić. Wskazówki nadal się nie poruszały. Pomyślał ze złością, że zepsuł się, gdy forsowali bramę osady szamanki. Zasłuchał się w ciszę i nagle poczuł niepokój. Odkąd się zatrzymali, nie przemknęło szosą ani jedno auto. Słońce świeciło niemiłosiernie. Owadów nie było. Żadnego komara, meszki czy choćby motyla. Wiatr ustał. Dziwne. Wszystko znieruchomiało. Tusip czuł, że po plecach spływają mu strugi zimnego potu. Przyłożył wierzch dłoni do czoła i zmrużył oczy. Pusto. Poszperał w schowkach. Znalazł stare okulary przeciwsłoneczne z filtrem polaroidowym do jazdy nocą. Założył je i znów się rozejrzał. W miejscu, w którym zniknął Dimasz, powietrze wibrowało. Ruszył w tamtą stronę. Po chwili zastanowił się, wrócił do auta i wyłączył silnik. Kluczyki włożył do kieszeni.

Obszedł teren w tę i we w tę. Wielekroć wołał przyjaciela po imieniu, ale Rosjanin jakby rozpłynął się w upale. Powoli zaczynała go ogarniać panika. Nagle zaczepił się, nadepnął na coś. Pochylił się, podniósł znalezisko. Przypominało kawałek błotnika. Częściowo stopiony, połamany plastik nie mógł leżeć tutaj długo. Prawie nie było na nim drobin pyłu, który bardzo szybko osiadał na wszystkim za sprawą tutejszych wichrów. Tusip uświadomił sobie, że teraz wiatr nie wieje wcale. Nagle poczuł czyjś wzrok na plecach, ale w okolicy poza nim nie było nikogo. Ptaki też zniknęły. Dopiero wtedy zorientował się, jak bardzo oddalił się od szosy. Kamienne pagórki, które wcześniej rysowały się na horyzoncie, wyrastały teraz obok niego. Właściwie kluczył między nimi.

Samochód wydawał się miniaturową zabawką. Drzwi od strony kierowcy były nadal otwarte, ale Dimasza przy wozie nie było. Ormianin poklepał się po kieszeni. Kluczyki były na swoim miejscu. Nawet jeśli hokeista robi sobie żarty, nie odjedzie, pocieszał się trochę, choć sam już w to nie wierzył. Wtedy poczuł delikatny podmuch, który przywiał swąd spalenizny. W oddali coś migotało, jakby płomienie. Ale miraż zaraz zniknął. Chłopak poprawił okulary na nosie i zmrużył oczy. Uderzył się kilka razy po twarzy. Miał sobie za złe, że zaczął wierzyć w te ezoteryczne brednie.

– Dobra, Dimasz! – krzyknął, porządnie już rozeźlony. – Nie powiem już złego słowa na twoją babkę. Wyłaź.

I znów dostrzegł falujące powietrze, poczuł wyraźny zapach topionego plastiku. Przymknął oczy, ruszył w tamtą stronę. Wyciągnął ręce przed siebie i kierując się wonią, szedł jak lunatyk, sam nie do końca zdając sobie sprawę z tego, co robi. Wtedy zdarzyło się coś niebywałego.

Poczuł, jak opuszki palców miękko wsuwają się w strumień piasku. Otworzył oczy, ale przed nim niczego nie było. Znów zamknął powieki i postąpił krok naprzód, potem drugi i trzeci. Ręce schowały się w piaszczystej kaskadzie po łokieć. Poczuł ciepło, a potem żar, jakby zbliżał się do rozgrzanej patelni. Z trudem był w stanie to znieść, ale się nie wycofał. Nozdrza drażnił dym. Swąd stawał się trudny do zniesienia. Oczy zaczęły go piec, jakby ktoś sypnął w nie żwirem. Przycisnął mocniej oprawki okularów do twarzy i ruszył biegiem, wreszcie uświadamiając sobie, że znalazł się pod niewidzialną kaskadą pyłu. Czuł go, lecz nie widział. W końcu przedarł się przez tę zaporę, bo w miarę jak kroczył, szczerk gęstniał. Jedną ręką wciąż osłaniał twarz przed tym, co go drapało, a drugą wyszarpywał z grząskiej, gorącej i wciąż pozostającej w ruchu materii. Wreszcie udało mu się przedostać za tę zakonspirowaną fortyfikację. Czuł za sobą solidny mur z ruchomego piasku. Oparł się o niego plecami i odetchnął z ulgą. Nagle uderzyła go fala gorąca, a dym nie pozwolił swobodnie oddychać. Coś płonęło. Bardzo blisko. Przestraszył się. Instynktownie otworzył oczy, ale w ciemnych okularach nadal nie widział zupełnie nic. Wciąż oparty plecami, przesuwając się krok za krokiem wzdłuż szczerkowej ściany, zrozumiał, że piaszczysta kaskada tworzy coś w rodzaju barykady na planie koła. Odbił się od niej i ruszył przed siebie, wciąż z wyprostowanymi ramionami, jak somnambulik. Na szczęście dalej dym nie był już tak gęsty. W jakimś prześwicie dostrzegł źródło pożaru i sylwetkę przyjaciela. Dimasz szarpał się z wielkim konarem drzewa, próbując wyciągnąć człowieka z płonącego wraku.

– Dimka! – wrzasnął, a potem w kilku susach, nie zważając na dym i żar, pośpieszył przyjacielowi na pomoc.

Z plątaniny metalu, nie bez trudu, obaj wyciągnęli półprzytomnego grubasa. Mężczyzna był osmalony, odurzony czadem i chyba ranny. Dimasz musiał się szarpać z cielskiem poszkodowanego jakiś czas, bo z trudem stał na nogach. Kaszlał i zachłystywał się śliną. Nie mógł złapać powietrza. Tusip ściągnął z grzbietu kurtkę, osłonił nią twarz przyjaciela i chwycił go pod ramię. Odprowadził do miejsca, w którym sam przedostał się do kręgu. Tym razem z impetem naparł na kaskady piachu. Zacisnął powieki i modlił się, by pył nie pozbawił go wzroku. Wreszcie znaleźli się po bezpiecznej stronie.

Dimasz upadł na kolana, łapczywie wciągał powietrze. T-shirt na plecach płonął mu żywym ogniem. Tusip ugasił materiał, a potem wrócił za zaporę i chwycił za nogi rannego. Grubas chwytał się wypalonej trawy, jakby wolał zginąć w płomieniach niż opuścić zagrażający jego życiu krąg. Tusipa to rozjuszyło. Sam był już ledwie żywy. Miał dosyć walki ze spaślakiem. Przyłożył mu mocno w głowę i poprawił kopniakiem, a potem pociągnął do kaskady z piasku. W końcu poszkodowany rozluźnił pięści – poddał się. Mamrotał tylko w malignie. Byli już prawie bezpieczni, kiedy Tusip potknął się i upadł. Wrzasnął przeraźliwie. Gwałtownie machał rękoma, by je ochłodzić. Bezskutecznie. Choć oparł się na płonącej ziemi tylko na chwilę, całe wnętrze dłoni miał poparzone. Z każdą chwilą ból się wzmagał. Do skóry przylgnęło mu coś lepkiego, czego nijak nie mógł usunąć. Gestykulował rozpaczliwie. Nie widział już w dymie niczego. Ostatkiem sił zdołał się podnieść, podszedł do źródła ognia i ponownie wytężył wzrok. W płomieniach topiły się setki mysich trucheł. Smażyły się jak steki na grillu, ale wciąż żyły. Zdawało się, że kwilą. Pojął, że do jego dłoni przywarło futro płonących myszy. I że to one, a nie czarne ptaki z żółtymi dziobami, wydawały ten skrzeczący odgłos, który słyszał z szosy. A więc trafili na diabelski cmentarz. Te pagórki to starodawne kurhany. Groby Scytów lub Hunów, co najmniej sprzed tysiąca lat. Dimasz miał rację. Dżama zaprowadziła ich do Hadesu. Płonące gryzonie to przeklęte dusze, które na wieczność zostaną uwięzione między światami. Chyba że odpokutują za swoje grzechy na służbie u szamanki. Tusip słyszał legendy o takich miejscach, ale nigdy w nie nie wierzył.

Miał dość. Przeciągnął grubasa przez piaskową blokadę, a kiedy znaleźli się już na zewnątrz, upadł na ziemię i ciężko dyszał. Dimasz podczołgał się do niego, poklepał go po piersi, a potem poszukał jego dłoni. Tusip ryknął z bólu, kiedy przyjaciel dotknął ran na jego rękach. To, co do nich przywarło, zmieniło się już w czarną skorupę. Paliło tak straszliwie, jakby zdzierano mu skórę. Rosjanin wycharczał coś niezrozumiale, ale Tusip pojął, że przyjaciel dziękuje mu za uratowanie życia. Wierzchem dłoni dotknął piersi Dimasza. Natychmiast poczuł ulgę, jakby zanurzył ją w lodowatej wodzie. Leżeli tak jakiś czas obok siebie, w ciszy. Niebo nad nimi było czyste, sielankowe. Twarze omiatał im delikatny zefirek. Stąd wiedzieli, że nieco dalej, w piaskowym kręgu, znajduje się piekło, żaden z nich nie śmiał nazwać rzeczy po imieniu. Cieszyli się, że żyją. Oddychali pełną piersią.

– Trzeba mi było jechać z moimi – usłyszeli. – Trzeba mi było uciekać. Wcale nie wchodzić na ring. Ostatnia walka, Rusti, i ja ją przegrałem. Oj, głupi Wania. Głupi jak but.

Dopiero wtedy Tusip spojrzał na twarz rannego, a potem szturchnął Dimasza. Porozumieli się wzrokiem. Z diabelskiego cmentarza uratowali właśnie największego wroga ich trenera.

Pierwszy zerwał się Ormianin. Chwycił Wanię za stopy. Ale był zbyt zmęczony i miał obolałe ręce. Nie dał rady samodzielnie zaciągnąć grubasa ponownie do kręgu. Czuł też lęk, choć przed Dimą nigdy by się do tego nie przyznał.

– Idę po urzyn – rzekł. – Ten chuj jechał po nas, rozumiesz? To nie przypadek. Ktoś zdradził, gdzie jest Ałgyz. Wańka dostał rozkaz nas zabić. To jasne! Zrobimy to, jak należy. Tutaj nikt go nie znajdzie.

– Nie! – wychrypiał Dimasz. – Zabierzemy go do szpitala.

Tusip stanął jak wryty.

– Nigdy – zaperzył się. – Nie pozwolę.

– O to chodziło – odparł już pewnym głosem Dimasz, choć wstał z trudem, krzywiąc się z bólu. Otrzepał się i próbował wyprostować. – Jeśli mu pomożemy, klątwa przestanie działać.

– Trzeba zawracać! – krzyczał wściekły Tusip. – Do następnego miasta ze trzysta kilometrów. Nie starczy nam paliwa. O akumulatorze nie wspomnę. Jeśli w ogóle zapali.

– Dżama pozwoliła mu przeżyć – usłyszał w odpowiedzi. – My mieliśmy go znaleźć. Wiesz, co to za miejsce? O nie pytałeś. Masz odpowiedź. Nie walczy się z przeznaczeniem. Bierz, co dają.

– Stąd się nie wraca – grobowym szeptem wyrzekł Tusip.

– Nam się udało. – Dimasz wzniósł oczy do nieba. – Dzięki ci, babciu.

Tusip przeszukał kieszenie Wani. Wyjął dokumenty i portfel nabity gotówką. Przeliczył.

– Siedemdziesiąt tysięcy. Kupa szmalu.

– Zostaw!

Dimasz wyrwał portfel z rąk Ormianina i wcisnął z powrotem do kieszeni poszkodowanego. A potem ruszył po koc, by na nim łatwiej przeciągnąć bezwładne ciało boksera do auta. Bardzo długo go nie było. Dlatego nie widział, jak Tusip ponownie zabiera portfel Wani i chowa go do swojej kieszeni, wraz z dokumentami i zwitkiem papierów. Kiedy Dimasz wrócił, Tusip siedział w kucki przy stopach grubego. Wskazał na wpół stopiony adidas. Druga noga Wańki była bosa. Choć mężczyzna przeżył wypadek i pożar, jego stopa pozostała gładka. Nie znać było na niej żadnych obrażeń.

– Pamiętasz Dzień Niepodległości?

Dimasz rzucił koc na ziemię. Przyglądali się teraz nogom grubego, jakby radzili nad losem wszechświata.

– Niesamowite – zdołał wydusić Dimasz. – A więc diabelski cmentarz już wtedy był nam pisany.

Problemy z urządzeniami zniknęły jak ręką odjął. Zegarek Tusipa zaczął chodzić. Był osmalony, lecz działał. Tylko datownik nie chciał się przesuwać. Wskazywał wciąż tę samą datę. Tusip był pewien, że tak zostanie. Uznał, że to dobra pamiątka po tej dziwacznej przygodzie.

Przez całą drogę do miasta Dimasz jechał jak szalony. Przed szpitalem nie było kolejki, więc dyspozytorka natychmiast przysłała łóżko dla chorego. Patrzyli, jak Wania odjeżdża w asyście lekarza i pielęgniarek, z maską tlenową na twarzy i kroplówką przypiętą do ramienia.

– Panowie, zaczekajcie. – Dyspozytorka była tak poruszona tragedią, że aż wybiegła na podjazd. – Wezwałam karetkę dla pozostałych rannych.

– Nie żyją. – Dimasz rzucił peta wprost pod jej nogi. – Za godzinę lub dwie zostanie z nich tylko kupka popiołu.

– Milicja już w drodze. Złożą panowie zeznanie?

– Pewnie – uśmiechnął się do niej Tusip, ale jego grymas nie działał jak klawiatura hokeisty, choćby i bez jedynki, bo kobieta natychmiast się nastroszyła. Ormianin musiał sięgnąć do arsenału forteli. – Tylko do kibla skoczę. Dimasz, tobie też nie zaszkodzi się odświeżyć.

– Panowie, musicie zostać. Nie wypuszczę was – upierała się kobieta. – Pan ma ręce w bąblach, a kolega poparzone plecy. Jeszcze wda się zakażenie. Co tam się właściwie stało?

– My tylko przejeżdżaliśmy. – Tusip zrobił minę misia koali. – Drzewo na nich spadło. Samochód się zapalił.

– Zaraz wrócimy – zapewnił Dimasz i jedną stronę twarzy zawadiacko przysłonił włosami. – A pani do której ma dyżur? Obrączki nie widzę. To może na jakąś kawę skoczymy, jak oczywiście trochę nas podkurujecie?

Tusip nie wierzył, że tak tani chwyt zadziała, ale kobieta już chichotała i poprawiała fryzurę.

– Jeszcze zobaczymy, czy pan doktor wam pozwoli – odparła i ruszyła do budynku. Po drodze jeszcze obejrzała się dwa razy i pomachała do Dimasza.

– Co ty masz w sobie? – zamruczał rozbawiony Tusip. – Wyglądasz jak cyklop. I to poparzony.

– Sprawy duchowe. Nie pojmiesz.

– Spadajmy. Stęskniłem się już za swoim wyrem.

Uciekli tylnym wyjściem. Okrążyli parking, a przy wjeździe minęli się z radiowozem, który bardzo uprzejmie przepuścili przed szlabanem.

Kiedy już wyjeżdżali na szosę, w szpitalu rozległy się krzyki:

– Gdzie ten gruby pacjent? Przecież nie dał rady chodzić! Zniknął? Jakim cudem? Może tamci dwaj go zabrali?

Ale nawet gdyby chłopcy usłyszeli te nawoływania, i tak by się nie zatrzymali. Nie chcieli mieć nic wspólnego z wypadkiem ani tamtym miejscem. Zapisali sobie tylko numer słupka przy drodze. Obaj, bodaj pierwszy raz w życiu, byli zgodni: więcej już w te strony nie wrócą. Wypełnili swoje zadanie i odjeżdżali spokojni, że człowiek, którego uratowali, jest pod dobrą opieką. Silnik najlepszego żiguli Kereja znów pracował żwawo. Przyjemnie było słuchać, jak wchodzi na obroty, jakby nagle ozdrowiał i dostał z pięćdziesiąt dodatkowych koni mechanicznych w tuningu.

Budynek milicji obito nowym sidingiem i odświeżono granatowe paski, ale nadal wyglądał jak szczerbaty potwór, którego najroztropniej nie drażnić. Kerej zaparkował przed piekarnią Gorący Chleb, skąd docierały na podjazd smakowite zapachy, i ruszył do komendy na piechotę. Pod pachą przyciskał plik dokumentów, które kopiował pieczołowicie od samego rana.

Przed wejściem witały obywateli klomby tulipanów we wszystkich kolorach tęczy oraz radosne ogłoszenia informujące o tym, że mieszkańcy miasta mogą się czuć bezpiecznie. Pomiędzy nimi zawisł monstrualny portret przywódcy narodu – Nursułtana Nazarbajewa, umajony wierszykami dzieci i wstążkami wotywnymi, jakie zabobonne staruszki zostawiają w miejscach pochówku bliskich. Wierzący spluwali na sam widok takiej profanacji, ale tylko wtedy, kiedy oko monitoringu było ślepe. Na samym środku holu wyeksponowano zdjęcie generała Sachiba Arżakowa, który uśmiechał się dobrotliwie spod wielkiej czapki z czerwonym otokiem. Kadencja szefa tutejszej milicji kończyła się w przyszłym roku, ale od odzyskania niepodległości przez Kazachstan funkcję tę pełnił wciąż Arżakow i nie zapowiadało się, że kiedykolwiek przestanie. Sachib był przyjacielem starosty Uralska – Aleksandra Darmienowa, a jego syn pracował u Sobirżana Kazangapa jako główny księgowy. Kerej często przejeżdżał obok otoczonej wysokim murem rezydencji komendanta. Było oczywiste, że generał nie mógł na nią zarobić z państwowej pensji.

Dyżurny wylegitymował Kazacha, wpisał jego dane do księgi wejść i wyjść, ale dokumentów nie oddał. Kerej dobrze wiedział, że nie odzyska ich, dopóki nie zostanie przesłuchany. Poczuł na plecach czyjś gorący wzrok. Rozejrzał się. W końcu korytarza stała młoda kobieta w ślubnej sukni z przypiętą na piersi kartką „Czekam na męża". Na przegubach miała zapięte kajdanki. Ławki obok niej zajęte były przez milicjantów w mundurach bojowych. Nie wyglądali na dżentelmenów, którzy zamierzają ustąpić jej miejsca. Kobieta czekała już dłuższy czas, bo jej szpilki leżały porzucone niedbale pod krzesłem. Stopy miała bose i ubłocone. To ona przyglądała się płowowłosemu Kazachowi z zainteresowaniem. Kerej myślał szybko, czy, a jeśli, to skąd się znają, ale nie pamiętał zupełnie jej twarzy. Może kupowała w jego butiku obuwie albo zna Bibi?

Profilaktycznie zajął miejsce jak najdalej, w samym kącie długiego korytarza.

Wewnątrz nikt nie bawił się już w remont. Ściany były odrapane. Pachniało ludzkim potem, prochem i gotowaną kapustą.

– Kunanbajew Kodarowicz?

Drzwi jednego z pokoi uchyliły się i wyjrzała z nich ładna Kazaszka o twarzy rumianej jak pączek. Nie miała więcej niż dwadzieścia pięć lat. Jasną koszulę z odznaką zapięła pod brodę. Spódnica przepisowo zasłaniała połowę kolana. Sztywny wizerunek służbowy przełamywała fantazyjnie ułożona na ramionach ręcznie robiona chusta.

– Wezwanie na jedenastą?

Kerej potwierdził skinieniem głowy.

– Zapiszę, że pan jest. Ale trzeba czekać.

– Jest pięć po, ale niech będzie – odparł i zamknął oczy. Był na to przygotowany.

Drzwi trzasnęły, a po chwili znów się otworzyły. Kerej wyprostował się, wzmógł czujność, jednak nic ciekawego się nie wydarzyło. Mógł tylko wnikliwiej przyjrzeć się nogom dziewczyny, ocenić wzorowy porządek na jej biurku i policzyć kwiaty na parapecie. Milicjantka lubiła orchidee.

Odstawiła konewkę i pochyliła się nad papierami, ale nic nie pisała. Bez przerwy odbierała telefony oraz przełączała rozmowy na pulpicie. Do słuchawki nie odzywała się praktycznie wcale. Kerej oddałby teraz wszystko, by móc skorzystać z tego aparatu. Odkąd Dimasz i Tusip wyjechali, nie miał od nich wieści, a czuł, że wezwanie może pośrednio dotyczyć sprawy córki Kazangapa. Wolał nie myśleć o tym, co by było, gdyby milicjanci wpadli na trop jego chłopców. Nie miał jednak jak się z nimi skontaktować.

– No, stary! Kopę lat – usłyszał.

Podniósł głowę. W jego kierunku maszerował chytrze uśmiechnięty grubasek. Kerej rozpoznał kolegę ze szkoły zawodowej, której zresztą Łazar Rozenberg nie ukończył, bo uciekł z kraju po pobiciu sąsiada. Wrócił widać w chwale, a ten drobiazg w życiorysie nie przeszkodził mu w dorobieniu się gwiazdek na pagonach. Kerej nie wiedział, że Łazar wstąpił do milicji.

– Zgłaszasz się czy ciebie zgłosili? – zgrywał jowialnego Łazar, choć Kerej po oczach poznał, że cwaniak wie wszystko.

Nie chciał mu dać satysfakcji. Nie będzie go o nic prosić ani oferować *wziatki*.

– Żona mi kazała – uśmiechnął się w odpowiedzi i zdecydował na małą szczerość, czego od razu pożałował. – Byli u niej w pracy. Nie chcę, by miała kłopoty.

– Coś słyszałem – rzekł ściszonym głosem Łazar i nachylił się do Kereja. Woń czosnku i dopiero co wypitej wódki była trudna do zniesienia. – Trzymaj się z dala od dyrektora kolei. Zagięli na niego parol. Zaprzeczaj, czemu się da. Jest pozamiatany.

Na korytarzu zaroiło się od ludzi. Panna młoda z naprzeciwka zaczęła piszczeć i szarpać się z mundurowymi. W końcu chwycili ją pod ręce i pociągnęli schodami w dół.

Kilka minut później wszystko ucichło. Pod ławką został tylko jeden srebrny bucik.

– Co ona zrobiła? – Młody Kunanbajew podniósł wzrok na Łazara.

– Uprawiała nierząd na placu Abaja.

– W tym stroju?

– To prowokacja.

– Polityczna czy moralna? – Kerej roześmiał się nerwowo.

Łazar zacisnął usta. Odsunął się teraz na bezpieczną odległość. Kunanbajew czuł, jak uśmiech stygnie mu na twarzy.

– Prokurator zażąda dla niej pięciu lat.

– Za kartkę o mężu?

– I cztery lata za próbę wręczenia łapówki w wysokości tysiąca dolarów.

Kerej zagwizdał z uznaniem. Przyjrzał się dawnemu koledze. Chciał powiedzieć, że widocznie za mało proponowała, ale się powstrzymał.

– Ładna – rzekł.

– Dlatego na dołku nie będzie miała lekko – przyznał Łazar. – A w więzieniu jeszcze gorzej.

Po czym szybkim krokiem oddalił się bez pożegnania, zanim korytarz wypełnił szwadron mundurowych pod bronią.

Z pokoi wylegli teraz chyba wszyscy pracujący na tym piętrze. Za to drzwi uprzejmej milicjantki dyskretnie się zamknęły. Kerej dopiero teraz to zauważył. Spojrzał na zegarek. Było już po dwunastej. Nie wyglądało na to, żeby ktoś śpieszył się do jego przesłuchania. Oparł głowę o ścianę i zamyślił się. Był pewien, że obserwuje go teraz wiele par oczu. Chciało mu się pić, ale wolał nie ruszać się z miejsca. Wciąż liczył, że jeśli sprawnie załatwi sprawę, wróci do pracy po obiedzie.

Trzy godziny później już wiedział, że biorą go na przeczekanie. Rumiana kobieta od orchidei spakowała się i wyszła, stukając obcasami. Miejsce w jej pokoju zajął żylasty mięśniak z ospowatą twarzą. Pocił się, aż włosy miał mokre, jakby dopiero przed chwilą wyszedł spod prysznica. Kerej obserwował go spod półprzymkniętych powiek i zastanawiał się, gdzie mógł go widzieć. Znał tę twarz. Bez wątpienia już się spotkali, choć Kunanbajew wtedy z pewnością nie wiedział, że facet jest gliniarzem.

Milicjant też nie spuszczał oka z wezwanego, który początkowo potulnie czekał na swoim krzesełku, ale po piątej godzinie oczekiwania zaczął się niecierpliwić. Za każdym zapytaniem Kereja, kiedy go przesłuchają, Sierik Chajruszew wzruszał ramionami i robił sobie musujący napój. A potem udawał, że przepisuje na maszynie jakiś protokół, używając tylko jednego palca, który ślinił nieustannie.

Około szóstej po południu do komendy wbiegła szczupła szatynka w wyraźnej ciąży, z mnóstwem koralików na przegubach. Rozejrzała się pośpiesznie po poczekalni, a ponieważ poza Kerejem w korytarzyku nie było nikogo, skierowała się wprost do niego. Rzuciła mu do stóp wielką szmacianą torbę, również wyszywaną nomadycznymi koralami, z której wysypała się cała sterta dokumentów. Kobieta kucnęła, szeroko rozstawiając uda, co typowe dla ciężarnych, Kerej więc poczuł się w obowiązku, by jej pomóc. Dostrzegł protokoły przesłuchań i pisma prawnicze oraz jakieś raporty z mnóstwem tabelek. Starał się nie naruszyć prywatności jej klientów i odwrócił głowę, kiedy jej to oddawał. Ona jednak nie przywiązywała wagi do tego, że mógłby zdobyć tajne informacje. Była wyraźnie zaaferowana.

– Nie widział pan młodej Azjatki w sukni ślubnej?

– Była tu przed jedenastą – potwierdził. – To pani krewna?

– Klientka – odparła kobieta i usiadła, lekko unosząc spuchnięte stopy, by im ulżyć. Gdyby nie brzuch wielkości solidnego arbuza, uznałby ją za całkiem atrakcyjną. Wyciągnęła po męsku dłoń do powitania, a drugą podała mu pogiętą wizytówkę. – Nigdy nie wiadomo, kiedy się przyda. Gaja Hajdarowicz.

Wsunął bilet wizytowy do kieszeni, choć prawniczka nie wzbudziła jego zaufania. Gdyby to jego żona była w ciąży, nie pozwoliłby jej włóczyć się po komisariatach. A tym bardziej nosić ciężarów. I skoro już jest adwokatem, mogłaby sobie kupić jakąś teczkę na papiery, by obcy ludzie nie oglądali powierzonych jej akt. To nieprofesjonalne, uznał.

– Dokąd ją zabrali? – Kobieta nagle zaczęła się śpieszyć. Rozejrzała się czujnie.

– Pociągnęli ją schodami na dołek. Co było dalej, nie mam pojęcia – odparł zgodnie z prawdą Kerej. – Ale prostytutki zwykle wypuszczają po dwóch dobach. Choć ta podobno nieźle nabroiła.

– To niezależna dziennikarka – oświadczyła z naciskiem zwariowana pani mecenas. – Anita Titow z pewnością nie trudni się nierządem, choć domyślam się, że mogli tak jej żart zakwalifikować. Kurza twarz! – Uderzyła się po udzie i rzuciła soczystą wiązankę.

Z każdym bluzgiem Kerej tracił do niej resztki szacunku, choć jednocześnie go bawiła.

– A tyle razy ostrzegałam, że kiedyś przeholuje. Mówi pan nierząd? To się doigrała.

– Nic nie wiem. – Wzruszył ramionami. – Jestem tylko petentem.

Ale trawiła go ciekawość.

– Na czym polegał żart?

Adwokatka rozejrzała się na boki, policzyła drzwi, aż wreszcie spojrzała na Kereja, jakby dopiero go dostrzegła.

– Pan nie zna jej tekstów? – zdziwiła się. – To słynna skandalistka. Idolka młodego pokolenia.

– Brzmi ciekawie – odparł z przekąsem Kerej, a w duchu dodał: „Kłopoty murowane".

Gaja tymczasem relacjonowała:

– Niedawno Anita publicznie zadała pytanie, czy zachodni Kazachstan powinien wejść w skład Federacji Rosyjskiej. Otrzymała rekordowo dużo odpowiedzi. Okazało się, że wśród uczestniczących w sondzie jest mnóstwo donosicieli. Podjudzali ją do ostrzejszych wypowiedzi, a Anicie wiele nie potrzeba. Ona wierzy w wolność mediów. Dlatego otworzyła serce przed swoimi czytelnikami. Jestem, jak pan widzi, w ciąży, więc tego dnia musiałam jechać na badania i o wszystkim dowiedziałam się dopiero wczoraj. Ostro ją opierdoliłam, bo nie pierwszy raz jej pomagam, ale służby już ją wyhaczyły. Usłyszała zarzut, że roznieca nastroje separatystyczne.

Kerej zmarszczył brwi. Łazar mówił o czymś zupełnie innym. Postanowił więc podpuścić kobietę.

– Podobno za wycofanie tych zarzutów zaoferowała milicjantom tysiąc dolarów.

– Anita nigdy by czegoś takiego nie zrobiła – roześmiała się Gaja. – To nie w jej stylu. Zresztą nie ma nawet stu dolarów. Pomagam jej za darmo.

– Dlaczego była w sukni ślubnej?

– Robi różne performance'y. Czasami zabawne, innym razem przerażające. Często balansuje na granicy smaku. Chce dotrzeć do jak największej liczby osób, więc prowokuje, szokuje. Rozumie pan?

– Niezbyt – przyznał Kerej i pomyślał, że obie panie są równie szalone. Nic dziwnego, że się zaprzyjaźniły.

– Z tą suknią ślubną to pewnie też metafora. Dziewczyna robi kawał dobrej roboty. Walczy o prawa człowieka. Pracuje z organizacjami z całego świata. Dlatego służby od dawna mają ją na oku. Mam nadzieję, że tym razem nie skończy się to więzieniem. Będzie ciężko ją wyciągnąć.

Nagle Gaja zerwała się. Jak na ciężarną poruszała się jak fryga.

– Idę do komendanta. Nie mogła się przecież zapaść pod ziemię.

– W tym miejscu? – mruknął Kerej. – To całkiem możliwe.

– A pan kim jest? – zreflektowała się nagle pani mecenas.

Kerej z trudem powstrzymał się przed zgryźliwym komentarzem. Rychło w czas, skoro rozmawiali już pół godziny.

– Bo na milicjanta pan nie wygląda. Ani tym bardziej na prawnika.

– Pani też, jeśli mam być szczery. – Pomachał do niej jej własnym biletem wizytowym. – Może przyszłym klientem? Chociaż oby nie.

– Oby – mruknęła kobieta i wygięła się do tyłu, podtrzymując lędźwie. – Pomoże mi pan założyć torbę na lewe ramię?

Kiedy spełnił jej życzenie, znów zapytała o nazwisko, więc się przedstawił.

– Kerej Kunanbajew – upewniła się. – Syn Kodara?

– We własnej osobie. – Skłonił się.

– Mogłam się domyślić. Te włosy... Pana ojciec ma w prokuraturze wielu wrogów – oświadczyła po dłuższej pauzie.

Kerej nie odpowiedział.

– Ale jeśli to dobrze rozegracie, niektórzy przejdą na waszą stronę.

Zmrużyła szare oczy. Spojrzenie miała mądre. Choć krucha fizycznie i z pewnością nie do końca zrównoważona, wydawała się głęboko zaangażowana w prowadzone sprawy. Możliwe też, że potrafi być nieugięta, waleczna. Pierwszy raz widział tak przejętego swoją misją adwokata. Zawsze sądził, że prawnikom chodzi tylko o pieniądze. Ale wciąż nie chciałby być jej klientem.

– Zobaczymy, co los przyniesie.

– Na którą ma pan wezwanie? – Gaja omiotła wzrokiem opustoszały komisariat.

Kerej się zawahał.

– Na jedenastą – odpowiedział.

W tym samym momencie oboje podnieśli przeguby, by sprawdzić godzinę. Okazało się, że między paciorkami widniała męska rakieta.

– Dochodzi siódma – oświadczyła rzeczowo. – Lepiej zadzwonić po kogoś z rodziny, żeby przyniósł coś do jedzenia. I koniecznie kilka butelek wody. Przydadzą się. Tej z WC nie radziłabym pić. Oczekujący już po godzinie dostają od niej sraczki. Czasami jest gorzej. Idzie na dwa fronty. Pił pan?

Kerej zaprzeczył.

– Mądrze – pochwaliła go jak syna, choć byli w podobnym wieku. – Ale sądząc po tym, jak długo tu pana trzymają, to potrwa do nocy. O czwartej nad ranem będzie pan tak spragniony, że ucieszy pana podstawka pod kwiatek, żeby choć zwilżyć usta. No i będzie pan spał pod tym krzesłem. Wszyscy w końcu się kładą. Nie wiem, po co pan tu przyszedł, to nie moja sprawa. Chcą pana złamać, upokorzyć. Stary system. Pewnie dopiero nad ranem ktoś po pana przyjdzie, a jutro znów każą czekać. Na dokumenty, na podpis starszego śledczego, na konfrontację. Cały czas coś będzie nie tak. Wypuszczą pana jutro, jak się ściemni. Chyba że to coś poważniejszego. Wtedy wcale nie wypuszczą. Pan nie czeka do tego momentu, tylko dzwoni. Albo żonie przekaże. Niech da mi znać. Pan ma większe kłopoty niż Anita.

Kerej patrzył na nią jak na wariatkę. Chciał spytać, skąd może to wszystko wiedzieć, a po głowie zaczęły mu krążyć myśli, że ciężarna adwokatka została podstawiona, ale zaraz sama rozwiała te wątpliwości.

– Polityka. Pana ojciec. Na razie to tylko działania prewencyjne, bo gdyby mieli coś twardego, byłby pan już tam na dole, gdzie Anita. – Obejrzała się czujnie. – A jakby pan czegoś potrzebował teraz, to proszę mówić. Śmiało, nie mam wysokich stawek. No i mogłabym też od razu zawiadomić żonę. Nie ma co się wstydzić. To potrwa. Skoro kibluje pan tutaj od rana, pewnie kiszki marsza grają.

– Nie trzeba – spłoszył się. – Wytrzymam.

– Okej. To powodzenia.

Patrzył, jak idzie marszowym krokiem, a po chwili znika w drzwiach wyjściowych. Ale kiedy się ściemniło i nikt go nadal nie wzywał, a w tym samym miejscu pojawiła się przerażona Bibi z dwojakami pełnymi kupnych pierożków oraz Osmanem uczepionym do spódnicy, podziękował w myślach ciężarnej adwokatce za bezinteresowną pomoc i ścisnął w dłoni jej wizytówkę. Postanowił się do niej odezwać, kiedy wyjdzie, i posłać w podzięce kilka par butów.

– Dimasz i Tusip wrócili – zameldowała Bibi na powitanie.

Kerej łapczywie rzucił się na pierożki.

– Sami? – zapytał między kęsami.

Skinęła głową.

– Poparzeni, ale byli już na bazarze. Podobno nasze magazyny zaplombowane i sklep zamknięty. Nic nie mówiłeś – dodała z wyrzutem.

Kerej nisko pochylił głowę.

– Odesłałam chłopców do domu. Wyglądają strasznie.

– Co się stało?

– Nie chcieli mówić. A zresztą nie było czasu, bo przysłali umyślnego. Musiałam jechać do szkoły.

– O tej porze?

– Osmana wzięłam ze sobą, bo do Mnaury nie mogłam się dodzwonić. Dopiero co stamtąd wyszłam. Dlatego wcześniej nie mogłam przyjechać. – Zawahała się. – I już nie wrócę do pracy. Nawet rzeczy nie dali mi zabrać. Dostałam wymówienie. Ponoć nie zdałam jakiegoś egzaminu. Nie spełniam wymogów nauczycielskich.

– Ty? – zdziwił się. – Jesteś najlepsza w Uralsku. Sama mogłabyś założyć prywatną placówkę.

Bibi nie skomentowała. Po minie jednak domyślił się, że to nie koniec złych wieści.

– Godzinę temu wymówienie ze szpitala dostała też mama. Wuj Bułat jej wręczył. Przepraszał i mówił, że nie ma wyboru. Zarządzenie odgórne. Ograniczają kadrę. To już koniec. Zniszczą nas. Nie będziemy mieli z czego żyć.

Więcej się nie dowiedział, bo Bibi się rozpłakała. Wtedy wstał i bez pytania chwycił telefon na biurku ospowatego. Wykręcił numer do ojca. Odebrała matka. Zdążył tylko poprosić, aby Kodar zabrał jego rodzinę z komisariatu, zanim milicjant wyrwał mu słuchawkę z dłoni.

Na przesłuchanie czekał do rana, tak jak zapowiedziała ciężarna adwokatka. Wtedy się dowiedział, że Siergo Pingot zniknął, a jego majątek zarekwirowano. I poznał nazwisko ospowatego. Natychmiast przypomniał sobie tę twarz. Widział ją tylko raz, kiedy pięść milicjanta uderzała w jego głowę w Blińcziku. Sierik Chajruszew nadzorował napad ludzi Nochy, kiedy celebrowali z Siergiem swoje pyrrusowe zwycięstwo. Teraz już wiedział, że Gaja Hajdarowicz miała rację i będzie potrzebował jej usług.

Ogień sięgał Kaszowi do pasa, ale kiedy dorzucił skrzynkę papierów z biura Sierga Pingota, płomienie nieco przygasły. Reszta brygady pracowicie plądrowała magazyny z towarem, bo starszy śledczy Futnikow zezwolił każdemu z ludzi Darmienowa wziąć z pawilonów tyle, ile zdoła unieść. Ekipa miała się zabrać z magazynów kolejowych, zanim zapadnie zmierzch. Wtedy milicja opieczętuje budynki na nowo. Sporządzone zostaną protokoły przejęcia i całość, czyli pozostawione przez bandytów puste kartony oraz opakowania, przejdą na własność skarbu państwa. Następnie ekipa Nochy ruszy do pałacu Sobirżana Kazangapa, bo dziś zjeżdżali się goście na *toj* młodego Bajdałego. Nikt więc nie zwracał uwagi na Tadżyka, służkę Sułtana, jak pogardliwie nazywano go w tym gronie. A ponieważ upał wciąż był niemiłosierny, niechętnie zbliżali się do paleniska. Powydzwaniali za to szwagrów i dalszych członków rodzin, by podjechali z transportem. Ładowali teraz jak leci na pakę: buty, worki z cementem, sanitariaty, spożywkę, cukier i owoce egzotyczne albo drzwi antywłamaniowe. Wszystko to wkrótce trafi w dobrych cenach na bazar, zanim właściciele składów dowiedzą się o przejęciu i zgłoszą kradzież towaru. Ludzie Nochy kłócili się o każdy fant, grozili sobie bronią, niemal cięli. Bracia Chajruszewowie pobili się o wielką włoską wannę oraz paletę portugalskich kafli, które znaleźli w pomieszczeniach Kunanbajewa. Obaj się budowali, więc każdy chciał mieć te luksusy dla siebie, ale ostatecznie połowę porcelany potłukli, a wannę oddali Łazarowi, który był mężem ich najmłodszej siostry, dlatego zawsze korzystał na tych bijatykach. Łup odpuścili zresztą tylko dlatego, że Nocha powierzył im skrzynię importowanego koniaku, który na miejscu zaczęli degustować, i po pierwszej flaszce podali sobie ręce na zgodę. Okładali sobie teraz pokiereszowane twarze lodem i grali w karty o dziewczyny. Oczywiście Bierik kantował, a Sierik, choć o tym wiedział, czekał tylko na okazję, by przyłożyć najmłodszemu. Nie śpieszył się z tym tylko dlatego, że musiał wrócić na komendę, by rozprawić się z młodym Kunanbajewem. Oszczędzał siły.

Kaszo nie chciał nic. Oficjalnie nie należał do brygady Nochy, więc nie wychylał się z roszczeniami. Bał się jednak, że może wzbudzić podejrzenia reszty, dlatego, by zachować pozory, zarezerwował sobie partię mokasynów i trochę białego montażu. Tak naprawdę zależało mu tylko na papierach. Z ogniska uratował plik pozwoleń dla Czeczenów na broń, której dotąd nie znaleźli ludzie Nochy, a Kaszo wiedział, gdzie jest ukryta, oraz umowy z dzierżawcami magazynów kolejowych i łup, który uznał za najcenniejszy – cztery pociągi zmrożonej oblepichy, towaru deficytowego w okresie zimowym, który masowo wywożono do Mongolii. To cenne źródło witaminy C przyjedzie dopiero w listopadzie i Kaszo uśmiechał się na samą myśl, jakie miny pojawią się na twarzach tych bęcwałów, którzy z niego teraz kpili, kiedy przed nadejściem zimy położy te kwity na stole. Cały jego szaber mieścił się w jednej papierowej aktówce. Ukrył ją w miejscu na koło zapasowe, by w razie draki pozwolenia mieć zawsze ze sobą. Do ognia wrzucił niepotrzebne kserokopie i kolekcję archiwalnych numerów gazet prenumerowanych przez Pingota, a także książki gromadzone przez niego latami. Przyglądał się, jak pożera je ogień, i zastanawiał, jak długo uda się Siergowi wodzić śledczych za nos.

Widział się z nim ostatniej nocy. Pomógł mu ukryć się w starej daczy Kazangapa, do której miał klucze (otwierał nimi każde drzwi w rezydencji Sułtana), i uzyskał podpisy na odpowiednich dokumentach. Był więc Tadżyk właścicielem domu dyrektora przy prospekcie Nazarbajewa oraz wszystkich jego polis. W zamian za to obiecał rodzinie Pingota swobodny powrót do Kazachstanu, kiedy sprawa się uspokoi. Ponieważ Kaszo miał swój honor, zaoferował dyrektorowi w zamian swoją kawalerkę na obrzeżach Uralska. Siergo niemal wycałował go za to w stopy. Tak naprawdę nie planował definitywnej ucieczki. Kiedy Kunanbajew zawiódł, zmienił front i liczył na kryszę Sobirżana Kazangapa, a Kaszo obiecał mu swoje wstawiennictwo, i na razie nie ujawniał, że to nierealne. Wiedział, że wszyscy chcą się Pingota pozbyć natychmiast i raz na zawsze. Dopóki jednak Siergo oficjalnie nie zerwał sojuszu z synem Kodara, mógł mieć dostęp do informacji o zaginionej Ałgyz. Żywy był więc dla Kasza równie cenny jak jego bibuła. To, że wszyscy traktowali go jak popychadło, na razie Tadżyka bawiło. Ale kiedy przyjdzie dzień zapłaty, Kaszo nie zapomni o nikim.

– Twój towar czeka na rampie – usłyszał za plecami chrapliwy głos, a potem splunięcie.

Kaszo z trudem ukrył zaskoczenie. Nocha podszedł cicho, ale pozostał w bezpiecznej odległości od ognia. Odkąd na froncie w Czeczenii prawie spłonął żywcem, zachowywał szczególną ostrożność. Po tym zdarzeniu zostały mu parszywe blizny na dłoniach, ale nikt poza Kaszem i Kazangapem nie znał prawdy o ich pochodzeniu. Nocha tłumaczył postronnym, że to rodzaj choroby.

– Nie ucieknie – odparł Tadżyk i podszedł do szefa komanda.

Poczęstował się zwitkiem betelu z wyciągniętej dłoni Nochy, choć wolałby najpodlejszego papierosa. Nie znosił tego gówna, zwłaszcza że to, co miał w ustach, z pewnością ochrzczono jakimś narkotykiem. Ale cel uświęca środki. Nocha był mu potrzebny jako sojusznik, nie wróg, choć nienawidzili się szczerze.

– Nie cieszysz się?

– Z czego?

– Dziś dobrze popracowaliśmy – uśmiechnął się Nocha, a Kaszo niemal się porzygał na widok jego czarnych zębów i spuchniętych dziąseł.

Dosłownie po chwili rozmowy wokół było pełno czerwonych plam, bo Nocha pluł gdzie popadło. Odkąd się poznali w domu Kazangapa, siedem lat temu, szef zbirów bardzo się postarzał. Wychudł, zmarszczki na czole mu się pogłębiły, skóra zżółkła. Pod oczyma miał brązowe cienie. Kaszo wiele razy miał ochotę zapytać, czy nie toczy go jakaś choroba, ale wiedział, że nie uzyska odpowiedzi. O Nosze, poza niestworzonymi historiami, nikt zbyt wiele nie wiedział. Mówiono, że nie śpi nigdy, a jeśli się to zdarza, to na siedząco i z naładowanym automatem. A choć były wojskowy na co dzień sprawiał wrażenie ślamazarnego, patrzył tępo i wykonywał mało ruchów, miał gwałcić przed śmiercią wrogów, niezależnie od płci. Opowiadano, że lubił też obcinać głowy i przypinać je do zderzaków auta, jak niegdyś Hunowie mocowali swoje trofea do siodeł wierzchowców. I nawet jeśli było w tym tylko pół prawdy, Kaszo starał się unikać tego Czycza. Tym bardziej że nie wiedział, komu tak naprawdę służy. A do brudnej roboty Nochę wzywali wszyscy i każdy mu sowicie płacił.

– Będziesz miał sporo do przekazania Sułtanowi – syknął przez zęby Czeczen, a czerwona gęsta ślina spadła tuż obok stopy Kasza.

Tadżyk odsunął się, ale odpowiedział tym samym, trafiając dokładnie tam, gdzie Nocha.

– Co ja mu mogę powiedzieć poza tym, co już wie?

– Może to, że przewrót dopiero przed nami?

Tadżyk się zawahał. Czekał, ale Nocha nie zamierzał nic więcej wyjaśniać.

– Sam mu przekażesz – mruknął, przymykając powieki. – A może chcesz mi sprzedać jakąś nowinę? Bo zazwyczaj bez powodu koło mnie nie chadzasz.

– Nie stać cię.

Kaszo przemilczał zniewagę. Jak się okazało, słusznie, bo miłośnik betelu nie zamilkł.

– Nie wrócił człowiek Rustema. Dwaj kapitanowie Futnikowa też zaginęli bez śladu. Auta nikt nie widział od ostatniej kontroli. Ciał nie ma. Są więc gdzieś w stepie.

– Step długi i szeroki – odparł Kaszo. – A ja tutaj, w mieście, mam swoje sprawy. Po co mi ta wiedza?

– Na mieście gadają, że pojechali do szamanki po księżniczkę Kazangapa i zgubili się w zaświatach. Ale informacja o miejscu pobytu tej małej była tajna.

– Jakieś bzdury! – Kaszo znów strzelił czerwoną śliną i z ulgą wyjął z ust rozmoczone tytoniowe gówno. Wyrzucił jak najdalej. Chciało mu się pić. Tęsknie spoglądał na braci Chajruszewów z butelkami koniaku w dłoniach. – Zapili się albo pozabijali. A może sam Bajdały rozpowszechnia te pogłoski? Dziewczynę wzięli i podwajają stawkę.

– Wańkę trudno zgubić, przyznasz.

– Chyba nie wierzysz w magię?

– Ja w nic nie wierzę, ale słucham, co ludzie mówią. A gadają, że dziewczyna nie była szalona. Miała dar. I że przeklęła tych, którzy na nią nastają.

Kaszo spojrzał na Czeczena z obawą. Zrozumiał, dlaczego bandyta do niego podszedł. I nawet ogień nie zdołał go powstrzymać. Czyżby gwałciciel i rabuś bał się klątwy? To byłoby nawet zabawne, gdyby nie przerażenie na twarzy Nochy i stanowczość w głosie.

– Ja tam nic nie wiem. Jestem tylko służką Sułtana.

– Mieszkasz w tym domu od lat. Znasz małą od dziecka. Jak więc jest? Umie czarować?

– Siedziała zamknięta w wieży. Wchodziła do niej tylko stara niańka. Teraz już nie żyje. Nawet nie bardzo wiem, jak dziewczyna wygląda – skłamał. – Cały czas włóczyła się po ogrodzie zakutana w te szmaty.

– Wiesz, że Sułtan kazał mi śledzić uszatego od fresku? Ponoć z nim zniknęła. Mówią, że on też był dziwny. Myślami przesuwał przedmioty.

Kaszo podniósł brew i roześmiał się nieszczerze.

– Iluzjonista cię okpił? Nie mów, że straciłeś go z oczu.

– Przeciwnie. – Nocha uśmiechał się chytrze. – Sierik ze swoimi ludźmi zrobili mu w chacie kipisz. Znaleźli trochę barachła: moniaki, listy od rodziny, amulety. Następnego dnia młody nie wrócił do siebie, a dziewczyna zniknęła. Ślad urywa się na Kunanbajewie.

– A co mnie do tego?

– Mam rozkaz znaleźć panienkę. I zamierzam tego dokonać. Młodego zutylizujemy, jak tylko pojawi się na horyzoncie. Ale Ałgyz ma wrócić cała. Ci, którzy pojechali po nią ostatnio, zniknęli. Dlatego ciekawi mnie, czy to przypadkiem nie siła nieczysta.

Kaszo miał ochotę zapytać, kto zapłacił Czeczenowi za pozbycie się Isy i przejęcie Ałgyz, ale nie mógł się powstrzymać od kpiny. Taka okazja mogła się więcej nie nadarzyć.

– Boisz się? Czego, skoro w nic nie wierzysz?

– Nie pierów – odparł poważnie Nocha. – Tchórzy.

Wyjął z kieszeni zawiniątko i rzucił, jakby chciał trafić w Kasza. Tadżyk w ostatniej chwili się uchylił. Przedmiot musiał być ciężki, choć nieduży, bo wpadł łukiem wprost do ogniska. Chwilę potem nastąpiła eksplozja.

Kaszo odruchowo uskoczył do tyłu i ukrył się za składem sedesów z importu. Zewsząd zaczęli zbiegać się członkowie grupy.

– To tylko granat ręczny. – Nocha przetarł osmoloną twarz. – Na żartach się nie znasz?

Zgromadzeni wybuchnęli śmiechem i wrócili do swoich transportów i rabowania. Czeczen zaś wykorzystał moment, że Kaszo oddalił się od ognia. Chwycił go za szyję i przyłożył kindżał.

– To miałeś być ty, rozumiesz? Jekatryna, twoja protektorka, wezwała mnie wczoraj. Niedrogo cię wyceniła. Pięćset dolców. Udało mi się wytargować drugie tyle, ale to nadal, jak na tak wiernego psa, prawie nic. Miałeś zginąć dziś lub najpóźniej podczas wesela Rusta. Bardzo się śpieszy, żeby się ciebie pozbyć. Jak myślisz dlaczego?

Kaszo chwycił ręką ostrze i nie zwracając uwagi na płynącą krew, odsunął je od tętnicy. Wyswobodził się tylko dlatego, że Nocha mu na to pozwolił. Przed oczyma przemknęło mu całe dorosłe życie. Dziesięć lat szpiegowania. Siedem lat bezgranicznej wierności. Dwuletnia gra na dwa fronty. Za rok planował pójść własną drogą. Sojusz z Siergiem miał to przyśpieszyć. Jak o wszystkim dowiedziała się stara? Kto go zdradził? Czy Nocha wie?

– Co za to chcesz?

– Jeszcze nie powiedziałem, że nie wykonam zlecenia. Forsę wziąłem, a ciebie nigdy nie lubiłem, brudasie.

– Obaj dla nich jesteśmy brudasami, zgniły Czyczu. – Kaszo uśmiechnął się pogardliwie. – Co ma do tego sprawa księżniczki?

– Jedziemy na tym samym wózku. – Nocha szarpnął Tadżyka za poły bluzy, wskazał ognisko. – Czego boi się Jekatryna? Jakie masz dowody, że działa przeciwko Sobirżanowi? I co muszę wiedzieć o tej małej czarownicy, żeby dostarczyć ją żywą i sam przeżyć?

Mnaura podlewała właśnie kwiaty na balkonie, kiedy pod blok zajechały czarne limuzyny. Ustawiły się wzdłuż chodnika, ale nikt nie wysiadł. Kobieta odstawiła konewkę i pobiegła do sypialni. Uchyliła drzwi. Mąż jeszcze medytował. Wiedziała, że dopóki nie skończy, nikt i nic nie jest w stanie wytrącić go z transu. Starała się nie wpadać w panikę, choć znała naloty sprzed lat. Wiedziała, że za chwilę ktoś zastuka do drzwi i z mieszkania ubędzie domowników.

Wyjrzała raz jeszcze. Na czele konwoju ustawił się radiowóz. Jakiś mundurowy ruszył do klatki schodowej, rozmawiając przez krótkofalówkę. Z samochodów z tyłu wysiadali krępi mężczyźni w dresach. Mnaurze żołądek podszedł do gardła. Nasłuchiwała kroków na schodach, ale w mieszkaniu wciąż panowała cisza. Godzinę temu Osman wreszcie zasnął w ramionach Ojsze. Bibi krzątała się w kuchni. Chciała pomóc w przygotowaniu kolacji, ale wszystko leciało jej z rąk. Po wizycie na komendzie nie wróciła do swojego domu. Kodar zdecydował, że dopóki Kereja nie wypuszczą, bezpieczniej będzie, jeśli synowa i wnuk zamieszkają z teściami. Rozłożono łóżko polowe w pokoju Ojsze, która była wniebowzięta, że ma prawnuka na własność. Rozpieszczała go i karmiła słodyczami.

Kodar zachowywał się tak, jakby nie dostrzegał czającego się zewsząd zagrożenia. Kiedy Bułat zwolnił Mnaurę, Kodar pocieszył żonę, że wreszcie odpocznie. Już dawno powinna pójść na emeryturę. Na jej pytanie, z czego będą żyć, nie odpowiedział. Większość czasu spędzał na ćwiczeniach i medytacjach. Tylko raz posłał po uczniów syna. Donieśli, że pod domem Kereja nieustannie warują tajniacy. Powiedzieli też o aresztowaniach wśród sojuszników rodu Kunanbajewów. To dlatego Bułat się tak zachował. Żosuman zaniemógł. Rodzina przesiaduje u jego łóżka, szykując się na najgorsze.

Kontrahentów Kereja nękano kontrolami. Większość ukarano grzywnami, a niektórzy zostali wezwani na przesłuchanie i koczowali w komendzie. Zarzutów im nie postawiono, ale i tak byli przekonani, że to Kerej zadenuncjował ich w urzędzie podatkowym i na milicji. Nawet jeśli sprawa zakończy się pomyślnie, nie będą chcieli handlować z Kerejem. Starsi rodów poinformowali w liście, że powstrzymują się od rozmów z przywódcami pozostałych plemion. Przekonywali, że atmosfera nie sprzyja prowadzeniu walki politycznej, ale było jasne, że wycofują poparcie. To, że nie zrobili tego osobiście, było największą obelgą dla Kodara. Zamknął się w sobie i milczał kolejny dzień.

– Zdrzemnij się – powiedziała Mnaura do synowej, która właśnie ustawiała na suszarce wyszorowany do białości największy garnek do beszbarmaku. Bibi miała zaczerwienione od pracy policzki i dłonie poranione od druciaka. Fartuszek Mnaury, który włożyła rano, można było wykręcać.

W kuchni unosił się zapach detergentów. Wszystko lśniło. Szyby były tak czyste, że nie było ich widać. Na karniszach wisiały świeżo wyprane firanki. W kącie stało wiadro z wodą, a na kaloryferze suszyły się wszystkie dostępne w tym domu ręczniki.

– Dopiero siódma. Nie zasnę – westchnęła Bibi, podpierając głowę dłońmi.

Mnaurze było żal dziewczyny, ale ją samą ogarniało przerażenie i nie mogła zajmować się pocieszaniem. Z trudem udawała spokój. Bibi wyglądała źle. Palce jej pomarszczyły się jak u praczki. Przetłuszczone włosy związała w ciasny koczek. Zwykle pucołowata twarz wychudła, a oczy się zapadły. Na czole zagościła lwia zmarszczka. W ciągu ostatniego tygodnia dziewczyna postarzała się o dziesięć lat.

Mnaura sięgnęła do dolnej szafki. Wyjęła z niej koniak i kieliszek wielkości naparstka. Napełniła go po same brzegi i podała Bibi.

– To ci pomoże.

Dziewczyna odmówiła, kręcąc głową.

– Już tydzień go trzymają – zaczęła lamentować. – Na jakiej podstawie? Trzeba iść do adwokata. Dlaczego nic nie robimy?

Mnaura była zniecierpliwiona. Sama wypiła bursztynowy płyn duszkiem, a potem nalała ponownie i przesunęła działkę koniaku w kierunku synowej.

– Twoim obowiązkiem jest żyć. Masz dziecko. Cokolwiek się stanie, odpowiadasz za syna.

To Bibi przekonało. Najpierw upiła łyk, a potem wlała do gardła całość. Skrzywiła się, jakby nigdy nie miała w ustach alkoholu, co było nieprawdą, bo często popijała w chwilach zdenerwowania. Tyle że nikt tego nie widział.

Mnaura dała się jednak nabrać i podała synowej następny kieliszek, a potem zdjęła jej przez głowę mokry fartuch.

– Do łóżka, ale już – udała, że przegania synową ścierką.

Dziewczyna przed wyjściem rzuciła się teściowej w objęcia, a Mnaura z trudem zachowała spokój. Wciąż nasłuchiwała pukania, dlatego nie pozwoliła się Bibi rozkleić. Nieomal siłą wepchnęła ją do pokoju, w którym Ojsze i Osman spali twardym snem, a drzwi zamknęła na klucz, który schowała do kieszeni. Zaciągnęła kotarę nad drzwiami i przepchnęła przed nie wielką maszynę do szycia, sapiąc przy tym z wysiłku. Pewnie dlatego z opóźnieniem usłyszała natarczywy dzwonek, a potem pukanie. Stuk, stuk, przerwa. Dzyń-stuk-dzyń. Znała tę manierę. Nie musiała patrzeć przez judasz, żeby wiedzieć, że za drzwiami stoi mundurowy. Zanim więc ruszyła do drzwi wejściowych, wypiła jeszcze jeden naparstek koniaku i krótko się pomodliła.

– Dzień dobry. Czym mogę służyć? – zapytała, starając się maskować niepokój uprzejmością, bo na klatce ujrzała więcej funkcjonariuszy, ale w cywilu.

Czyżby obława?

Milicjant przedstawił się. Wyciągnął jakieś papiery. Zdenerwowana Mnaura zapamiętała jednak tylko imię – Sierik.

– Czy mieszka tutaj Nazar Kodarowicz Kunanbajew?

– Tak. To mój syn.

Machnął podkładką. Kobieta dojrzała jedynie okrągłą pieczęć i kilka podpisów. Nie odważyła się poprosić o możliwość przeczytania dokumentu.

– Mamy nakaz zatrzymania sprawcy.

– Sprawcy? A co zrobił?

– Nie mogę udzielać takich informacji.

– Jestem jego matką.

– Podejrzany jest pełnoletni. Nie wolno mi niczego ujawniać na jego temat osobom postronnym.

– Urodziłam go. Nie jestem osobą postronną.

– Czy Nazar jest w domu?

Mnaura przełknęła ślinę i pokręciła głową.

– Chyba jeszcze na zajęciach. Powinien wrócić za godzinę lub dwie. Pod jakim zarzutem ma pan rozkaz go zatrzymać?

Milicjant obejrzał się na swoich kompanów. Z ich twarzy Mnaura nie zdołała niczego wyczytać. Pochyliła głowę.

– Proszę mi powiedzieć.

– Panie prokuratorze?

Mundurowy o imieniu Sierik chrząknął i spojrzał na jedynego mężczyznę, który nie był w dresie. Zamiast tego urzędnik miał na sobie wygniecioną marynarkę i zbyt ciepły jak na tę porę roku golf oraz dżinsy. Wyraźnie czuł się nieswojo w tej roli.

– To sprawa o gwałt – wydukał.

Mnaura długo przyglądała się jego brudnym i zmechaconym skarpetom wystającym z sandałów.

– Gwałt? – Wreszcie podniosła dłoń do ust. – To niemożliwe. Panowie są w błędzie.

Prokurator wypiął z teczki jeden z dokumentów. Podał kobiecie.

– Obdukcja ofiary. Przeprowadzona w miejskim szpitalu dziś o piątej rano. Czy syn był tej nocy w domu?

– Tak, oczywiście – pośpieszyła z odpowiedzią Mnaura. Przeleciała wzrokiem papier. – Ależ to Nadia Gabalijewa. Jego narzeczona.

– Pani Kunanbajew, ta dziewczyna nie skończyła piętnastu lat. – Prokurator przyjął ton urzędowej połajanki. Zażenowanie zniknęło. Mężczyzna był coraz bardziej pewny siebie. – Za gwałt na nieletniej grozi kara więzienia do lat ośmiu. Ponadto jest oskarżony o pobicie i groźby karalne. Gdyby pani chciała wiedzieć, dziewczyna jest w ciąży. Była nakłaniana do jej usunięcia. Nie wiadomo, czy dziecko przeżyje po tym pobiciu. No i jeszcze kradzież.

– Kradzież? Pobicie?

Mnaura oddała dokument. Nie była w stanie wydusić z siebie nic więcej. Czuła, że zaraz wybuchnie. Nie wierzyła w ani jedno słowo, które usłyszała.

– To pomyłka. Mój syn nigdy by czegoś takiego nie zrobił. – Podnosiła głos coraz bardziej.

– Mamy nakaz przeszukania lokalu.

– Co niby ukradł mój syn?

– Pani wybaczy, tajemnica śledztwa – zakończył prokurator i dał znak swojej asyście. Kiedy się odwrócił, kobieta na jednej z pięt zauważyła przetarcie w skarpecie. Ogarnęło ją obrzydzenie.

Mężczyźni zaczęli się wciskać do mieszkania. Wtedy Mnaura dostrzegła na ich dłoniach gumowe rękawiczki. Bez ceregieli zaczęli wyrzucać zawartość szaf na podłogę. Nie minęła chwila, a na środku pokoju powstała imponująca sterta dobytku Kunanbajewów. Dopiero kiedy kilka sztuk porcelany spadło ze straszliwym rumorem i się potłukło, z sypialni wyszedł Kodar. Na jego widok Sierik Chajruszew skłonił się z respektem.

– Przepraszamy za najście, mistrzu. Mamy nakaz. Pan prokurator podpisał.

Mnaura nie była w stanie kolejny raz tego słuchać. W jej głowie krążyły najróżniejsze myśli. W gwałt nie wierzyła, ale nastolatka faktycznie mogła być przy nadziei. Kiedy Kerej przyprowadził ciężarną Bibi, miała tylko rok więcej od

Nadii. Synowie Kodara nie zwlekali z zakładaniem rodziny. Mnaura chciałaby zadzwonić do rodziców Gabalijewej albo, jeszcze lepiej, udać się do nich natychmiast i zrugać okrutnie za udział w tej prowokacji. Ale zamiast tego wyszła na balkon. Spojrzała ponownie na rząd czarnych limuzyn. Coś ją tknęło. Zwykli milicjanci nie jeżdżą nowiutkimi żiguli, a już tym bardziej młodzi prokuratorzy w brudnych skarpetach. Co to mogło znaczyć? Najwyraźniej nie cała brygada weszła na górę.

Wtedy w alejce, którą zawsze chodziła, by skrócić sobie drogę od autobusu, dostrzegła syna. Szedł wesoło, machając plecakiem. Nagle zatrzymał się, zapalił. Zirytowała się, bo ukrywał nałóg przed rodzicami. Jak widać, nie był to jedyny jego sekret. Po chwili złość ustąpiła uldze. Nazar żył, wciąż był wolny. Musiała go ostrzec. Podskakiwała i machała rękoma, cały czas zwracając uwagę, aby przewracający dom do góry nogami śledczy nie spostrzegli jej dziwnego zachowania, mając nadzieję, że ją zauważy. Chłopak był jednak wciąż odwrócony plecami. Zbliżała się już do kresu wytrzymałości psychicznej. Wreszcie Nazar spostrzegł ją i zdołała pokazać mu na migi, by uciekał. Musiał zrozumieć jej ostrzeżenie na opak, bo wyrzucił peta i ruszył biegiem do końca skweru. Zanim jednak wynurzył się z krzaków, sam dostrzegł koguta na dachu jednego z cywilnych samochodów, bo nagle odwrócił się i pobiegł na przystanek. Wskoczył do pierwszego nadjeżdżającego autobusu. Mnaura odetchnęła z ulgą.

– Daleko nie ucieknie – usłyszała za plecami. Gdy odwróciła się, ujrzała ospowatego milicjanta o imieniu Sierik. Był podejrzanie zadowolony. – I tak go znajdziemy.

Mnaura podniosła hardo głowę.

– To wszystko kłamstwa. Pan dobrze o tym wie.

– Zobaczymy.

Mężczyzna pomachał jej przed oczyma torebką z folii, w której znajdował się złoty pierścionek w niewielkim rozmiarze. Mnaura nie widziała go nigdy wcześniej.

– Co to jest?

– Przedmiot, który podejrzany ukradł matce poszkodowanej.

– Podrzuciliście go. Mój syn nie jest złodziejem.

Milicjant już nie słuchał. Powiedział coś do człowieka w dziurawych skarpetach, a ten oderwał kartkę z pliku na podkładce i podsunął Mnaurze.

– Protokół przeszukania dokonany zgodnie z przepisami oraz doręczenie wezwania na przesłuchanie. Proszę podpisać w dwóch miejscach.

– Niczego nie podpiszę.

– W takim razie trochę tutaj posiedzimy – odpowiedział spokojnie milicjant. – Otworzymy pokój, z którego dobiega płacz dziecka. Niewykluczone, że i tam coś się znajdzie.

– Proszę o legitymację – odparła bojowo Mnaura. – Niestety nie zapamiętałam pańskiego nazwiska. Może się przydać przy składaniu skargi.

Ospowaty zupełnie ją zignorował. Za to jego młodszy kolega z wewnętrznej kieszeni wygniecionej marynarki wyjął czerwoną książeczkę i rozłożył. Kobieta odczytała: „Grigorij Hajdarowicz, Prokuratura Rejonowa".

W drzwiach balkonowych stanął Kodar.

– Podpisz – polecił żonie. – Nazar miał ten pierścionek w szufladzie. Sam go znalazłem.

Hajdarowicz podał jej pióro. Przeklinała, wypowiadając jego nazwisko, ale złożyła dwa niewyraźne podpisy we wskazanych miejscach.

A kiedy intruzi opuścili dom, długo jeszcze siedziała na taborecie, wpatrując się w swoje pelargonie i alejkę, na której ostatni raz widziała najmłodszego z synów. Większość aut odjechała, ale kilka zostało. Mnaura wiedziała, że nikt z jej rodziny nie ruszy się już bez obstawy. Przeżywali to kilka lat temu. Wtedy obwiniali Sowietów. Kodar walczył z Rosjanami, nawoływał pobratymców do przejęcia władzy. Owszem, Kazachowie zajęli miejsca białych, ale system pozostał ten sam. To ich bracia występują teraz przeciwko nim. A będzie jeszcze gorzej. Dlaczego nikt jej nie słuchał? – utyskiwała. Dlaczego nigdy się z nią nie liczą? A ona, choć ma rację, nie potrafi postawić na swoim. I tak oto za uległość, a raczej głupotę, przyjdzie jej słono zapłacić. Była bliska płaczu, bo być może straciła właśnie trzeciego z synów. Pierwszego Kodar wygnał, bo stawiał wyżej rodową lojalność niż dobro własnego dziecka. Kim odszedł, a Mnaura tyle lat go nie widziała, że nie była nawet pewna, czy potrafiłaby go rozpoznać. Teraz do więzienia trafią Nazar i Kerej, choć starała się, by było im w życiu jak najlepiej.

Ze skrzynek płynęła strumieniami woda. „Musiałam przelać te kwiaty. Dobrze, że są takie upały, to korzenie im nie zdążą zgnić" – westchnęła ciężko, jakby to był jej największy problem, bezmyślnie wpatrując się w ścieżkę prowadzącą na przystanek. Modliła się tak gorliwie, by Nazar się uratował, Kerej wyszedł z aresztu, a Kim wrócił do domu, że zupełnie straciła poczucie czasu. Tak bardzo znów pragnęła spokojnego życia. Przeklinała w myślach milicjantów oraz tych wszystkich, którzy nagle sprzysięgli się przeciwko ich rodzinie, choć wiedziała, że to niczego nie zmieni. Balkon opuściła dopiero o zmierzchu. Wtedy odsunęła maszynę, uwolniła awanturującą się teściową. Bibi i Osman wciąż leżeli skuleni na polówce. Nawet nie podnieśli głów. Mnaura uświadomiła sobie, że jest potwornie zmęczona. Myślała, że nie wystarczy jej sił nawet na doczołganie się do łóżka. Jakże się myliła.

Znów wybrzmiał dzwonek, a Ojsze pobiegła otworzyć. Mnaura była gotowa na najgorsze.

– Czy można? – Na korytarzu stanął drobny, niski Kazach w bryczesach.

– Sobirżan? – Mnaura obejrzała się ze strachem na Kodara, który, jak gdyby nigdy nic, milczał, tępo gapiąc się w telewizor.

Żyła z nim tyle lat, wiedziała więc, że mąż w ten sposób przeżywa rozpacz i zbiera siły do ataku.

– To nie jest dobry moment, Sobik – szepnęła do bogacza. – Przyjdź innego dnia.

– Nie mam czasu, Ureczka. Córkę mi uprowadzili.

Kobieta najpierw dotknęła dłonią ust, a potem wzięła się pod boki.

– A my mamy dwóch synów w areszcie. Kim, ten pierwszy, przez ciebie i Jerboła splamił honor ojca. Dobrze wiesz, jak bardzo Kodar to przeżył.

Kazangap patrzył na kobietę dłuższą chwilę, a potem wziął jej ręce w swoje dłonie i uścisnął.

– Mamy więc wspólny interes. Musimy ratować nasze dzieci.

– Tobie nie o to chodzi, Sobik. Myślisz tylko o pieniądzach. My ich nie mamy.

– Mnie jeszcze trochę zostało – odparł biznesmen i uśmiechnął się smutno. – Powiedz Kodarowi, że konieczny jest sąd rodowy. Potrzebuję spotkać się z naszym *sifu*. Jeśli Kodar nie zechce mnie wesprzeć w tej sprawie, odejdę.

– Wpuść gościa, matka – dobiegł z salonu baryton Kunanbajewa.

Mnaura obejrzała się zdziwiona. Sobirżan pewnie ruszył wprost do salonu.

– *Salem*, mistrzu – skłonił się.

Kunanbajew wstał i odpowiedział w ten sam sposób.

– Podaj coś do jedzenia – zwrócił się do żony, a na jego twarzy zagościł cień uśmiechu.

– Coś się znajdzie. – W Mnaurę nieoczekiwanie wstąpiła nadzieja. – Bibi cały dzień siedziała w kuchni. Założę się, że Sobirżan dawno nie jadł domowego szaszłyka.

– Zgadza się – potwierdził Kazangap. – I był to twój, kumo. Po naszej ostatniej walce, kiedy byliśmy z Jerbołem w jednej drużynie – uśmiechnął się do Kunanbajewów. – Ale bardzo chętnie sobie przypomnę, jak smakuje.

Mnaura cicho zamknęła drzwi, by mężczyźni mogli swobodnie porozmawiać.

Wiera wbiegła na próbę dużo wcześniej, ale już w holu poczuła, że coś tu nie pasuje. Szatniarz obrzucił ją złym spojrzeniem, a tancerki tylko pisnęły i schowały się za kotarą, skąd dobiegały już muzyka i śpiewy. Przez szparę między drzwiami zobaczyła tylko kilka pawich ogonów, a i to jedynie dlatego, że najmłodszej, która zawsze po antrakcie gubiła rytm, spadł czepiec z pióropuszem. Potem pojawiła się ekipa z długim wieszakiem pełnym ludowych przebrań do innego przedstawienia. Zablokowano jej przejście. Wierze pozostało udać się do garderoby.

W jej głowie kłębiły się myśli, a dłonie zaciskały w pięści. O tej godzinie tancerki nigdy nie były w strojach galowych. Czyżby dyrektor zarządził próbę generalną dwie godziny wcześniej? W mieszkaniu, które wynajął dla niej Kerej, był telefon. W teatrze znali jej numer. Wiera cały dzień czekała na wiadomość od kochanka, więc nie mogła nie usłyszeć dzwonka. Z każdym krokiem upewniała się, że nie powiadomiono jej z rozmysłem.

W korytarzyku znów ktoś ukradł żarówki, więc szła po omacku. Ostatnie drzwi były uchylone. Oświetliła wejście zapalniczką. Plakat z nią był podarty, a po podłodze walały się resztki jej fotografii. Na gwoździku wisiała tylko niebieska nitka, na której sama mocowała poster przed premierą. Nabrała powietrza i z wściekłością popchnęła drzwi.

Promienie słońca, które wlewały się przez wielkie modernistyczne okna, na moment ją oślepiły. Po chwili jednak była już pewna. Stanowisko solistki było zajęte. Na krześle leżała połyskliwa sukienka, a pod nim ustawiono lakierowane szpilki. O takich butach Wiera wciąż mogła tylko marzyć. Na jej ladzie leżały cudze kosmetyki. Podniosła puder i szminkę – odczytała marki. To nie były tanie mazidła. I na dodatek nowiutkie, jeszcze w opakowaniach. Za nimi znajdowało się pudełko ze wstążką. Wiera domyśliła się, że jej rywalka dostała to wszystko w prezencie właśnie dziś, przed próbą. Miała bardzo złe przeczucia, ale wciąż jeszcze nie chciała im wierzyć. Obejrzała elegancką torbę ze skórzanymi lamówkami. Również wyglądała, jakby dopiero przed chwilą ktoś odciął z niej metki. Zamek zostawiono otwarty, z bocznej kieszeni wystawała podniszczona książka po niemiecku. Wiera pochyliła się i wygrzebała z bagażu rywalki kilka czarnych peruk stylizowanych na lata dwudzieste. Obejrzała je ze wstrętem i odłożyła na miejsce, dokładnie tak jak leżały wcześniej. Kipiała z gniewu.

Stała jeszcze chwilę bez ruchu, zbierając myśli. Próbowała przygotować grzeczną mowę, którą zamierzała wygłosić przed dyrektorem po to, by odzyskać miejsce solistki. Ale nie wytrzymała. Jednym zamaszystym ruchem zrzuciła wszystkie ślady bytności rywalki i zrobiła sobie miejsce. Hałas ją oszołomił, ale po chwili wybuchnęła głośnym śmiechem. „Niech przychodzą, niech ją teraz zobaczą”

– powtarzała w myślach po ukraińsku. Da im do wiwatu, zrobi taką awanturę, że zapamiętają na wiele sezonów. Czekała, ale nikt się nie pojawiał. Podeszła więc do okna i otworzyła je na oścież. Wychyliła się. Było wysoko. Siódme piętro, a jakby dziesiąte w bloku. Usiadła na parapecie, choć regulamin tego zabraniał. Zapaliła. Spojrzała w dół, obserwując, jak na głowy śmigających tam i z powrotem tragarzy spada popiół. Domyśliła się, że skoro obsługa tak pośpiesznie wnosi do teatru kolejne elementy scenografii, jej spektakl wkrótce zdejmą z afisza. Czyżby ta skorumpowana Niemka na stałe miała zająć jej miejsce? Poczuła mdłości. Rzuciła tlący niedopałek i jeszcze w oknie zaczęła się rozbierać. Powoli, z pietyzmem włożyła kostium, lekko się umalowała, a potem wyciągnęła z szafy znoszone obuwie z przydziału. Kiedy była już pod salą, zerknęła na przegub. Zapomniała zdjąć bransoletki z aleksandrytami. Trudno, zdecydowała, jeśli pęknie, zgubi ją, widać tak musi być.

Przedstawienie osiągnęło punkt kulminacyjny, dlatego reżyser nie od razu dostrzegł wejście dotychczasowej gwiazdy. Wiera stała chwilę, wpatrując się w dyrygenta i orkiestrę, a potem niszcząc choreografię, wkroczyła na środek sceny. Na jej miejscu stała sympatyczna dziewczyna o nordyckich rysach. Spod jej czepka wystawały czarne jak heban włosy. Wiera już z daleka widziała, że nie są prawdziwe. Niemka byłaby zachwycająca w roli rumianej bawarskiej kelnerki, ale nie nadawała się do rozbieranej rewii. Sznurki od stanika wbijały się w jej zapasione boczki. Nogami wymachiwała bez gracji, jak zdziczała krówka, która zamierza kopnąć napastliwą dojarkę. Musiała być tego świadoma, bo na jej twarzy gościł cień zażenowania. Wiera poczuła nutę satysfakcji.

Wyprężyła swoje oszałamiające piersi i wciągnęła brzuch.

– Zapomniałeś do mnie zadzwonić, Marat? – Uśmiechnęła się promiennie, ale w oczach błyskały dzidy, noże i tasaki.

Reżyser odwrócił się i aż otworzył usta ze zdziwienia.

– Ach, jesteś, Boska – wydukał, a potem z przestrachem zerknął na pierwszy rząd widowni.

Wiera podążyła za jego spojrzeniem. Tylko kilka krzeseł było zajętych. Ta nieliczna grupa wyglądała jak komisja egzaminacyjna w szkole aktorskiej albo skład sędziowski. Ale ze sceny zalanej światłem z tej odległości poza dyrektorem teatru Wiera nie była w stanie rozpoznać nikogo.

– Wcześniej zaczęliście. Szkoda, że nie wiedziałam. Przyszłabym punktualnie. Widać nie zależało ci na mojej obecności. Teraz rozumiem dlaczego. Mamy nową dostawę pączków.

Podeszła do Niemki. Poprawiła brokatowy pasek przy czepcu, a potem chwyciła ją za policzek i ścisnęła z całej siły.

– Wypierdalaj. *Raus!*

Tancerka pisnęła i pokornie stanęła w drugim rzędzie. Ale Wiera nie zamierzała na tym poprzestać.

– Żartowałam. – Chwyciła rywalkę za włosy i pociągnęła. Drugą ręką złapała ją za ramię.

Tym razem Niemka nie wydała z siebie żadnego dźwięku.

– Vero, mogę cię prosić do nas? – usłyszała głos dyrektora. – Skończmy próbę, a potem porozmawiamy.

– Teraz porozmawiamy, skurwysynu! – ryknęła Wiera. – Co tu się odstawia? Kim jest ta larwa?

– Pani Kostyra, prosimy o spokój – padło z pierwszego rzędu. Głos należał do kobiety i brzmiał dystyngowanie. – Zawołajcie szatniarza. Niech ktoś wezwie ochronę. To żenująca sytuacja.

Dyrektor wstał i ruszył truchtem po schodkach. Chwilę mu zajęło, zanim wdrapał się na scenę. W tym czasie Wiera ogołociła już pióropusz Niemki i zerwała jej perukę. Spod niej ukazał się koczek ciemny blond, zwinięty pod siatką. Dziewczyna wyglądała jak kurczak pozbawiony pierza. Pozostałe tancerki rozstąpiły się i przyglądały tej scenie z kpiącymi uśmiechami. Niektóre mówiły coś pod nosem. Wiera jednak niczego nie słyszała. Zapalczywie darła skąpe przebranie rywalki, a kiedy pękły biustonosz i maskownica na brzuchu, wszyscy mogli zobaczyć trzęsące się fałdy oraz ciemnobrązowe sutki.

– Dosyć!

Dyrektor wreszcie dopadł rozszalałej aktorki i próbował siłą sprowadzić ją ze sceny. Z boku nadbiegali już ochroniarze.

– Koniec próby. Można się rozejść! – zarządził. Chwycił Wierę pod ramię i wysyczał jej do ucha: – Ubierz się, a potem przyjdź do mnie. Grasz dziś normalnie. Wszystkie bilety wyprzedane.

– Odpierdol się! – krzyknęła Wiera i wybiegła na środek podestu, by się rozpędzić.

Zeskoczyła na wprost pierwszego rzędu. Widzowie z piskiem zerwali się z krzeseł. Dziewczyna poczuła satysfakcję, że tak ich przestraszyła. Upadła na kolana. Przez chwilę nie była w stanie się podnieść. Bała się, że połamała sobie nogi, ale czucie szybko w nich wróciło. Kiedy podniosła głowę, zobaczyła beżowe czółenka i zgrabne nogi odziane w jedwabne rajstopy. Nie musiała patrzeć wyżej, by wszystko zrozumieć.

– Gratuluję występu – rzekła zimno Zere Bajdały. – Ma pani temperament. A na drugi raz radziłabym mniej pić.

– Jestem absolutnie trzeźwa i dobrze pani o tym wie.

Wiera podniosła się z klęczek. Otrzepała, a potem dostojnym krokiem opuściła salę. Sprzed drzwi wyjściowych nagle zawróciła.

– Ostatnio była pani bardziej uprzejma – powiedziała, zdjęła z ręki bransoletkę i podała ją kobiecie. – Proszę oddać synowi. Niech zostawi mnie w spokoju.

Zere wzdrygnęła się, jakby dostała w twarz.

– Wyglądam na posłańca? A to, jak pani się prowadzi, to pani rzecz – syknęła i skierowała się do bocznego wyjścia.

Szatniarz kłaniał jej się nisko i trzymał otwarte drzwi, aż szefowa prokuratury zniknęła na schodach przeciwpożarowych. Wiera wyszła główną furtą.

W holu zapanowała cisza.

Wiera nagle poczuła się pusta w środku i bardzo słaba. Szukała wzrokiem jakiejś otuchy, ale tancerki się rozpierzchły. Tylko ta niezdara, nad którą od początku pobytu w Uralsku Ukrainka pastwiła się i którą przezywała niedojdą, podeszła i podała jej kolorową bulwarówkę. Oddaliła się, zanim Wiera zdążyła znaleźć właściwą stronę.

„Mówił, że kocha, prosił o rękę. Dzieci chciał mieć gromadę. A potem do aborcji zmuszał i śmiercią groził w razie sprzeciwu. Teraz żeni się z inną. Inną kocha. Bogatszą. Brzydszą. Młodszą. Mama mu ją wybrała. Mnie nie pamięta. Ale ja milczeć nie zamierzam. Nachodzić go będę, choćby po śmierci. I przeklinam, przeklinam, przeklinam" – krzyczał nagłówek umajony zdjęciem Ajszy, gwiazdy kazachskiej estrady, której pieśni biły rekordy popularności. Wiera musiała przeczytać jeszcze raz, by pojąć, że to nie wyznanie, ale tekst piosenki – ostatni hit list przebojów. Wywiad zaś dotyczy jej byłego kochanka – Rustema Bajdałego, który, jak informowało czasopismo, żeni się za tydzień z córką naftowego magnata, Dildą.

Wiera zamknęła oczy, starając się opanować, ale czuła, że jej stan tylko się pogarsza. Gniew ją rozsadzał. Miała ochotę coś stłuc, zniszczyć. Była gotowa uderzyć pierwszą osobę, która by do niej teraz podeszła. Ale była w holu sama. Zamiast tego rozpłakała się i skuliła pod ścianą, bezskutecznie zasłaniając ramionami nagość. Zrozumiała, że właśnie złamała sobie karierę, a co gorsza, nie ma nawet na bilet powrotny do domu.

– Chodź, nie siedź tutaj. Już wystarczająco dużo zobaczyli.

Poczuła ciepłą dłoń na ramieniu. Otworzyła oczy. Przed nią stała Oksana – rodaczka, której kilka dni temu na polecenie Kereja w ostrych słowach wypowiedziała pokój. Wierze było teraz podwójnie głupio.

– Co tu robisz?

– Rustem po mnie posłał – szepnęła kobieta, zwinęła czasopismo w rulon i wrzuciła je do kosza na śmieci.

– Gdzie zostawiłaś małą?

– Obie nas wykorzystał. Zaraz ci wszystko powiem.

A potem okryła aktorkę swoją samodziałową kurtką i wyprowadziła z holu, w którym pojawili się już pierwsi widzowie. Wiera poczuła pot Oksany. Kobieta wciąż nie miała gdzie mieszkać, bo jej odzież była nie tylko nieświeża, ale pachniała ropą i prochem strzelniczym.

Ptak zafurkotał skrzydłami i wzbił się pod niski daszek przydomowej szklarni. Uderzył dziobem w szkło i spadł bez czucia. Leżał chwilę jak martwy, potem wstał i ukrył się między narzędziami ogrodniczymi.

Barak Ułakczi odłożył motykę i nie bez bólu wyprostował stare kości. Dopiero wtedy przyjrzał się czarnoskrzydłemu tułaczowi. Musiał mieć połamane skrzydła, bo z trudem wzbijał się na niewielką wysokość. Hartu ducha mu nie brakowało, ale polecieć zbyt wysoko nie dał rady. Nie spuszczał wzroku z człowieka, który pojawił się nie wiadomo skąd. Mierzyli się tak dłuższą chwilę, aż ptaszysko spanikowało. Jeszcze kilkakrotnie wykonało swój rozpaczliwy taniec. Barak poczekał, aż niespodziewany gość się uspokoi, by w końcu chwycić ścierkę suszącą się na drągu i w dwa kroki znaleźć się obok ptaka. Nakrył go płachtą i schwytał. Niósł do wyjścia i już miał wypuścić, kiedy wieszczek zaczął rozpaczliwie walczyć o wolność. Barak zacisnął dłonie na tułowiu zdobyczy. Gdyby chciał, jednym ruchem zdołałby skręcić kark wiercącemu się ptaszysku. Wyszedł jednak ze swojej małej szklarenki i odsłonił szmatę. Zmierzwiona głowa wychyliła się spod niej, błysnęły czarne ślepia. Potężny żółty dziób mignął Barakowi przed oczyma, czerwone łapy z pazurami zacisnęły się i gdyby nie refleks dawnego zapaśnika, staruszek nie miałby już oka. Wściekły wyrzucił ptaszydło do góry i chwycił się za twarz. Z policzka ciekła mu strużka krwi zmieszana ze łzami. Wieszczek zaś rozpostarł skrzydła, uniósł się, załopotał i kilka metrów dalej spadł na beton między garażami. Bawiące się dzieci rozbiegły z piskiem.

Barak, wciąż krwawiąc, niechętnie ruszył w tamtym kierunku.

– Malik, zostaw – krzyknął do jednego z chłopców, który już czaił się na ptaka z drągiem. – To żywe stworzenie. Pastwienie się niegodne jest wojownika.

Zmieszany chłopiec natychmiast się odsunął.

– On stale tu przylatuje. Siada i się gapi. Boimy się go. Jest dziwny.

Wtedy Barak dostrzegł za plecami dzieciaków spasionego białego trzydziestolatka. W jego świńskich oczach tliła się niezdrowa ciekawość.

– To wasz ptak, dziadku? – zapytał Andriej Mikroruysznikow.

Barak wiedział, że Rosjanin, nazywany przez ludzi z miasta imieniem Miko, szpieguje dla milicji. Za swoje zasługi dostał niedawno na własność narożne mieszkanie z balkonem. Staruszek do tej chwili starał się z nim nie spotykać.

– Na hodowanie ptaka w domu trzeba mieć zgodę administracji – w głosie tajniaka czaiła się groźba.

Barak nie odpowiedział. Popatrzył jeszcze chwilę na czarne cielsko młodego wieszczka, a potem pochylił się, jeszcze raz walcząc z bólem reumatycznym, owinął je ścierką, chwycił pod pachę i poniósł do klatki schodowej przy ulicy Żdanowa, gdzie miał swoje dwadzieścia dwa metry w lokalu komunalnym. Dzieci biegły za nim aż do trzeciej bramy, ciekawe znaleziska, które spadło na nie z nieba. Barak nie pozwalał im dotykać ptaka ani też więcej nie odezwał się ani słowem. Sam zresztą nie do końca wiedział, dlaczego pomaga głupiemu poszkodowanemu zamiast ulżyć jego cierpieniu. Czyżby na starość stawał się sentymentalny? Zdziwiło go jednak, że w samym środku miasta pojawił się ptak górski, którego Barak rozpoznał po charakterystycznych spiczasto zakończonych piórach na szyi i ciemnozielonym połysku na wierzchu głowy oraz reszcie ciała. Na piersi, skrzydłach i sterówkach widoczny był fioletowy odcień czerni. Niewprawne oko, poza koralowymi łapami i żółtym dziobem, widziało smolistego kruka, ale Barak wiedział, że przedstawicieli tego gatunku nie spotyka się w zachodnim Kazachstanie. Biedak musiał pokonać długą drogę, a miasto z pewnością nie było dla niego przyjaznym środowiskiem. Z jakiejś przyczyny jednak nie odlatywał.

Przed wejściem do klatki czekała na niego kolejna niespodzianka. Sobirżan Kazangap i Kodar Kunanbajew stali z rozstawionymi nogami i podniesionymi rękoma, a czeczeński ochroniarz ich przeszukiwał.

– Idź stąd, Mudiła – zacharkotał śpiewnie Barak i otrzepał pyłek z ubrania Sobirżana.

Kodar nie pozwolił się dotknąć. Zerknął na pakunek pod pachą Baraka. Roześmiał się.

– Mistrza czas się nie ima.

Barak pogładził białe wąsy i poprawił kolorową czapeczkę na głowie. Wciąż jednak nie otwierał drzwi i nie zapraszał gości do środka.

– Za to wy zestarzeliście się obydwaj, wisusy – powiedział w końcu po kazachsku.

Sobirżan wyniośle spojrzał na zaciętego Czeczena, który nadal stał pod ścianą.

– Możemy liczyć na *czaj-kok*?

– Samowar zepsuty – odparł flegmatycznie starzec. – Już będzie szósty rok.

– Szklanka wody też gasi pragnienie, mistrzu Barak.

– Tolik wystarczy. – Staruszek skinął głową Mudile, który schował się wreszcie w mieszkaniu naprzeciwko.

Wszyscy usłyszeli piskliwy głos kobiety, która rugała Czeczena za spóźnienie. Barak wykonał ręką pojednawczy gest, a jego leciwi uczniowie się uśmiechnęli i dopiero wtedy starzec nacisnął klamkę swoich drzwi.

– Jak do mnie trafiliście? – zapytał jeszcze w przedsionku. – Czyżbym na stare lata stracił dar czujności?

Mężczyźni wymienili spojrzenia. Kodar uśmiechnął się pojednawczo do Sobirżana.

– Sułtan ma talent, mistrzu. Wiesz, że dla niego nigdy nie istniały rzeczy niemożliwe.

– Tak było do niedawna – mruknął Sobirżan. – Wygląda na to, że szczęście mnie opuszcza.

– Szczęście przychodzi do tych, którzy się pracowicie trudzą – odparł Barak. – A los zawsze oddaje, co zabrał. Karty się odwracają nieustannie.

– Nienawidzę hazardu – rzekł Kodar.

– Czyżbyś więc nienawidził życia? – Twarz Baraka pozostała nieodgadniona. – Nikt cię nie pytał, czy chcesz grać. Dopóki żyjesz, to twój obowiązek.

Weszli wreszcie do głównego pomieszczenia. Owionął ich odór lokalu zajmowanego przez mężczyznę od ponad pół wieku żyjącego samotnie. Przypominał zapach męskiej szatni po treningu wymieszany z aromatami z domu starców i więziennej stołówki.

– Myślałem, że zobaczę tu twoje wielbłądy, mistrzu – zażartował Sobirżan.

– Oddałem je pod opiekę do zagrody industrialnej – padła odpowiedź. – Stefan i Nel żyją w stepie. Odwiedzam je czasami, jak jest zamówienie z miasta. Ostatnio dość często. Gorąco się robi w Uralsku.

– My właśnie w tej sprawie, mistrzu.

– A więc potrzebujecie automatów? Mudiła organizuje zaopatrzenie i prowadzi negocjacje. Idźcie do niego. Ja mam swój mały interesik. Gdzie mi tam do was – roześmiał się Barak, powoli zwijając zatłuszczoną gadzinówkę z resztką wędzonej ryby i kładąc na stole wciąż nieprzytomnego ptaka.

Sobirżan i Kodar obserwowali te działania w milczeniu.

Wreszcie starzec wskazał im do siedzenia coś, co dzień w dzień pełniło pewnie funkcję łóżka, czyli trzy deski skręcone razem potężnymi śrubami. Nie było na nim materaca ani poduszek. Tylko u szczytu zwinięty – sądząc po przetarciach zamka – wiekowy wojskowy śpiwór. Na środku deski umocowanej poziomo widać było wgłębienie. Zostało wyżłobione ręcznie, zapewne przez samego Baraka. Mężczyźni karnie zajęli miejsca na deskach. Gospodarz nalał im po szklance wody z kranu. Sobie zaś przysunął mały, bogato zdobiony stołeczek i przykucnął na nim niczym wrona na gałęzi. Odchrząknął znacząco.

– Jerboł jest zbyt zajęty przygotowaniami do wesela Rusta, by pofatygować się z wami?

– Nie wiemy, czy jeszcze jest z nami – zaczął ostrożnie Sobirżan.

– Od dawna, mistrzu, nie ma już naszej trójcy – dorzucił Kodar. – Odkąd twoje włosy są białe, a ja straciłem najstarszego syna.

Barak uśmiechnął się pobłażliwie.

– To twoja wina, *malczik* – rzekł. – Bo zamiast rywalizować ze sobą, powinniście zewrzeć szeregi. Pamięć dobrych czynów bywa w drużynie ciężarem. A tych złych o ileż jest gorsza. Nie patrz na to, co było, Kodar. Nie badaj, co dobre, a co złe. Gdy zło wystarczająco dojrzeje, samo zostanie zniszczone.

Wycelował w Kodara wykrzywiony reumatyzmem palec.

– Tobie jedynie miecz przynależy.

Potem przesunął palec na Sobirżana.

– A dla ciebie jest tylko pióro.

I nagle odwrócił się, bo ptak na stole nieznacznie się poruszył. Szmata się odsłoniła, ukazując czarne skrzydło. Uczniowie pomyśleli, że mistrz wciąż ma genialny refleks.

– Jerboł dzierży berło – ciągnął tymczasem Ułakczi. – I wam trzeba się temu podporządkować. Taka jest wasza rola, chłopcy.

– Mistrzu, czasy są inne – przypomniał spłoszony Sobirżan. Widać było, że ciężko znosi, gdy jest traktowany jak dziecko. – To już tak nie działa.

– Sowieci uciekli – zgodził się Barak. – Teraz Kazachowie zajmują stanowiska i kierują państwem. Nasze zasady są i będą zawsze aktualne.

Sobirżan poczekał, aż wybrzmi ostatnie słowo mistrza, a potem dokończył jego myśl:

– Prawda, że żuzy mają znów znaczenie. Odradzają się i dobrze się dzieje. Ale sam powiedz, mistrzu, jak mam się poddać władzy kogoś, kto czyni zło i ma tylko swój interes na względzie?

– Kiedy był w sojuszu z tobą, jakoś ci to nie wadziło.

Sobirżan się zaczerwienił. Pochylił głowę jak sztubak. Barak uznał, że wystarczająco obsztorcował ucznia, bo dalej mówił już łagodniej:

– Dobry władca najpierw dba o siebie, by mieć z czego nagrodzić wiernych mu ludzi. Nieopłacani wszelkie dobro obrócą wniwecz.

Wreszcie spojrzał na Kodara.

– A ty? Zagwarantujesz mi, że po wyborach się nie zmienisz? Po co ci władza, wojowniku? Szukaj lepiej rozumu, który ci zaginął.

Kodar nic nie odpowiedział. Odwrócił głowę do okna.

– To się nazywa demokracja, mistrzu – bronił Kodara Sobirżan. – Każdy ma prawo dziś kandydować. Ty również!

Barak siedział nieruchomo.

– Sam jakoś się do tego nie garniesz – odezwał się wreszcie z dezaprobatą. Oczy zmieniły mu się w szparki, a usta wygięły w dół. – Za to wiem, że jeszcze przed tygodniem pomagałeś Jerbołowi pisać umowy, nie mając na względzie ambicji Kodara. Starosta twój meldunki do prokuratury składa wzorowo. Pióro swe dzierżyłeś więc dotąd godnie. Co się stało, Sobik, że nagle zmieniasz front i odnawiasz sojusz z wojownikami? Armii potrzebujesz? Po co? Szykujesz się na bitwę? A może doskwiera ci już łatka baja Sułtana?

Sobirżan zmełł w ustach odpowiedź niegodną szlachetnych uszu jego mistrza. Uspokoił się i próbował mówić z rozwagą.

– Mam podstawy, by przypuszczać, że ród Bajdałych stoi za uprowadzeniem mojego dziecka.

– Którego?

– Córki Salimy. Ałgyz została porwana, i to nie przypadek, że przed wyborami oraz przed jej weselem, które jest dla naszego rodu strategicznie ważne.

– Zbyt szybko stawiasz kroki, Sobik.

Barak podniósł się z kucek. Podszedł do ptaka, który ocknął się już i zaczął poruszać.

– Na dziecku ci zależy czy na zemście? Zdecyduj się.

– Moi synowie są w więzieniu – włączył się Kodar. – Szakale Bajdałego chcą mnie zniszczyć, dręcząc niewinnych potomków.

– I ja, Tolik Wieriemiuk, emerytowany ślusarz z fabryki, mam ci pomóc, Kodar-san? – Barak roześmiał się diabolicznie. – Zabij ich, skoro mniemasz, że jesteś w prawie.

– Jak, mistrzu?

Barak wskazał okna i drzwi.

– Za ścianą mój sąsiad bardzo lubi dzwonić w jedno miejsce. A że tylko Miko w całym bloku ma sprawny aparat, to i milicja go lubi. Dziś nie spodobał mu się mój wieszczek. Widzę, że nieprzypadkowo znalazłem dziś tego ptaka. Nowiny przyniósł godne. Dopóki jednak sąsiad mój nie wykona ruchu, ja nie użyję wobec niego pięści. Patrzę, obserwuję, jestem czujny. Kiedy jednak przyjdzie pora, ostrzegać go nie będę. Grozić może baba. Człowiek podejmuje decyzje.

Sobirżan i Kodar popijali wodę. Żaden nie odważył się skomentować słów mistrza. Do tej pory nie rozważali usunięcia Jerboła. To byłby zamach na kastę władców. Rozpętaliby wewnętrzną wojnę. Krwawą i trwającą wiele lat. Żaden nie był na to gotów.

– Poruszaj się w bezruchu – kontynuował Barak. – Niecelny cios zwykle bywa śmiertelny.

– Czyli nie wezwiesz Bajdałego? – Sobirżan podniósł głowę. – Nie upomnisz go?

– Nie. Jerboł musi sam zrozumieć, że warto do mnie przybyć. Zresztą czasy są inne, sam powiedziałeś. Kto by chciał słuchać morałów starego człowieka? Po co?

Obydwaj uczniowie wiedzieli, że to zbędna kokieteria. Wszyscy w tym mieście liczyli się z opinią Tolika. To on zawiadywał handlem bronią i miał na usługach swoich Czeczenów.

– A jeśli przybędziemy we trzech? – Kodar podniósł się. – Będziesz mediatorem?

– Konfliktu tutaj nie widzę. Jeśli Sobik zechce, pomoże ci w wyprostowaniu krętych ścieżek synowskich. Tak czynią sojusznicy. Niekoniecznie muszą się wciąż przyjaźnić.

Kodar spojrzał na Sobirżana. Ten pokiwał głową na znak zrozumienia.

– Tak uczynię, Tolik – zapewnił.

– A Ałgyz to córka mądrej dziewczyny i ma jej wsparcie z niebios. – Staruszek uśmiechnął się i zajął opatrywaniem złamanego skrzydła ptaka. – Niedobrze uczyniłeś, Sobik, targując za nią swój biznes. To nie ludzie ci się sprzeciwiają, lecz duchy przodków. Przemyśl to jeszcze i wróć na właściwe tory, bo los krwawo cię pouczy. Bierz, co ci daje, a wszystko samo się ułoży.

A potem zwrócił się do drugiego z uczniów:

– I tak, skoro już zapytałeś, Kodarze, to chciałbym przed śmiercią zobaczyć swoich uczniów w jednym czołgu.

Następnego dnia Kerejowi oddano dokumenty i pozwolono wrócić do domu. On sam po wyjściu z komendy oczekiwał najgorszego, ale przed bramą nie czekał żaden z żołnierzy Nochy. Auto stało zaparkowane dokładnie tam, gdzie je zostawił. Śladów włamania nie było. Mimo to jeszcze tego samego dnia kupił dubeltówkę i zarejestrował broń w związku myśliwskim. Zdecydował też, że od tej chwili nie ruszy się nigdzie bez składanego noża.

Dalej wszystko szło jak po maśle: uporządkował sprawy urzędowe, odzyskał magazyn. Oddano mu też część towaru, który natychmiast zawiózł na bazar. Jego kram świecił pustkami, zlecił więc uczniom wznowienie sprzedaży. Bibi wróciła do domu. Gdy tylko położyła małego Osmana na poobiednią drzemkę, zadzwonił dyrektor szkoły, by jak najszybciej zgłosiła się na dodatkowy egzamin. Zapewnił, że jeśli uzyska właściwą liczbę punktów, ponownie ją przyjmą do pracy. Przepraszał, jak mógł, że te kilka dni przerwy jest zmuszony potrącić jej z urlopu. Bibi skwapliwie przystała na te warunki.

Wydawało się, że wszystko znów zaczyna się układać. Kerej wietrzył jednak podstęp i chciał jak najszybciej porozmawiać o tym z ojcem. Ale matki przekazały mu, że Kodar ma pilne spotkanie ze starszymi rodu w sprawie Nazara. Pojechał więc do Wiery.

Mieszkanie było puste. Drzwi otworzył swoim kluczem i zostawił kochance pięć pudeł z najpiękniejszymi modelami szpilek, które sobie wybrała. Sprawdził pokój na końcu korytarza: po bytności Oksany nie pozostał nawet okruszek. Jakby nikt nigdy tam nie mieszkał. Niesamowita czystość panowała zresztą w całym mieszkaniu, jakby dopiero co opuściła je ekipa sprzątająca. Tylko sypialnia Wiery pozostała w takim stanie, w jakim opuściła ją tancerka. Kremowa halka i zmęczony stanik leżały porzucone na skotłowanym łóżku. W szafie wciąż stała nierozpakowana walizka. Tam, gdzie ostatnio znajdował się wazon z kwiatami od tajemniczego wielbiciela, Kerej umieścił jeszcze większy bukiet. Zostawił liścik z przeprosinami i prośbę, by jak najszybciej się z nim skontaktowała. Wieczorem zamierzał porozmawiać o niej z matką. Nie zdążył.

Po treningu od swoich uczniów usłyszał o skandalu, jaki poprzedniego wieczoru wybuchł w teatrze. Pokazali mu ostatnie numery gazety.

„Solistka najnowszej rewii – doskonale zapowiadająca się Wiera Kostyra – rzuciła się z okna swojej garderoby i zginęła na miejscu. Mówiono, że była pijana. W chwili śmierci miała na sobie tylko bransoletkę wartą kilka tysięcy dolarów" – pisano.

Zaprzeczały temu jej koleżanki. Wiera tego dnia nie piła ani nie brała narkotyków – zapewniały śledczych, ale te zeznania nie znalazły się w aktach. Podobnie jak plotki, które rozeszły się po mieście. Tancerki szeptały o groźbach, które otrzymywała, siniakach na jej ciele oraz tajemniczym kochanku. Milicja nigdy nie dotarła do drogocennej bransoletki. Mimo śmierci gwiazdy spektaklu nie zdjęto z afisza. Jeszcze tego samego dnia miejsce Wiery zajęła inna tancerka. Krytycy uznali, że Niemka tańczyła całkiem nieźle, ale nigdy nie dorobiła się etykietki „boska". Wkrótce o Wierze zapomniano.

Po jej ciało długo nikt się nie zgłaszał. W końcu została pochowana na cmentarzu prawosławnym, znajdującym się w maleńkiej wsi pod Uralskiem. Praktycznie pod płotem, na rozstaju dróg, co miało uniemożliwić jej duchowi powrót do społeczności. W ten sposób miejscowi potwierdzali swoją władzę nad rebeliantką, za jaką uważano samobójczynię. W ceremonii pogrzebowej uczestniczył jedynie wiejski pop, choć niektórzy twierdzili, że w okolicy widziano żiguli koloru „mokry asfalt", a za jego kierownicą siedział Azjata o zadziwiająco jasnych włosach. Plotkowano, że to on był owym tajemniczym kochankiem i jego zazdrość przyczyniła się do śmierci aktorki. Aby pozbyć się wyrzutów sumienia, opłacił duchownego, który odprowadził kobietę w ostatnią drogę. Mówiono jeszcze wiele. O zemście, ostrzeżeniu ze strony miejscowego gangu, klątwie i romantycznej miłości. Żadna z tych informacji nie została potwierdzona.

PO CZWARTE

POZNAWAĆ DROGI WSZELKICH RZEMIOSŁ

2001 rok, Ząbkowice Śląskie, Polska

– Nie odpowiesz?

– A co byś chciała usłyszeć? – Tośka z hukiem odstawiła mikser. – Że go zostawię?

Matka długo patrzyła na córkę z wyrzutem. W końcu wzięła się do sprzątania. Tośka, kierując się jakimś wewnętrznym nakazem, rzuciła się do pomocy. Za wszelką cenę starały się nie spotkać wzrokiem.

– Tego właśnie oczekuję – szepnęła Alina Petry. – Przecież to czyste szaleństwo.

– Mamo, wszystko przemyślałam. Nie zrobię tego.

– Oszukał cię. Nawet imię podał inne.

– Nie do końca tak było. Może nie wszystko ci powiedziałam, ale on mnie nie okłamał. Od początku wiedziałam, kim jest i co zrobił.

Matka jakby tego nie słyszała.

– Do sklepu nie mogę wejść, bo wszyscy się gapią. Nic nie mówią, ale swoje myślą. Ja wiem – utyskiwała. – Naraził cię na kpiny. Znieważył.

– Zapędzasz się.

– A teraz do więzienia będziesz za nim jeździć. Jak ci nie wstyd?

Tośka ukryła twarz w dłoniach. Matka zamilkła. Słyszała cichy jęk córki. Podeszła, przytuliła. Dopiero wtedy zorientowała się, że córka chichocze. Odsłoniła wreszcie twarz. Była rumiana od śmiechu, choć oczy jej się zaszkliły.

– I ty mi mówisz o wstydzie? – wybuchnęła nagle. Drwina momentalnie zamieniła się w gniew. – Ty będziesz mnie pouczała? Kobieta, która przez dwadzieścia pięć lat znosi obelgi pijaka. To dopiero wzór cnót. Co jeszcze? Może przypomnisz mi Julka i tamten błąd? Znów weźmiesz stronę obcych? Bo tak będzie lepiej ze względu na sąsiadów. No dalej, śmiało!

– Ciszej! – przeraziła się matka. – Jeszcze ojciec się zbudzi.

– Co ciszej! Taka prawda. Jak Kerej cię bronił, kiedy stary szedł do ciebie z nożem, to gadałaś inaczej. Żeńcie się! Kiedy ślub? Chciałabym być już babcią. A teraz namawiasz mnie do odejścia? Już nie pamiętasz, jak chowałaś się przed ojcem w szafie? Tylko Kereja ten skurwysyn się boi. Odkąd żyję z przestępcą, jak go nazywasz, nie chodzisz posiniaczona.

– Jesteś bezczelna. – Zrezygnowana matka przysiadła na taborecie z brudną ścierką w dłoniach. – I nic nie rozumiesz.

– A co tu jest do rozumienia? Odkąd pamiętam, bił cię. Całe życie w strachu. Takie miałam dzieciństwo.

– Każdy dostaje swój krzyż.

– Tak, wmieszajmy do tego jeszcze Boga – prychnęła Tośka. – Gdyby nie Kobra, zrzuciłby cię z balkonu, jak byłaś w ciąży z Lolkiem. Powiedziała mi.

– Nie rozumiesz – powtórzyła jak echo matka. – Przysięgałam w kościele, że go nie opuszczę w chorobie, biedzie i kłopotach. To mój obowiązek. Trwać przy nim i go szanować.

Tośka roześmiała się w głos.

– On obiecał ci to samo. Że będzie dbał, troszczył się, kochał i tak dalej. Co z tego miałaś? Siniaki i złamane żebra. Oraz koszty.

Wyciągnęła spod zlewu kubeł na śmieci. Zagrzechotała puszkami i szkłem.

– Przepija całą twoją pensję. Dwanaście piw i flaszka wódki dziennie mu mało. Ile dziś wlałaś mu do gardła, żeby nam nie przeszkadzał? Myślisz, że nie wiem, na co wydajesz pieniądze, które ci daję? Na obłaskawianie potwora!

– Bluźnisz! To twój ojciec. Zawdzięczasz mu życie.

Alina wstała, włączyła mikser. Huk urządzenia zagłuszał jej słowa. Tośka prawie nic nie słyszała i właściwie była za to matce wdzięczna. Znała te litanie na pamięć. Powtarzały się, kiedy po kolejnej awanturze Tośka domagała się, by matka odeszła od ojca i zaczęła życie na nowo. Na gadaniu się kończyło. Przychodził tydzień miodowy, a nawet dwa lub miesiąc. Ojciec stawał się abstynentem, a potem jakiś drobiazg znów puszczał tę karuzelę w ruch. Dopiero kiedy masa na babeczki była już gotowa, dotarło do niej ostatnie błaganie rodzicielki:

– Ja już nie mam wyboru. Pogodziłam się z losem. Ale ty życie masz przed sobą. Niczego nie musisz. I nic mu nie jesteś winna.

– Czekasz, aż umrze! – nakręcała się Tośka. – Zapije się albo spadnie ze schodów, jak wtedy w sylwestra, kiedy wyprowadziłam się do Juliana. Żałowałaś, że nie skręcił sobie karku. Modliłaś się, żeby Bóg cię uwolnił. Myślisz, że nie słyszałam, jak prosisz o jego śmierć?

Alina stanęła szeroko na nogach. Zamachnęła się. Cios padł nieoczekiwanie. Tośka nie zdążyła się uchylić. Milczała. Jakiś czas mierzyła matkę pogardliwym spojrzeniem, jakby licząc, że się opamięta, przeprosi, ale to się nie stało. W końcu chwyciła kurtkę z oparcia krzesła i ruszyła do wyjścia. Odprowadzał ją krzyk wściekłości, a w końcu spóźnione prośby o wybaczenie.

– Ty nie masz wobec tego człowieka żadnych zobowiązań. On do ciebie żadnych praw. Wycofaj się, póki możesz.

Tośka odwróciła się w drzwiach.

– Nie zamierzam – oświadczyła. – Powiem ci więcej. Wyjdę za niego. Jutro porozmawiam o tym z adwokatem.

Alina rzuciła się na córkę, zaczęła ją szarpać.

– Nie rób tego! Nie związuj się formalnie z tym zwyrodnialcem! Skoro zabił, jest agresywny i zły. Kto morduje tylu ludzi i ucieka z kraju? Kto potrafi żyć z takim piętnem? To psychopata. A ty jesteś zaślepiona. Zobacz, jakie ja mam życie.

– On nie jest zwyrodnialcem, mamo. – Tośka była nieugięta. – Kochamy się. Nie znam bardziej honorowego mężczyzny. Kerej jest bohaterem. W Uralsku dzieci układają o nim piosenki. I wiesz co, on nigdy by mnie nie uderzył. Wychodzę.

– Kłamał nawet w sprawie imienia!

Alina Petry uklękła, wczepiła się w nogi córki. Dziewczyna nie mogła się ruszyć. Stała i czekała, aż matka zwolni uścisk. Nie chciała jej słuchać, ale nie miała wyboru.

– I tak! Mam żal. Ale nie do niego, bo to przestępca, obcy człowiek. Mam żal do ciebie. Kłamałaś tyle lat. Nigdy mi nic nie mówisz. Nie ufasz mi. Z obcymi jesteś bliżej. Z tą starą czarownicą z hotelu – Jagodą, co układa ludziom tarota i runy. Z tym Romeem Grajkiem. To on was zeswatał, na moją zgubę. Nawet z Kobrą. Przed nimi otwierasz serce, a mnie nie zwierzałaś się nigdy!

– Bo zaraz byś poszła do koleżanek i wszystko im wygadała. Albo jemu. – Tośka wskazała zamknięty pokój. – Żeby puścił farbę na mieście, naśmiewał się ze mnie i miał powód do bicia. Zawsze zależało ci bardziej na nim niż na nas. I wiesz co, chciałabym mieć taką matkę jak Jagoda.

– Tak bardzo mnie nienawidzisz?

– Nie, mamo, kocham cię. Ale ty nie wiesz, czym jest miłość.

– Miłość? – Matka podniosła brew i się zawahała. A potem ruszyła do drzwi i je otworzyła. Mężczyzna leżący na sofie miał spodnie ściągnięte do połowy tyłka, koszulę zbryzganą wymiocinami. Tośka nie musiała się zbliżać, by wiedzieć, jak śmierdzi. – To jest właśnie moja miłość. Tak wygląda, jeśli źle wybierzesz.

– Mój wybór jest dobry. – Tośka ruszyła na korytarz. – Pobierzemy się. On wyjdzie na wolność. Oczyszczę go z zarzutów i będziemy szczęśliwi.

– Robisz największe głupstwo w życiu.

– Tak, mamo, to jest szaleństwo – potwierdziła kolejny raz Tośka, bo ta rozmowa przypominała huśtawkę. Wyrzuty i argumenty zaczynały się powtarzać. – Ty wybrałaś racjonalnie. Ojciec był najlepszą partią. I co? Przeliczyłaś się. Czarny koń okazał się słaby. Mój Kerej dźwignie wszystko i nie da się złamać. Jeszcze będziesz babcią.

– Obyś nie została z tym dzieckiem sama.

– Jeszcze nie jestem w ciąży. Mam rozum.

– Trudno w to uwierzyć. Ale będę się za ciebie modlić. Bóg prowadzi nas tylko sobie znanymi ścieżkami.

– Za nas się módl, mamo – rzuciła gniewnie Tośka. – Jeśli twój Bóg pozwoli, żebyśmy mogli być razem, świat się do nas dostosuje.

W tym momencie ze szpary między framugą a drzwiami do salonu wychynęła głowa brata Tośki.

– Cze, siorka – mruknął Lolek.

Miał czternaście lat, ale wyglądał poważniej. Wysoki, chudy. Nosił buty w rozmiarze czterdzieści sześć, a na jego twarzy pojawiał się pierwszy zarost.

– Będzie spał, możesz wyleźć – zachęciła go siostra. – Matka zafundowała mu dzisiaj cysternę piwa.

Chłopak obejrzał się na ojca, odetchnął z ulgą i chyłkiem przebiegł obok śpiącego.

– To dobrze, bo głodny jestem. Wczoraj tylko śniadanie zjadłem.

Tośka skrzywiła się i zasłoniła twarz rękawem.

– Otwórz okna, bo za chwilę będzie tu komora gazowa.

Chłopak wykonał polecenie, a kiedy dostał się już bezpiecznie do kuchni i drzwi do ojcowskiej pieczary zostały zamknięte, Tośka przytuliła brata. Odwzajemnił uścisk niechętnie, lecz wyszeptał jej do ucha:

– Ale się dymi w sprawie twojego Igora. Ma na imię Kerej, tak? Nieważne, niezły z niego kozak.

– Nie wiem, jak to będzie, mały – wydusiła z siebie. – Walczymy.

– Rozjedzie ich. Znam go.

Uśmiechnęli się do siebie, a potem Lolek zaczął mówić:

– Wczoraj było najgorzej. Mama uciekła do Kobry, a ja grałem. Dziś z domu wyjść nie mogłem, bo stary latał z siekierą. Dobrze, że pożyczył skądś kasę, to się nawalił.

– Matka pożyczyła – sprostowała oschle siostra.

– Nawet stałem pod drzwiami z finką, bo chciał dyktę wyłamać. Byłem bliski, żeby go zajebać.

Tośka zamarła.

– Słyszysz? – wrzasnęła do matki, która nic nie mówiła, jakby jej to nie dotyczyło.

Tośka podeszła do brata i chwyciła go za ramiona.

– Wprowadź się do nas, Lo. Już dawno ci proponowaliśmy. Ile w tym roku dni opuściłeś?

– Niedużo. – Chłopak machnął ręką. – Zdam. Nie martw się. A strachu nie okażę. Jak przegnie, dostanie wpierdol. Zresztą jak to sobie wyobrażasz? Mam w jednym łóżku z siorką kimać? Dopiero stary i jego kumple mieliby mnie za łacha. – Wskazał drzwi, zza których dochodziło gromkie chrapanie zakończone melodyjnym gwizdem. – Wieczorem może być ciężko. Obudzi się z kacem. Będzie wkurwiony.

A potem, jak gdyby nigdy nic, rzucił się do lodówki. Jadł i mówił, dlatego Tośka nie wszystko rozumiała.

– Niezła historia. Naprawdę twój chłopak zastrzelił tych patałachów? Przekaż mu, że ma jaja. Zapytaj, jak to zrobił. Sam przeciw takiej brygadzie?

– Zapytam – obiecała i spojrzała na matkę, a potem znów na brata.

Dopiero co go lulała i śpiewała mu kołysanki. Dobrze pamiętała, jak to się stało, że w ogóle przyszedł na świat, i nie była to wcale romantyczna historia. Raczej kryminalna. Matka musiała myśleć o tym samym, bo nie odezwała się słowem.

– Co o tym wszystkim sądzisz, młody? – spytała niespodziewanie Tośka.

– A co mi do tego? – Nastolatek wzruszył ramionami i wpakował sobie do ust kawał zimnego kotleta z ziemniakami, wprost z patelni. – Rób, jak uważasz. Jakby trzeba było kogoś zabić, zawsze możecie na mnie liczyć – roześmiał się.

Lodówka zaczęła pikać. Chłopak nogą przymknął drzwiczki.

Tośka skinęła bratu na pożegnanie. Skonfundowaną matkę cmoknęła w policzek i z ulgą opuściła rodzinny dom.

Przed wejściem do klatki zobaczyła ścigacz Connor. Ona sama szukała czegoś na wypielęgnowanej rabatce. Tośka wiedziała, że te bratki posadziła jej matka. Nie będzie zadowolona, jeśli przyjaciółka je podepcze. Zatrzymała się i czekała, aż Connor wynurzy się z krzaków forsycji. Pachniały obłędnie.

– Co się tak czaisz, Petry? – dobiegł ją baryton Sztaby. – Pomóż lepiej ślady zbierać.

Tośka zmarszczyła brwi. Sztaba nie mrugał i nie uśmiechał się. Już dawno nie widziała go tak markotnego. Musiał wyjść prosto z redakcji, bo na szyi dyndał mu identyfikator.

– Co ty chrzanisz?

W oddali zawyła syrena. Sztaba szarpnął Tośką. Oboje zanurkowali w forsycje. Wtedy wreszcie dostrzegła ich Connor. Na rękach miała gumowe rękawiczki. Podniosła do góry plastikową torebkę z dwiema łuskami.

– Nie mam papierowej, ale też służbowo tu nie jestem. Zapachów brać nie będziemy.

– Co się dzieje? – zdołała wydusić Tośka.

– Nico – burknął Sztaba i pokazał jej na migi, żeby była cicho, chwycił za rękę i pociągnął w głąb osiedla.

Słyszała, jak Connor wraca na ulicę, a potem odpala silnik.

– Ruchy! – Sztaba pośpieszył Tośkę.

Czuła się jak w czasach podstawówki, kiedy włóczyła się za Connor i Sztabą do nocy, czekając, aż ojciec zaśnie lub wyjdzie z domu na kolejną balangę. Już nie myślała. Bez pudła odczytała cel wyprawy i wyprzedziła Sztabę tuż przed klatką.

– Kura łeb ci urwie – wydyszała, z trudem łapiąc powietrze.

Sztaba był w o wiele gorszej formie. Pochylił się, oparł dłonie na kolanach, jakby zamierzał wyzionąć ducha. Sporo przytył na reporterskiej pensji. Nie przypominał już tego żylastego mięśniaka, jakim był, kiedy we trójkę stali za barem U Koniuszego.

– Przecież nas nie znosi. Mnie dostanie się szczególnie. Po tym jak Romeo wysyła cię do Kazachstanu na materiał, za który nie dostaniesz ani grosza, będzie wieszała na mnie psy do końca życia.

– Kura poszła z dzieciakami do matki – wychrypiał Sztaba. – Nie myśl, Petry. Właź.

Pchnął drzwi do klatki, a potem osunął się po ścianie na solidny zadek. Wyciągnął dłoń z kluczem.

– Drugi od breloka.

– Wiem – mruknęła Tośka, nie mogąc się powstrzymać od drobnej złośliwości. – Zalecam dietę m/ż. Nie umierałbyś tak po szybszym spacerku.

– Wal się, szkapo. Ty czasem byś coś zjadła, nie?

– Znów drzecie koty? – usłyszeli zniekształcony głos Connor, bo wciąż miała na głowie kask. – Co się dzieje?

– Wszystko. Mamy przecież majówkę. Pół sklepu przywiozłem do chaty, zanim zrobili wolne. Ale najpierw robota, potem przyjemności – zarządził Sztaba i wskazał dziewczynom miejsce w pokoju najmłodszych dzieci, bo jako jedyne pomieszczenie w tym domu miało drzwi.

– Tak za darmo to ja nie pojadę – dodał z satysfakcją. – Wytargowałem delegację zagraniczną. A jak materiał sprzedamy stacji ogólnopolskiej, to kasa będzie. I to całkiem niezła. Dogadałem się z tymi z Warszawy. Żarcie na miejscu pokrywa Romeo.

– To ci interes. Ale przynajmniej schudniesz – prychnęła Tośka. – Wiesz przecież, jaki Roman jest gospodarny, gdy idzie o wydawanie na innych. Chyba że dobre ciastka mają w Kazachstanie. Wtedy coś z jego stołu na pewno ci skapnie.

– Jakoś na ciebie i Kereja nie żałuje. Na twoim miejscu złego słowa bym na niego nie wyrzekł.

– Nie kłóćcie się – rozkazała Connor. – Myślałam, że robimy to z czystej przyjaźni.

– Pewnie – potwierdził łagodniej Sztaba. – Ale Kura nie musi o tym wiedzieć. W ogóle by mnie nie puściła.

– Czyli żonka jeszcze nic nie wie? – Tośka zmarkotniała.

– Ryzyko porównywalne – roześmiała się Connor. – Ja na przykład dowody wynoszę i szpieguję wrogów. Szczególnie jednego debila. Ciekawe, kto mi zapłaci za obserwację Sioły.

– Jesteś kochana. – Tośka nie potrafiła z siebie nic więcej wydusić.

Usiedli pośród maskotek i kolorowych domków z materiału. Connor ściągnęła do połowy kombinezon, wachlowała się plikiem papierów. Nowiutki tatuaż kolosalnej ważki na grdyce był jeszcze zafoliowany.

– Jednak się zdecydowałaś – powiedziała Tośka, ale Connor nie podjęła tematu.

Przyjaciele wiedzieli, że specjalnie przedłuża, by osiągnąć większy efekt. Zawsze tak było. Sztaba czekał cierpliwie, aż w końcu zabrał Connor papiery i rozłożył je na dywanie, wcześniej odsuwając rozsypane klocki lego.

– Zaraz ferajna przylezie. Zlituj się, szefowo!

Poskutkowało. Connor natychmiast się uaktywniła. Wskazała palcem słabej jakości odbitkę.

– Kto to jest?

Tośka pochyliła się i natychmiast odsunęła, jakby wizerunek mężczyzny ze zdjęcia miał ją ugryźć. Wyciągnęła rękę.

– Mogę?

– A bierz! – Connor znalazła inny egzemplarz, ale był jeszcze bardziej ziarnisty.

– To nie jest on. – Tośka zmarszczyła brwi. – Niemożliwe! Ta spiczasta bródka... Jest szczuplejszy i jakby starszy... To nie jest Kerej? – Patrzyła raz na Connor, raz na Sztabę. Była niepewna. – Ale podobny. Może brat, kuzyn?

– Nie wiemy – odparła przyjaciółka. – Dlatego pytamy ciebie.

Potem wyszukała kolejne trzy fotografie. Na widok tych mężczyzn Tośka zamarła. Nie skomentowała jednak zdjęć. Wciąż wgapiała się w Kereja z samurajską bródką. Connor wyjęła komputer i wyszukała program do obróbki dźwiękowej. Wrzuciła doń filmik z pulpitu. Rozległy się odgłosy imprezy, piski dziewcząt. Sądząc po okolicznościach, nakręcono go w foyer agencji towarzyskiej. Connor wskazała jedyną dziewczynę bez peruki. Włosy miała ostrzyżone tuż przy głowie i było jej w tej fryzurze szczególnie ładnie.

– To Madonna. Tydzień temu zgłosiła gwałt, ale już wycofała wniosek. Dostała kasę albo została przekonana w inny sposób.

– W każdym razie jeszcze żyje – dorzucił Sztaba. – Dziś wieczorem jadę do niej na wywiad. Może uda się ją przekupić sławą.

– Albo postraszyć – dodała Connor. – Ja zgadałam się z kolegami z prewencji. Coś tam drobnego na nią znajdziemy.

– I weźmiemy w dwa ognie – dorzucił Sztaba.

Tośka siedziała jak zamurowana.

Connor wznowiła nagranie. Zatrzymała, kiedy w kadrze znów pojawił się kazachski samuraj. Petry pojęła, że zdjęcie wydrukowano z tego źródła.

– To nie Kerej – powiedziała dobitnie. – Ma czarne włosy.

– Dobrze zgadujesz, mała. – Connor kiwnęła głową. – To nie mógł być twój chłopak, bo siedział już w areszcie. Czyli nie kojarzysz? Nic, naprawdę?

Tośka pokręciła bezradnie głową. Wahała się, czy opowiedzieć przyjaciołom o wizycie gości z Kazachstanu.

– A ci dwaj?

Connor zatrzymała film w innym miejscu. Na ekranie majaczyły twarze pucołowatych mężczyzn. Dwaj z nich mieli rysy europejskie. Trzeci to ewidentnie Azjata lub mieszaniec. Każdy z nich miał na twarzy podłużną bliznę od noża. Connor była czujna. Dostrzegła zmianę w twarzy przyjaciółki.

– Rozpoznajesz ich, co?

– Nie wiem, kim są – zaprzeczyła Tośka. – Ale parę miesięcy temu miałam nieprzyjemność mieć z nimi kontakt. Szukali go.

– Po co? – zapytała Connor.

– Szczerze? Za wiele nie rozmawialiśmy. To nie była przyjacielska wizyta. – Tośka urwała. – Wpakowali mnie do auta, dostałam w twarz. Cudem im uciekłam. Wtedy wszystko zaczęło się między nami psuć. Kerej nie chciał mi nic wyjaśnić, wciąż znikał. Miesiąc później się rozstaliśmy. A potem przyjechał Romeo i powiedział, że Kerej się zgłosił. To musi mieć związek z ich wizytą.

Sztaba i Connor zerknęli po sobie.

– Tydzień temu był w domu?

– Nie wiem. Nie pamiętam.

– Lepiej sobie przypomnij. Tego dnia Madonna została zgwałcona.

– W środę? – upewniła się Tośka. – Był chyba w hotelu. Rozmawialiśmy przez telefon do późna. Chciał, żebym się nie wyprowadzała.

– Nie ściemniasz? – dociskała Connor. – Przed nami nie musisz udawać. Nie zachowuj się jak kobieta przestępcy, która zawsze daje swojemu facetowi alibi.

– Jestem kobietą przestępcy. – Tośka wydęła wargi obrażona. – Ale nie kłamię.

– Dobrze – cmokała Connor, a Tośka czuła, że przyjaciółka ma w zanadrzu coś jeszcze, i to niemiłego.

– Na sto procent tylko Jagoda może potwierdzić – dodała pośpiesznie Petry, by się uwiarygodnić. – Ale w środy przyjeżdża ten mały Kamil od egzorcyzmów. Pamiętasz go? Oni są z Zabrza, nocują w hotelu. Kerej pracuje z chłopcem do wieczora.

– I nie wychodził?

Tośka nie była pewna.

– Dobra. Jutro podjadę do Jagody. Włożę mundur, może to ją zmotywuje.

– Kto to jest? – Tośka wskazała włączony film i rozłożone zdjęcia. – Kerej nic nie mówił, że ma starszego brata.

Zamilkła równie nagle, jak się odezwała. Uświadomiła sobie, że bardzo wielu rzeczy nie wie o swoim kochanku. Było jej głupio.

– Sprawdzamy ich, ale musisz być ostrożna – odparła Connor. – Z tego, co wiem, ci chłopcy nie wyjechali jeszcze z miasta. A zły brat i tamci są razem.

Tośka obejrzała się przestraszona, jakby wspominani ludzie mogli w tym momencie pojawić się za jej plecami.

– Oni tu są? Teraz, kiedy on siedzi w areszcie? Czego chcą?

– Wiemy jeszcze mniej niż ty. – Sztaba wzruszył ramionami.

– Ależ wiemy – weszła mu w słowo Connor. – Wczoraj w nocy ostrzelano dom twoich rodziców. Matka ci nie mówiła? Byliśmy na interwencji do piątej rano. Julek dowodził akcją. Nic nie znaleziono.

Pomachała torebką z łuskami.

– Sioło jak zwykle zawalił sprawę. Nie wiem, o co tutaj chodzi, Tosia, ale powinnaś jak najszybciej pomówić ze swoim chłopem. I bądź ostrożna. To mi nie wygląda na pokojową wizytę.

– Jestem. Choć wszystko, co mówisz, brzmi, jakbyś opowiadała cudzą historię. Film przygodowy, rozumiesz?

– Grasz w tym filmie od lat. A jak dziś wyszłaś z klatki i miałabym cię na muszce, byłoby po zawodach.

– Nie strasz jej – obsztorcował Connor Sztaba. – Nie odważyliby się. To nie Kazachstan.

– Przecież mnie nie zabiją! To bez sensu.

– Z naszej, zachodniej, perspektywy – przyznał Sztaba. – Ale jeśli za to, co twój chłopak zrobił, Kazachowie mają obowiązek się mścić, zmienia to postać rzeczy. Bo wiedzą już, gdzie jest, i to tylko kwestia czasu, aby go odpalić.

– Oraz ciebie – dodała Connor. – Poczytałam trochę o ich zwyczajach i ten odwet dotyczy całego rodu obwinionego. Skasowanie konkubiny wpisuje się w to absolutnie. No wiesz, krew za krew. Choćby po to, żeby zabrać mu to, co dla niego ważne.

– Jakoś żony mu nie skasowali. Ani syna – zaoponowała Tośka. – Wiem to, bo wysyłał im pieniądze i mieli kontakt listowny. Na Skypie czasem rozmawiali. Nie to, żebym podsłuchiwała.

– Może jego ojciec dogadał się z ich rodzinami? Cholera wie. A tutaj jesteś na widelcu jak kiełbasa do zjedzenia.

Tośka prychnęła, słysząc to porównanie.

– Przecież łatwiej byłoby wysłać miejscowego zawodowca niż turlać się tysiące kilometrów za jednym człowiekiem do odstrzału. Tutaj nie mają tej swojej kryszy. Policja zaraz by ich zgarnęła – zauważyła przytomnie. – Wtedy też mogli mnie zabić, a załadowali do wozu, nawet nie skrępowali.

– Może są z gangu Olsena? – Sztaba próbował ratować atmosferę żartem.

– Chyba masz mnie za idiotkę.

– Ciebie? W życiu. Raczej naszą policję w osobie pana Sioły. Ale to już inna para kaloszy.

– Nadal nie rozumiem, co jego klon robi z kilerami – wróciła do tematu Connor. – To się kupy nie trzyma.

Tośka wzięła jedną z wydrukowanych fotografii. Złożyła w kostkę i ukryła w wewnętrznej kieszeni kurtki. A potem nabrała powietrza i powiedziała:

– Kerej ma brata. Młodszego o sześć lat Nazara i wcale niepodobnego. Ale to nie on.

– Może twój kochany wszystkiego ci nie powiedział?

– Tak było z pewnością – potwierdziła Petry i dzielnie zniosła kpiące spojrzenie przyjaciółki. – Ale może być też tak, że miał ku temu ważne powody.

– Jest jeszcze coś. Sztaba, słuchaj, bo to nowa rzecz. Nikt o tym nie wie. – Connor zniżyła głos do szeptu. – A ty z nim jedziesz.

– O kogo chodzi? – zaniepokoiła się Tośka.

Sztaba w milczeniu czekał na konkrety.

– A zresztą sami zobaczcie.

Connor włączyła filmik z imprezą w agencji i zatrzymała w miejscu, gdzie Madonna kończyła striptiz. Powiększyła twarze siedzących i przewinęła do przodu. Odgłosy muzyki w przyśpieszonym trybie przypominały pokrzykiwania wiewiórek z kreskówki. Kiedy puściła właściwy fragment, przyjaciele niemal przykleili się do ekranu.

– To niemożliwe – szepnęła Tośka. – Skąd to masz? To nie fotomontaż?

– Ślepa jesteś? Widać wyraźnie! – oburzył się Sztaba. – Facjata lepiej widoczna niż zdjęcia z fotoradarów.

Między mężczyznami ze szramą siedział Romeo. Bawił się doskonale. Tamci się śmieli, coś opowiadali. Przyjaciel Kereja obejmował zaś dwie półnagie blondynki, a spod stołu wystawał króliczy ogonek przymocowany do pośladków trzeciej. Kiedy kobieta wyprostowała się, przez moment na ekranie mignęła twarz Madonny.

– Co ona tam robiła? – szepnęła zbulwersowana Tośka.

– Domyśl się – burknął Sztaba. – Daj jeszcze raz.

Romeo śmiał się, żartował i pił na potęgę. Imprezował tak zawsze.

– On ich zna? – jęknęła Tośka. – Tych mścicieli?

– Najwyraźniej. – Przyjaciółka skinęła głową. – I wygląda na to, że się nieźle kumplują.

Tośka była zdumiona. I rozgoryczona. Roman był ich dobrodziejem. Pomagał, angażował się, wykładał pieniądze. A tutaj coś takiego. Patrzyła to na Sztabę, to na Connor. Żadne nie kwapiło się do wydawania sądów.

– Co to znaczy?

– Na razie nic – odparła policjantka. – Może Roman nie wiedział, kim są? Może to tak naprawdę biznesmeni?

A może chciał ich przekupić, spoić? Poświęcił się biedak dla sprawy?

Na te słowa Sztaba wybuchnął śmiechem, a Connor wzruszyła ramionami i dodała:

– Nie wiem, Tosiu. Sama nie wiem, co o tym myśleć. Muszę go jakoś podejść. To kurewsko delikatna sprawa. Jeśli jest umoczony, łatwo się spłoszy.

Zapadła cisza. Connor pakowała sprzęt, zbierała papiery do torby.

– Sztaba, wiem, że to głupio zabrzmi, ale rozumiesz teraz, że wasza wyprawa naprawdę może być niebezpieczna. To nie żadne lokalne pitu, pitu o samorządzie. Jesteś pewien, że chcesz jechać do Madonny? A potem w tę dzicz z miłośnikiem króliczych samiczek?

– A ty? – odparł reporter. W kółko oglądał filmik i marszczył brwi. – Może strach obleciał dzielną panią aspirant?

Connor nic nie odpowiedziała.

– Kilerzy to jedno – dodał z uśmiechem Sztaba. – Ale niech tylko żona Romana dowie się o tych dziwkach.

Trzasnęły drzwi. Rozległ się tupot drobnych stóp i kilka par rąk rzuciło się na szyję tatusiowi. Potem do pomieszczenia wtoczyła się obładowana kolorowym asortymentem wiaderek, łopatek, piłek gumowych, pluszowych zabawek i naręczem kocyków – przysadzista, choć jędrna w każdym centymetrze rozłożystego ciała piękność.

– A dokąd ty się wybierasz, Kamilku? Do jakich dziwek? – zwróciła się do męża, a ten natychmiast pobiegł, by rozebrać dzieci. Rozsiadła się na dmuchanym fotelu i uśmiechnęła słodko do Tośki oraz Connor: – Cześć, dziewczyny. Co pijemy?

1994 rok, Uralsk, Kazachstan

Przed wejściem do rezydencji Sobirżana Kazangapa rozłożono czerwony dywan i czarnowłosy olbrzym zawahał się, zanim wszedł nań swoimi znoszonymi glanami. Był przyzwyczajony do nieufnych spojrzeń zabarwionych nutą podziwu, ale tego dnia kroczył niczym triumfator. By okazać szacunek gospodarzom, zamiast swojego roboczego dresu ubrał się w komplet pogrzebowy pożyczony kilka godzin temu od polskich grabarzy oraz kupioną na targu białą koszulę. Choć ciuchy były o dwa numery za ciasne, kobiety oglądały się za nim, odkąd wysiadł z taksówki. Długie włosy nosił nastroszone na czubku głowy i związane w kucyk, jak dawnymi czasy czynili kazachscy koczownicy. Wygolone boki, wytatuowane japońskimi znakami podstawowych reguł bushido, uwydatniały ostre kości policzkowe, co przydawało jego twarzy grozy. Broń zostawił w hotelu, gdzie go zakwaterowano, ale kubotan miał w kieszeni. Podobnie jak niedużą pałkę przyklejoną plastrem do nogi i kindżał ukryty w cholewie buta. Do pieczary smoka nie godziło się wkraczać bez właściwego oręża.

– Kim, przyjacielu! – Na spotkanie wyszedł Nocha. – A więc i ty przybyłeś na *toj*. Młodzi znają się już prawie tydzień. A rodzina bawi się doskonale. Ostatni raz męczyłem się tak na stypie po dziadku. Ale kurhan usypaliśmy mu metrowy, więc słowa złego nie rzeknę.

Przeszukał olbrzyma pobieżnie, po czym zaprowadził do swojego stołu, w samym sercu sali balowej. Nie uszło uwagi Kima, że dano mu najgorsze miejsce, na dodatek tyłem do drzwi. Nikt nie wstał, by okazać szacunek. Zapamiętał zniewagę. Zajął jednak karnie wyznaczoną pozycję, a potem łowił spojrzenia pozostałych członków brygady. Ewidentnie komandu nie spodobała się atencja szefa dla obcego. Zacisnął usta i zachował czujność.

– Szmat czasu nie było cię w kraju – zagaił chudy szczurek ze złamanym nosem, po czym wyciągnął nieproporcjonalnie wielką dłoń do powitania. – Jestem Bierik. A to Sierik, mój brat. Dzisiaj w cywilu – zarechotał.

– Buszi – przedstawił się Kazach i skinął pozostałym.

Nie kwapił się do prowadzenia konwersacji, a jednak po namyśle przybił piątkę z braćmi Chajruszewami, których pamiętał sprzed lat jako siusiumajtków. Zmężnieli, choć wątpił, by nabrali ogłady w walce. Czuli się tutaj zbyt pewnie, by opłacało mu się wystawiać ich honor na próbę. Ocenił twarze pozostałych. Kilku oprychów rozpoznawał jak przez mgłę. Poza Łazarem Rozenbergiem, z którym jego brat chodził do szkoły, jeszcze kilku z pewnością nosiło na co dzień mundur. Reszta musiała być nowa. Nie licząc Nochy. Kim był najstarszy przy stole.

Trwały przemówienia. Wzniesiono kolejny toast. Kim musiał odsunąć się od stołu, by przyjrzeć się młodym. Rustem i Dilda wyglądali jak para z reklamy. Uśmiechali się uprzejmie. Do zdjęć pozowali z rzędem tajtujaków. Każdy wielkości końskiego kopyta. Kim pierwszy raz w życiu widział tyle złota i srebra w sztabach. Taki był widać zamysł rodziców panny młodej, by pochwalić się, jaki prezent przekazali rodzinie Bajdałych wraz z ręką Dildy. Kto żyw korzystał więc z okazji, by chociaż przejść obok stołu młodych. Podziwiano kruszce, a dopiero potem przyglądano się narzeczonym. Kim od razu spostrzegł, że między tą parą chemii nie ma wcale, choć Rustem za wszelką cenę starał się zamydlić ten obraz. Napastliwie obłapiał oblubienicę, ale ta tylko wydymała usta i przyjmowała pozę królowej lodu. Choć może to tradycyjna suknia, jaką obyczaj nakazywał włożyć narzeczonej na uroczystość przed zaślubinami, nie przypadła jej do gustu. Wyglądała w niej sztucznie i na znacznie pulchniejszą niż na przesłanych zdjęciach. Kobiety głównie o tym plotkowały. Zastanawiano się, czy również nie jest już ciężarna. Złośliwców, którzy czytywali brukowce, nie brakowało.

– Pani Dilda ma żal do Rusta – szepnął Kimowi do ucha Bierik. – Podobno groziła, że na *toj* nie przyjedzie. A wszystko z powodu jakiejś drobnostki. – Zachichotał. – Jakiś szmatławiec wstydu Rustiemu narobił. Cud, że rodzina Dildy nie odwołała imprezy. Ale prezenty przywieźli i dotarli w komplecie. Zere posłała po nich helikopter Sułtana. Dlatego nie odpuści takiej zniewagi. Pogrąży tych jebańców. Już rozpoczęła batalię i dom mediowy, który wydaje tę gadzinówkę, niebawem przestanie istnieć. Wyszła dosłownie kilka minut przed tobą.

Kim powstrzymał się od komentarza, jak bardzo cieszy się, że nie musi oglądać tej wiedźmy.

– Jeśli zostanę do wesela, będzie okazja się ukłonić – rzekł z przekąsem. – Wciąż taka chuda i zajadła?

– Trochę się zmieniła. Na gorsze – roześmiał się szef komanda. – Ale sylwetkę ma wciąż nienaganną. W przeciwieństwie do opinii. A Jerboł kandyduje.

– Nie tylko on – mruknął Bierik Chajruszew, ale widząc zaciśnięte usta Nochy, umilkł.

Domyślił się, że Kim nic jeszcze o planach wyborczych własnego ojca nie wie i jest to na razie temat tabu. Nocha zaś wskazał gładkiego jak delfin blondyna, który mógł być tylko maklerem albo prawnikiem.

– Sława się zajmuje sprawą wydawcy. Został adwokatem, wiesz? Szybko facet działa. Dziewczyna, która pod pseudonimem napisała ten tekst, już siedzi. Przybili jej nierząd.

Kim obdarzył gogusia krótkim spojrzeniem. Nie dopytywał, o co chodzi, bo nie interesowały go żadne obyczajowe skandale. Szukał w tłumie Jerboła, męża Zere. To na jego wezwanie przybył z Moskwy i jemu podlegał. Ale ojca Rustema nigdzie nie było. Podobnie jak właściciela tych włości – Sobirżana Kazangapa. Tylko jego żony i dzieci okupowały jeden z pierwszych stołów blisko młodych.

– Mówią, że dobrze się urządziłeś, Buszi-san. Bo chyba tak na ciebie woła sołncewska brać? – Kima zza pleców dobiegł czyjś śmiech. – Masz już klatkę na Rublowce?

Mężczyzna odwrócił się wolno na sprężystych nogach. Gotów w każdej chwili do wyprowadzenia ciosu. Przed nim stał rumiany Rosjanin. Seledynowy krawat starosty był już poluzowany, a koszula zachlapana sosem. Za jego plecami trwał niewzruszony ochroniarz. Kim nie od razu rozpoznał syna dzielnicowego Mikrorusznikowa, który przed laty nieustannie nachodził ich w domu. Kiedyś, ze względu na niewielkie gabaryty ciała i mysią twarz oraz niezdrową atencję dla najmłodszego z braci Chajruszewów – Bierika, pseudonim

Mana, Andrieja wołali Mikro-Mana, Mikro-Andriusza, a potem po prostu Miko. Jako dzieciak chodził oczywiście na zajęcia do Kodara, jak wszyscy z dzielnicy, ale choć był wyjątkowo zwinny i bardzo się starał, ojciec Kima nie wróżył mu sportowej kariery. Miko był porywczy, nie czytał zalecanych lektur i rwał się do bitki z byle powodu. Poza tym miał cechę, która dyskwalifikowała go ostatecznie jako zapaśnika Kodara. Był tępy. Dziś jego powłoka zmieniła się nie do poznania. Spasł się od dobrobytu, ale ramiona napompowane sterydami poruszały się pod koszulą imponująco. Jak widać, trafił do brygady, w której mógł folgować swoim instynktom – pomyślał z przekąsem Kim i rozbawiło go, że głupota Mika nie pozwala mu powiązać faktów, bo wgapiał się teraz w potężnego Kazacha, do którego jego szef tak się łasił, a na jego twarzy widać było ogromny wysiłek, by prawidłowo ocenić sytuację i nie popełnić błędu.

– Nie pamiętasz mnie, Kim? – Darmienow klepnął olbrzyma poufale, a ten spiął się i tylko ostatkiem sił powstrzymał przed wybuchem.

– Powinienem?

– Szura Darmienow. – Rosjanin zatarł ręce i polecił podać czyste kieliszki.

Nocha i jego ludzie przesunęli w ich kierunku dobrze zmrożoną flaszkę.

– Piję tylko kolorową – mruknął wrogo Kazach.

Przyglądał się rękawiczkom na dłoniach Nochy. Wiedział, co skrywa cienka cielęca skóra, i znał przyczynę tych blizn. Darmienowa uparcie ignorował.

– Dajcie whisky – zarządził rozochocony starosta. – Wypijemy z pierworodnym wojownikiem Kunanbajewów.

– Innym razem bardzo chętnie, ale dziś jestem na służbie.

Siedząca przy stole ekipa Nochy zareagowała właściwie. Rozległ się gromki rechot.

– My wszyscy dziś w robocie.

Kim wstał.

– Dobrze cię widzieć, Szura. – Poklepał starostę, aż go przygięło. – Tutaj za grzechy ojców liczyć się nie będziemy. Bądź zdrów. – Po czym ruszył do stołu młodych.

Za plecami usłyszał szmer, a potem kilku chłopa obstąpiło go, ciasno zamykając w kręgu.

– Z drogi! – wysyczał Kim nad głową Mika, który stanął w rozkroku i pokazał broń za paskiem. To samo zrobili pozostali, w tym do tej chwili przyjaźnie nastawieni bracia Chajruszewowie: Bierik-Mana i Sierik. Kim wykrzywił wargi w pogardliwym uśmiechu.

– Chcesz walczyć, Miko, to wyjdźmy. Sala, gdzie odbywa się *toj*, to nie miejsce na mikropotyczkę.

Nikt się nie roześmiał, ale przy głównym stole już zauważono sprzeczkę. Rustem aż wstał, żeby przyjrzeć się zajściu, choć Jekatryna, pełniąca obowiązki gospodyni, oceniła z niepokojem niewłaściwą reakcję bohatera przyjęcia i dawała mu znaki, by zachował spokój. Młody Bajdały nie zwracał na nią uwagi. Był coraz bardziej podniecony. Dilda zaś skorzystała z okazji i wypiła do dna zawartość swojego kieliszka, a potem odchyliła się na krześle, by poluzować kamizelkę obszywaną złotem i kamieniami. Nie spuszczała z wielkoluda wzroku. I wcale tego nie ukrywała. Zresztą coraz więcej głów skierowało się w tę stronę. Ludzi trawiła ciekawość, kim jest i co kombinuje ten bezczelny Kazach.

Nocha pierwszy pojął prawdziwą rolę Kima. Niechętnie dał znak swoim chłopcom. Rozstąpili się i przepuścili go, z trudem łykając upokorzenie. Kim ruszył wprost do głównego stołu. Goście wrócili do rozmów i mięsiwa. W sali znów zawrzało. Kim szedł wolno, jakby podziwiał przepych wnętrza. Zadarł głowę, ocenił fresk nad biesiadującymi. A potem zrobił półobrót, cofnął się kilka kroków i kantem dłoni wykonał zamach. Z nosa Bierika-Many trysnęła krew, a Miko leżał jak długi, bez czucia. Pozostali zdążyli umknąć przed ciosami. Stali teraz w bezpiecznej odległości i wpatrywali się w Nochę, który wciąż powstrzymywał ich przed atakiem. Wszystko odbyło się błyskawicznie. Biesiadujący dyplomatycznie udali, że incydentu nie dostrzegli.

– Wojownik o każdej porze dnia i nocy winien pamiętać, że umrze. – Kim uśmiechnął się do przerażonego starosty. – Na twoim miejscu, Szura, znalazłbym bystrzejszego stójkowego. Ten poprzedni spaślak był o niebo lepszy. Wania mu było na imię, z tego, co pamiętam. Co z nim zrobiliście? – Wskazał na półmiski. – Chyba nie trafił tutaj? Bo się nadawał.

Darmienow ciskał wściekłe spojrzenia. Kim zauważył, że gładki prawnik, zwany Sławą, wyskoczył zza stołu i rzucił się do cucenia Bierika-Many. Mika trzeba było wynieść na zewnątrz, bo wciąż był nieprzytomny.

– Zostaw. – Starosta odciągnął gogusia od Bierika.

Wtedy Kim dostrzegł podobieństwo. Sława z pewnością był krewnym Darmienowa. Mana zaś musiał zajmować w sercu Sławy miejsce szczególne, skoro aż tak nim tąpnęło, że przy obcych rzucił się bandycie na pomoc. Kim zarejestrował te informacje, pozostawiając je do późniejszej analizy. Skupił się na czekającym go zadaniu. Nie miał pewności, czy za chwilę nie będzie musiał stoczyć popisowej potyczki, ale był na to przygotowany. Ponieważ jednak Nocha nie wydał rozkazu zatrzymania go, dotarł z godnością do głównego stołu.

Skłonił się młodej parze i położył na blacie sztylet ze zdobioną rękojeścią, który wyciągnął z buta, korzystając z okazji, że ludzie Nochy zajęli się ratowaniem kompanów. Dopiero teraz zapadła złowroga cisza. Zgodnie z rozkazem nikt, poza ochroną rodziny, nie miał prawa wejść do sali z bronią. Nocha z wściekłości był czerwony na twarzy. To on przeszukiwał i wprowadził do środka niesubordynowanego Kazacha. Dał znak swoim ludziom, by asekurowali przekazanie prezentu. Kim zaś bawił się coraz lepiej.

– Przyjmij mój miecz na znak oddania, paniczu Bajdały – rzekł donośnie, by wszyscy słyszeli. – Przybyłem na wezwanie. Ojca twego nie widzę, więc składam swój pokłon tobie jako następcy szefa rodu.

Rustem odrzucił serwetkę. Wstał mile połechtany.

– Podobnyś do brata. Ale widzę, żeś z Kunanbajewów najszybszy i najsprytniejszy. Nie tylko w myśli, ale i w czynie – pochwalił Kima, który wciąż stał wyprostowany. Mimo wypowiedzianych słów nie kłaniał się.

– Nie mam własnego rodu – odparł hardo. – Mów mi Buszi. To wystarczy zamiast imienia.

Rustem spojrzał wymownie na narzeczoną, a potem polecił, by przygotowano dla gościa miejsce między nimi. Dilda wydęła wargi, udając niezadowolenie, lecz odezwała się najuprzejmiej:

– Usiądź, panie. Zjedz coś. Pewnieś strudzony. Jutro czeka nas wszystkich ciężki dzień.

– Zapewne będzie to piękny początek nowego, wspaniałego życia – odpowiedział jej patetycznie Kim, a ponieważ w oczach wojownika Dilda dostrzegła kpinę, uśmiechnęła się promiennie, wyraźnie zachęcając olbrzyma do dalszego flirtu.

Po czym grzecznie przesunęła się, udając, że nie zajmuje jej nic innego jak plotki z druhnami. To nagłe odzyskanie humoru przez narzeczoną nie uszło uwagi Rustema, ale był z takiego obrotu rzeczy wielce rad.

– A więc to ty jesteś ten słynny Buszi. – Roześmiał się, zerkając na swoich ludzi z pogardą. – Wyklęty i podziwiany. Bądź naszym gościem honorowym.

Kimowi nie spodobał się ten łaszący ton, ale zaproszenie przyjął. Na nie przecież liczył. Wiedział, że jeszcze tego samego wieczoru wieść o jego powrocie dotrze do Kodara. Zastanawiał się, co zrobi ojciec, choć nie oczekiwał niczego roztropnego. A potem schował za pazuchę swój nóż.

– Twoi ludzie nie okazali mi szacunku, Rusti. To amatorzy – syknął przez zęby, kiedy w sali znów zabrzęczały sztućce.

Rustem skupił się, zmierzył wojownika swoim wężowym spojrzeniem. Słuchał uważnie.

– Przekaż ojcu, że od tej chwili będę działał sam. Cena za moje usługi w związku z tym wzrośnie. Będziesz miał jednak pewność, że zadanie zostanie wykonane właściwie.

Oksana wycofywała się krok po kroku, czując, że za chwilę plecami dotknie ściany. Córeczka, zwinięta w chuście na plecach, przebudziła się i poruszała nóżkami. Chwytała rączkami szyję matki, ale ani razu nie zakwiliła. Oksana czuła na szyi jej oddech.

– Już, dobrze Aniczka – powtarzała szeptem. – Dobrze już, *kitia*.

Ale dobrze nie było i nigdy już nie będzie. Kobieta wiedziała, że popełniła błąd, przychodząc w środku nocy do tej wiaty. Dała się nabrać jak pierwsza naiwna. Nie tylko nie dostanie zapłaty, ale będzie miała dużo szczęścia, jeśli ujdzie z życiem. Trzysta metrów dalej dudniła muzyka. Na pusty plac dawnej zajezdni autobusowej przyjechała połowa młodych z Uralska i okolic. Trzy kioski z alkoholem okupowała rozchichotana brać, a tych pięciu było pijanych i nie wystarczyło im, że oddała bransoletkę.

– Odłóż dzieciaka i rozbieraj się!

Krok w tył. Jeszcze dwa. Poczuła ścianę. Odbiła się od niej, by nie zmiażdżyć małej. Teraz mogła przesuwać się tylko w bok. Dopadli ją w jednej chwili. Otoczyli szpalerem. Czuła ich kwaśny odór i nieudolnie opędzała się od napastliwych rąk. Wtedy Anika wybuchnęła płaczem. Dwóch odsunęło się, ale trzej pozostali na pozycjach.

– Ulitujcie się – błagała. – Umówiliśmy się, Bierik.

Tylko ich rozbawiła.

– Ściągaj ten chałat, kurwo. Pod tymi łachmanami nie jesteś taka zła.

Rozejrzała się. Niebo było jasne, pełne gwiazd. Księżyc niemal w pełni. Wiedziała, że dzieciaki wychodzące z dyskoteki nie zajrzą tutaj i nikomu nawet przez myśl nie przejdzie, że to nie zabawa. Przez chwilę myślała, żeby krzyczeć, wołać pomocy, ale to nie miało sensu. Trzej z otaczających pracowali w milicji. Miko, ich prowodyr, był synem dzielnicowego. Łazar nawet nie zdjął spodni od munduru. Marynarkę z pagonami dopiero przed chwilą powiesił w aucie. Poluzowała więc węzeł i zaczęła rozwijać chustę z dzieckiem.

– Szybciej – popędzał ją Bierik. – To nie striptiz.

– Dziecko zostawcie – prosiła. – Ono niczemu niewinne.

Miko wyjął z kieszeni nóż. Przeciął końce chusty dwoma ruchami. Oksana w ostatniej chwili złapała małą, by nie upadła na ziemię. Przytuliła Anikę, pocałowała w czoło i położyła zawiniątko pod ścianą, dokładnie przykrywając twarz córeczki, by nie musiała patrzeć na to, co za chwilę się zdarzy. Sama zaś rozpięła kurtkę i ściągnęła bluzkę przez głowę.

– A to po co? – zbeształ ją Miko i nożem przeciął sznurek podtrzymujący spodnie, które obsunęły się do kolan.

Odwrócił ją przodem do ściany, chwycił za biodra. Poczuła jego przyrodzenie przez cienki materiał dresów. Zacisnęła zęby, otworzyła szeroko oczy. Starała się oddychać równomiernie. Modliła się, by to im wystarczyło i nie nabrali ochoty zakłucia jej dziecka. Pewnie dlatego nie usłyszała silnika, nie dostrzegła nadchodzących z dyskoteki mężczyzn. Nagle Miko upadł, a kiedy się odwróciła, przed nią toczyła się nierówna walka.

Jej wybawców było dwóch. Jeden, wysoki blondyn z półdługimi włosami, o urodzie kalifornijskiego surfera. Drugi – Ormianin – okrągły na twarzy i niewielkiego wzrostu, ale wachlujący ramionami i kopiący, jakby miał podłączone silniczki. Gwałciciele starali się nacierać na niego z nożami, lecz nie mieli szans. Kręcił się jak bąk, unikał ciosów, sam będąc precyzyjny. Cała batalia trwała kilka chwil. Zanim Oksana zdołała przewiązać się w pasie i utulić córkę, gwałciciele leżeli już na glebie.

– Wsiadaj – zarządził niebieskooki blondyn.

Dziewczyna z ulgą ukryła się na tylnym siedzeniu czarnego żiguli, tuż obok ślicznej brunetki. Oksana nie potrafiła uwierzyć w swoje szczęście.

– I nie ruszaj się stąd – polecił surfer. – Swieta, pilnuj.

– Chcecie mieć ją dla siebie, basmaki? – krzyknął pogardliwie Bierik, który był w najlepszym stanie z całej piątki. Reszta wyczołgiwała się za wiatę, by nie oberwać bardziej. – Ta suka wszystkich obsłuży.

Ormianin odpalił już silnik, ale na te słowa wyskoczył zza kierownicy i uderzył Manę z główki. Teraz mężczyzna pluł krwią, a nos mu się przesunął.

– Zabrali ci coś? – Blondyn pochylił się nad Oksaną. Włosy opadły mu na twarz. Dostrzegła, że i on jest nieźle pokiereszowany. Ręce miał pocięte. Krwawił w wielu miejscach.

– Bransoletka – wyszeptała i wskazała Mikrorusznikowa z satysfakcją. – On ją ukradł.

– Ten bez gaci?

Potwierdziła, przytulając dziecko.

– Ma ją w lewej kieszeni.

Blondyn podniósł się i krzyknął do kolegi:

– Ma jej złoto. Lewa kieszeń.

Ormianin sięgnął do kieszeni nieprzytomnego Mika, wyjął ozdobę i biegiem wrócił do auta. Blondyn siedział już za kółkiem. Wtedy zobaczyli, że przed sklepikiem z napojami alkoholowymi zebrał się spory tłumek. Miejscowi nie chcieli mieszać się do bójki, ale z pewnością zajście widzieli i gdyby przyjechała milicja, podaliby rysopisy awanturujących się. Oksana była pewna, że stali tam od samego początku. W duchu ciskała pod ich adresem najohydniejsze przekleństwa.

– Zawijaj się, Dimasz – zamruczał Ormianin. – Zaraz tu będą ich posiłki.

– Nikt nie przyjedzie. – Hokeista wzruszył ramionami, ale wystartował rajdowo. – Wszyscy wciąż piją na toju Rustema. Jutro też będzie spokój. Poprawiny.

– Kim jesteś? – Odwrócił się do dziewczyny z dzieckiem. – I co tu robisz o tej porze?

Przyglądała się im, jakby byli aniołami i sfrunęli z chmur, by ją ocalić. Była im wdzięczna, a jednocześnie nieco się obawiała. Rozbili tę zgraję w pył bez użycia broni. Muszą być wyszkolonymi zapaśnikami, pomyślała. Gdyby nie długonoga piękność obok, nie odważyłaby się wsiąść do ich auta.

– Zostawcie ją. Jest przerażona – wzięła ją w obronę dziewczyna. – Mam na imię Sołtanat, ale wszyscy mówią na mnie Swieta.

– Oksana – szepnęła z wdzięcznością uratowana i wskazała na córeczkę: – A to Aniczka.

– Jaka słodka – rozpromieniła się Kazaszka i dotknęła maleńkich rączek dziecka.

– Twoje? – Ormianin przechylił się i podał Oksanie bransoletkę. – O to poszło?

Oksana nie odpowiedziała. Podała ozdobę Sołtanat.

– To dla ciebie. Za to, że mnie uratowałaś.

– Och, nie wypada – pisnęła Swieta, ale zaraz założyła bransoletkę na rękę.

Dimasz zmarszczył brew. Nie skomentował.

– Czy już się kiedyś nie spotkaliśmy? – Ormianin przyglądał się młodej kobiecie kołyszącej dziecko. – Gdzie mieszkasz?

– Ja? – Oksana zastanowiła się, przechylając głowę. – Zawieźcie mnie na dworzec. Dziś miałyśmy ruszać dalej. Mamy bagaże w przechowalni. Nie wiem, jak wam dziękować.

– To ona cię wypatrzyła. – Dimasz znów się odwrócił. Wskazał rozpromienioną Sołtanat, która głaskała śpiące dziecko i kołysała ręką, podziwiając nagrodę. – Miałaś szczęście, że byliśmy w pobliżu.

– Pół miliona dolarów? – Kodar zmarszczył brwi i spojrzał na ojca Nadii.

Żeptis Gabalijew był nieprzenikniony. Kucnął na dywanie pod ścianą i popijał *kok-czaj* małymi łykami. W tej pozycji wyglądał na mniejszego niż w rzeczywistości. Był to niestary jeszcze człowiek, ale bardzo już wyniszczony. Skóra odchodziła mu płatami. Całe lata pracował jako główny energetyk w odlewni pomników z brązu i metali kolorowych. Pod jego kierownictwem wyprodukowano ponad sześćset monumentalnych figur, które stały w Kazachstanie, Turcji, Rosji i Kirgistanie. Kiedy zachorował, zwolniono go, i by do emerytury jakoś utrzymać rodzinę, zatrudnił się jako cieć na parkingu z samochodami prezesów. Kodar zawsze Żeptisa szanował, bo był łagodny z natury i robotny jak wół. Ponieważ jednak całe życie pozostawał uczciwy i skromny, nie dorobił się majątku, samochodu ani nawet własnego mieszkania. Gnieździł się z żoną i jedyną córką w małym pokoiku u wuja, który przemawiał w jego imieniu. Za jego plecami siedzieli pozostali członkowie rodu. Nie odzywali się. Patrzyli na ojca Nazara spod oka.

Nikt nie jadł, choć *dastorkon* uginał się od chrupiących boorsoków, sanzy i rumianych lepioszek. Miseczki pełne były kajmaku, miodu, suszonych moreli i rodzynek. Wszystko stało nienaruszone. Kobiety Gabalijewów wciąż tylko podkładały pod kipiące nieustannie samowary. *Kok-czaj* i *etkel-czaj* były najwyższej jakości, a kuurma – gęsta jak zupa. Zgodnie z obyczajem na cześć znakomitego gościa bogato zaprawiono wywar mąką podsmażoną na łoju baranim, solą, pieprzem i śmietaną.

– A także nowe żiguli – dodał Sławat, kum Gabalijewa. – To, którym jeżdżą uczniowie Kereja. Jest najnowsze.

– Takiego kałymu nie płaci się za córkę stróża – zareagował ostro Kodar.

Starsi wydali z siebie pełen pogardy pomruk.

– To cena za poniżenie córki Żeptisa i zadośćuczynienie dla naszej rodziny.

A więc to Saławat i jego kuzyni mają chętkę na nowe auto oraz wór pieniędzy, pomyślał Kodar, lecz ugryzł się w język.

– Nadia i Nazar znają się od najmłodszych lat – zaczął uprzejmie. – Miłują się. Nigdy nie mówiliście, że jesteście przeciwni tej znajomości. I my jesteśmy młodym bardzo radzi. Nie ulegało wątpliwości, że przyjdzie dzień, kiedy się pobiorą. Nadal tak uważamy. Syn jest już dorosły, a skoro gorąca krew dzieci wzięła górę nad rozumem, trzeba będzie sprawę przyśpieszyć. Krzywdy Nadia w naszej rodzinie mieć nie będzie. Gotowi jesteśmy już teraz rozpocząć przygotowania do ich wspólnego życia. Kupimy im mieszkanie. Wam także, Żeptis, będzie odtąd lżej. Zajmiemy się utrzymaniem Nadii i dziecka. Ślub można wyprawić młodym później, jak dziewczyna dostanie dokumenty.

Przerwał, bo starszy rodu Gabalijewów podniósł dłoń.

– To nie jest tematem naszej rozmowy, Kodarze. Oferta nie podlega negocjacji, jeśli Nazar ma opuścić areszt.

– Nie mam tylu pieniędzy – sprzeciwił się ojciec obwinionego. – Wiesz dobrze, że tylko bandyci szastają dziś taką gotówką.

– Masz jeszcze drugiego syna. Kerej z powodzeniem prowadzi swój biznes. Wiemy, że to on finansuje twoje polityczne fanaberie. Starsi przychodzili do nas po wsparcie. Być może udzielimy go, jeśli Kerej odda nam czterdzieści procent swoich dochodów. Ty zyskasz poparcie i wykupisz syna, a my otrzymamy rekompensatę za hańbę naszej córki. Bilans wyjdzie na zero.

Teraz Kodar uderzył rękoma o uda.

– Żądasz regularnego haraczu, Saławat. I to wyższego niż ludzie Nochy. A oni nie mieli odwagi przyjść do mnie z taką propozycją.

Żeptis wyraźnie się przestraszył. Odstawił czarkę i spojrzał pytająco na swoich ludzi. Rozgniewany Saławat, który jako jedyny przemawiał, podniósł się, lecz starsi go usadzili.

– Zrobiliśmy wyjątek, zapraszając cię do domu. Dziewczyna jest w ciąży. Prokurator czeka na naszą decyzję. Nie radzę przedłużać sprawy.

Kodar otwartej groźby się nie spodziewał. Zacisnął usta, z trudem starając się nad sobą zapanować.

– Wezwijcie Nadię. Zapytajcie, czy została zgwałcona.

– Nie będziemy małej szarpać. Źle się czuje – uciął Saławat. – Jeśli do jutra nie podejmiesz decyzji, podniesiemy procent do czterdziestu pięciu. A auto już dziś ma być przekazane do naszej dyspozycji.

– Przyznaj się, że zbratałeś się z Nochą! – Kodar rozgniewał się. – Bo to jego metody.

– Kuzyn Nochy ożenił się z moją bratanicą – roześmiał się Saławat. – Dziwię się, że tego nie wiedziałeś. Jeśli nadal zamierzasz się opierać, kończymy rozmowy.

Kodar przymknął oczy, a po chwili otworzył je powoli.

– Skoro tak się sprawa przedstawia – powiedział, zaciskając dłonie w pięści, i zwrócił się bezpośrednio do ojca Nadii: – Słuchaj, Żeptis, przecież jesteś człowiekiem. Życie znasz. Ile miałeś lat, kiedy twoja żona urodziła Nadię? Szesnaście?

– Siedemnaście – mruknął Żeptis i pochylił głowę, bo natychmiast został zgromiony przez starszych rodu Gabalijewów.

Kodar poczuł, że uchwycił przyczółek. Mówił teraz tylko do Żeptisa.

– Już od dawna zamierzamy połączyć nasze rody. Stało się tak, że nastąpi to prędzej. Co wam te dzieci zawiniły? Wola niebios. Ale jak mamy sobie patrzeć w twarz, Żeptisie, kiedy się nawzajem upokarzamy? Wiesz, że honor nie pozwala mi przyjąć tej propozycji. Czy ty byś taką zaakceptował?

Żeptis długo wpatrywał się w Kodara, a w końcu przełknął ślinę i wyszeptał ledwie słyszalnie:

– Nie masz wyboru, mistrzu. Wiesz o tym. Ja też sam o wszystkim nie decyduję. Honor rodu jest ważniejszy niż dobro moje czy mojej córki.

– A więc postanowiłeś? – upewnił się Kodar. – Poświęcisz swoje dziecko? I nienarodzonego wnuka?

– Wiem, że z twoim synem będzie miała dobre życie – zapewnił Żeptis, a Kunanbajew był pewien, że mówi szczerze. – Przemyśl to jeszcze raz i pozwól im ułożyć sobie życie.

– A jeśli odmówię? – wychrypiał Kodar. – Co się stanie z twoją córką? Co z dzieckiem w jej łonie? Nikt inny przecież jej nie weźmie. Jedziemy na tym samym wielbłądzie!

Żeptis kręcił rozpaczliwie głową. Oczy mu wilgotniały.

– Nie chcę nawet myśleć, mistrzu. Lepiej tak nie mów.

– Za taką hańbę gotów jesteś jedyną córkę stracić? Wiesz, co będziesz musiał zrobić, jeśli nie dobijemy targu?

Żeptis poprawił się, przysiadł na drugim kolanie. Za wszelką cenę starał się zachować godność. Wydać twardszym, niż był naprawdę. Wtedy znów odezwał się chciwy wuj.

– O to, co będzie z Nadią, nie musisz się kłopotać. Bo wtedy twojego rodu już nie będzie. Nie tylko z synem się pożegnasz. Ale i majątek będziesz musiał oddać. Jeszcze twoi wnukowie będą spłacać ten *konoss*. Większość askałów jest po naszej stronie.

Kodarowi zabrakło powietrza z oburzenia.

– Więc tak to obmyśliliście z Nochą?

– Postępowanie twojego syna ganią rody Żygiteków i Bokenszów. One nie poprą cię w wyborach. To już pewne. Twój drugi syn ma biznes zagrożony. Dogadałeś się z Sobirżanem, ale ten sojusz wisi na włosku. Bajdały jest z nami. Przeciwko tobie jest nawet twój pierworodny.

– Mam tylko dwóch synów – zagrzmiał z wściekłością Kodar.

– Chcesz w to wierzyć, twoja sprawa – zakpił Saławat. – Wiszą nad wami burzowe chmury. Lepiej uważaj, ukorz się, boś słaby i przegrasz. Przyjmij ofertę, póki możesz, zamiast rozpętywać wojnę.

– Chcesz wojny? – Kodar podniósł się. – To będziesz ją miał.

– Postępuj tak dalej – odparował Saławat. – Twój osobisty honor i duma nie są ważniejsze od rodowych powinności.

– Są, jeśli propozycja jest niegodna. Gdy zło dojrzeje, musi zostać zniszczone.

Kodar wyszedł, zanim Saławat zdążył kolejny raz go obrazić, bo musiałby zadać cios. A zawsze pamiętał, że przeciwnik szybko zechce mu odpłacić.

Worek treningowy pękł i trociny rozsypały się na kafelkach. Mimo to Kerej uderzył w sflaczały kawał skóry raz jeszcze, a potem starał się wyrwać hak z sufitu. Rozległ się huk, całość zwaliła się z kawałkiem tynku. Dopiero wtedy Bibi odważyła się zajrzeć do loggii.

– Wszystko w porządku? – zaszczebiotała.

Kerej rzucił jej groźne spojrzenie i kopnął resztki swojego ekwipunku, jakby dobijał przeciwnika. Jak miał powiedzieć żonie o haniebnej propozycji starszych rodów, które jego ojciec uważał za sojusznicze? Jak wyjaśnić, że chcą mu odebrać wszystko, co do tej pory wypracował? I to podłym podstępem. Sprowokować. Sponiewierać. Obrabować. Nie chciał, by się martwiła. I bez tych nowin już prawie nie spała. Wiedział, że musi sam znaleźć rozwiązanie. Jakoś z tego wyjdą. To jednak, co go naprawdę trawiło od środka, nie było godne nawet jednej myśli żony. Nikt nigdy nie dowie się o Wierze i o tym, co za jego sprawą spotkało tę biedną dziewczynę. On sam też powinien zapomnieć. Ale nie potrafił.

– Nie w porządku – ryknął. – Chujowo!

A potem chwycił koszulkę, która suszyła się na sznurze, i przetarł twarz. Dopiero kiedy się nieco uspokoił, podszedł do Bibi. Poklepał ją po plecach. Objęła go. Milczała. Po chwili poczuła, że mąż się trzęsie. Czyżby płakał?

– Wszystko się ułoży – pocieszyła go. – Kodar wyciągnie Nazara z aresztu i wyprawi cichy ślub. A składnicę już ci oddali, tak?

– Pustą – burknął Kerej, dyskretnie wycierając oczy.

Bibi widziała jednak, że wciąż są zaczerwienione.

– Nasmażyłam ci placków z żurawiną.

– Nie będę jadł.

Chwycił szczotkę i zabrał się do sprzątania.

– Ja to zrobię. Pobaw się z Osmanem. Chyba czuje, że coś wisi w powietrzu, bo nie chce zasnąć.

Kerej posłusznie ruszył do pokoju dziecka. Podniósł syna do góry, podrzucił kilka razy. Chłopiec śmiał się, domagając się więcej. Ojciec wziął syna w ramiona i położył się z nim na małym tapczanie, który już dawno temu mieli wyrzucić, ale wciąż stał w dziecinnym pokoju. Czasami nocowali na nim niespodziewani goście. Na przykład siostra Bibi albo Nazar, gdy nie chciał niepokoić rodziców nocnym powrotem z dyskoteki. Teraz ojciec i syn położyli się na twardym, wysłużonym łóżku. Nie minął kwadrans, a mały rozkosznie pochrapywał. Kerej zaś mógł oddać się wspomnieniom o kochance i w skrytości ją opłakiwać. Nie do końca jeszcze dotarło do niego, że nie ma jej już wśród żywych. Zdawało mu się, że wyjechała lub go porzuciła. Wolał wyobrażać sobie, że znalazła innego albo go zdradziła, niż umarła. I choć sam wkładał do trumny jej zmiażdżone ciało, wciąż nie mieściło mu się w głowie, że już nigdy nie będzie jego, nie poczuje jej zapachu, nie usłyszy śmiechu czy choćby wyrzutów.

Po tym wszystkim, co spadło na jego rodzinę, był absolutnie przekonany, że śmierć Wiery nie jest przypadkowa. Ani przez chwilę nie wierzył w samobójstwo. Nie widział zresztą sensu tej śmierci poza tym, że była to zemsta Bajdałych na nim samym. Chcieli go trzymać w szachu albo złamać. Wiedzieli dobrze, że już na zawsze będzie strzegł ich wspólnej tajemnicy. Nie powie ojcu ani matce, a tym bardziej Bibi. I że ten ciężar przyjdzie mu dźwigać do końca życia. Choćby wszystko się ułożyło, a on znalazł inną kobietę, nigdy nie uwolni się od poczucia winy za śmierć kochanki. Bo to on lekkomyślnie zadarł z rodem Rustema.

Szczerze nienawidził tego paniczyka. Rozpalał w nim tak silne emocje, że był nawet gotów iść do czarowników i przekląć go do dziewiątego pokolenia. Nie zrobił tego tylko ze strachu. Ojsze opowiadała mu bajki, kiedy był niewiele starszy od Osmana, w których czarna magia wcześniej czy później obracała się przeciwko sprowadzającemu klątwy. Rzeczy Wiery zawiózł do magazynu i ukrył w najdalszym kącie. Nie było ich zresztą wiele: kilka szmatek, pamiątki z występów, resztki kosmetyków, rozdarty plakat z jej przedstawienia i podręcznik do logopedii. Marzyła, by zostać wielką aktorką, ale choć oszałamiająco piękna, nie miała oparcia w nikim. Nikt nie traktował jej poważnie. Nikt nie wiedział, że w Kijowie studiowała pedagogikę. By przyjechać do Uralska z zespołem, wzięła na uczelni urlop dziekański. Kerej sam o tym nie miał pojęcia. Dowiedział się, przeglądając dokumenty Kostyry po jej śmierci. Czasami myślał, że dla niej byłoby lepiej, gdyby go nigdy nie spotkała.

Przymknął oczy i natychmiast pod powiekami pojawiły się jej włosy jak promienie słońca. Jedwabista skóra. Jędrne piersi. Biodra, za które tak lubił ją trzymać, gdy na nim siadała. Był pewien, że z żadną kobietą nie przeżyje tego, co dała mu ona. Kochał Bibi, ale była inna. Potulna, układna, wzorowa w małżeństwie. Nie miała w sobie tej dzikości. I nie budziła w nim jego prawdziwej natury. Z Wierą wciąż musiał walczyć, ale też wprawiała go w zachwyt. Była jak tajfun. Zabierała go w świat jemu nieznany. Na początku bał się jej trochę. Zdawało mu się, że go pożera, kiedy go całowała. Ale gdy tylko oddawał się we władanie jej pierwotnych mocy, zaraz łagodniała i czuł, jak zlewa się z nim. Potem było tylko przenikanie. Za jej życia nie rozumiał tego i nie potrafił docenić. Brał ją w posiadanie i chełpił się, że ma to najpiękniejsze ciało w Uralsku wyłącznie dla siebie. Teraz te obrazy wracały coraz częściej. Zagłębiał się w nie, choć rodziły głównie ból, a nie, jak kiedyś, rozkosz. Nie wiedział, że można wciąż kochać kogoś, kto już nie żyje. I tak cierpieć z tęsknoty, że chce się tylko zdechnąć. To dlatego zamknął się i od tygodnia nie opuszczał mieszkania. Trenował, medytował, walczył z cieniem. Naostrzył wszystkie noże w domu. Nocami chodził do starej zajezdni i strzelał z kupionej niedawno dubeltówki do butelek. Raz dołączył do niego jakiś leciwy wariat w ludowej czapeczce, który miał kałasznikowa i klatkę z czarnym ptakiem. W ciemnościach strzelali do rana, a potem pili wódkę, po którą Kerej chodził aż na dworzec. W drodze powrotnej musiał przechodzić obok teatru, więc gołymi rękoma powybijał na dole wszystkie szyby. Kiedy przyniósł wódkę, ale pięści i ramiona miał pokrwawione, starzec o nic nie spytał. Zdezynfekował mu rany i poradził, by ukrył umysł.

– Umieść go nigdzie, a wtedy wniknie w całe twoje ciało i rozciągnie się po wszystkich członkach. Wniknie w rękę i będzie kierował twoją ręką. W nogę, żeby kierować twoją nogą. W oku będzie kierował twoim wzrokiem. Jeśli ktoś myśli, to ta myśl przejmuje nad nim władzę. Jeśli myślisz o zemście, przyjdzie do ciebie ten, kto na nią zasługuje. A wtedy się nie wahaj.

Tej nocy właściwie nic ze słów starca nie zrozumiał. Nie mógł też sobie przypomnieć twarzy tego włóczęgi. Zdawało mu się nawet, że to nie był człowiek, lecz duch, a tak naprawdę był w starej zajezdni sam.

Do domu wrócił o brzasku. Spał jak kamień do popołudnia. Żadnych snów, wspomnień, bólu, poczucia winy. Ostateczne oczyszczenie systemu. To w tym celu człowiek pierwotny wynalazł alkohol. Bibi podała mu ostro przyprawioną zupę i jak zwykle o nic nie pytała. Kiedy zjadł, natychmiast ruszył na poszukiwanie przyjaciółki Wiery i nawet zapłacił byłemu milicjantowi, parszywej szui, który specjalizował się w odnajdywaniu tych, którzy chcieli przepaść bez śladu. Bez powodzenia. Nikt w Uralsku nie widział młodej kobiety z dzieckiem, jakby zapadła się pod ziemię. Kerej czuł, że Oksana wie, co wydarzyło się tego wieczoru. A także zna prawdziwy powód śmierci tancerki. Dziewczęta z teatru wyjawiły, że Oksana jako ostatnia widziała Wierę żywą. Rozmawiały niezbyt długo. Kiedy ona opuszczała budynek teatru wzburzona, ciało Wiery leżało już na chodniku. Kerej nie chciał obwiniać Ukrainki, że maczała palce w tragedii, bo, jak słyszał, miała własne kłopoty, ale ten zaskakujący zbieg okoliczności był po prostu nieprawdopodobny. Wiadomo, że przypadek to beznadziejne określenie powodu, którego się nie zna.

– Kerej! – wyrwał go z tych rozmyślań szept żony.

Wrócił gwałtownie do rzeczywistości, odłożył syna. Usiadł. Dopiero po chwili zrozumiał, gdzie się znajduje i kto do niego przemawia.

– Jacyś ludzie do ciebie.

Zerwał się, otrząsnął jak wodołaz, który znienacka wyskoczył z jeziora.

– To przyjaciele – uspokoiła go Bibi. – Młodzi z rodów Żygiteków i Bokenszów przyszli prosić o pomoc. Nie godzą się z decyzją swoich askałów.

Ruszył marszowym krokiem na korytarz. Na dywaniku przed wejściem stał rząd adidasów. Bibi biegała z kuchni do salonu i ustawiała na dastorkonie przekąski. Świątecznie poubierani młodzieńcy przedstawiali się kolejno, choć Kerej nie byłby w stanie zapamiętać imion wszystkich, nawet gdyby był w najlepszej formie. Z nazwisk wywnioskował jednak, że rzeczywiście pochodzą z mniejszych, lecz szanowanych przez jego ojca rodów. Niektóre twarze znał z bazaru. Ci kawalerowie musieli zajmować się handlem, tak jak wszyscy w tych czasach. Jeśli ktoś nie pochodził z rodziny urzędniczej, miał tylko dwie drogi awansu: zostać rekieterem lub biznesmenem. Nie było dziś innych łebskich mężczyzn w Uralsku. Kodar na pewno znał ich ojców. Najstarszy z gości miał trzydzieści lat, najmłodszy był w wieku Kereja. Mężowie jak skały, ale miny mieli ponure. Nie wyglądali na takich, którzy chętnie proszą o pomoc. Na co dzień chodzili w luźnych dresach. Tym razem mimo upału powkładali marynarki z wielkimi poduszkami, a najstarszy nawet koszulę i pstrokaty krawat. Znów więc musiało wydarzyć się coś niecodziennego, pomyślał z niepokojem Kerej.

– Co was do mnie przywiodło? – zapytał wprost, kiedy Dimasz skończył przedstawiać przybyłych i wszyscy zasiedli do herbaty.

– Weź nas pod swoją ochronę – poprosił najstarszy.

– Ja? – zdziwił się szczerze Kerej. – A co ja mogę?

– Ty jako jedyny nie płacisz Nosze – wymsknęło się jednemu z młodszych. – Chciał cię zmusić, ale się nie dałeś.

– Nie płacę i nie będę płacił. Wy też nie musicie. Postawcie się. Gdy cały bazar się zbuntuje, skończy się panowanie Nochy.

– To nie takie proste – cmokał właściciel krawata. Poluzował go teraz, nie ukrywając zdenerwowania. – Dziś podnieśli nam haracz. Trzydzieści procent już im nie wystarcza. Nie możemy tyle oddawać za ochronę. Mamy swoje wydatki. Sam wiesz, jak jest.

– Nie prowadzę agencji ochrony.

– Ale mógłbyś. Oddamy ci połowę tego, co zabiera nam Nocha.

Kerej spojrzał na młodego spod zmrużonych oczu.

– Handluję jak wy. Jestem w takiej samej sytuacji. I nie mogę zapewnić wam kryszy, bo gardzę takimi, którzy żerują na innych. Nie jestem pijawką.

Zaczęli go przepraszać.

– Dyrektora kolei z opresji wyciągnąłeś – ożywił się znów najmłodszy. Wyglądało na to, że mówi to, o czym inni jedynie odważyli się myśleć. – Zaszył się pod miastem i śmieje im się w nos.

– Siergo jest w Uralsku? – zapytał zaskoczony Kerej, zastanawiając się, dlaczego się do niego nie odezwał. – Zaprowadzisz mnie do niego?

Młody się wystraszył.

– To niemożliwe. – Właściciel krawata wziął kolegę w obronę. – Ale z jego żoną możesz się spotkać. Choćby zaraz.

– Wisu wróciła? – znów zdziwił się Kerej.

– Czeka na dole w moim aucie. Pomarańczowym żiguli. Ma urwany błotnik. Jest ci wdzięczna za to, że zaryzykowałeś. Przywiozła pieniądze i dokumenty Sierga. To ona nam poradziła zwrócić się do ciebie. Dobra z niej kobieta. Przeżyła swoje. Pomyśl. My cię wesprzemy.

Kerej odwrócił się do Bibi i powiedział:

– Zejdź i zaproś Wisu do nas.

Bibi zawahała się, a po kilku minutach wywołała Kereja na korytarz.

– A jeśli to podstęp?

Kerej zasępił się.

– Przecież ona przyjechała już tydzień temu. Gdyby chciała zobaczyć się z tobą, zadzwoniłaby. Jak wtedy nad ranem, pamiętasz?

Kerejowi przed oczyma przeleciały czarne motyle. Przypomniał sobie nocny telefon Wiery.

– Idź. – Pogładził żonę po plecach. – Tylko bądź ostrożna.

– Jak ona wygląda? Jest młoda, tak?

Kerej przełknął ślinę, starał się odpędzić natrętne myśli. W głowie mu wirowało. Miał dziwne przeczucia, ale tłumaczył je głupim strachem przed ujawnieniem swojej zdrady. A jednocześnie jeśli z takiego powodu miałby żonę narazić na niebezpieczeństwo, utraciłby kolejną kobietę, którą obiecał chronić. Bibi była matką jego dziecka. Kto zajmie się Osmanem, jeśli jej zabraknie? Wahał się jeszcze jakiś czas, aż nagle gdzieś z tyłu głowy decyzja zapadła. Tak, chciał wyjść zagrożeniu naprzeciw. Zmierzyć się z tym, co nieuniknione. Choć czuł, że ziemia zaczyna mu umykać spod stóp, nie mógł dłużej stać w miejscu. Położył dłoń na ramieniu żony.

– Zadbaj o gości. Ja zaraz przyjdę. Jeśli nie będzie mnie dłużej niż kwadrans, zadzwoń do ojca. Kodar wyśle uczniów. Dimasz i Tusip mnie znajdą. Gdyby coś ci groziło, poproś Mnaurę, żeby tu przyjechała, albo natychmiast z Osmanem jedź do nich.

– Nie wychodź. – Bibi wyczuła jego niepokój.

Dotknęła amuletu wiszącego na jego szyi. Wysunął się spod ubrania i wyraźnie było widoczne wytłoczone na skórze imię starszego brata męża: „Kim". Schowała *tengri* pod koszulę i zapięła guzik.

– Muszę.

– Bądź ostrożny – usłyszał własne słowa jak echo.

To go rozczuliło. Żadnych scen, jęków. Zimna krew, konkretny ton, choć wiedział, że Bibi jest pełna obaw.

Kiedy żona zniknęła w salonie, wszedł dyskretnie do sypialni. Wyjrzał na ulicę. Stare żiguli, które dawno temu było pomarańczowe, stało jako trzecie po prawej stronie. Wewnątrz siedziała jakaś kobieta. Czy to była Wisu? Z tej odległości trudno było ocenić. Wyciągnął spod łóżka dubeltówkę i załadował amunicję. Nie bardzo miał jednak jak ukryć długą broń. W końcu sprawdził, czy ma ze sobą swój składany nóż, i wyszedł, licząc się z najgorszym.

Zmarli nie pamiętają momentu śmierci, tak jak żywi odemknięcia drzwi przed wejściem do domu. To tylko brama: otwiera się i zamyka. Nic znaczącego. Choć stanowcze przejście zawsze lepsze jest od błąkania się. A potem materialna powłoka zmienia się w gwiezdny pył i jesteś już tylko ciszą. Dryfujesz. Tej euforii spokoju i wolności trzeba się poddać. Zlać z powietrzem. Stać tym, czym się zawsze było. I nieważna jest świadomość zgonu. Hipnotyzerzy opowiadają bajki. Dla zmarłych ten fakt nie ma znaczenia, podobnie jak żywi nie doceniają urządzenia, jakim jest ludzkie ciało. Zaraz po przejściu bramy pierzchają detale z życia. Zacierają się jak wspomnienie snu, który umknął po jednym spojrzeniu w okno. Wtedy rozumiesz, że niby jesteś tutaj, w arkadii albo w piekle, choć to zwykle ta sama strefa, gdyż wszystko jest subiektywne – ale bywa, że coś cię szarpie, przygniata i nie pozwala szybować. Znów czujesz ciężar istnienia. Coś ściąga cię w dół. Lecisz, ale spadasz. Boisz się i walczysz. Choć wcale tego nie chcesz. Chcesz po prostu odejść. Ale nigdy nie znika się bezpowrotnie. Ślad zostaje zawsze. Za bramą jest to pamięć żywych. Oni pociągają za twoje sznurki. Boleją i krzyczą: „wracaj!". To ich zasługa, że wpadasz w pułapkę. Choć najgorzej jest, kiedy nie masz rodziny, bliskich. Nikogo, kto stanąłby w obronie twoich czynów, bo po śmierci stajesz się własnością wszystkich.

Mogą cię opluwać, posiadać, śmiać się albo kurczowo starać zatrzymać żałobą. Mogą wszystko. Jesteś ich kukiełką. Cierpisz. Coraz bardziej, raz za razem dotkliwiej, aż znów odkrywasz w sobie ludzki gniew i agresję. Zmieniasz się w demona. Tak można spędzić wieczność.

– Myślisz, że ciebie to czeka? – zapytała Ałgyz i oparła się z całych sił o dwumetrowy kamień, który Ajtkurman przywlókł ze swoimi podopiecznymi kilkadziesiąt lat temu i ustawił pionowo, znacząc w ten sposób miejsce mocy.

Mówiono, że głaz spadł z nieba w czasie buranu albo że Tengri przygotowali go dla tutejszych przed stworzeniem świata i tamtej zimy tylko odsłonili, by ludzie mogli go zobaczyć. Jedna strona skały była wypukła, pełna pęknięć i niemal czarna ze starości, druga – jasna, płaska, jak gdyby ucięta monstrualnym diamentem. Przywodziła na myśl szkło lub taflę spokojnej wody. Kolejni pielgrzymi ryli w niej swoje litanie, ale po jakimś czasie – po kilku tygodniach, a bywało, że i po wielu latach – powierzchnia znów stawała się gładka. Tym sposobem wciąż było miejsce dla kolejnych intencji, mimo że pielgrzymów przybywało z każdym rokiem więcej i więcej. Naukowcy badali to miejsce od lat. Meteorolodzy twierdzili, że to zasługa wichrów. Dowodzili, że krzyżują się tutaj wiry powietrzne. One niosą piasek i drobne kamienie, które, pozostając w nieustannym ruchu, szlifują powłokę, która ponownie staje się idealnie wypolerowana. Ludzie nauki nie potrafili jednak wyjaśnić, dlaczego druga strona kamienia z każdym rokiem stawała się coraz bardziej zwietrzała i pomarszczona. Astrologowie dla odmiany wskazywali na wpływ konstelacji gwiazd, psychotronicy – cieków wodnych, a zwykli tutejsi powtarzali z nutą grozy, że to symbol dualizmu świata lub też dwóch obliczy człowieka. Dobra i zła, narodzin i starości, żeńskiego i męskiego, krainy żywych i umarłych. Rzeczy wymykają się naszej percepcji, ponieważ przebywają w stanie chaosu. Ale to z entropii powstają dwie podstawowe siły życia: moce światła i ciemności. To one znajdują się u podstaw wszelkich poszukiwań mistycznych i doczesnej aktywności. Tworzą duchowe pokrywy świata. Życie nie jest bezsensownym procesem, jak niektórym się wydaje. Z chaosu wyłania się ład. Dwa to liczba duchowa. Łączenie się i uzupełnianie przeciwieństw. Wszystko bowiem ma znaczenie i dąży do równowagi. Zło też ma swoją rolę do odegrania w tym świecie.

– Zostaniesz demonem? – powtórzyła Ałgyz, bo wciąż nie uzyskała odpowiedzi.

– Nie wiem. Czasem lepiej umrzeć od razu, by później powstać – odparła Wiera i wysunęła stopę.

Dotknęła kobierca z tulipanów, który zamykał miejsce mocy w granicach wzroku, jak aureola świętych albo ślubna obrączka młodych w ich przyszłym świecie, którego od tej chwili powinni bronić. Zdziwiła się. Kwiaty były rzeczywiste, mimo że ona nie żyła. Żółte, fioletowe, karminowe (jak jej usta) oraz białe (jak żałobny całun, w który ją zawinął Kerej). Całe połacie stepu kwitły tęczowo. To był bardzo krótki moment po zimie, kiedy ziemia walczyła o swoje, zanim słońce znów wypali ją na pieprz i zostaną tylko ostnice oraz trawa słomkowa.

– Nie bój się. – Ałgyz wskazała miejsce obok siebie i spojrzała w oczy białej zjawie, choć sama drżała ze strachu. – Tutaj będziesz bezpieczna. Odpoczniesz.

Wiera zawstydziła się swojego poszarpanego prześcieradła. Pod nim nie miała nic, ale wcześniej tego nie dostrzegała. Jej ciało zostało przecież w grobie. Czym więc była teraz?

– Nie spotkałam tutaj nikogo – szepnęła. – Nigdy ani nigdzie. Przez całą drogę.

– Ty też jesteś moim pierwszym przywołanym duchem. – Ałgyz zdecydowała się na szczerość. A potem się roześmiała: – I naprawdę się cieszę, że to ty, a nie jakiś okropny grubas z odrąbaną głową.

Wiera obejrzała się dokładnie, jakby sprawdzała, czy jej śmiertelne rany są widoczne. Nie dostrzegła żadnego uszczerbku. Jej ciało było skończenie doskonałe.

– Ty żyjesz, tak? – upewniła się.

– Oczywiście. – Ałgyz uszczypnęła się w rękę na dowód, że pod powierzchnią jej skóry wciąż płynie krew, mimo że Wiera na odległość mogła tylko wierzyć jej na słowo. – Jeszcze nie umarłam, ale już wiele razy podróżowałam do twojego świata. Znam go lepiej niż ten drugi – żywych. Zupełnie jakby ktoś wrzucał mnie do labiryntu, a jedyne, co z tego rozumiałam, to to, że powinnam ruszyć w drogę i bacznie obserwować załomy ścian.

– Jak to możliwe?

– Nie wiem. Tak samo jak ty nie wiesz, czy zostaniesz demonem.

– Więc obie nie wiemy – zauważyła Wiera i zbliżyła się o kilka kroków. Potem kilkanaście kolejnych. W końcu była już na wyciągnięcie ramienia od Ałgyz. Ostrożnie usiadła na skraju chropowatej części głazu.

– Oprzyj się – zachęciła ją młoda Kazaszka w fioletach. – Tu ci będzie lepiej. Zmieścimy się. Nie gryzę.

Siedziały, wystawiając twarze do słońca. Wiera rozłożysta, półnaga, niczym płowa kotka. Ałgyz zawinięta w wiele barwnych chust, spod których błyszczały tylko czujne jak u ptaka oczy. Były różne jak dwie śnieżynki. Niebo nad nimi miało kolor chabrów. Nie przesuwała się po nim nawet jedna chmurka. Temperatura była w sam raz, jak to bywa w snach. Pierwsza odezwała się znów blondynka.

– Dlaczego tutaj jesteś?

– Chciałam cię poznać.

– Dlaczego mnie?

– Ty mnie zawołałaś.

– Ja ciebie? Jak?

Ałgyz odwróciła się do towarzyszki.

– Kiedyś, gdy będę już umiała leczyć ludzi, poproszę cię, żebyś mi pomagała. Wtedy być może zdołam ci to wyjaśnić. Dopiero się uczę. To, co tutaj widzisz, to twój świat. Jestem twoim gościem. Zaprosiłaś mnie.

– Mój? – Wierze aż zaparło dech w piersiach. – Te kwiaty też?

– To niebo, aura. Ten wieniec wokół nas jak weselny laur. – Ramieniem zatoczyła okrąg. – To są twoje marzenia. Romantyczna jesteś i naiwna. Nie ma w tobie zawiści. Samo piękno i słodycz.

Odwróciła się do słońca, po namyśle zdjęła z głowy chustę. Wiatr rozwiał jej czarne włosy.

– Dlatego cieszę się, że to ty jesteś moją pierwszą *aulie*. Gdyby to był ten grubas, mogłaby tu być czarna jama i kłębowisko węży. Teraz mnie rozumiesz?

– Nie.

– Nie musisz. – Ałgyz wzruszyła ramionami. – Ja o tobie i tak wiem wszystko. Nie masz nikogo. Nikt cię właściwie nie pożegnał, skoro się błąkasz.

– Miałam kogoś. Chyba był ktoś. – Wiera na próżno starała się sobie przypomnieć, kim mógł być ten człowiek. – W każdym razie ja go kochałam.

– Pokaż mi go.

Ałgyz chwyciła dziewczynę za rękę. Wiera najpierw się usztywniła, ale potem zacisnęła palce. Poddała się woli młodej *baksy*. Od razu poczuła ulgę i kojące ciepło.

– Zamknij oczy – nakazała Kazaszka. – Nie myśl. Poczuj.

Wiera więcej się nie odezwała. Słuchała poleceń i odpływała, jak kiedyś w ramionach mężczyzny. Teraz jednak euforia była przepotężna. Zaraz po niej pojawiły się obrazy. Fragmenty jego nagiego ciała w skotłowanej pościeli, uśmiech płowowłosego Kazacha. Jego ręka na jej biodrze, usta przy jej wargach. Już czuła, że traci grunt i leci w nieznane. Znika. Aż nagle wszystko przyśpieszyło i znalazła się w strugach krwi. Drobinki rozpryskiwały się na jego spodniach. Lufa karabinu i znów krew. Wszędzie krew. Zachłysnęła się, zadławiła. Z trudem łapała powietrze. Znajdowała się teraz między blokami. Wokół pełno było uzbrojonych mężczyzn. Z waniliowego auta wysiadł wytworny mężczyzna z papierosem. Odwrócił się i natychmiast go poznała, choć on nie zwrócił na nią uwagi. Minął ją, a właściwie przeszedł przez nią. Była przecież powietrzem. Poczuła jego chłód i miliard igiełek wbiło się w jej materię, jakby znów ożyła. Rzuciła się naprzód z krzykiem: „uciekaj", bo jej kochanek wychodził już z bramy. Potem powietrze zamigotało. Obraz znikł. Wiera otworzyła oczy. Znów miała wieniec z tulipanów na włosach, ale słońce zaszło. Było ciemno i mroczno. Ałgyz trzęsła się z zimna. Z jej ust kapała krew.

– Muszę iść. – Zmarła zerwała się przerażona.

– Zaczekaj – krzyknęła młoda szamanka. – To się zdarzyło czy ma się zdarzyć?

– Nie wiem. Nie dotykaj mnie. – Blondynka strzepnęła z siebie dłonie Ałgyz i już biegła jak najdalej przed siebie. Z każdym stąpnięciem tulipany znikały z kobierca. Zamiast nich zostawała czarna, bezkształtna masa. Dopiero po chwili, kiedy bose stopy zaczęły chlupotać, Wiera zrozumiała, że to krew.

– Odejdź, nie przychodź więcej. Ja już jestem demonem.

To były ostatnie słowa, które Ałgyz usłyszała z ust białej zjawy. Powtarzała je raz po raz. Kręciła głową, rzucała się. Dopiero kiedy poczuła na swoim czole pocałunek i znajomy oddech, zawróciła z tunelu. Nad sobą ujrzała twarz Dżamy. Isa trzymał jej dłonie w swoich i wpatrywał się w nią z niepokojem. Kiedy spotkały się ich spojrzenia, rozpromienił się, jakby sam zyskał nowe życie. Od razu wysłał jej wiązki mocy. Czuła, że otula ją ciepło i piękny zapach. Podziękowała mu w myślach za wsparcie.

– Dobrze się spisałaś – pochwaliła ją staruszka. – Jak na pierwszy raz, wspaniale.

– Znam tego człowieka! – Dziewczyna nie zwracała uwagi na komplementy. – Tego, którego ona chce ratować. To twój sensei, Iso. Ten, dzięki któremu ja żyję. To nie przypadkiem akurat jego dziewczyna przyszła do mnie jako pierwsza. Jemu coś grozi. Trzeba go ostrzec. Musimy wracać.

– Zachowaj spokój. – Szamanka położyła rękę na czole uczennicy. Wymawiała zaklęcia. – To nie musi się zdarzyć. A może już było. Nie znasz jeszcze swoich mocy. Wszystko ci się miesza.

Ałgyz powoli się odprężała. Wkrótce oddychała już miarowo. Kiedy tylko Dżama wyszła, by naparzyć jej ziół, szarpnęła Isę za rękaw i rzekła kategorycznie:

– Poszukaj telefonu. Zadzwoń do mojego ojca i powiedz, że wracam. Niech wyśle po nas ludzi. Podaj pierwszy lepszy adres w najbliższym miasteczku. Ktoś tam nas dowiezie. Idź i nie przybywaj bez dobrych wieści.

– Nie ma nic bardziej poetyckiego niż śmierć pięknej kobiety. – Zere odłożyła gazetę na stolik kawowy i spojrzała na wystraszonego podwładnego. – Co się tak przyczaiłeś, Hajdarowicz? Podwyżkę chcesz?

Umościła się wygodniej w fotelu. Czuła, że lewy but ją uwiera. Zsunęła go z pięty.

– Ile razy cię prosiłam, żebyś nie robił miny głodnego wielbłąda, Grisza?

Młody prokurator odchrząknął. Na twarz wypłynął mu sztubacki rumieniec. Nagle protegowany męża wydał się Zere całkiem apetyczny.

– Ta kobieta była w ciąży. – Prokurator wskazał zdjęcie Boskiej Very, które ilustrowało artykuł o samobójstwie aktorki. – I to zaawansowanej. Mamy wyniki od patologa.

Czar prysł. Młodzian znów drażnił ją swoją akuratnością.

– Kogo to obchodzi!

Hajdarowicz milczał, ale znała go już trochę i wiedziała, że trzyma coś w zanadrzu. Jak Zere nienawidziła takich błyskotliwych czempionów!

– No, pochwal się – syknęła. – Co nie pozwala ci zamknąć tego śledztwa?

Wstała, odwróciła się do okna. Miała ochotę zapalić, ale nigdy nie robiła tego przy obcych. Jej auto stało prawidłowo zaparkowane przed wejściem. Ochroniarz wysiadł, palił papierosa za papierosem. Zere znała tego Tadżyka tylko z widzenia, ale mu nie ufała. Zresztą, nie ufała nikomu. Patrzyła na ręce wszystkim: mężowi, synowi, matce. A Kaszo był od lat człowiekiem Sobirżana. Mówiono, że jest mu wierny jak pies i już dwukrotnie zasłonił biznesmena własną piersią, gdy ten naraził się rosyjskiej mafii. Ale z punktu widzenia Zere to oddanie było wadą, nie zaletą. Poza tym wiedziała, że Tadżyk jest szpiclem Jekatryny. Tej suki szefowa prokuratury nie znosiła szczególnie. Ale dziś, z powodu toju oraz konieczności zostawienia wszystkich ludzi Bajdałych w asyście Rustema i Dildy, musiała pojechać do biura ze służką Sułtana, jak Kasza przezywali chłopcy jej syna. Oczywiście całą drogę szczebiotała i udawała miłą. Zamierzała zaprzyjaźnić się z Tadżykiem, przyjrzeć mu się dokładniej oraz zorientować, czego brakuje mu na służbie u Sobirżana.

– Jej matka napisała list – podjął wątek młody podinspektor.

– Biedna kobieta. Pewnie jej ciężko. – Zere udała litościwą, lecz odetchnęła z ulgą.

Więc to nic poważnego. Zaraz wyjdzie, wsiądzie do wozu i zapali, a potem znów będzie cieszyła się widokiem swojego księciunia.

– Chce od teatru pół miliona odszkodowania za niedostosowanie skrzydeł okiennych do wysokości. Znalazła eksperta, który twierdzi, że to mógł być wypadek, kiedy kobieta usiadła na parapecie. Jest nawet świadek.

Zere wykonała półobrót i posłała prokuratorowi spojrzenie godne wojownika.

– A to bladź.

– No i skargę złożyła, bo ciała córki nie chcieli jej wydać.

– Matka to matka. Wydaj zgodę na odbiór. – Zere machnęła ręką, jakby przeganiała komary. – Ale o forsie niech zapomni. Może sobie pisać i do Nazarbajewa.

Hajdarowicz skinął głową, ale nie odchodził. Wahał się. Wreszcie rzekł:

– Pomyślałem, że podejmie pani taką właśnie decyzję. I dokument wydania podpisałem.

Zere zmarszczyła groźnie brwi.

– Proszę, jaki przewidujący.

– Ale w tryb roboczy nie puściłem. Chciałem tylko sprawdzić, jaki jest status.

To spodobało się Zere, choć nie dała tego po sobie poznać.

– Najtłustsze kąski koniny mi wyżrą, jak się nie pośpieszysz. Jest zgoda, niech wraca z trumną na Ukrainę. Kto jej broni?

– Najpierw nie miała jakiegoś papieru. Potem nikt nie wiedział, gdzie jest numer zwłok, a teraz się okazało, że Wiera Kostyra została już pochowana. Pop wpisał ją do księgi. Widocznie dostał spory zwitek, bo nawet poprowadził ceremonię.

– Okazuje się, że chętnych na białą aktorkę jest więcej po śmierci niż za życia – prychnęła Zere. – Powiedz jej matce, że trzeba było się pośpieszyć. Oczywiście umywamy ręce, względy proceduralne. Tajemnica służbowa.

– Nie możemy tak zrobić, pani Bajdały.

– A to dlaczego?

– Bo ta osoba podpisała dokument odebrania ciała, a my je wydaliśmy. Jeśli się przyznamy, trzeba będzie zrobić ekshumację, a matka jeszcze zacznie chodzić wokół ponownej autopsji, zwłaszcza jeśli zobaczy wyniki sekcji. Byle ktoś nie podpowiedział jej, że może być oskarżycielem posiłkowym. No i te pół miliona za skrzydła okienne.

– Kto podpisał kwit odbioru? – spytała Zere, choć domyślała się od początku, co wyduka młody prawnik.

– Syn Kunanbajewa. Kerej.

– Taki odważny?

– Po tę Wierę naprawdę nikt się nie zgłaszał. Mamy mało miejsc w lodówkach.

Zere coś kołatało się w głowie. Czuła nagły przypływ euforii.

– Czy ty, Grisza, nie byłeś ostatnio na przeszukaniu u Kunanbajewa?

– Sprawa dotyczyła jego brata, Nazara, ale tak, zgadza się.

– Tego małego?

– Gwałt i kradzież. Molestowanie nieletniej. Choć oboje to jeszcze dzieci. Nazar skończył osiemnaście lat, ale nawet wniosku o dowód jeszcze nie złożył. Rodzina ustala teraz koszty między sobą. Jeśli Kodar ich opłaci, wycofają oskarżenie.

– Żadnych rodzinnych ustaleń. Połącz to. Niech Kodar zajmie się domowymi problemami, a dopiero potem startuje do polityki.

– To znaczy, że mam napisać do matki aktorki i wydać jej komplet dokumentów?

– Na tej linii opóźniasz. Formalnych potwierdzeń nie wydajesz nigdy, zapamiętaj. Choćby poszli do ministerstwa i straszyli strzelbą. Wtedy dzwonisz do mnie. Zgubić coś zawsze można, akta ktoś zaleje kawą. Płomienie też często wybuchają w naszych pokojach. To stare mury, trudno zapobiegać zdarzeniom losowym. Taksówkami czasem się dokumenty wozi, a te prowadzą ludzie nieodpowiedzialni. Nie kosztuje to wiele, ale takim funduszem nie dysponujemy. I znajdą jakiegoś dziennikarza. Masz listę opłaconych współpracowników. Rzuć mu trop. Niech to właściwie nagłośni. Jak się ludzie dowiedzą, że kandydat na deputowanego ma synków, którzy kradną zwłoki upadłych aktorek, rabują pierścionki nastolatkom oraz je gwałcą, nie wrzucą swojego głosu do urny.

Była zadowolona. Nie powiedziała tego, ale przecież było prawdopodobne, że Bibi, święta żona młodego Kunanbajewa, nic o kochance jeszcze nie wie.

– Są jeszcze nowe skargi. Bierik Chajruszew ma kolejną sprawę o napaść, Miko znów gwałt zbiorowy, a do Nochy wraca sprawa zabójstwa tych muzułmanek, żony i córki Abaja Kulinszaka. Ludzie po wybryku dzieciaków od Kunanbajewa się rozochocili. Zgłaszają się na potęgę. Nie możemy, pani Zere, dalej blokować tych dochodzeń.

– Znów ten Kunanbajew – westchnęła znudzona Zere. – Nie mogę tego słuchać. Wiesz, co masz robić z drobnicą. Utrzemy Kerejowi nosa i będzie spokój z naszymi.

– Jedna z kobiet porwanych przez ludzi Nochy przeżyła. Chce zeznawać.

Nie dokończył, bo Zere włożyła już szpilki. Pakowała torebkę.

– Wsadź ją na dołek – poleciła. – Niech poczeka na przesłuchanie kilka dni o chlebie i wodzie. Możesz Wańkę do niej dać albo któregoś z naszych kapitanów od Futnikowa. Łazar? Miko? Oni lubią rozmawiać ze zgwałconymi kobietami. Młoda?

Hajdarowicz przytaknął.

– Podobno kiedyś była ładna. Teraz trudno stwierdzić. Zna pani Nochę i jego ludzi.

Zere już nie słuchała, zbierała się do wyjścia.

– A Wańki szukają – rzucił jej na odchodne Hajdarowicz. – Jeszcze nie wrócił.

– Szkoda. Lubię grubego. Jest zabawny – skwitowała Zere bez cienia współczucia. – Nic nowego mi dzisiaj nie powiedziałeś, Grisza. W pierwszej kolejności zajmij się sprawą wydawnictwa. Reszta to barachło, ale dobrze, że pilnujesz. Bywaj zdrów. I uściskaj ode mnie swoją Gienię. Kiedy rodzi?

– W październiku – odparł Hajdarowicz. – Gaję. Tak ma na imię moja żona.

– Właśnie. Niech się dziewczyna zdrowo odżywia.

Abaj aż podskoczył, gdy rozległo się pukanie do drzwi. Bardziej chrzęst lub skrobanie, coś ledwie słyszalnego. Milicja nie stuka tak nieśmiało. Kerej łomocze dwa razy i od razu naciska klamkę. Jego chłopcy robią taki rumor, że już na półpiętrze *akyn* rozpoznaje ich głosy. A odkąd rodzina odcięła się od Abaja, nikt więcej nie odwiedzał go w tej norze. Chyba że to ten młody malarz z odstającymi uszami? Może znowu napytał sobie biedy i chce go pociągnąć za sobą? Ale czy godzi się odmówić bliźniemu pomocy? Czy Allah wynagrodzi go za tak niecny postępek? Ten chłopiec przecież, podobnie jak on, nie ma w Uralsku nikogo. Mężczyzna spojrzał na Żanymkul. Trzynastolatka skinęła głową, a następnie pokornie weszła do szafy. Kiedy drzwiczki starego mebla wyskrzypiały, a szelest przesuwanych ubrań ucichł, Abaj na miękkich nogach podszedł do szpary w witrynie, która służyła mu za wizjer.

Musiał podglądać ostrożnie, bo dziura na wylot łatwo mogła ujawnić jego obecność w korytarzyku. Stanął więc bokiem, przyczaił się i wyciągnął z kieszeni starą puderniczkę znalezioną kiedyś na śmietniku, a następnie ustawił ją pod odpowiednim kątem, by nie robić zajączków. Najpierw w zwierciadle dostrzegł wypukły brzuch obciśnięty kwiecistą tkaniną, a potem smukłe dłonie z aktówką. Za ciężarną kuliła się ogorzała od słońca i wiatru babinka w chuście. Abaj odsunął się, zmarszczył czoło. Przyłożył ucho w okolice szczeliny. Kobiety mruczały coś do siebie, ale nie mógł zrozumieć. Jakby mówiły w dialekcie lub w jakimś słowiańskim języku. Nie był to z pewnością kazachski ani też rosyjski. Po chwili ciężarna znów zastukała, tym razem głośniej, i wyraźnie zniecierpliwiona dodała już w znanym mu języku:

– Panie Kulinszak, chcemy tylko porozmawiać. Wiem, że ktoś jest w domu!

Abaj w jednej chwili zdecydował, że nie chce dziś przyjmować gości, więc stąpając na palcach, opuścił przedsionek.

– Słyszę pana! Ta dykta nie ma nawet pół centymetra.

Spod drzwi zaczął się wysuwać zadrukowany papier. Abaj wpatrywał się w kartkę z wiadomością coraz bardziej niespokojny, jakby mogła nagle ożyć i go zdemaskować, i w końcu ciekawość zwyciężyła. Podniósł, przeczytał. Nogi się pod nim ugięły. Wzniósł oczy i wyszeptał w myślach kilka sur Koranu.

– Jestem adwokatem – usłyszał za drzwiami. – Zajmiemy tylko chwilę. Naprawdę, niech się pan nie wygłupia. Dwie baby pana przecież nie uszkodzą.

Niechętnie odsunął zasuwy. Ciężarna z towarzyszką wtargnęły do mieszkania i bez zbędnych ceregieli zajęły jedyne krzesła przy stole w kuchni. Kobieta przedstawiająca się jako mecenas zaraz zapanowała nad niewielką przestrzenią. Zachowywała się tak, jakby przychodziła codziennie. Nie zwracała uwagi na złom w kącie, stertę zbieranych przez Abaja starych pism ani łóżko ze związaną sznurkiem pościelą, na którym piętrzyła się góra przedmiotów na handel. Zdawała się nie dostrzegać wszechobecnej sadzy, która wciąż osiadała na sprzętach od otwartego paleniska na środku pokoju. Nie krzywiła się od nieprzyjemnych zapachów, jak czyniła to ostentacyjnie wsiowa baba w chustce. Zanim jednak prawniczka położyła na stole aktówkę, przesunęła ręką po blacie, by sprawdzić, czy się nie lepi, a potem rzuciła na podłogę kolorową siatkę pełną papierów i zaczęła wyjmować z niej teczki z dokumentami, które układała w zgrabne stosiki.

– Skąd pani to ma? – wyszeptał gospodarz i oddał jej kartkę, która otworzyła kobietom drzwi do jego kryjówki.

– Mecenas Gaja Hajdarowicz. – Kobieta wyciągnęła dłoń na powitanie. Uścisnął ją. Dopiero wtedy dołożyła dokument do swojego zbioru. – Miło mi poznać – dodała, choć mężczyzna nie podzielał jej entuzjazmu.

– Abaj Kulinszak. Bezdomny i bezrobotny.

Zerknął na kobietę w chuście. Wyglądała na przerażoną, że można mieszkać w takim chlewie. Wstyd go dławił w gardle, ale wykrzesał z siebie resztkę godności.

– Przepraszam za bałagan. Sam jestem. To przejściowe lokum.

Ukrainka tylko mocniej przytrzymała skajową torebkę poprzełamywaną na zgięciach, którą położyła na kolanach, jakby ktoś miał ją zaraz wyrwać. Pani adwokat zaś całkowicie zlekceważyła nieład i naburmuszoną minę swojej towarzyszki. Dziarsko rozkładała kartki i dopiero kiedy skończyła robotę, spojrzała przyjaźnie na Abaja, który z kolei był gotów zapaść się pod ziemię.

– To jest pani Wiera Kostyra, matka aktorki naszego teatru. Córka miała tak samo na imię. Słyszał pan może, że zginęła?

Abaj pokręcił głową.

– Rzadko bywam ostatnimi czasy w ośrodkach kultury – mruknął. – Chyba się pani domyśla, że nie mam do tego głowy.

– Tak przypuszczam – potwierdziła pani mecenas. – Ale tę historię musi pan poznać, bo łączy się z pana dramatem rodzinnym.

Abaj rozejrzał się i przyturlał pieniek, na którym przysiadł chyłkiem. Z niepokojem wpatrywał się w archiwum adwokatki.

– Może wody albo koziego mleka? Nic więcej nie mamy.

Gaja rozejrzała się czujnie po kątach. Jej wzrok spoczął na starej szafie, jedynym meblu w tym pomieszczeniu, zamkniętym na haczyk od zewnątrz. Abaj umilkł, zły na siebie, że popełnił tak głupi błąd. Spojrzał na brudną firankę. Za oknem już zmierzchało.

– Nie będziemy przedłużać – zadecydowała Gaja i podniosła zatłuszczoną kartkę. – To pan napisał ten list do prokuratury po śmierci Alii, tak? Wprawdzie to anonim, ale tylko mąż ofiary mógł znać te dane.

Abaj pochylił głowę.

– Podał pan nazwiska sprawców i domagał się procesu. Mam je tutaj wszystkie: Bierik-Mana Chajruszew, jego brat Sierik, Nocha, prawdziwe personalia nieznane, S. Amangalijew, R. Kieudienow, N. Abenow, D. Futnikow, Łazar Rozenberg, Andriej Mikroruszników, Rustem Bajdały, skreślone i zamazane, choć da się odczytać… na jego miejsce wpisano Wania, były bokser. Ale kiedy pana wezwano, zgodził się pan na umorzenie. Nie chciał pan zeznawać przeciwko ludziom Nochy. Dlaczego?

– Pani się pyta dlaczego? Przecież pani wie.

– Ze strachu?

– Nie wiem, kim pani jest. Po co tutaj przyszłyście?

Gaja Hajdarowicz sięgnęła po swoją siatkę i wygrzebała z niej jakąś saszetkę. Podsunęła Abajowi pod nos legitymację adwokacką. Przyjrzał się zdjęciu i danym osobowym, ale pozostał apatyczny.

– Nie współpracuję z nimi. Może trudno w to uwierzyć, ale w palestrze są jeszcze uczciwi ludzie. Pani Wiera mnie zatrudniła. I panu również oferuję swoje usługi.

– Ja nie mam na chleb – uniósł się Abaj. – Chyba widać, że nawet herbatą nie mogę pani poczęstować.

Adwokatka machnęła tylko ręką.

– Nie przyszłam tu dla zarobku. – Pogładziła się po brzuchu i skrzywiła, jakby miała skurcz. A potem uśmiechnęła się promiennie. Była teraz bardzo ładna. I sparafrazowała jego słowa: – Chyba na pierwszy i drugi rzut oka widać, że nie dla pieniędzy robię to, co robię.

Abaj powstrzymał się od komentarza.

– Dobrze się pani czuje? – zapytał.

– Dzisiaj niezbyt – odparła szczerze. – Te upały mnie dobijają. Ale ciąża to nie choroba. Do rzeczy! Pana żona została zamordowana przez Nochę i jego ludzi. Już pan wie, że niektórzy z nich to milicjanci. Rozumiem, że kiedy pan to pisał, nie miał pan o tym pojęcia. Zdarza się. Córka pani Wiery również nie do końca zdawała sobie sprawę, z kim się zadaje, chociaż w gazetach pisano, że było inaczej. Ale papier wszystko wytrzyma, także kalumnie o samobójstwie, bo są podstawy, by przypuszczać, że było zgoła inaczej. Mamy też eksperta, który na razie utrzymuje, że to wypadek, ale dowody wskazują na działanie osób trzecich. Niech się biją z myślami o odszkodowaniu, ale nam nie o tenge idzie. To zasłona dymna, by zyskać na czasie i dokonać frontalnego ataku, jak już będzie przygotowany pozew zbiorowy.

– Pozew zbiorowy? – powtórzył przestraszony Abaj. – Czyj? Przeciwko komu?

– Widzi pan te kupki dokumentów? To inne sprawy, w większości umorzone, które dotyczą tej samej grupy. Zgromadziłam pełnomocnictwa od poszkodowanych: gwałty, napaści, pobicia ze skutkiem śmiertelnym. I zamierzam wystąpić o połączenie tych dochodzeń. Nie ma jednak tak oczywistej sprawy, jak zabójstwo pana żony i córki. Przepraszam, jeśli ranię pana uczucia, ale z tego pisma wnoszę, że chciał pan zemsty, i mam nadzieję, że wciąż zależy panu na sprawiedliwości.

– Już w nią nie wierzę.

– Wiem, że kiedyś żył pan inaczej. To, co tutaj widzimy, to skutki działań grupy Nochy. Zabójstwo, haracze, groźby i wymuszenia. A przecież był pan naocznym świadkiem. Trzeba więc złożyć wyczerpujące zeznania.

W szafie zachrobotało. Kilka wieszaków musiało spaść, bo rozległ się rumor. Wszystkie twarze skierowały się w tamtą stronę.

Abaj zerwał się. Stanął przed szafą, jakby bronił do niej dostępu. I choć był pewien, że wymodlił tę kobietę, bo jeszcze miesiąc temu sam nie zawahałby się zaatakować komendy z bronią w ręku, teraz czuł tylko paraliżujący strach.

– Panie wybaczą. Ja naprawdę swoje przeżyłem. Nic od nikogo nie chcę. Dajcie mi spokój.

Gaja wymieniła spojrzenia z matką aktorki.

– To nie takie proste, panie Kulinszak.

Abaj sięgnął do kieszeni po *tasbih* i zaczął pośpiesznie przesuwać paciorki.

– Panu utrudniano odebranie zwłok żony – podjęła znów adwokatka. – A tej oto matce ciała nie wydano wcale.

– Bardzo mi przykro – wyszeptał Abaj. – Nie wiem, jak mógłbym pomóc.

– Nie wydano ciała Wiery, bo odebrał je ktoś inny. I ją pochował. Nie wiemy, czy zgodnie z prawosławnym obrządkiem. Faktem jest jednak, że tak się stało.

– Nadal nie rozumiem, jaki ja mam z tym związek.

– Tą osobą jest pana znajomy – przerwała Gaja Hajdarowicz, wbijając wzrok w szafę za Abajem. – Kerej Kunanbajew zabrał ciało Wiery Kostyry. Dlaczego?

– A skąd ja mam wiedzieć? – zdenerwował się Abaj. – Czy panie go tutaj widzą? Idźcie do niego.

– Byłyśmy.

Abaj zawiesił się. Myślał teraz tylko o tym, jak je wyrzucić. Przeklinał moment, w którym zdecydował się otworzyć drzwi. Dopiero teraz zaczną się prawdziwe kłopoty, jak te dwie idiotki rozpętają bitwę z prokuraturą.

– I co? Nie chciał z wami rozmawiać? To przyszłyście nękać bezdomnego? To mnie nie dotyczy. Nawet go nie znam.

– Rozklejał pan plakaty wyborcze jego ojca. Nie zleca się takiej roboty obcym.

– Rozklejałem – potwierdził *akyn*. – Każda praca jest dobra, żeby zarobić kilka tenge. Dobrze pani o tym wie, skoro zabiera się pani do przegranych spraw.

– Ja nie jestem pana wrogiem. – Adwokatka wcale się nie obraziła. Przeciwnie, zmiękła i stała się łagodniejsza. – A nie zastanawiało pana, dlaczego tak od razu Kunanbajew wziął pana na służbę? Jaki miał w tym interes?

– Żaden. Mógł dać mi jałmużnę, kupić bochenek chleba albo kopnąć w tyłek. Dał mi pracę. To coś złego?

– On współpracuje z Nochą – odparowała Gaja i znów wymieniła spojrzenie z matką aktorki, która pierwszy raz otworzyła usta.

Głos miała skrzekliwy. Mówiła po ukraińsku. To dlatego Abaj nie rozumiał jej, kiedy były na klatce.

– To gangster. Skrzywdził ją, a potem zabił. I dlatego moje dziecko pośpiesznie pochował. Tak gadają ludzie na wsi, w której jest ten cmentarz.

Na te słowa Abaj wybuchnął gromkim śmiechem.

– Chyba się z kimś pozamieniałyście na głowy. Kerej to najbardziej honorowy człowiek, jakiego znam. Jeśli pochował tę dziewczynę, to z litości. Nie wiem, co ich łączyło. To nie moja sprawa, ale takich oskarżeń pod adresem Kereja Kodarowicza Kunanbajewa nie będziecie rzucać w moim domu. Wynocha!

W tym momencie na klatce rozległy się kroki i głośne nawoływania. Abaj rozpoznał bez pudła donośny baryton Dimasza, a potem chrapliwe utyskiwania Tusipa. Po chwili rozległo się łomotanie do drzwi. Kobiety wstały. Adwokatka natychmiast spakowała do teczki swoje papiery. Już ich nie segregowała. *Akyn* widział, że się przeraziła.

– Jak wspominałam, byłyśmy w domu Kunanbajewa – mówiła pośpiesznie. – Nie zastałyśmy go. Ponoć zniknął bez śladu. Żona twierdzi, że wyszedł do auta i zapadł się pod ziemię. Do tego zaprzeczyła, że Kerej i Wiera się znali. Ale wiemy, że tak było. Tancerki z teatru widywały ich razem. Nawet mieszkanie jej wynajął. Byli kochankami.

– To chyba nie dowodzi zbrodni.

– Pan nic nie wie o swoim mocodawcy. – Gaja mówiła cichym, syczącym szeptem. – Spotkałam tego człowieka na komisariacie. Miał sprawę o wymuszenia i przejęcie magazynów kolejowych. Wystawił swoją bojówkę przeciwko siłom policyjnym. Kto, bez kryszy, odważyłby się na takie zuchwalstwo? Sprawdziłam jego akta. Dużo na niego mieli. A wyszedł po kilku dniach. Bez szwanku, bez zarzutów. Żadnego śladu w dokumentach. To taki sam gangster jak Nocha. Może tylko działa mniej brutalnie. Ale to się zmieni. Zobaczy pan.

Walenie do drzwi się wzmagało.

– Abaj, to my. Otwórz. Tusip krwawi.

– Myli się pani, i to bardzo. Kwity, jeśli jakieś są, zostały spreparowane. Atakują go, więc się broni. Na pani miejscu zacząłbym raczej gromadzić pieluszki i dekorować pokój dziecięcy zamiast rozpętywać wojnę z tygrysami. Bo tutaj nie kwity się liczą, ale liczba kałasznikowów – odrzekł Kulinszak i pobiegł do przedsionka.

Tusip wisiał na ramieniu przyjaciela. Omdlewał. Obaj zapaśnicy byli pokrwawieni, ze śladami zakrzepniętej krwi, ale Dimasz sprawiał wrażenie podejrzanie zadowolonego.

– Nas dwóch przeciw tamtym sześciu – trajkotał z triumfem w głosie. – Wczoraj w nocy była pierwsza runda, dziś druga. Słabeusze! Niech spróbują ponownie, to znów zasmakują naszych pięści – wymruczał i zwalił się na klepisko jak kłoda, przygniatając biednego Tusipa, który nagle się ocknął.

– Zawiadom Kunanbajewów. Chcieli wziąć nasze auto. – szeptał urywanymi zdaniami Ormianin. – Nie daliśmy. Tylko lusterko urwali, chuje. Durny Dimasz wczoraj prawie zabił Mika. Mana też dostał wciry. Jakiejś dziewczyny bronił. Będą nas szukać. – Po czym stracił przytomność.

Matka aktorki aż odskoczyła pod ścianę i została tam, wciąż ściskając w dłoniach swoją wyświechtaną torebkę. Gaja zaś odłożyła aktówkę i ruszyła do pomocy Abajowi w uprzątaniu barachła z łóżka, żeby można było położyć na nim pobitych. Dopiero kiedy wspólnie opanowali sytuację, okazało się, że obydwaj są cali pocięci. Wprawdzie ich życiu nie zagrażało niebezpieczeństwo, jak można było sądzić na pierwszy rzut oka, ale trzeba było opatrzyć, przemyć rany, bo małych, płytkich nacięć było bardzo wiele. Abaj nie potrafił ich zliczyć. Domyślił się, że uczniowie Kunanbajewa musieli walczyć z uzbrojonymi w noże napastnikami. To, że dwa razy pokonali bandytów Nochy, nie wróżyło niczego dobrego.

– Nadal uważa pani Kereja za człowieka Nochy? – Wściekły Kulinszak odwrócił się do prawniczki.

Kobieta nic nie powiedziała. Wpatrywała się jedynie w nieprzytomnych chłopców. W oczach miała łzy.

– Bardziej się martwię, że ci dwaj przyszli do pana – wyraziła swoje obawy i nie czekając na słowa Abaja, zwróciła się po ukraińsku do matki aktorki: – Pani jest pielęgniarką, prawda?

Kobieta skinęła głową.

– Proszę napisać, czego potrzeba, żeby ich uratować.

Po tych słowach Gaja, zostawiając kolorową siatkę z dokumentami pod stołem Abaja, skierowała się do wyjścia. Wiedziała, że do Zielonej Kryszy jest kawał drogi, ale na targowisku znajdowała się najbliższa otwarta apteka.

W Mietiełce nie było tak tłumnie od chwili otwarcia. Budki w tej części rynku pozamykano, a kto żyw udawał się do speluny w sercu bazaru, choćby z ciekawości lub na darmowy trunek. Mężczyźni porozsiadali się na krzesłach i skrzynkach po piwie, poopierali o ściany. Niektórzy mieli opatrunki na głowach, dwóch ręce w gipsie. Miko odstawił kulę pod ścianę. Wyciągnął unieruchomioną na stelażu nogę, wielce dumny ze złamania. Ale nawet ci, którzy nie ucierpieli w bójkach dwóch ostatnich dni, byli rozdrażnieni. Kac oraz niedospanie męczyły wszystkich. Nie pomógł ostry *beszbarmak* ani racuchy. Na stoły wjechała więc kolejna partia wódki, by klina leczyć klinem. Kiedy zebrała się już cała ekipa, Nocha nakazał zamknąć drzwi knajpy. Upił łyk ciepłego piwa i polecił Bierikowi, by raz jeszcze opowiedział przebieg ostatnich wydarzeń.

– Siedmiu naszych w szpitalu, walczą o życie. Sierik został w domu. Matka go opatrzyła. Łazar i Miko zagipsowani.

Reszta jak widać. – Wskazał pokiereszowanych mięśniaków w dresach; połamani mieli szczególnie zbolałe miny.

– Kerejowcy za bardzo się rozochocili. Wywieźć ich za miasto – krzyknął ktoś z tyłu sali.

Powstał rwetes. Nocha uciszył tumult jednym gestem.

– Ilu was było?

– Wczoraj nie wiem. – Bierik pochylił głowę. – Miko ze swoimi był na dyskotece. Pobili się o jakąś przyjezdną. Nie znam jej dobrze. Raz tylko Rustem po nią posłał. Ma dzieciaka.

– Pięciu nas było – powiedział jeden z obandażowanych. – I Sierik.

– Was pięciu, kapitanie. A ich dwóch? – Nocha był bezlitosny. – Gołymi rękoma was tak rozjebali?

– To zapaśnicy sambo – bronił się Miko. – Zaskoczyli nas.

– Pewnie, skoro miałeś gacie ściągnięte do kolan – szydził Nocha. – Gdzie ta panienka?

– Zabrali. Nietutejsza.

Nocha darował sobie kolejną kpinę.

– A dziś?

Wstał Bierik Chajruszew.

– Jak Sierik wrócił wczoraj pokancerowany, trochę się nakręciłem. Zebrałem chłopaków i ruszyliśmy w miasto. Kerejowców dopadliśmy przy magazynach. Auto mieli załadowane resztkami towaru, jaki im zostawiliśmy. Zaczęli spieprzać. Dopadliśmy ich pod wiaduktem i odcięliśmy drogę.

– W ile aut byliście?

– Cztery.

– Oni jednym. Dwaj. Bez broni. I co, znów bawiliście się w zapasy?

Nocha stłukł butelkę. Trzymał szyjkę, wymachując nią jak sztyletem.

– Mieliśmy noże. Nie będą mogli spać przez najbliższe tygodnie. Ale spierdolili.

– Wyście spierdolili – sprostował relację Nocha. – Dlatego teraz weźmiesz swoje cztery litery w imadło i dojedziesz młodych. Miasto nie będzie się z nas śmiało. Tych dwóch chłystków ma skończyć w żwirowni. Dla przykładu, że z nami się nie walczy. Wasza porażka to potwarz dla nas wszystkich.

Rozległy się głosy poparcia.

– Kto jedzie? – rzucił w tłum Bierik.

Mężczyźni podnosili się jeden po drugim, wypijali dla wzmocnienia ducha i deklarowali gotowość. Po chwili drzwi baru znów zostały otwarte, a przed wejście na targowisko zajeżdżały kolejne auta, ustawiając się w kolumnę. Nocha patrzył na to pospolite ruszenie z satysfakcją. Zawołał do siebie Mika, Łazara i Sierika.

– Dzwońcie do swoich, uprzedźcie, że będzie awantura. Niech szykują miejsca na OIOM-ie, bo będą ofiary. Ty nie walczysz, obserwujesz przebieg i meldujesz mi na bieżąco – polecił Mikowi. – Z tym kulasem i tak się do niczego nie nadasz.

– Powiadomić Rustema? – zapytał Sierik. – Może chciałby obejrzeć przedstawienie?

Nocha powoli pokręcił głową.

– Niech świętuje. Będzie miał prezent ślubny. A gdyby sprawa się znów rypła, nie dostaniemy po dupie.

– Rozkaz! – Sierik zasalutował, jakby był na komendzie.

– A tę dziwkę z dzieckiem znaleźć i zajebać – uprzedził dalsze pytania Nocha. – Jeszcze przyjdzie jej do głowy coś ze spotkania pamiętać.

– Bachora też?

– A co, chciałbyś go adoptować?

– Mam dość własnych – zaśmiał się Miko. – Dlatego cudze chętnie anuluję.

Po chwili na kontuarze stał już telefon, a milicjanci przygotowywali zasadzkę.

– Żadnych jeńców – zastrzegł Nocha. – Sambo, srabmo. Mam w dupie te ich zapaśnicze zasady i hokej. Sprzęt weźcie. Działamy do końca. Na prerię z nimi. Zabawmy się.

Rozległ się gremialny aplauz.

– A co z albinosem, szefie? – Bierik uśmiechnął się przymilnie. – Bo za nieupilnowanie uczniów chyba i jemu należy się kara. Czy Kunanbajew nadal jest pod ochroną?

– Na niego Rusti ma swojego człowieka – warknął Nocha. – Wszystko w swoim czasie.

– Buszi? – Bierik popisał się wiedzą absolutną. – Nie bez powodu wyrodny braciszek wrócił w ojczyste strony.

Nocha nie dał się sprowokować.

– Nie jesteś nim ty, chałturniku, więc się nie interesuj. Dwie swoje szanse miałeś. Spierdoliłeś obie.

– Wczoraj mnie nie było, szefie – skłamał Bierik.

– Co za różnica. – Nocha machnął ręką. – Do trzech razy sztuka, chłopcze! Załatw to, bo inaczej ja załatwię ciebie.

A potem wsunął do kieszeni swojego tulipana i ruszył do pierwszego auta. Miko przed nim pokuśtykał do drzwi i otworzył mu je usłużnie.

– Pamiętaj, że wszystko obserwuję – rzucił Nocha przez ramię do Bierika i jego komanda. – Z kerejowców ma zostać miazga. O tym ludzie w Uralsku mają opowiadać latami.

Kerej powoli zmierzał do pomarańczowego auta. Słońce paliło go niemiłosiernie w kark. Liczył kroki, oddychał miarowo. Rzucał czujne spojrzenia na prawo i lewo, ale alejką maszerowali tylko anonimowi przechodnie. Zatrzymał się, pochylił, udając, że zawiązuje but, i obejrzał się dyskretnie za siebie. Nikt go nie śledził. Nie dostrzegł nic niepokojącego. Z tyłu żiguli rzeczywiście siedziała otyła kobieta i przytulała dziecko. Szyby w samochodzie były opuszczone. Nie chciał dłużej zwlekać. Przyśpieszył.

Kobieta się odwróciła, zanim stanął obok. Na jej twarzy widać było zaskoczenie oraz delikatny niepokój. Minął ją, poszedł dalej. To nie była Wisu. Nie widział tej kobiety nigdy wcześniej. Analizował sytuację. Próbował odgadnąć, kto i dlaczego wywabił go z mieszkania. Podstęp był oczywisty. Przebywający u niego w domu byli podstawieni. Co za tupet! Chciał pobiec do domu i skuć im mordy, ale po namyśle zdecydował się najpierw rozejrzeć. Po drodze zamierzał wejść do któregoś z sąsiadów i telefonicznie zawiadomić ojca. Gdy tylko Kodar ruszy, Kerej będzie mógł wrócić do Bibi i Osmana. Zostawił ich samych z wrogo nastawionymi ludźmi. Cokolwiek się stanie, na niego spadnie wina.

Skręcił w wąską piaszczystą ścieżkę. Było na niej tak sucho, że gdy przejechał motocykl, podniósł się tuman kurzu. Coś go tknęło. Rzadko tędy ktoś jeździł. Motocyklista był ubrany w kombinezon, na głowie miał kask, ale Kerej rozpoznał sylwetkę. Czyżby cierpiał już na manię prześladowczą? Pył opadł. Motocyklista zwolnił, zawrócił maszynę. A potem rozpędził się i ruszył wprost na niego. Kazach odskoczył na trawę, przeturlał się. Wcisnął między śmietniki. Wiedział, że to pułapka bez wyjścia, ale nie miał wyboru. Kierujący motocyklem znał okolicę, bo zatrzymał się dokładnie przy szczelinie, w której ukrył się Kerej. Znów nic nie było widać. Warczał jedynie silnik i pachniało paliwem. Kerej nie zamierzał tkwić w norze jak przerażona mysz. Wyszedł na spotkanie bratu. A potem, w oddali, ujrzał biegnącą w ich stronę matkę.

Isa ścisnął dłoń Ałgyz i pochylił się, by ją pocałować w czoło, ale odsunęła się, bacznie lustrując kierowcę w lusterku. Kaszo udawał ślepego i głuchego, choć dziewczyna była pewna, że widzi wszystko i zrelacjonuje ojcu, a co gorsza macosze. Nie interesowało jej to, co sobie myślał, kiedy zabierał ich z hotelu Ambassador w Ałmatach i płacił za najdroższy apartament. Bała się tylko, że ojciec wykorzysta te informacje przeciwko niej, polecając zgładzić jej chłopaka. Jak zamierzała zemścić się Jekatryna, tego Ałgyz nie potrafiła przewidzieć.

Kaszo od przyjazdu nie odezwał się słowem. Ałgyz traktował z uniżonym szacunkiem, czego nie znosiła, Isę ledwie tolerował. Dziewczyna łudziła się, że ojciec polecił mu, by odwiózł chłopaka, gdzie ona zażąda, i nie robił mu krzywdy. Wiedziała jednak, że na tym sprawa się nie skończy.

– Uważaj na siebie – szepnęła na pożegnanie, choć najchętniej rzuciłaby się w ramiona chłopca i go pocałowała.

Isa odczytał jej myśli. Uśmiechnął się nieznacznie i nacisnął klamkę. Drzwi były zablokowane. Kaszo udawał, że nie widzi, co się dzieje z tyłu, i otworzył dopiero wtedy, kiedy Ałgyz powiedziała głośniej:

– Napiszę na nowy adres.

Komunikat był zagadkowy. Mimo to chłopak nie pytał o nic. Najpierw chciał dojść do siebie. Torbę pełną jedzenia i magicznych amuletów, z którą wyjechali od Dżamy, zarzucił na ramię. A potem ruszył do domu Kereja. Spotkanie z senseiem było teraz dla niego najważniejsze. Tak ustalili z Ałgyz ostatniej nocy. Choć spali w jednym łóżku połączeni splecionymi dłońmi i tylko kilka razy delikatnie musnęli się ustami, nie miał sobie nic do zarzucenia. Bał się jednak, że nikt w to nie uwierzy. Już sam fakt, że młoda dziedziczka tak wielkiej fortuny bez przyzwoitki spędziła z chłopcem noc w hotelu, był dla niej hańbiący. Jedyna nadzieja sprowadzała się do tego, że – tak twierdziła Ałgyz i tak zamierzała to rozegrać z rodziną – Sobirżan jednak kocha swoją córkę i stanie w obronie jej godności oraz odstąpi od zakontraktowanego ślubu. A potem, jak nakazuje obyczaj rytualnego porwania, odda ją Isie za żonę. Ałgyz nie bała się wcale gniewu ojca ani też krzywych spojrzeń matek. Po tym, co przeżyła i dokąd podróżowała, nie bała się już niczego. Wiedziała, że w życiu ma jeden cel: pomagać ludziom. Chciała uzdrawiać, odszukiwać zagubione dusze i przepędzać albasty. Została do tej roli powołana i pierwszy raz w życiu osiągnęła spokój. Była przekonana, że taki scenariusz pochwala jej zmarła matka. Salima nie pojawiła się jeszcze w jej widzeniach, ale córka nieustannie czuła jej obecność.

Kiedy Isa wysiadł, owionął ją chłodny strumień powietrza, jakby klimatyzacja w aucie została przestawiona na niższą temperaturę. Kaszo jednak nie manipulował przy pokrętłach i Ałgyz była pewna, że to z tęsknoty. Nigdy wcześniej nie zasmakowała miłości. Ale kierowała się intuicją. Wiedziała, co ma robić, chociażby jej postępowanie wydawało się postronnym niemądre. Wierzyła, że Isa jej nie skrzywdzi i zawsze będą sobie wierni. Jeśli wszystko pójdzie tak, jak zaplanowała, niedługo znów się zobaczą. To, czy zostaną razem, nie było jeszcze przesądzone. Ałgyz znała już swoją drogę. Wiedziała, że *baksy* nigdy nie zostanie tradycyjną żoną. To dar przodków, wymagający poświęceń. Na szczęście Isa to rozumiał. Sam też nie należał do grupy zwyczajnych.

– Czy panienka jest głodna? – odezwał się nagle Kaszo.

Spojrzała w lusterko. Odpowiedział szelmowskim uśmiechem.

– Dlaczego milczałeś przy Isie?

Patrzył już przed siebie, ale w kąciku ust błąkał się chochlik. Ałgyz westchnęła zrezygnowana.

– Zjem w domu. Co się w ogóle dzieje? Jak udał się *toj* Rustema?

– Wspaniale. Było wielu znamienitych gości.

– To pięknie – ciągnęła na siłę rozmowę. – Jak zdrowie Jekatryny, Soni? Dzieci zdrowe?

– Nikt nie narzeka.

Ałgyz nie chciało się dłużej wymieniać uprzejmości z Kaszem. Doceniła jednak jego starania. To znaczyło, że wciąż był jej przychylny. Odprężyła się i spojrzała za okno. Zorientowała się, że do rezydencji ojca zostało jeszcze pół godziny drogi. Przymknęła oczy. Natychmiast pojawił się obraz.

Poczuła, że uwierają ją buty, a sukienka ściska w pasie. A potem zobaczyła przed sobą zwierciadło z czarnego szkła albo obsydianu. Nie było w nim jej odbicia, lecz głęboka toń. Jakby spokojna woda w bezksiężycową noc. Zmusiła się do podniesienia powiek i próbowała ich nie mrużyć. Nie było to łatwe. Obraz zadrżał i się rozmywał, ale wciąż się starała. Na początku piekły ją oczy, ale przywykła. Mroczne lustro czarownic – Dżama opowiadała jej o nim i Ałgyz dobrze wiedziała, w czym uczestniczy, więc nie czuła strachu – nie znikało. Dziewczyna pochyliła się mocno do przodu. Oparła dłonie na kolanach, by przyjąć pozycję smoka, która miała pozwolić jej na wydrążenie tunelu eterycznego, lecz ze zdziwieniem spostrzegła, że ma na sobie kremowe szpilki oraz obcisłą sukienkę z cienkiego kaszmiru. Podwójny sznur pereł ciążył na jej szyi.

– Kaszo, kogo wiozłeś wczoraj na tym miejscu? – przyjęła normalny ton, choć słowa wypowiadała z trudem.

– Dobrze się panienka czuje?

– Odpowiedz, to ważne. To była kobieta? – Ałgyz zmusiła się do uśmiechu, a potem opisała, co ma na sobie.

Kaszo milczał chwilę. Kiedy się odezwał, w jego głosie Ałgyz wyczuła napięcie, a może nawet strach.

– Do pracy jechała pani Zere Bajdały. Może się zatrzymać? Panienka zażyje świeżego powietrza.

– Kaszo, posłuchaj mnie uważnie – szeptała chrapliwie Ałgyz, bo czarna otchłań wciągała ją coraz mocniej. Już nie była w stanie panować nad tembrem swojego głosu. – Czy Zere coś ci proponowała?

– Nie, nic. Prawie nie rozmawialiśmy.

– Kaszo, kłamiesz. Ale ty nie jedź tam dzisiaj.

– O czym panienka mówi?

Czarna toń w zwierciadle nie była już gładka. Pojawiły się fale, jakby pod powierzchnią utworzył się szalony wir. Stawał się coraz gęstszy, w końcu przypominał rozgrzany asfalt albo krew widzianą nocą przy świetle księżyca. Breja wciągała Ałgyz. Czuła jej lepkość i kojące ciepło. Zwierciadło skrywało wszystkie odpowiedzi. Dziewczyna dobrze wiedziała, że dalej czeka na nią magiczna broń. Ale nie wolno jej było podążyć tą drogą. To byłoby wejście na drogę czarostwa. Zła magia. Dżama uprzedzała, że gdy

Ałgyz stanie się *baksy*, pojawią się tego rodzaju pokusy i musi zachować szczególną uczciwość wobec samej siebie oraz wytrwać. Nie może ulec niskim pragnieniom. Choćby zdawało się jej, że matka ją wzywa. To tylko magiczne sztuczki Anona, który ludzi duchowych kusi absolutną wolnością w sferze iluzji – przestrzegała szamanka. Obiecuje wszechświat, w którym adept czarostwa może zamieszkać i swobodnie przekształcać się tak, jak mu się żywnie podoba. Dla niego niebo i piekło są jednym. Będzie obiecywał wyzbycie się lęku, nieistnienie. W praktyce oznacza to najpierw szaleństwo – zdiagnozowane i bezpowrotne, a potem śmierć. Tylko zmarli mogą się poruszać w krainie ciemności i nieba bez ograniczeń.

– Lęk sam w sobie nie jest zły. To nasze mentalne tętno. By nad nim zapanować, wystarczy wiara. Wierz w siebie, w opiekę duchów przodków. Wierz tym, których kochasz. Z czasem nauczysz się przekształcać. Masz wielką moc transformacji. Wybierzesz sobie ptaka lub zwierzę i posiądziesz jego skorupę ziemską, ale jeszcze nie teraz – tłumaczyła Dżama. – Jeśli jednak zrobisz to za wcześnie, Anon zawładnie tobą i odbierze ci siłę. Chroń się dobrem, miłością oraz służbą dla innych. Masz Isę. On zapewni ci kotwicę. Kocha cię, możesz mu ufać. A jeśli będzie naprawdę trudno, wezwij mnie. Wzięłam za ciebie odpowiedzialność, kiedy przyszłaś na naukę. Gdziekolwiek będziesz, przylecę. Odległość nie ma znaczenia.

Zwierciadło wirowało. Ałgyz czuła się jak na karuzeli, która pędzi z góry na dół i z powrotem. Traciła kontakt z rzeczywistością. Zastanawiała się, czy zawołać swoją mistrzynię na pomoc, ale zdecydowała, że poradzi sobie sama.

– Kaszo, jeśli dziś tam pojedziesz, zginiesz – szeptała ostatkiem sił. – Jeszcze przed kolacją zginie tam wielu ludzi.

– Co też panienka mówi?

Tadżyk wciąż udawał niewiniątko, ale widać było, że potraktował słowa Ałgyz jak proroctwo. Wiedzieli to oboje. I kiedy dziewczyna to sobie uświadomiła, poczuła, że pomaganie działa zbawiennie. Miała służyć innym, dzielić się tym darem i rozwijać, co wciąż powtarzała jej Dżama. Odchyliła się teraz do tyłu, zdjęła dłonie z kolan. Magnetyczna siła zelżała, aż w końcu zniknęła całkowicie. Tak samo nagle, jak się pojawiła. Znów miała na sobie powłóczyste szaty koloru fuksji i wygodne niczym kapcie baletki. Poszarpane, brudne ubrania, które zawsze tak dobrze osłaniały ją przed wzrokiem innych, już dawno jej tak nie ucieszyły. Czyżby właśnie oparła się urokowi zła? Była nadal sobą. Czyli kim w istocie?

– Przemyśl to sobie – rzekła do Kasza stanowczo, normalnym głosem.

A potem zmrużyła oczy i uśmiechnęła się. Odczytał jej słowa właściwie. Wiedziała, że ich nie zlekceważy. Zawarli tajemny pakt. On już wiedział, kim ona jest, i to doceniał. Ałgyz zaś czuła się pełna energii, swobodna. Po prostu silna.

– Zmieniła się panienka w czasie tej podróży – skwitował Tadżyk i natychmiast odwrócił głowę od lusterka.

Wpatrywał się teraz wyłącznie w drogę, ale dziewczyna widziała jego ręce na kierownicy. Z trudem panował nad ich drżeniem.

– Wszechświat sprzyja tylko tym, którzy realizują swoją prawdziwą wolę – powtórzyła słowa mentorki i uśmiechnęła się. – I pamiętaj, co ci powiedziałam, Kaszo, zanim zdecydujesz się dziś wyruszyć tam, dokąd się nie wybierasz.

– Do wesela się zagoi – rzekła matka Wiery po ukraińsku i poklepała Tusipa po policzku. Jeszcze raz wacikiem dotknęła jego spuchniętej wargi. Ormianin syknął. – Tylko z całowaniem diewczonek poczekaj.

– Z tym nie przesadza – zamruczał rozbawiony Dimasz. Hokeista z odsłoniętą klatką piersiową siedział już na zydelku, a Gaja Hajdarowicz bandażowała mu brzuch. – Nawet matce szczędzi buziaków.

– Następnym razem, jak ci zechcą jaja uciąć, nie będę się wtrącał – sarknął Tusip.

– Mój ty bohaterze! Zamiast się cieszyć, żeśmy wygrali, kwękasz jak stara baba.

Tusip nie podzielał dobrego humoru przyjaciela.

– Gotowe. – Gaja podparła plecy, zanim wstała, a potem wymieniła z Tusipem uważne spojrzenie. – Macie się gdzie ukryć? Do domu nie możecie wrócić.

– A co? – Dimasz wyraźnie niczego nie rozumiał.

Po założeniu opatrunków i środkach przeciwbólowych wróciła mu odwaga. Przytaszczył z przedsionka siatkę i wyjął na stół broń, którą kupił od staruszka z wielbłądem. Pieczołowicie przecierał każdą część i wciskał naboje do magazynka, ale wciąż coś nie pasowało. Nie potrafił jej złożyć. Poddał się. Wyjął swój nóż i usunął zakrzepłą krew. Czysty włożył do buta.

– Pstro – odfuknął przyjaciel. – Pani mecenas ma rację. Wdepnęli my w gówno, Dimka.

Matka aktorki pozbierała bandaże i plastry, zakręciła butelkę ze spirytusem. Nieustannie zerkała na prawniczkę z nadzieją, że będzie mogła w końcu opuścić ten dom. Przed chłopcami udawała pogodną. Naprawdę jednak była przybita. I bała się.

– Jak mysz pod miotłą mam siedzieć? – pienił się tymczasem Dimasz.

– Taktyczny odwrót to nie dowód tchórzostwa, tylko rozumu – włączył się do rozmowy Abaj. – Ale ty, raptusie, tego nie pojmujesz.

– Racja – potwierdziła Gaja i po krótkim wahaniu dodała: – Obławę już przygotowali. Jak byłam po leki, widziałam, że zebrała się potężna brygada. Na was czy nie na was, nie wiem, ale w mieście będzie dziś war. A my też mamy swój biznes do pana Kereja. Pojedziemy z wami.

Matka Wiery aż zamarła z wrażenia.

– Wracam na Ukrainę – powiedziała cicho. – Życia córce nie wrócę. A z wiatrakami nie zamierzam walczyć.

Nikt jej jednak nie usłyszał, bo Tusip z Dimaszem zaczęli się kłócić.

– Cisza! – wrzasnął Abaj. – Przede wszystkim auto trzeba ukryć. Tutaj stać nie może. Wy zadekujcie się u rodziny. Ja zawiadomię *sifu*.

– Nie ma o czym mówić! – Dimasz wstał, włożył pokrwawioną koszulę. – Zaczęliśmy, to i skończymy.

– Co skończycie? – usłyszeli ciepły baryton zabarwiony nutą kpiny.

Wszyscy byli zaskoczeni. Nikt nie dosłyszał trzaskania drzwi. Gość skradał się jak kocur. Kiedy stanął w przedsionku, chłopcy od razu go poznali, choć był ubrany w kreszowy dres i miał czapkę z daszkiem na głowie, zasłaniającą pół twarzy. Zdjął je teraz.

– Daliście się złapać na lep, gówniarze – zganił chłopców Sobirżan Kazangap. – Od początku chodziło o złamanie waszego mistrza. To była prowokacja. I, mówiąc szczerze, nieważne, co Kerej dziś postanowi, was już nie ma. Bo Kodar nie narazi honoru rodu dla dwóch durnych dzieciaków. W szachy nie graliście? Cztery ruchy do królowej i zostaje tylko mat. Przeciwnik sam wpada w zastawione sidła. Zasady są zawsze takie same.

Zapadła cisza.

– Zastanawiacie się pewno, po co przyszedłem?

Odpowiedziało mu wrogie milczenie. Dimasz wściekle łypał to na leżącą na stole wciąż niezłożoną broń, to na intruza. Zaciskał pięści i zadawał sobie pytanie, czy jednym ciosem byłby w stanie bogacza zabić. Nóż miał czysty i naostrzony. Lewą rękę sprawną. A może lepiej rzucić się do gardła? Wielki to on nie był. Jeśli przydusi się go porządnie, szans nie będzie miał żadnych.

Tusip odsunął się pod ścianę, próbując ochraniać kobiety oraz Abaja i gorączkowo rozwikłać tę zagmatwaną intrygę.

– Panie mogą odejść. – Sobirżan wskazał drzwi. – I najlepiej by było, gdybyście o wszystkim zapomniały. Nigdy się nie spotkaliśmy. To zrozumiałe?

– Jak najbardziej – matka Wiery odpowiedziała gromkim głosem, Gaja tylko głęboko wciągnęła powietrze.

Kiedy wyszły, Sobirżan zwrócił się do Abaja.

– Pan jest tutaj gospodarzem. Uprzejmie przepraszam za najście. Mimo że nie mam dobrych nowin, przybywam jako przyjaciel Kodara.

– Dlaczego więc Kodar z panem nie przyszedł? – rzuciła hardo *akyn*.

– Ma inne kłopoty. Jest obserwowany. Już tylko mnie może ufać. Rody sprzymierzają się z Bajdałymi. Sądzą, że to im się opłaci.

– A pan z nimi nie trzyma? – Dimasz skorzystał z okazji i wyjął nóż z buta. – Skąd mamy mieć pewność?

Sobirżan jednym susem dopadł Dimasza i wytrącił mu broń z ręki. Rzucił go na podłogę, chwycił za gardło, a potem docisnął gałki oczne. Rozległ się nieludzki skowyt, który zaraz zamienił się w charczenie. Wtedy Sobirżan rozluźnił uchwyt. Ciężko westchnął.

– Nie potrzebuję twojego zaufania, pyskaczu. Ty wymagasz pomocy, i to pilnej, więc nie drażnij mnie, bo może mi się odechcieć gasić płomienie pod twoim kuprem. Czas goni. Jeśli mamy przygotować zasadzkę, czeka nas wiele pracy.

Tusip pomógł wstać Dimaszowi.

– Przepraszam, panie Kazangap – powiedział w imieniu przyjaciela i wszystkich obecnych. – Poniosło go.

A potem szturchnął w bok Dimasza i spojrzał na niego błagalnie.

– Proszę o wybaczenie – wymruczał wreszcie Rosjanin, ale minę wciąż miał zaciętą.

Sobirżan zdawał się zmęczony tym wszystkim.

– Jeszcze sporo musisz poćwiczyć, a i z etyką trzeba będzie coś zrobić. Jeśli nie masz szacunku dla starszych, nie licz, że ktoś okaże ci respekt. Mimo to ten wybryk uznaję za przejaw lojalności wobec rodu Kunanbajewów. Tylko dlatego ci daruję – rzekł pojednawczo.

Zapadła cisza. Młodzi czekali na dalsze wytyczne.

– Na Kereja jest zlecenie – zaczął po długiej pauzie Sułtan. – Zawodowiec jest w kraju od kilku dni. Terminu nie znam, ale kiler wczoraj się ujawnił i zapewne otrzymał już dyspozycje.

Młodzi zbieleli ze strachu. Abaj zaś przestępował z nogi na nogę i szeptał swoje modlitwy. *Tasbih* w jego dłoni przesuwał się jak żywy wąż.

– Kodar wie o wszystkim – ciągnął Sobirżan. – Stara się zapobiec egzekucji syna, ale wy, duraki, wszystko skomplikowaliście. Kerej-ak też nie ułatwia ojcu zadania swoimi wybrykami. Nieważne. Skoro jednak już wyciągnęliście brać Nochy do boju, trzeba na tym skorzystać. Ile jest dla was warte życie senseia?

Dimasz nie wahał się nawet przez ułamek sekundy.

– Wszystko. Jesteśmy gotowi.

Tusip również skinął głową.

– Jeśli plan jest mądry – zaznaczył.

Sobirżan się uśmiechnął. Ormianin dał się lubić. Gdyby potrzebował bliskiego współpracownika lub posłańca, zaufałby temu chłopcu bez wahania. Ten drugi to jedynie dobry siepacz. Ale we dwóch stanowią doprawdy niezgorszy zespół, podsumował w myślach. Mogą się jeszcze przydać. Jeśli przeżyją. Choć wcale nie muszą wyjść cało, żeby jego plan się powiódł. O tym Sobirżan nie zamierzał ich informować.

– Myśleć trzeba było wcześniej. Teraz zostało wam tylko wykonywać rozkazy. To może boleć.

Dimasz wykrzywił twarz w pogardliwym grymasie.

– Bólu się nie boimy. We dwóch pokonaliśmy bandę Nochy. Nie pierwszy i nie ostatni raz.

– Teraz nie mówimy o chłopięcych bójkach. Idziecie na wojnę. Jako moi żołnierze.

– Od kiedy to jesteśmy sojusznikami? – odpysknął Rosjanin, bo ciągle nie dowierzał temu bogaczowi i nie było na to rady.

– Odkąd jesteś martwy, chłopcze, a ja przychodzę ci z pomocą. – Sobirżan miał już dość zabawy w dobrego ojczulka. Wcisnął na czoło poplamioną czapeczkę. Wstał. – I łaskawie wyjmuję gwoździe z twojej trumny. Z grobu jednak musisz się wydobyć o własnych siłach. Zagracie przynętę.

Isa siedział na przystanku autobusowym pod domem Kereja i zabawiał się przesuwaniem kapsli od butelek po piwie za pomocą telekinezy. Podskakiwały jak pchełki, kiedy je ustawiał według kolorów i budował z nich piramidki. Skwar był koszmarny. Tulipany na kwietnikach lekko przywiędły. Isa zastanawiał się, kto je podlewa. W taką pogodę zmarniałyby w ciągu jednego dnia. Miasto się wyludniło, panowała cisza. Poza nim nie było w okolicy nikogo. Wstał i kolejny raz podszedł do tablicy z rozkładem, by znów sprawdzić godzinę. Autobus powinien być dwadzieścia minut temu. Żona senseia mogła kłamać, że Kereja nie ma w domu, ale Isa wierzył Bibi. Trener nie jest tchórzem. Gdyby nie chciał z nim rozmawiać, sam by mu to powiedział. Do głowy przychodził Isie tylko jeden adres, pod którym mógłby znaleźć młodego Kunanbajewa, a właściwie dwa. Ale czuł, że zarówno dom Kodara, jak i klitka Abaja nie są już bezpiecznym miejscem na kryjówkę. Analizował jeszcze raz rozmowę z Bibi. W domu pełnym gości mówiła półsłówkami. Nie ufała obecnym, skoro nie chciała podać Isie pełnego adresu. Zanim odłożyła słuchawkę, powiedziała lekko: „Może ma randkę?". To Isę bardzo zdziwiło. Nie słyszał o innej kobiecie w życiu senseia, który kochał przecież swoją żonę i o nią kiedyś walczył. Do końca życia zapamięta tę rozmowę, po której zdobył się na odwagę, by pojechać do Ałgyz. Czyżby chodziło o spotkanie z wrogiem? Z kim mógł się umówić Kerej? Już druga kobieta przemawiała do niego kalamburami. Chociaż potrafił przesuwać myślami przedmioty, do rozszyfrowywania rebusów miał za ciężką głowę. Wrócił więc na ławkę, ale nie umiał znaleźć spokoju. Zabawa z kapslami też mu się znudziła. Był głodny i zmęczony. Nagle spostrzegł, jak z naprzeciwka zbliża się regularna kolumna aut.

Z niektórych okien wystawały głowy. Pasażerów było więcej niż miejsc w samochodach. Poczuł drapanie w przełyku. Wstał, by się rozejrzeć, gdzie by tu w razie czego się schronić. Czuł, że ta kolumna nie przejeżdża tędy przypadkowo. Szukali kogoś. Do osiedla było zaledwie kilkaset metrów. Zerwał się i ukrył za najbliższym drzewem, ale natychmiast zmienił zdanie i wcisnął się pod schody. Z daleka musieli go dostrzec, bo rozległy się dzikie krzyki i jednostajny pisk gwałtownego hamowania. Trząsł się jak osika, nieprzygotowany na bójkę, a tym bardziej na śmierć, która ostatnio stale przychodziła do niego we śnie, kiedy dotarło do niego, że nagle wszystko ucichło i pozostał tylko jednostajny gwizd. Skulił się jeszcze bardziej. Czekał, aż go zawołają. Gwizd się powtórzył, ale polecenia nie było. Zmusił się, by postąpić najpierw krok, potem dwa, wreszcie odważył się na trzy. Z każdym następnym było łatwiej. W końcu zdobył się na spojrzenie. Na przystanku, na którym przed chwilą siedział, parkowało żiguli w kolorze mokrego asfaltu. Chłopak natychmiast rozpoznał samochód. Za kierownicą siedział obandażowany Dimasz. Tusip zaś kulił się na miejscu pasażera, bo jakichś dwóch osiłków okładało go kolbą karabinu. Reszta bandy z otwartych drzwi swoich samochodów obserwowała zajście jak dobry spektakl. Wściekły Dimasz dawał zaś Isie nieme znaki. W końcu chłopak załapał, że przyjaciele przyjechali po niego. Poczuł ciepło w okolicy serca, połączone z gwałtownym przypływem energii i śmiałości. Wyskoczył zza drzewa, w biegu chwycił swoją torbę spod ławki i wskoczył do samochodu od strony Dimasza. Rosjanin ruszył z piskiem opon, ale zatrzymał się na ławce na przystanku. Tusip w tym czasie toczył nierówną walkę.

– Urzyn – ryknął do niego Dimasz. – Na podłodze, ślimaku.

Isa pochylił się. Chwycił zawinięty w szmaty automat z odciętą lufą. Przeczołgał się do okna, bardzo powoli odkręcił szybę. Wypalił. Sam zresztą był zaskoczony, że broń w jego rękach zadziałała. Przeraził się, podobnie jak agresorzy. Strzał był niecelny, ale atakujący odskoczyli. Dimasz wykorzystał ten krótki moment, żeby zawrócić, taranując śmietnik oraz zostawiając błotnik na ławeczce. Zanim banda zajęła miejsca w autach, zdołał odjechać dobry kilometr. Silnik żiguli rzęził i gulgotał. Zdawało się, że za chwilę wzbiją się w powietrze i odlecą. Isa kurczowo trzymał się przedniego siedzenia, tak nim rzucało.

– Na zajezdnię! – pilotował pokrwawiony Ormianin. – W prawo.

– Tam najpierw będą szukać – odparował Dimasz. – I odetniemy sobie drogę ucieczki.

– Jedź prosto – ryknął Isa. – Do bazy na Żdanowa. Ukryjemy się za garażami. Tam można przejechać na przestrzał. Znam jeden myk.

Dimasz się zawahał. Wyraźnie zwolnił. Tusip patrzył we wsteczne lusterka. Kurz na jezdni nie pozwalał dojrzeć, jaką jeszcze mają przewagę, ale lepiej było nie ryzykować.

– Słuchaj uszatego. I tak musimy dotrzeć do Kereja.

– Wiem, gdzie on jest – wychrypiał Isa. Nagle doznał olśnienia. Mieszkanie, które kazał mu pomalować. Plakat na ścianie w sypialni. Aktorka. To pewnie kobieta, o której mówiła Bibi. – To znaczy gdzie może być – poprawił się.

– My jedziemy od Abaja – przekrzykiwał rzężenie maszyny Tusip.

– Tajne mieszkanie kochanki – upierał się Isa. Sam nie wiedział, skąd ma w sobie tyle stanowczości, skąd ta pewność. Podał adres. – Żona Kereja kazała tam go szukać. Nikt o tym lokalu nie wie.

Chłopcy stracili na chwilę rezon. Żaden z nich nie wiedział o podwójnym życiu trenera. Czyżby Isa był najbardziej wtajemniczony? Brakowało jednak czasu na dyskusje.

– Jedź tam – zarządził Tusip.

– To za daleko. Trzeba objechać miasto – ryczał wściekły Dimasz. – Jak go nie znajdziemy, to te szakale nas zabiją.

– I tak nas zabiją – mruknął Isa.

– To wypierdalaj, jak się boisz – wrzasnął Dimasz. – Po co wsiadałeś?

Isa umilkł. Nie zamierzał uczniom Kereja tłumaczyć, co widział w transie. Był pewien, że za chwilę kaźń się dokona. Już wtedy pogodził się z losem. Dziwiło go tylko to, że nagle przestał się bać. Miła odmiana.

– Zatrzymaj się – powiedział nagle, zanim to przemyślał.

Dimasz tylko prychnął.

– Zatrzymaj się, skurwysynu! – krzyknął Isa.

Tusip chwycił za kierownicę w ostatniej chwili. Tylko dzięki jego refleksowi ominęli leżący na jezdni motocykl. Obok, na trawniku, dostrzegli sylwetkę olbrzyma. Nie ruszał się. Dimasz zwolnił kilka metrów za leżącym.

– Nie ja go przejechałem – szepnął Dimasz. – On tutaj już był.

Isa wysiadł i rozejrzał się. Z oddali wyłoniła się niebieska zdezelowana furgonetka.

– Wsiadaj! Jedzie na nas!

Dimasz już odjeżdżał, ale Isa nie słuchał. Ruszył wprost do tego samochodu.

– To Kerej! – Tusip za kierownicą dostrzegł twarz senseia. Poczuł ulgę i ciarki na plecach. – Skąd ten uszaty to wiedział?

Kerej tymczasem zrównał się z nimi. Nie wyglądał dobrze. Stare siniaki zbrązowiały, z nosa sączył mu się brunatny glut. Ale był cały. Za to koszula wyglądała na śnieżnobiałą, jakby dopiero przed chwilą się przebrał. Przyjrzał się śladom świeżej bójki na twarzach uczniów, lecz nic nie powiedział.

– Do centrum – zarządził, a chłopcy od razu poczuli się pewniej.

– Siedzą nam na ogonie, sensei. Jak zawrócimy, wpadniemy im w łapy.

– Nie rozpoczną strzelaniny, jeśli wokół będą ludzie. Ty, młody, wskakuj do mnie – polecił Isie trener.

Ruszyli samochód za samochodem, bacznie rozglądając się na boki. Zatrzymali się nieopodal sklepu Szkolnik, przed którym stała długa kolejka objuczonych siatkami kobiet. Za cztery dni kończyły się wakacje i rodzice zaopatrywali swoje pociechy w materiały papiernicze. Poza dorosłymi było tam sporo dzieci. Biegały po chodniku, puszczały bańki mydlane i radośnie się śmiały. Placyk obok okupowało stado rozgadanych matek z wózkami. Tam zaparkowali. Wysiedli i stanęli we czwórkę przy płocie. Dimasz wyciągnął papierosy. Z Tusipem opowiedzieli o ostatnich zdarzeniach – obronie kobiety z dzieckiem, nieudanym odwecie ludzi Nochy i wizycie Kazangapa u Abaja. Kerej słuchał w milczeniu.

– Kim był ten człowiek? – spytał Isa, kiedy cisza się przedłużała. – Ten motocyklista? Co mu się stało?

– Nie wyrobił się na zakręcie – odparł lakonicznie trener, ale Isa wyczuł w jego głosie napięcie. – Próbował mnie przejechać.

– Przeżyje?

– Martw się lepiej o siebie! – nie wytrzymał Dimasz. – Co teraz, sensei? Rozumiesz coś z tego? Co robimy?

– To zależy – padło w odpowiedzi. – Na razie czekamy. Przyjadą. Jeśli zechcą rozmawiać, będziemy rozmawiać.

– A jeśli nie?

– Wtedy będzie gorzej.

Znów dobiegał ich tylko harmider dzieciarni i głosy plotkujących kobiet. Dimasz rzucił niedopałek. Schował zdrową rękę do kieszeni. Tusip poprawił temblak.

– Gdyby było gorzej – zaczął znów Kerej – spróbujemy u Tolika.

– Wiesz, gdzie mieszka?

– Znam tylko nazwę osiedla – przyznał trener. – Ojciec kiedyś mówił o pierwszym piętrze na Żdanowa. Będę stukał do każdych drzwi. Wy musicie wytrzymać.

– Wytrzymamy – potaknęli Dimasz i Tusip.

Isa się nie odezwał. Czuł jednak, że wstępuje w niego nadzieja. Może wizja Ałgyz się nie sprawdzi. Był gotów się o to modlić. Na razie nie powiedział, co widziała. To nie były okoliczności do tego typu rozmów.

– I pod żadnym pozorem nie dajcie się wywieźć z miasta – zastrzegł Kerej. – Jak wywiozą nas na prerię, będzie po wszystkim.

Kiedy tylko to powiedział, na ulicy zaroiło się od aut. Wszyscy spod sklepu pouciekali, chowając się w klatkach. Po chwili na skwerze zamiast matek z wózkami i dzieci było pełno mężczyzn z bronią. Otoczyli Kunanbajewa i jego uczniów. Z pierwszego auta wysiadł osobnik z poparzonymi dłońmi. Tym razem nie nosił rękawiczek.

– Rozochocili się twoi chłopcy, Kunanbajew.

– Witaj, Nocha – powiedział chłodno Kerej. – Walka była uczciwa. Moich dwóch przeciwko twoim pięciu zbójom. Dziś było ich siedmiu. Na dodatek mieli broń. Na matki z dziećmi też już polujecie? Mało macie swoich kobiet?

– To jakaś kurwa. Na dodatek nietutejsza. Nikt jej nie będzie żałował – prychnął Nocha i wskazał ohydną dłonią Dimasza i Tusipa. – Wydaj tych żuli, a sprawę zamkniemy. Do ciebie nic nie mam.

– To moi uczniowie. Postąpili honorowo. Swoich ukarz, bo zawalili sprawę.

– Rozkaz z góry. Wiesz, jak to działa.

Nocha dał znak swoim.

Obstąpili Kunanbajewa i jego uczniów ciasnym kręgiem. Przeładowali broń.

– Porozmawiajmy spokojnie – starał się łagodzić sprawę Kerej, choć już czuł, że negocjacje nie przyniosą skutku. – Przecież nie będziemy się bić na oczach cywilów? Tu są matki, dzieci. Tak się nie godzi.

– Więc jedźmy do żwirowni – zaproponował Nocha. – Albo nad Ural. Na prerii nikt nam nie będzie przeszkadzał.

– Powtarzam ci, Nocha, że to była uczciwa walka. Jeśli chcesz, możemy się bić jeden na jednego. My czterej i wy wszyscy po kolei. Ale na pięści, bez automatów. Klnę się na swój honor, że jeśli przegramy, zabierzesz mnie i moich chłopców.

– Już przegrałeś, Kunanbajew – zeźlił się Nocha. – A dawałem ci szansę, żebyś się ratował. Podjąłeś złą decyzję.

Kerej nie uniósł się, jak tego oczekiwał Nocha. Nie wyprowadził ciosu, nawet się nie poruszył.

– Niech więc sprawę rozsądzi Tolik – oświadczył butnie. – Jeśli Bajdały wydał polecenie wywiezienia nas, będzie się z tego tłumaczył sędziemu Bayuły. Chyba że ty weźmiesz odpowiedzialność za sąd rodowy.

Ta propozycja zaskoczyła szefa rekieterów. Długo zastanawiał się nad słowami przeciwnika. Żaden z jego ludzi nie odważył się nawet mruknąć. Stali, przekładając broń z ręki do ręki. W końcu Nocha machnął do Sierika. Ospowaty podszedł.

– Zawiadom Rustema. Podczas mediacji musi być ktoś od Bajdałych. Sam decyzji nie podejmę. Tak mu powiedz.

Najstarszy Chajruszew natychmiast wsiadł do auta i pojechał z nowiną. Pozostali pochowali karabiny. Odsunęli się.

Nocha zaś zwrócił się do Kereja:

– Wiedz jednak, Kerej, że nawet jeśli Tolik stanie dziś za wami, tylko odwleczesz dzień swojego końca.

Płowowłosy uśmiechnął się półgębkiem.

– Wezmę, co los przyniesie.

Nocha nie był łaskaw tego skomentować. Wskazał Dimasza i Tusipa.

– A auta wasze rekwirujemy. Z przodu zamiast tych dwóch pacanów siądą moi. Ty pojedziesz pierwszy. Jeśli zboczysz z drogi, zaczynamy strzelać.

Kerej skinął głową na znak zgody i ruszył do swojej furgonetki. Za nim powoli poczłapał Isa. Chciał coś powiedzieć o wizji Ałgyz, ostrzec senseia, ale znów nie było czasu. Chłopak czuł, że nie wykona powierzonego mu zadania. Wiedział, że wszyscy dziś zginą. Poddał się.

Patrzyli, jak miejsce Dimasza za kierownicą czarnego żiguli zajmuje Bierik, a obok rozsiada się Łazar Rozenberg. Tusipa zapakowali do tyłu. Milicjant nie mógł się powstrzymać, by nie uderzyć chłopca metalową rurą, aż krew chlusnęła z mocno już obitego nosa Ormianina.

Zanim Kunanbajew włączył się do ruchu, wychrypiał do Isy:

– Za trzysta metrów przyhamuję. Otworzysz drzwi i wyturlasz się na pobocze. Zrób to sprawnie, bo będę musiał przyśpieszyć. Znajdziesz mojego ojca. Powiedz mu, co się stało. I że Kim wrócił. Matka zna resztę.

Rażma uznawała tylko wykrochmaloną pościel i żadnych innych kolorów poza bielą. Jako jedyna w rodzinie nie uległa nowej modzie na kolorową bieliznę z kory, którą tak zachwalano na bazarze. Co z tego, że się nie gniecie, jak jest wściekle pstrokata. Poza tym Rażma uwielbiała prasować. Na ostatnią rocznicę ślubu dostała profesjonalną parownicę i w kilka minut potrafiła doprowadzić do perfekcji nawet najbardziej pogniecione tkaniny. Była z tego urządzenia bardzo dumna. Marzyła zresztą zawsze, by kiedyś otworzyć własny magiel i w ten sposób zarabiać na życie zamiast tłumaczyć dokumenty oraz przesiadywać w domu z dzieckiem. Jej Sierioża był już nastolatkiem, ale pewnie dopóki nie pójdzie na studia, mąż nie zgodzi się na otwarcie przez Rażmę własnej firmy. Był ostrożny, w kółko opowiadał o haraczach, jakie trzeba płacić, jeśli chce się funkcjonować na rynku. Rażma puszczała jego gadanie mimo uszu i gromadziła niestrudzenie sprzęt, czytała po niemiecku o maszynach, które piorą i prasują. Odkładała do skarbonki po kilkaset tenge od każdego tłumaczenia, a teraz, w gościnie u bratowej, oddawała się swojemu hobby i suszyła pranie na jej miniaturowym balkonie. Trudno było jednak rozwiesić wszystkie prześcieradła i poszwy, by nie obsiadły ich wieczorem te napastliwe meszki i komary. Nie miała jednak wyjścia. Z okazji urodzin małej bratanicy bawili już w Uralsku prawie miesiąc, a Sierioża codziennie włóczył się po osiedlu z kolegami i wracał do domu przed zmierzchem. Za dwa dni miał przyjechać po nią mąż i wtedy wyjadą do Samary. Rażma wreszcie nie będzie musiała obsługiwać całej ferajny. To był dla niej bardzo pracowity urlop.

Dzień był piękny. Ostatnie dni wakacji służyły dzieciom. Sierioża wpadał do domu tylko na posiłki. Teraz znów gdzieś popędził z Malikiem od sąsiadów. Rażma początkowo trochę bała się jego wuja, bo Mudiła wyglądał jak bandyta, ale okazało się, że to porządny chłopak. Kiedy widział, że Rażma idzie z siatkami zakupów z bazaru, zawsze je od niej zabierał i wnosił do mieszkania. Czuła się bezpieczniej, mając za tymczasowego sąsiada takiego przychylnego zakapiora. Rozejrzała się teraz, czy gdzieś nie widać chłopców, bo Sierioża nie pojawił się na obiedzie. Musi być głodny, pomyślała. Wreszcie nie bez trudu wypatrzyła syna pomiędzy konarami drzew, które zasłaniały widok na podjazd przed garażami. Pewnie znów tłukli się z Malikiem i udawali wojowników, rozczuliła się matka. Rozwiesiła ostatnią partię dużego prania i weszła do domu po kolejną miskę drobiazgów, czyli śpiochów bratanicy i bielizny osobistej obydwu kobiet, którą zamierzała powiesić na dolnych sznurach, gdy usłyszała ryk silników. Podbiegła do okna. Na podjeździe zatrzymywały się kolejne auta. Zastanawiała się, kto może organizować przyjęcie w dzień roboczy, bo nic o tym nie słyszała, a żyli tutaj wszyscy na kupie, jak na wsi, gdy nagle niemowlę bratowej obudziło się z poobiedniej drzemki i zaczęło rozpaczliwie płakać. Sabiyanaz wychyliła się z pokoju z przestraszoną miną i zamiast uspokoić dziecko, zatrzasnęła gwałtownie drzwi balkonu.

– Nic się nie dzieje. To nie nasza sprawa – mruknęła groźnie.

Rażma znów wyjrzała przez okno. Dzieci nie było tam, gdzie je wcześniej widziała. Zbiegła po schodach, ale zatrzymała się na klatce, bo na dziedzińcu zgromadził się tłum uzbrojonych po zęby mężczyzn. Bała się ruszyć dalej. Nagle z jej ust wyrwał się rozpaczliwy krzyk:

– Sierioża, synku, do domu!

Jej słowa zagłuszył pierwszy strzał.

Wieszczek poderwał się i zaskrzeczał rozpaczliwie, zanim jeszcze huknęło. Mudiła przepierał właśnie swoją panterkę. Kieszeń dawnego dowódcy, do której wpadały w czasie wojny zwitki dolarów za sprzedaż broni i paliwa, wciąż odstawała, jakby była wiecznie głodna. Wypadł z łazienki jak kamień z procy. Barak był już przy oknie.

– Nie idź – polecił.

Mudiła wrócił do swoich zadań.

– Jakby ktoś przyszedł, nie otwieraj – dodał mistrz.

Wprawdzie nie tego się spodziewał Czeczen, ale nic nie odpowiedział. Chwilę później usłyszeli kroki i walenie w drzwi. Wystraszony wieszczek szamotał się w klatce.

– Herbaty się napijesz? – Barak stanął w drzwiach łazienki, a Mudiła skinął głową.

– Byle nie gorąca, tak? – roześmiał się stary wojownik sztucznie i podłożył do nowiutkiego samowaru, który kilka dni temu przysłał mu w prezencie Sobirżan.

Łomot do drzwi się wzmagał. Ktoś rozpaczliwie szarpał za klamkę. Zdawało się, że zaraz wyważy skrzydło. Obaj mężczyźni wpatrywali się w poruszającą się gałkę. Atmosfera w pomieszczeniu była daleka od spokojnej, choć obaj trzymali emocje na wodzy.

– Może choć automat mu wydam? – odezwał się w końcu Mudiła. – Jak myślisz, Tolik? Nocha zabije go przecież jak kundla.

– Poradzi sobie. Jeśli nie, będę zawiedziony.

Mudiła zaklął pod nosem. A potem wziął do ręki szare mydło i zacząć trzeć plamy, rozmyślając tylko o tym, że niepotrzebnie pozwolił tydzień temu pojechać żonie do siostry. Wrzeszczałaby znów na niego teraz, ale przynajmniej nie musiałby sam prać swoich gaci.

Stan zdesperowania wynika z tego, że człowiek został postawiony w sytuacji zagrożenia życia, zdrowia fizycznego albo moralnego. Niezależnie od tego, co wybiera, i tak traci. Może zdecydować o walce albo ucieczce, ale niezależnie od tego, co postanowi, traci, i w zasadzie traci to samo.

Kiedy Kerej zbiegał po schodach, wiedział, że idzie na pewną śmierć i będzie to jego ostatnia bitwa. Nie miał broni, nawet lichego kija. Tylko gołe dłonie i gorącą głowę, która pracowała na najszybszych obrotach. Na zewnątrz trzydziestu uzbrojonych po zęby oprychów katowało jego uczniów, za którymi stanął i za których odpowiadał. Dla niego nie była to kwestia wyboru. Decyzja została podjęta, kiedy wziął Isę do furgonetki i poprowadził swoich ludzi na rzeź. Trzecie piętro, drugie, pierwsze. Trzysta metrów do bramy. W przejściu zobaczył mężczyznę z bronią na czatach. Bierik był widoczny z daleka za sprawą wściekle żółtej bluzy. Dopiero wtedy Kerej usłyszał głos zrozpaczonej matki. Darła się wniebogłosy. Nawoływała po imieniu syna – Sieriożę – i snuła się po podjeździe jak otumaniona. Dopadł do niej, zanim napastnik z bronią wziął ją na muszkę. Szarpnął, siłą wepchnął do klatki. Położył jej palec na ustach, nakazał ciszę, choć nie był pewien, czy to wystarczy. Oszalała ze strachu i rozpaczy kobieta była jak w transie. Ucichła jednak natychmiast. Łypała tylko na płowowłosego olbrzyma, przestraszona.

– Gdzie twoje dziecko? – szepnął. – Na dziedzińcu? Z nimi?

Wzruszyła ramionami.

– Módl się – nakazał jej. – W myślach. Jak Bóg da, twoje dziecko okaże się mądrzejsze niż ty. Nie wyłaź tam!

Sam przykleił się do ściany i zaszedł Bierika od tyłu. Poddusił, wyrwał mu z rąk karabin. Położył na ziemi, kopnął kilka razy dla dodatkowego ogłuszenia. Zerwał mu bluzę i przykrył nią automat. Znów ściana. Liczenie kroków. A potem wypadł wprost na linię ognia. Czuł, jak nogi i ręce muskają mu drobne igiełki. Nie czuł jednak bólu. Celował tylko do tych, którzy mierzyli do niego. Trafiał czy nie, szedł dalej. Widział jedynie, jak niektórzy zalegają w trawie. Przed oczyma miał wyłącznie twarz tego, który dyrygował ekipą. Nocha skwapliwie oddał dowodzenie, zaraz gdy Rustem się pojawił. Bogaty paniczyk nie sądził widać, że Kerej odważy się wymierzyć do niego, a może po prostu nie dostrzegł spod czapana zrabowanej jego człowiekowi broni, bo odwracał się powoli i choć miał w rękach karabin, pozwolił Kunanbajewowi zbliżyć się na odległość ramienia. To był błąd.

– Tolik cię olał – uśmiechnął się z satysfakcją młody Bajdały.

Zdawał się doskonale bawić z wymierzonym w płowowłosego Kazacha kałasznikowem. Czuł swoją przewagę i się nią napawał, jakby przeżywał orgazm. Kerej pomyślał, że tak właśnie bawią się złe, rozkapryszone dzieci, które nigdy nie musiały o nic w życiu walczyć. Ale Rustem wciąż nie dostrzegał zagrożenia.

– A miało być tak pięknie. – Pławił się w okrucieństwie. Szydził. – Kto ci teraz pomoże, niepokonany Kerej-ak? Wybraniec przegra. Jaka szkoda.

– Za nią. Za wszystko – szepnął młody Kunanbajew, a może tylko pomyślał, bo kiedy elegancik padł, a pozostali z jego obstawy zaczęli uciekać jak karaluchy po zapaleniu światła, wróciło normalne myślenie.

Płowy Kazach natychmiast rzucił automat na trawnik. Zgiął się wpół. Nagle poczuł dojmujące szarpanie, jakby palono go żywym ogniem w różnych miejscach ciała. Zrozumiał, że też dostał i jest ranny. Wtedy z bramy wybiegło kilku nieznanych mu osiłków. Mieli smagłe lica i kręcone włosy. Ostrzeliwali tych, którzy pozostali na pozycjach. Kerej zrozumiał, że to ludzie Tolika. Stary Ułakczi uchylił się wprawdzie od zajęcia stanowiska w otwartym konflikcie, ale skorzystał z okazji, by zaprowadzić porządek. Chciał jednak, by wina za te wszystkie śmierci spadła na Kereja, by to jego ród wziął odpowiedzialność za sprzątanie bałaganu Nochy. Kerej zaakceptował decyzję starszego rodu Bayuły. I był mu wdzięczny, bo wiedział, że Tolik w ten sposób daje mu szansę na ucieczkę. Żołnierze Ułakcziego poradzą sobie z resztą oprawców. On musi stąd zniknąć. Podczołgał się do swoich uczniów. Był pewien, że chłopcy są już martwi. Dimasz leżał w kałuży krwi. Nie ruszał się. Tusip spoczywał w dziwacznej pozycji. Kończyny musiał mieć połamane, bo był powykręcany jak makabryczna lalka. Kerej nie mógł i też nie chciał zostawiać ich ciał w tym miejscu. Wiedział, że za chwilę będzie tutaj milicja. Chwycił za nogi Tusipa i jego pierwszego pociągnął do auta. Dimasza nie zdołał ruszyć. Jakby nagle wszystkie siły z niego uciekły. W końcu kilku Czyczów pomogło mu wtaszczyć chłopców do samochodu. Kiedy Kerej odjeżdżał, wciąż jeszcze strzelano. Na podjeździe roiło się od ciał, a zapach bzu mieszał się z żelazistym zapachem krwi.

Tej nocy Barak wypuścił swojego ptaka. Padyszach, bo takie dostał imię, był już zdrowy i porządnie odkarmiony. Wieszczek poleciał bez oglądania się na swojego dobroczyńcę, a Barak uznał, że to dobry znak dla Kunanbajewa. Wszak znalazł go dokładnie w dniu, kiedy pętla na szyi Kereja zaczęła się zaciskać, a rody wydały wyrok. Jeśli wieszczek nie wróci, syn Kodara też zdoła bezpiecznie zniknąć.

PO PIĄTE

ROZRÓŻNIAĆ DOBRE I ZŁE STRONY KAŻDEJ RZECZY

2001 rok, Świdnica, Polska

– Myślałam, że tutaj wszędzie są kraty – mruknęła Connor, przyglądając się weneckim lustrom w oknach, ale strażnik nie był łaskaw udzielać żadnych wyjaśnień. Zabrał tylko dokumenty jej i Romea, a potem wskazał im plastikowe siedzenia.

– Pierwszy raz widzę cię w sukience – uśmiechnął się Roman, kiedy dołączyli do innych oczekujących.

Sam był wystrojony w błękitny garnitur. Na kolanach położył nowiutką panamę. Pęk piwonii zawczasu znalazł się na podłodze. Wciąż były w celofanie, a końce łodyg pieczołowicie owinięto wilgotną bibułą, by zapobiec więdnięciu. Connor wyczuwała w tym rękę Moni.

– Pożyczona – odparła lekceważąco policjantka. – Wynalazłam w szafie z pamiątkami po matce. Musiała nosić ten sam rozmiar.

– Twój tata chyba się przekręci, jak mu powiem – cieszył się biznesmen.

Connor wzniosła oczy. Udawała obrażoną, ale widać było, że sprawił jej ogromną przyjemność tym komplementem.

– Nie musisz sobie robić kłopotu – fuknęła. – Widział mnie, jak wychodziłam. Wygląda na to, że pozostanie przy życiu. Jutro mają zebranie rady miejskiej. Może uda się podjąć temat Kereja i zbiórki pieniędzy na waszą wyprawę.

Romeo jakby nie słyszał ostatniego zdania, ale po chwili położył palec na ustach i dodał głośniej niż trzeba:

– A wiesz, że te tatuaże nawet pasują do miętowego jedwabiu. Wyglądasz jakoś tak inaczej. – Romeo szukał odpowiedniego słowa.

– Może ładnie?

Nie była dobra w czytaniu między wierszami. Nie wiedziała, co Romeo kombinuje. Cały czas zerkał na zegar umieszczony nad ich głowami i słał jej porozumiewawcze spojrzenia.

– Jak kobieta – roześmiał się nerwowo. – Szok i niedowierzanie.

Poza nimi w śluzie było jeszcze kilkoro interesantów. Nikt nie przybył w to miejsce dla przyjemności, ale wszyscy miny mieli aż zanadto wesołe. Dzieci brykały pod ścianą. Kobiety wystawiały usta lub policzki do luster, za którymi przecież siedzieli oficerowie nad papierami, i nic sobie z tego nie robiąc, poprawiały makijaże. Czuło się nadchodzące święto. Connor pomyślała, że naprawdę niewiele potrzeba, jeśli ludzie się kochają. Rozłąka scala kochanków. Czy jednak jej przyjaciółka przemyślała gruntownie ten krok? Czy ona sama postąpiłaby w ten sposób, gdyby jej facet trafił do więzienia? Connor nie miała złudzeń. Prawidłowa odpowiedź brzmiała dwukrotne „nie".

Pachniało żelaziście. Pomieszczenie było niewielkie, pogoda na zewnątrz przednia, a tutaj zero klimatyzacji, wkrótce więc ten zapach zmieszał się z ludzkimi wyziewami i był trudny do zniesienia. Connor wstała energicznie.

Z rozmachem otworzyła drzwi wejściowe. Powiew świeżego powietrza był jak lekarstwo. Strażnik zaraz jednak zastukał w szybę, wystawił głowę i zganił ją groźnie. Connor chwyciła się za nos. Przymknęła oczy, a potem to samo uczyniła z drzwiami. Bardzo niechętnie wróciła na krzesło obok Romea.

– Może zrezygnowała? – westchnęła. – Czy tylko zamierza spóźnić się na własny ślub?

– Pindrzy się – ziewnął Romeo. – Już przestań wieszczyć. Wszystko będzie dobrze.

Connor nie podzielała jego optymizmu.

– O której wyjeżdżacie? Sztaba mówił, że jakoś załatwi sprawę z Kurą.

– Pewnie, że załatwi – uśmiechnął się Romeo. – To dla niego zawodowa szansa.

– Boisz się?

– Czego?

Romeo się obejrzał. Ludzie obok byli znudzeni. Nie zajmowali sobie czasu lekturą, nie rozmawiali. Nie bawili się nawet telefonami, bo strażnicy nakazali im pozostawienie aparatów w szafkach. Słuchali. Każdy był na bieżąco z mruknięciem sąsiada.

– Nie teraz, Connor.

Policjantka odchyliła głowę, opierając o ścianę.

– Zdrzemnę się.

– Będę czuwał.

– Ale jakby nie przyszła, to nie wchodzimy, tak?

– Nie wiem. Pierwszy raz w życiu jestem w takiej sytuacji.

Zapadła cisza.

– A co będzie, jeśli pojedziecie, a jego w tym czasie wydadzą?

– Lemir do tego nie dopuści.

– Skąd wiesz? Co będzie, jeśli nie uda się wam przekonać tamtych ludzi?

– Connor, prosiłem cię. Później.

– Później to ja idę do roboty, a wy wyjeżdżacie.

– Tutaj chcesz to omawiać? Pójdziemy po wszystkim na jakąś eklerkę.

– Nie jadam słodyczy. Od tego ma się robaki. I muszę się jeszcze przebrać. Przecież w tych farfoclach nie stawię się na wachtę. – Potrząsnęła plisami, a potem oparła ręce na udach, rozkraczyła nogi, jakby znów była w bojówkach, i zawiesiła się Romeowi na szyi, udając, że go przytula.

Kobiety znów zaczęły się sztafirować. Nikt nie zwracał więcej na nich uwagi.

– Przecież to byłoby bez sensu, Roman – mruczała. – A jeszcze będziecie na oku tamtych. Wiesz, że to, co znalazłam, oznacza, że z ich strony sprawa nie jest zakończona. To znaczy, prawnie może tak. Ale odwet wisi, nie przedawnił się.

Roman nie zdążył nic odpowiedzieć, bo w tym momencie rozległ się stukot, a chwilę potem do pomieszczenia wpadła zziajana Tośka. W ręku miała mocno pognieciony karton i reklamówkę z plikiem papierów. Ruszyła wprost do okienka dyżurnego.

– Mogę to wnieść?

Wszyscy przyglądali się jej *qipao* z bordowego jedwabiu, bogato haftowanego w kwiaty, które było rozdarte aż po udo, a ono samo draśnięte do krwi, oraz brudnym trampkom bez sznurowadeł.

Strażnik musiał wydać zakaz, bo Tośka jęknęła niezadowolona.

– Ale z tortem wchodzę? Jest zgoda sądu. Wraz z pozwoleniem na ślub i bezdozorowe widzenie. Wegański. Będzie okej?

– Co ci się stało? – dopadła ją Connor.

Przyjaciółka odwróciła się i dopiero teraz widać było, że niedawno płakała.

– Ojciec zamknął mnie w pokoju. Upił się i dostał świra. Musiałam schodzić po balkonach.

– Może pan pocałować pannę młodą. – Dyrektor zakładu karnego pozbierał dokumenty podpisane przez małżonków i świadków. – Chyba nie bardzo bolało – uśmiechnął się.

Rozległ się marsz Mendelssohna, a zaraz potem kazachska pieśń ślubna *Żar-żar*. Kerej przez cały ten czas trzymał Tosię w ramionach, przyciskając usta do jej czoła.

– Jesteśmy czołgiem. Rozjedziemy ich – wyszeptała i podniosła głowę.

Dopiero wtedy musnął jej wargi swoimi. Przylgnęła do niego żarłocznie. Nie oderwali się od siebie, nawet gdy w pomieszczeniu zaroiło się od ludzi, a Romeo starał się żartować. Wreszcie sam się popłakał.

– Chyba nic tu po nas? – mruczał przez łzy. – Będziemy lecieć, co, Connor?

– Nie tak prędko. – Dyrektor skinął na sekretarkę.

Podeszła z nożem, ale po namyśle wzięła łyżkę i każdemu z obecnych nałożyła po porcji mazi z kremu i ciasta, która kiedyś była tortem kajmakowym. Petry tylko wzruszała ramionami. Ciasto nie wytrzymało skoku z pierwszego piętra. Wzniesiono kieliszki z oranżadą. Kerej i Tośka nawet nie zwrócili na to uwagi. Wciąż się całowali.

– Hej, zaraz sobie pójdziemy. – Connor pacnęła młodych. – Będziecie mieli jeszcze kilka godzin. Może jakieś życzenia? Co chcecie?

– Dwie i pół – sprecyzował dyrektor i podał biznesmenowi rękę na znak pożegnania. – To taka wzruszająca historia. Liczę, że będzie miała dobre zakończenie, a małżeństwo przetrwa dłużej niż te więzienne śluby, których zwykle udzielam.

– Jeśli pan młody dożyje do następnej rozprawy, wieszczę im długie pożycie, a moje wróżby się spełniają – wymruczała Connor i delikatnie poklepała wciąż wtulonych w siebie młodych, a potem szarpnęła Romea. – Chyba nie chciałbyś tutaj zostać na zawsze. Wyrywamy na ciacho. Dość tych słodkich bąbelków.

– Kiedy tak miło się na nich patrzy. – Roman przecierał oczy wielką jak obrus chustką. – Takie uczucie musi pokonać śmierć. Bóg na to nie pozwoli, żeby ich rozdzielono.

– Weź, bo się porzygam – żachnęła się Connor i wymaszerowała za strażnikami, nerwowo obciągając swoje plisy. – Muszę się napić. Teraz Roman, nie prokrastynuj, bo mamy wiele do omówienia!

– Czy ty mnie nie obrażasz? – zaniepokoił się biznesmen, ale potulnie podreptał za policjantką.

Connor nie była skłonna do żartów. Odwróciła się i warknęła:

– Madonna mi wszystko powiedziała. Musimy poważnie pogadać, misiu pysiu. Kim są twoi kumple ze szramami i co cię z nimi łączy? Spowiadasz się jeszcze przed pierwszym ciastkiem, bo inaczej pokażę film Moni.

Pomachała mu czerwonym USB.

– Nigdy mi o tym nie chciałeś opowiadać – poskarżyła się Tosia, kiedy leżeli na wąskiej kozetce w specjalnym pokoju.

Głowa Kereja była wtulona we wgłębienie między jej obojczyk a pierś. Oddychał miarowo. Tośka jedną ręką gładziła go po włosach, drugą liczyła żebra wyraźnie odcinające się pod skórą na plecach.

– Schudłeś – skomentowała, by dać mu czas do namysłu.

Wdychała jego zapach, chłonęła energię. Na biodrze czuła jego podniecenie, ale nie kochali się jeszcze, choć oboje byli bardzo siebie spragnieni. Wcześniej często przedłużali w ten sposób moment ostatecznego scalenia. Zamiast wyrafinowanej gry wstępnej wystarczyła im zwykła rozmowa i zetknięcie się ciał: skóra do skóry. Na tym polegała ich magia. Okazało się, że rozłąka, kłótnia czy to, co się działo, niczego nie zmieniły w ich relacji miłosnej.

– Nie chciałem cię narażać.

– Znam ten numer – weszła mu w słowo. – Nie wpuszczę kutasa, jeśli mi wszystkiego nie powiesz.

– Mamy tylko dwie godziny.

Tośka spojrzała na zegarek.

– Godzina i trzydzieści sześć minut. Pięćdziesiąt zmarnowaliśmy na sprawy organizacyjne, przytulanie się i pozbywanie odzieży.

– Musashi by tego nie pochwalił – roześmiał się Kerej. – To niezgodne z punktem dziewiątym. Mogłaś przyjść nago.

– Skąd wziąłeś karabin? – przerwała mu Tośka. – Przywiozłeś ze sobą?

– Zabrałem jednemu z tamtych.

– Ktoś ci pomagał?

Kerej milczał.

– Sam zastrzeliłeś siedmiu facetów i jedenastu raniłeś? Kogo chronisz? Nazwisko.

Kerej przeturlał się na plecy. Leżeli teraz obok siebie, wpatrzeni w sufit. W kątach były pajęczyny. Kazach poczuł, że ma déjà vu.

– Powinni przemalować ten pokój schadzek.

– Podasz mi nazwisko gościa czy nie? – zeźliła się. – Chyba mam prawo wiedzieć.

Znów cisza.

– Tak się nie da rozmawiać. Nie wiem, na co liczyłam.

– Liczyłaś, że w łóżku zdradzę ci wielką tajemnicę? – Podparł się na łokciu. – Po to za mnie wyszłaś?

Pogładził jej piersi. Sutki natychmiast stanęły Tośce na baczność. Tośka wzięła jego twarz w dłonie i pocałowała go czule.

– Myślisz, że to naprawdę ma dla mnie znaczenie?

– Wszystko ma dla ciebie znaczenie.

Odturlał się i usiadł na krawędzi łóżka.

– Dlaczego naciskałaś na ten ślub? To niczego nie zmienia.

– Kocham cię. Chcę być z tobą. Zawsze – wypluwała fragmenty zdań. – Wiesz przecież.

– A jednak straciłaś wiarę. Przestałaś mi ufać. Jedna drobna sytuacja zniweczyła wszystko.

– I będziesz mi to teraz wypominał? – Znów rzut oka na czasomierz. – Niecałe półtorej godziny. Wiesz co, lepiej się pieprzmy, bo ta rozmowa jest bez sensu. A wspomnienia ze ślubu wolę mieć dobre. Nie chcę się kłócić.

Kerej wstał. Chwycił swoje spodnie i wciągnął je bez bielizny.

– Ty nadal nie wierzysz, Rediska – rzucił. – W tym widzę problem.

– Nie wierzę w co?

– Dla ciebie te zdarzenia są ważniejsze niż nasz świat.

– Co ty pierdolisz? – Tośka zmarszczyła brwi, zasłoniła się prześcieradłem aż pod brodę. – Kiedy cię wydalą, nie będzie żadnych nas. Nie żyjemy w próżni.

Pochylił głowę.

– Czy to, co ci powiem, zmieni coś między nami?

– Ostatecznie nie – zapewniła. – Potrzebuję tego dla siebie. Nie dla prawników. Ten ślub też był po to, żebyśmy mogli normalnie porozmawiać. Inaczej nie wiem, kiedy mielibyśmy szansę się zobaczyć. Skoro czujesz, że straciłam wiarę w nas, pozwól mi ją odzyskać. Kłócąc się, marnujemy czas.

Dotknęła jego włosów. Pochylił się i wtulił w jej dłoń, jak pies układający się do głaskania.

– Więc miałem rację. To ruch strategiczny.

– Tak, kurwa, bo jesteśmy na wojnie i musimy mieć strategię – podniosła głos i wyrzucała z siebie słowa jak pociski. – Mam teraz gadać o miłości? Być romantyczna? Oddać się rozkoszy? Bardzo chętnie, ale to byłoby oszukiwanie się, ucieczka. Ty masz wyrok śmierci. Mogą cię jutro wydalić i nigdy cię nie zobaczę. Nie wiem, czy wiesz, ale w mieście są twoi ludzie. Jakiś facet podobny do ciebie. Kto to? Liczyłam, że mi wyjaśnisz. On ponoć był wtedy z tamtymi. Connor tak twierdzi, chociaż ja go nie widziałam. Ale ty się z nim spotkałeś, prawda? Czuję to. I Romeo też ich zna. Pił z nimi i ruchali razem prostytutki. O co tutaj chodzi?

Patrzył na nią apatycznie. Nie kwapił się do udzielania odpowiedzi.

– Jak mam cię bronić, skoro nie przekazujesz mi informacji?

– Wiesz, że jesteśmy podsłuchiwani?

– Doprawdy? – Wydęła wargi. Naprawdę była obrażona i miała dość. – To trafili dziś na całkiem niezły odcinek serialu. Pozdrawiam administrację.

Kerej wiedział, że zaraz Tośka przestanie się odzywać. Wahał się jeszcze chwilę, ale wreszcie się poddał.

– Ten facet ma na imię Kim – rzekł cicho. – Ale w domu Kodara nie wolno wypowiadać jego imienia. Nie zrobi ci krzywdy. To zwiadowca. Zresztą, gdyby chciał, dawno by nas znalazł.

– Więc o co mu chodzi? Czego nasi ludzie mają szukać tam, w Kazachstanie? Romeo i Sztaba wyjeżdżają jutro w nocy. Ruczajew jedzie z nimi. Namawia też do współpracy twojego znajomego. Wyemigrował z Kazachstanu zaraz po tobie. Może będzie zeznawał. Adwokaci już zacierają ręce. Podobno był torturowany i gnębiony. Kazimierz Piekarzewski. Tam nosił inne nazwisko. Zdaje się Pingot.

– Siergo chce pomóc? – zdziwił się Kerej. – Skąd się wziął w Polsce?

– Nie mam pojęcia. – Tośka wzruszyła ramionami. – Co mam robić? Powiedz mi. Chłopcy liczą, że przyniosę im coś po naszej dwugodzinnej nocy poślubnej.

– Mój kochany szpieg.

Pocałował ją. Znów było między nimi dobrze.

– Ściągaj te gacie i kładź się, bo mi zimno – zarządziła, ale Kerej tylko się roześmiał, wskazując rozporek.

– Nie mogę się skupić. Jeśli mamy mówić, musisz wytrzymać. Czekam na pytania. Czego potrzebujesz?

– Świadkowie – zaczęła znów poważnie. – Kogo mamy znaleźć, żeby obalić wersję kazachstańskiej prokuratury? Ale nie z rodziny. Obcy, neutralni ludzie, którzy zgodzą się przyjechać i złożyć zeznania. Ale najpierw Romeo. Jest naszym przyjacielem czy wrogiem?

Kerej długo się zastanawiał.

– Przyjacielem.

– A ta sprawa w burdelu?

– Nie mogę o tym mówić. Jeśli będzie chciał, sam ci opowie. Ufam mu – podkreślił.

Tośka znów się nadęła.

– Może ta kobieta? – zmienił nagle temat Kerej. – Może ona przyjechałaby zeznawać?

Tośka czekała cierpliwie tylko kilka sekund.

– Jaka kobieta? Człowieku, została nam godzina z małym hakiem!

– Nie wiem, jak się nazywa. Stała przed klatką i wołała swojego syna Sieriożę. Ona widziała, jak biorę broń tamtego. Mieszka na tym osiedlu. Ludzie muszą ją znać.

– Nie ma jej zeznań w aktach?

Kerej pokręcił głową.

– Kto jeszcze?

– Isa?

– To ten trzeci? Twój uczeń, którego wyrzuciłeś z samochodu?

– Widzę, że waćpanna się przygotowała.

– Przeczytałam wszystkie nadesłane dokumenty – potwierdziła Petry. – I naprawdę nie było tam nic takiego, czego nie mogłam wcześniej usłyszeć od ciebie. Zniosłam to, nic mi nie grozi. Żyję. Aż takiej ochrony nie potrzebowałam przez te lata, szowinisto. I bądź pewien, że znam te papiery na pamięć. Nazwisko chłopaka, adres. No już!

– Nie mam pojęcia, gdzie Isa teraz mieszka. Kodar cię do niego zaprowadzi. Znajdzie jego i Ałgyz.

– Kto to jest Ałgyz? Nie ma w aktach nikogo takiego.

– To córka bogacza, Sobirżana Kazangapa. Mieszka w perskim pałacu. Ma ksywę Sułtan. Wszyscy w Uralsku o nim słyszeli. Nie będzie kłopotu, by do niego dotrzeć.

– O nim też nic nie ma.

– Bo tam nic nie ma, jedyna. Ale to oni dawali kryszę rekieterom. On, Bajdały i Darmienow, starosta Uralska. Nie wiem, czy nadal jest na stanowisku, bo to Rosjanin.

– Sprawdzę to – zapewniła Tośka. – Bajdały to ojciec jednego z zabitych?

– Rustema – wyszeptał Kerej i potwierdził: – To ród Bajdałych wysłał Kima na zwiad i kilerów.

– Więc trzeba na nich uważać – podsumowała rzeczowo Tośka.

– Na wszystkich trzeba. Nie wiem, jak rody przetasowały się po asie.

– Co to jest *as*?

– W pierwszą rocznicę śmierci bliskich rodzina urządza ceremonię. Przypomina pogrzebową, z tym że ucztuje się, wspominając zmarłych. Za *as* płacą sojusznicy. To honor oddać swój datek na rzecz zabitych. W ten sposób zacieśnia się wspólny front.

– Więc co roku rodziny napastników przysięgają ci zemstę – domyśliła się Tośka.

– Nie inaczej.

– To wesoło tam u was – starała się rozładować napięcie żartem, ale Kerej spojrzał na nią groźnie, więc pytała dalej: – Kto jeszcze? Może da się któregoś z tych, którzy przeżyli, przekupić i przeciągnąć na naszą stronę. To pomysł Romea. Kazał mi zadać to pytanie.

Kerej pokręcił głową.

– Wątpię. Ale Kodar będzie wiedział, czy coś się zmieniło. Jeśli Romeo podniesie stawkę, może się udać. U nas liczą się tylko honor i pieniądze.

– A ci, którzy pomogli ci w ucieczce?

– Ich nie mieszajmy do sprawy. Obiecałem im, że pozostaną anonimowi. Słowa dotrzymam. Prędzej zginę.

– Wiem, wiem, honor – żachnęła się znów Tośka. – Szkoda, że nie mamy pieniędzy, bo zostanę wdową bez grosza przy duszy. A ten tajemniczy facet? Tolik?

Kerej się zawahał.

– Nie wiem, gdzie może być.

– Czy on nie mieszkał na osiedlu, na którym się strzelaliście?

– Tolik jest koczownikiem. Jeździ ze swoją ordą Czyczów i zaciera za sobą ślady. Jeśli zechce, znajdziecie go. Ale ty nie pojedziesz? To niebezpieczne.

– Ja? – Tośka udała zdziwienie.

Zastanawiała się, czy mówić o złożeniu wniosku o wizę. Popatrzyła na męża, a potem sumiennie przyrzekła:

– Będę tutaj w mediach odgrywała zbolałą żonę i rozmawiała z ludźmi z Amnesty International oraz fundacjami walczącymi o prawa człowieka. Potrzebujemy szumu medialnego. Tak mówi Lemir.

Kereja zadowoliła ta odpowiedź.

– Jest jeszcze jedna osoba – powiedział po dłuższym namyśle. – Mieszka na Ukrainie, więc chyba nie musi się już bać. Ale może się nie zgodzić. Źle ją potraktowałem. Ma do mnie żal.

– Najpierw nazwisko, potem okoliczności.

– Nosiła wtedy imię Oksana, ale prowadzi blog podróżniczy pod pseudonimem.

Umilkł.

– Nie zdążymy się pokochać – pośpieszyła go Tośka. – Nie musisz budować napięcia. Dawaj jej ksywę.

– Wiera Kostyra.

– Zapamiętałam.

– Jeszcze jednej rzeczy ci nie powiedziałem.

– No nareszcie jakaś inicjatywa! – ucieszyła się Tośka. – Podziel się.

– Wysyłałem pieniądze nie tylko ojcu i Bibi dla Osmana, ale też jej.

– Tej Oksanie-Wierze? Dlaczego?

– Urodziła mi córkę. Teresę. Nigdy jej nie widziałem.

Tośka zbladła. Czekała.

– Miałeś jeszcze jedną żonę, o której nic nie wiem? I dziecko?

– Nie pobraliśmy się. Ale tak, żyliśmy ze sobą. Pomogła mi bardzo. Kiedy okazało się, że jest w ciąży, uciekłem. Nie chciałem ich narażać.

– O kurwa, jak ja dobrze znam ten mechanizm. W ramach ochrony zostawiłeś ciężarną kobietę samą?

– Co miesiąc wysyłam jej pieniądze. Z okazji świąt więcej.

– Pieniądze – prychnęła Tośka. – Taki z ciebie bohater? Rozstrzelałeś kilkanaście osób w ramach honoru, godności czy chuj wie czego, a swoje baby porzucasz na pastwę losu. I jeszcze liczysz, durniu, że ona ci pomoże? Ja bym ci kazała spierdalać.

Kerej pochylił głowę.

– Tak mało wiesz, Rediska.

– Ile jeszcze przede mną ukrywasz? – Tośka zdenerwowała się nie na żarty. – Masz jakieś inne dzieci, żony? Gadaj!

Kerej próbował ją przytulić.

– Już nie chcę. – Odtrąciła jego rękę.

– Ci, którzy kochali, znają największą tajemnicę miłości. Wyczerpuje się ona w bezmiernym błogostanie spełnienia i tylko śmierć pozostaje kochankom.

– Śmierć? – fuknęła. – Dzięki! To mnie bardzo podnosi na duchu. Ale wiesz co, daruj sobie dziś te ludowe mądrości. Nienawidzę ich. Cały czas gadasz jak Yoda. Do wszystkiego muszę dojść sama. Zawsze jest jakaś ukryta prawda, głębsze dno pod, kurwa, innym dnem. A ja jestem prostą dziewczyną z Frankensteinu. Nie możesz normalnie powiedzieć, że mnie kochasz? Do cholery, potrzebuję tego teraz!

– Przecież to oczywiste – roześmiał się. – Najbardziej we wszechświecie i na wieczność.

Tym razem dała się objąć. Wtuliła się w jego ramię. Odpoczywała.

– To nie ja wymyśliłem – wyszeptał między pocałunkami. – To Anatolij Kim, pół Koreańczyk, pół Kazach. Wielki myśliciel i poeta.

– Czytasz wiersze? – zdziwiła się. – Od kiedy?

Spojrzał na zegarek.

– Czterdzieści pięć minut.

– Przyjdą przed czasem. Kobiety przed więzieniem mówiły, że zawsze przychodzą wcześniej. Ze złośliwości – oświadczyła i podniosła z podłogi biustonosz. A potem spojrzała na swojego świeżo upieczonego małżonka. Zdawało jej się, że nigdy nie kochała go bardziej niż teraz, kiedy nad jej głową wisiało realne zagrożenie, że go utraci. – Możemy się więcej nie zobaczyć. Rozumiesz wagę sytuacji, idioto? Czy tylko ja dostaję fioła z powodu twojego procesu? I co z tymi babami i dziećmi?

– To wszystko nieważne. Przeszłość. Każdy ją ma.

Przytulił ją, szczerze ubawiony pozorowaną złością. Nie zamierzał odpowiadać. Wiedział, że to jeszcze bardziej ją rozklei. Pozostał opanowany, skupiony, ale nie szczędził jej czułości. Starał się być jak nagrzana słońcem skała. Tylko tak mógł ją wesprzeć. Chciał, by, jeśli to spotkanie faktycznie okazałoby się ich ostatnim, Tośka zapamiętała je jako piękne pożegnanie, a nie potok łez i folgowanie panice. To, co ma być, zdarzy się wcześniej czy później. Ich wysiłki nie zdadzą się na nic, jeśli nie będzie przychylności niebios. A na to pracuje się całe życie. Przychodzi do nas plon tego, co sami zasialiśmy. Oszczędził jej jednak tych mądrości Ojsze, bo i tak czasu mieli już niewiele.

– Mogę cię o coś prosić? – wyszeptał, wciąż tuląc ją i gładząc po włosach.

Starał się zapamiętać ich miękkość. Chciał, by jej zapach wrył mu się w pamięć, by był w stanie odtworzyć go, kiedy przyjdą momenty najtrudniejsze.

– Powiedz, o co chodzi. Zobaczymy.

Czuła, że zbiera się jej na płacz, więc pokrywała słabość opryskliwością. Znał ją na tyle dobrze, by wiedzieć, jak zaradzić jej złym nastrojom. Wyciągnął rękę, pogładził po policzku. Zatrzymał dłoń przy jej twarzy.

– Śmierć nie dzieli niczego. To tylko brama – zaczął, a potem sięgnął do kieszeni i wyjął swój skórzany amulet.

Rozpoznała, że to ten sam, który kiedyś tak skrzętnie przed nią ukrywał. Przyjrzała się zawieszce, na której znajdowały się dwa, niegdyś sklejone ze sobą medaliony. Dziś skóra sparciała i rozchylała się na dwa oddzielne kółka zdobione tajemniczymi znaczkami i numerami. Na jednym z nich – tym, który widziała przed laty – wytłoczono jego prawdziwe imię oraz znak słońca, na drugim znajdowało się przetarte ze starości „Ki". Podał jej teraz ten stary rzemyk z wątpliwą ozdobą. Spostrzegła, że w oczach ma łzy. Zrozumiała, że to nie tylko pamiątka.

– Kiedy Romeo dotrze na miejsce, niech odda ten z moim imieniem starszej matce, Ojsze, a drugi pokaże jej, ale zatrzyma, na wypadek gdyby spotkał mojego braciszka.

Tośka zamarła. Czekała. Ponieważ Kerej się zawahał, zarzuciła go gradem pytań:

– Masz więc jeszcze jednego brata? Macie kontakt? To on przywiózł tutaj tych szpicli, którzy wrzucili mnie do auta? To jego sprawka? To ten zwiadowca?

– Starszy. Pierworodny. Rodzice dali mu na imię Kim – odparł spokojnie Kerej. – Dokładnie jak nazwisko poety, którego ci dziś cytowałem. Bo nadane zostało na jego cześć. Ale Kim często zmienia tożsamość. Kiedy ostatni raz się widzieliśmy, posługiwał się ksywą Buszi, co oznacza po prostu wojownika. To trochę jak wasz Jan Kowalski. Bezimienny ronin. Ale nie wiem, czy to jeszcze aktualne.

– Buszi – powtórzyła Tośka. – Czy jest podobny do ciebie?

– Wcale. Może trochę.

Tośka zastanowiła się. Nie pasowało to do teorii Connor i Sztaby. Chciała opowiedzieć mężowi o przybyszach ze Wschodu, których obserwuje lokalna policja, ale zawahała się. Ta informacja nie była przeznaczona dla administratorów więzienia.

– To jak Romeo ma go rozpoznać?

– Jeśli Kim nie będzie chciał spotkać Romea, choćby stanął na głowie, nie uda mu się. Ale gdy mój brat zapragnie z kimś pogadać, wykopie cię spod ziemi. Wystarczy, że powie na bazarze jego imię. Buszi, zapamiętasz?

– I ma mu to dać?

– Pokazać. To *tengri* nie należy już do niego. Wyparł się swojego rodu. Zresztą nawet gdyby Romeo chciał mu to wręczyć, odmówi. Nie przyjmie z powrotem amuletu, bo z jego perspektywy to oznaczałoby porażkę. Niech wtedy Romeo mu powie, że mama modli się o niego codziennie i błogosławi mu. A ja dziękuję za to, że wtedy się zatrzymał.

Tośka patrzyła na ukochanego w skupieniu.

– Co znaczy *tengri*?

– To przedmiot magiczny. *Tengri* ochraniają ludzi i zwierzęta przed złem, śmiercią, chorobami albo wrogiem. Jest dziewięćdziesiąt dziewięć imion Boga Niebios albo inaczej Władcy Dusz. Każde dziecko po narodzinach otrzymuje taki talizman. To jego tarcza przed demonami.

– Jak krzyżyk na chrzcie u katolików?

– Może w średniowieczu byłoby to porównywalne. To glejt. Nie pozwala się dotykać *tengri*, nie pokazuje, broni do upadłego. Nikt, kto w nią wierzy, nie odda dobrowolnie swojej tarczy obcej osobie.

– Dlatego nie pozwoliłeś mi wtedy tego dotknąć? Nie ufałeś mi?

– To nie była kwestia zaufania. Nie chciałem cię narażać.

– Ale naraziłeś – parsknęła Tośka. – I to niejeden raz. Daruj sobie.

Kerej pochylił ramiona, wtulając w nie głowę. Jak orzeł, który chowa się przed wiatrem i trwa w tym stanie, by przeczekać burzę i utracić jak najmniej energii.

– Wybacz, ale nie byłem pewien, czy między nami się ułoży – powiedział bardzo cicho, z naciskiem. – Teraz to co innego. Jesteś moją żoną. Dlatego daję ci całe moje życie, moją kolczugę, zbroję. Wszystko, w co wierzę. Cały mój świat jest teraz w twoich rękach.

– Nie mnie, tylko Romeowi – sprostowała Tośka. Wciąż jeszcze była nachmurzona, ale jej wzburzenie stopniowo topniało, by zamienić się w troskę. – Ale skoro to działa jak mur obronny, co będzie z tobą? Całkiem się odsłonisz, narazisz na niebezpieczeństwo. Biorąc rzecz jasna poprawkę na to, że naprawdę wierzysz w moc tego skrawka skóry.

Nie była w stanie powstrzymać się przed drobną kąśliwością, ale o dziwo Kerej jej nie zarejestrował. Przeciwnie. Ucieszyła go jej odpowiedź. Wyprostował plecy, spojrzał na nią z uwielbieniem.

– Ustaliliśmy już, kochana, że walczymy. Jeśli wyprawa Romea pomoże w procesie o ekstradycję i będę miał szansę ocalić życie bez utraty honoru, jestem gotów iść do boju, choćby nagi i bosy. Zresztą tylko tchórze kryją się za murem. Kiedy przeciwnik się wedrze do środka, nie ma odwrotu. Kryjówka staje się więzieniem, a bywa, że i grobem. Już raz tego doświadczyłem. Wolę zginąć w walce. Jeśli zaś naszym adwokatom nie uda się podważyć kazachstańskich dokumentów, wydalą mnie i nie dojadę nawet do rosyjskiej granicy. Zabiją mnie po drodze. Podobno moją głowę wycenili na milion dolarów. Z tego, co wiem, nagroda wciąż pozostaje aktualna.

Tośka miała ochotę zapytać, skąd ma takie świeże informacje i czy przypadkiem nie od tajemniczego brata, ale tylko uśmiechnęła się krzywo.

– Widać jesteś drogi nie tylko mnie. – Ale zaraz spoważniała. – Co z tym *tengri*? Co jeszcze muszę wiedzieć, żeby nasi chłopcy zdobyli dowody?

– Za sprawą tego drobiazgu Kodar i reszta dopuszczą Romea do naszego świata. – Zawahał się. – Co wcale nie jest takie proste. Zwłaszcza jeśli chodzi o rozmowy z Kimem.

Ale to może zadziałać. Jeśli nawet nie zaoferuje pomocy, przynajmniej nie będzie przeszkadzał. Ma swoje zasady.

– Jest w końcu synem Kodara i twoim bratem. Skuteczność macie we krwi. Po którejkolwiek stronie się stoi, trzeba w to wierzyć. Dziś współcześni doradcy biznesowi nazywają to tajemnicą sukcesu – powiedziała cicho i wzięła do rąk skórzaną ozdobę, po czym zawiązała ją sobie na szyi. Kerej zareagował gwałtownie:

– Zdejmij!

Patrzyła na męża w osłupieniu. Bardzo rzadko wybuchał złością i wtedy ją przerażał.

– To tylko kawałek skóry. Nic mi się nie stanie – szepnęła, marszcząc brwi. – Poza tym łatwiej będzie mi z tym wyjść. Inaczej zabiorą mi twój skarb. Nie mam pozwolenia na wyniesienie z tej kanciapy niczego poza twoją spermą.

– Nie wolno ci tego nosić! – burzył się dalej mąż. Był wściekły. Zrugał ją jak dziecko. – Nigdy!

– A dlaczego? – Tośka uznała, że tym razem nie da się zbyć milczeniem. Jeśli chce, aby zdjęła amulet, a potem dostarczyła jego rodzinie, musi się trochę pogimnastykować i nieco jej wyjaśnić.

– Bo przejmujesz na swoje barki brzemię osób urodzonych pod jednym z imion wyrytych na *tengri*. Bo to jest nie tylko mój amulet, ale też Kima. A on wyrzekł się swojego rodu i zabija na zlecenie.

Tośka chciała powiedzieć, że w takim razie obaj są mordercami, ale się powstrzymała. Wykonała posłusznie polecenie. Ściągnęła *tengri*, położyła z dala od siebie.

– To wszystko przypomina jakąś święconą wodę, której boi się diabeł.

– My w diabła nie wierzymy. Zło jako siła nie istnieje. Są tylko jego konsekwencje, lecz z waszej perspektywy to dokładnie to samo – stwierdził. – Wy wierzycie w moc zaklętej wody, a my w Chana Dusz. A zresztą mój brat nie jest diabłem. To człowiek, który wybrał swoją drogę i stara się nią godnie kroczyć.

– Nie chciałam go obrażać. I nikogo nie oceniam – zamknęła temat Tośka, ale Kerej mówił dalej:

– Jeślibym zginął, oddajcie *tengri* Ałgyz. Ona mnie znajdzie w tym drugim świecie i będę się już zawsze tobą opiekował. Od dziś należysz do mojej rodziny.

– Ciekawe – wyzłośliwiała się Tośka. – Zmienisz się w anioła czy w wesołego duszka?

– Zwykle jest to postać zwierzęca. Ptak, pies, lis, wiewiórka. Dusza sama wybiera, w zależności od atrybutów za życia. Fizycznych i mentalnych. Chyba w dzieciństwie za mało czytano ci bajek.

Tośka powstrzymała się od uwagi, że w dzieciństwie cieszyła się, kiedy w domu był spokój, i zażartowała, choć wcale nie było jej do śmiechu:

– Nie będę hodowała krowy! I ani mi się waż zamieniać w niedźwiedzia. Już widzę minę Jagody i Romea, kiedy wpadam z misiem do naszego pokoiku.

Kerejowi nie podobały się jej kpiny.

– Teraz ci na to nie odpowiem – odparł absolutnie poważnie. – Zresztą wszystko jedno. Może to będzie pająk? Teraz rozumiesz, dlaczego unikam mięsa? Nigdy nie możesz mieć pewności, że w tym stworzeniu nie jest zaklęta ludzka dusza.

– Hm – tylko tyle odpowiedziała, nie mając odwagi dłużej szydzić.

– Ale dzięki tej symbolicznej postaci materialnej będziemy mogli być dalej razem – ciągnął Kerej. – Śmierć jest tylko bramą. Początkiem, pamiętasz?

– Nic ci nie będzie. – Tośka miała już dość. – Przysięgałeś mi dzisiaj i zamierzam urodzić ci jeszcze przynajmniej jedno dziecko. To się nie godzi, żeby takie geny rozprzestrzeniały się tylko w macicach jakichś obcych kobiet. Też chcę coś z tego mieć, skoro je utrzymuję.

Kerej potarł powieki, roześmiał się szczerze. Był już spokojniejszy. Tośka też czuła wzruszenie. Sama się sobie dziwiła, że nie rozbeczała się jak zwykle.

– Pomodlisz się teraz ze mną o to? – spytał.

– O dzieci? Nie, wariacie. – Przyciągnęła go do siebie i pocałowała zachłannie, a potem usiadła na nim okrakiem. – To się załatwia zupełnie inaczej. Nie ma już czasu na te twoje czary. Jeśli Władca Dusz ma nas wysłuchać, zrobi to pod warunkiem, że odrobinę mu pomożemy. Koniec tych dyskusji. Będziemy się teraz kochać. Masz się postarać i nie szczędzić swojej cennej energii, bo jeśli mi cię odbiorą, przynajmniej chcę mieć po tobie pamiątkę.

Kerej nic nie odrzekł, ale po plecach przebiegły mu ciarki, bo już swego czasu słyszał to zdanie. Kiedy w nią wchodził, te słowa dzwoniły mu w uszach zupełnie innym głosem i w innym języku, ale ich moc była ta sama. Po chwili jednak o tym wszystkim zapomniał. Zjednoczył się z Tośką i zrozumiał, że cokolwiek się zdarzy, wszystko będzie tak, jak być powinno. A ta kobieta stanie się jego ostatnią.

Agata wychyliła się z łazienki, kiedy Julek walczył z kawiarką, i omal się nie poparzył, widząc, w co się ubrała, a raczej za kogo przebrała. Minęło ledwie południe, a ich parterowe okna wychodziły na ulicę. Zasłon nie używali. Rano Julian skończył dyżur, a pobyt na komisariacie już nie przynosił mu radości, bo szykany i drwiny spadały na niego z różnych stron, zatem mimo że był wykończony, najpierw nie dał rady zasnąć, a potem nieoczekiwanie z pracy wróciła słynna teraz w mieście pani prokurator. O ile on na ulicy przeżywał prawdziwe katusze, słysząc za sobą pełne kpin szepty, Agata pławiła się w chwale. Aresztowanie kochanka Tośki zaprowadziło ich w dwa różne punkty w karierze. Julek najchętniej wziąłby teraz bezpłatny urlop i wyjechał na Wyspy Owcze albo i na Alaskę. Byle zejść nienawistnikom z oczu. Zrozumiałe więc, że wcale nie ucieszył się na jej widok, a to, co teraz planowała, napawało go wręcz grozą.

Bielizna była w cielistym kolorze i zamiast niwelować nie do końca idealne kształty ciała Agaty, eksponowała fałdy na brzuchu oraz spłaszczała jej i tak chudy tyłek. Nogi miała zawsze ładne, ale zamiast je wyeksponować, wsunęła dziwne klapki z cholewką zapinaną na milion zamków. Do tego wszędzie były piórka oraz fragmenty futerka. Nawet na opasce na głowie. Chyba to była wiewiórka. Niezbyt sexy, pomyślał. Nigdy nie gustował w gryzoniach.

– Baczność, panie komendancie. – Agata rzuciła się na niego i z całych sił popchnęła na sofę.

Zdołał jedynie odstawić gorący garnuszek, choć nie był pewien, czy wyłączył płytę. W głowie mu się zakręciło, skulił się i starał bronić przed napastliwymi rękoma, które szarpały mu rozporek, oraz nogami, które oplatały go jak macki ośmiornicy. Nie, to jednak zając, stwierdził, przyglądając się bliżej kostiumowi.

– Jeszcze nie awansowałem. Przestań! – wrzasnął rozwścieczony, kiedy ciągnęła go za przyrodzenie i zgniatała jądra, jakby zamierzała zrobić z nich ciasto.

– O, pan komendant dzisiaj zły jak szerszeń.

– Jestem dobry.

– Zaraz będziesz jeszcze lepszy.

Pochyliła się i zaczęła go lizać. Przez chwilę się zastanawiał, jak ją spektakularnie z siebie zrzucić, ale jej działania przyniosły skutek i mimo wszystko odpłynął.

– Widzę, że wkład będzie niepotrzebny – usłyszał pomiędzy sapaniem a teatralnymi odgłosami zarzynanego zwierzęcia.

Po chwili siedziała na nim i podskakiwała. Zdawało mu się, że się sklonował. Był tutaj, z kutasem w Agacie, a jednocześnie stał z boku i obserwował sytuację na zimno. To rozdwojenie nie sprzyjało erotycznemu dryfowaniu. Zwłaszcza że futerka fruwały góra–dół, piórka połyskiwały, zamki w obuwiu boleśnie wpijały się w jego nieliczne odsłonięte części ciała. Ona była całkiem naga, bo tych atrybutów schizofrenicznego zajączka, wciąż pachnących plastikiem, z którego został wypakowany zapewne przed chwilą, nie zaliczał przecież do odzieży. On był wciąż w swoim ukochanym starożytnym T-shircie z Depeche Mode i opuszczonych do kolan poplamionych dresach. Jak zwykle gumowe kroksy ze skarpetkami wcale jej nie odstraszyły. Piersi kołysały się jej na boki. Dopiero teraz spostrzegł, jakie są długie. Co gorsza w tym bezwzględnym, okrutnym świetle poranka, doprawdy niegodnym tej sceny, widział każdą czerwoną żyłkę na jej udzie, fałdkę na brzuchu i pucołowate policzki. Przymknięte powieki pozwalały mu wyraźnie widzieć posklejany tusz na jej rzęsach. Wiła się, starając wytrwać w ekstazie. Julian zaś coraz dotkliwiej czuł, że jego wola słabnie.

– Nic z tego nie będzie, Pimpek. – Poddał się w końcu.

Ona chyba też się zorientowała, że ćwiczy na pusto, bo zamiast gorącego królika miał na kolanach smutnego zająca, który jęcząc i błagając, lizał go po twarzy i szarpał za włosy.

– Bo ty mnie już nie chcesz – jęknęła. – Jestem dla ciebie wstrętna. Kiedy mnie ostatnio porządnie zerżnąłeś?

Po łzach przyszedł czas na wyrzuty i wściekłość. Julek odsunął się, rozprostował ramiona, ale wciąż z niego nie schodziła. Biła go pięściami i zaciskała rozpaczliwie uda.

– Ja w każdym razie nie pamiętam. – Wiła się gniewnie. – A widziałam, jak się śliniłeś do tej wywłoki w sądzie. Stanął ci? Przyznaj się!

Julek przymknął oczy, licząc, że tym sposobem przynajmniej unicestwi tę okropną opaskę z brązowymi uszami. Tuszy nigdy narzeczonej nie wypominał. Zawsze lubił tęższe kobiety. Było się do czego przytulić, a jędrny biust to wielki walor. Żałował więc bardzo, że Agata wciąż się odchudza. Efekty były takie, że cycki miała jak uszy jamnika, bo one, biedactwa, były mniej wytrzymałe od niego. Otworzył oczy. Nic z tego. Włochata poczwara na jej głowie wciąż miała się nieźle. Delikatnie uniósł rękę i próbował ją strącić. Nie wyszło. Ściągnął tylko na swoją głowę czujne spojrzenie zranionej kochanki.

– Nawet kiedy na mnie patrzysz, to z odrazą. Czuję się taka nieatrakcyjna. Gruba.

– Wiesz przecież, że uwielbiam twoje kształty – zdobył się na bohaterstwo.

– Jestem jak foka. Cielsko, kaszalot. I biust mi się spłaszczył.

– Może nieznacznie.

– Nawet nie zaprotestowałeś. Co za cham!

Zeskoczyła z niego i opadła na poduszki, wypinając pupę z ogonkiem od kompletu z uszami. Julek zastanawiał się chwilę, czy króliki nie mają takich uroczych białych futerek na pupie zamiast brunatnego chwostu, ale nieoczekiwanie ten wypięty zadek podziałał nań motywująco. Może też pomogło to, że chlipała już ciszej, bez wyrzutów i sprośnych oskarżeń, czym od lat kończyła się niemal każda ich próba zbliżenia. Dobrze przecież pamiętał, jak rok temu przyniosła drążek od mopa i zażądała, by ją zbił.

– Zgadzam się. Zrób to. Pozwolę na wszystko, byle ci tylko stanął – powiedziała wtedy.

Wyszedł tego dnia do pracy i wziął trzydobowy dyżur. Ale to było na długo przed tą kompromitacją. Teraz wolałby już ukryć się u rodziców albo pojechać na ryby czy grzyby. Pójść w góry lub dokądkolwiek, byle nie do roboty.

Pogładził ją teraz lubieżnie po pupie. Nie zareagowała. Za to on nagle przestał czuć zmęczenie. Senność minęła jak ręką odjął. Gdzieś z tyłu głowy pobrzękiwała tylko myśl o włączonej płycie. Najwyżej spalimy chałupę, pomyślał dziarsko i zabrał się do dzieła. Pochylił się nad nią, by poczuła, że jednak jest zainteresowany. Natychmiast wyciągnęła rękę, sprawdziła przez grube spodnie z polaru stan jego gotowości. Była wyczuwalna i mówiąc nieskromnie – naprawdę imponująca. Nie było w tym nic dziwnego, bo w mieście wieść niosła, że Julek jest posiadaczem największej pały w regionie. Czasem na nocnych dyżurach, kiedy nic się nie działo, myślał, jak bardzo to wszystko potrafi się skurczyć, gdy nie jest regularnie użytkowane. Okazało się jednak, że to już przeszłość, bo wyraźnie czuł wiatr w żaglach. Dotyk Agaty zelektryzował go i sprawił, że poziom startowy był lepszy niż na początku ich związku, czyli, fakt niezaprzeczalny, dawno. Nagle Julek przypomniał sobie Tośkę. Z nią nigdy nie miał takich kłopotów. Była młoda, świeża, sucha wprawdzie jak natka pietruszki, ale biodra miała oszałamiające. Ostatni przebłysk był jednak całkiem świeży – z sądu sprzed tygodnia, kiedy jako dojrzała już kobieta patrzyła na tego swojego azjatyckiego przybłędę.

Na niego nigdy tak nie spoglądała, westchnął zazdrośnie. Z tym obrazem pod powiekami poczuł się dziwnie. Nie rozumiał, dlaczego się pojawił i co oznacza. Pomyślał, że to pewnie przez te nieustanne pretensje Agaty, która uważała, że Julek ma obsesję na punkcie tej dziewczyny. A było wprost przeciwnie. To ona dostawała białej gorączki na samo wspomnienie Petry. I wciąż jej się zdawało, że Julek coś do Tośki czuje. Był bowiem gotów ją, panią prokurator, zostawić po kilku latach wspólnego życia, zabierając tylko ze sobą ukochany zmywak do naczyń. Ale to było dawno. Przepracowali to. Terapia kosztowała tysiaka miesięcznie. W końcu sam uznał, że jest skuteczna, bo ile można płacić za gadanie o zdradzie. Ale prawdą było, że ani przed Tośką, ani po niej seks nie dominował w związku Pimpków, jak się od początku wzajemnie tytułowali. Agata i Julek lubili się, szanowali. Byli idealną partią w mieście. Swoistą *power couple*, jak mawia dzisiejsza młodzież. Swego czasu udzielili nawet wywiadu jednemu z lokalnych periodyków. Przeprowadzał go ten były kelner, dzieciorób i poeta – kolega Petry zresztą – Kamil Woźniak, pseudo Sztaba. Teraz też właził Julkowi bez mydła, by zdobyć garść informacji do swoich kolumn kryminalnych w „Głosie". Cały czas, myśląc o tym wszystkim, Julek gładził Agatę po marnych pośladkach. Zdołał już rozpiąć te okropne buty i zsunąć jej kombinezon. Wtedy się odwróciła i podniosła głowę. Zobaczył jej załzawione małe oczka, nalane policzki oraz półotwarte z rozkoszy usta. Zajęcza opaska trzymała się wciąż twardo na głowie. Widać solidna produkcja, nie żadna chińszczyzna. Ale nie o nią idzie. To nie ona mu przeszkadzała. Po prostu wyobrażał sobie kogoś zupełnie innego, skonstatował, zanim oklapł. Niestety, Agata akurat w tym momencie ściągnęła mu spodnie.

– Co za porażka – stęknęła.

– To chyba z niewyspania – miał na swoje usprawiedliwienie, ale oboje wiedzieli, że to nieprawda.

Agata wstała bez słowa. Pozbierała swój ekwipunek i ruszyła po schodach do sypialni.

– Chodź się położymy. Mam jeszcze tylko godzinę przerwy.

– Wzięłaś wolne?

– Dla ciebie – oznajmiła zaskakująco spokojnie i nadzwyczaj smutno.

Zrobiło mu się jej cholernie żal.

– Przepraszam – szepnął. Czuł się jak niegrzeczny chłopiec, który znów zawiódł mamusię, a tak bardzo się starał. – Nie wiem, co się dzieje.

– Nie mówmy już o tym – zamknęła dyskusję. – Nastawię sobie budzik. Muszę dziś jeszcze wrócić do biura. Spotkam się z asesorami, żeby się przygotować.

– Jutro wielki dzień. – Julek starał się jej trochę schlebić. – Boisz się?

– Wcale – rzuciła od niechcenia. – Rozprawa będzie spektakularna. Sąd nie chce obciążenia finansowego. Obrona bez opamiętania będzie wzywać świadków z Kazachstanu. Ja też bym kilku dołożyła. Proces cudzoziemca to studnia bez dna. A nam co do tego? Bo jakaś głupia Polka przygarnęła Kazacha? Tam zabił, stamtąd pochodzi. Niech wypierdala do swoich. Dlaczego nasi podatnicy mają za to płacić? Mało nam własnych zbójów oczekujących na zapuszkowanie?

– Przecież mówiłaś, że na etapie postępowania nie będziesz przeprowadzać dowodów.

– Bo nie będę. To by otworzyło puszkę Pandory.

– Sądzisz, że to wszystko rzeczywiście mogło zostać sfabrykowane?

Agata wzruszyła ramionami.

– Od początku wyraźnie widać linię dochodzenia do jednego człowieka. Nie sprawdzono innych tropów, nie szukano nikogo innego. Jeśli byłabym obrońcą, wykorzystałabym to jako argument główny.

– Ale to on strzelał. Przyznaje się. W telewizji udziela wywiadów.

– Jego obecność na miejscu wydarzeń jest nie do podważenia. Tak samo jak dokonanie przypisywanych mu zabójstw. Śmierć tych ludzi jest faktem i facet słusznie temu nie zaprzecza. *Clara non sunt interpretanda*. Pytanie, czy naprawdę został zaatakowany przez, jak twierdzi, bandę rekieterów. Czy była to tylko rozgrywka dwóch wrogich sobie gangów. U nas też w latach dziewięćdziesiątych tak się działo.

– Może sam był rekieterem? – rozwinął jej myśl Julian. – On mi wygląda na bandziora. Nie chcę sobie wyobrażać, co się działo w tej dziczy po upadku Sojuza.

– Ty nie zaprzątaj sobie tym tej ślicznej główki i skup się na awansie. – Agata pogłaskała Julka po włosach tak czule, jakby był jej ukochanym synkiem. – Chciałabym być wkrótce żoną komendanta.

Skrzywił się, bo przed chwilą pieczołowicie stroszył swoją fryzurę. Zabrała rękę, delikatnie się uśmiechając.

– A zresztą z punktu widzenia prawnika to najmniej istotne. Dla tutejszych i tak pozostanie azjatyckim bohaterem. Tam raczej wjazdu nie ma. Polski proces zatem to dla niego jedyna szansa. Ale jeśli zaatakowała go banda z kałachami, i on sam jest w stanie dowieść, że był nieuzbrojony, a mimo to występował w obronie życia swojego i przyjaciół, to musiałabym rozważyć zakwalifikowanie tego jako obrony koniecznej. Czego robić nie zamierzam. Dlatego też dowodów zbierać nie chcę i na tym etapie nie mogę.

– Czyli kluczem do sprawy jest pytanie: „skąd miał broń?". Bo jeśli przywiózł ją ze sobą albo na przykład dostał na miejscu od tego tajemniczego kogoś, do kogo pobiegł po wsparcie, co było dogadanym fortelem, by pozbyć się wysoko postawionych mafiosów – snuł hipotezy Julek – to wtedy jest to zabójstwo z premedytacją. Ale nawet jeśli tak byś to zakwalifikowała, odsiedziałby swoje i mógłby wyjść.

– To śpiew przyszłości – ucięła temat Agata. – I to raczej łabędzi. Cokolwiek obrona z tych fundacji szykuje na jutro, nakaz ekstradycji będzie. Gadałam dziś niezobowiązująco z przewodniczącym składu. Chyba na mnie leci. – Zatrzymała się i spojrzała znacząco na narzeczonego.

Akurat poprawiał sobie fryzurę i nie zwrócił uwagi na ten drobny niuans.

– Chyba siwieję. – Zmarszczył brwi i uśmiechnął się zawadiacko do własnego odbicia, wiedząc, że z taką miną jest jeszcze bardziej czarujący.

– Piękny jesteś! A ja po dzisiejszym występie na dole to już na pewno posiwiałam. – Odchrząknęła z wyrzutem, ale znów nie doczekała się reakcji. – Na szczęście od dwudziestu lat się farbuję.

– Ty, Pimpku, nigdy nie będziesz siwa.

– Chyba że sama o tym zdecyduję.

– I za to cię lubię. – Ustami musnął jej usta, a potem grzecznie ułożył się na swojej części łóżka. – Taka szpakowata pani prokurator może być jeszcze groźniejsza.

Agata zachichotała i wtuliła się w jego ramię.

– Nie widzę sensu w czesaniu się przed spaniem. Narcyz jesteś, ale jaki śliczny. I mój – mruczała, ponownie oplatając go nogami w ramach kolejnej ofensywy.

Odsunął ją bezceremonialnie. Przeciągnął się i ziewnął.

– Chcę ci się podobać.

Nie zareagowała, więc dopytał:

– Masz jakieś wątpliwości?

W sypialni zapanowała idealna cisza.

– Niewielkie – odparła po namyśle. – Czasami. W każdym razie ja za tobą szaleję. I nie odprowadzaj mnie więcej do sądu, bo ta mewka będzie na każdej rozprawie.

Nie odpowiedział, ale na samo wspomnienie Petry znów wezbrało w nim podniecenie. Poprawił spodenki, żeby Agata tego nie spostrzegła.

– O co chodziło z wkładem?

– Mam na tapecie taką sprawę. Trzy czterdziestolatki na wieczorze panieńskim swojej pięćdziesięcioletniej koleżanki zgwałciły striptizera. Biedactwo nie był w stanie podołać wielokrotnemu zadaniu, więc pijane baby wyjęły wkład do długopisu i usztywniły mu urządzenie. Kadra menedżerska, nie żadna patologia. Rozumiesz?

– Dobrze, że wcześniej tego nie opowiadałaś.

– Nie mów, że nie znasz tego numeru – zaśmiała się prokuratorka i odwróciła już do narzeczonego plecami. – Jestem zmęczona. Zdrzemnę się pół godziny. Obudź mnie, jakbym nie usłyszała budzika.

– Pewnie. – Poklepał ją po zadku, ucałował w kark, a potem też się odwrócił i zaczął onanizować.

O dziwo, do pełnej gotowości wystarczyło mu zaledwie kilka detali fizjonomii Petry. Drobne przebłyski spojrzeń, choćby nienawistnych. Jej głos, zapach, sposób poruszania. Agata miała rację, choć on się do tego nigdy nie przyzna – miał do tej chudej złośnicy słabość.

Unikali się przez te wszystkie lata nadzwyczaj skutecznie. Julian był wręcz pewien, że wyrzucił dziewczynę z głowy i serca. Był to fakt równie niezaprzeczalny jak to, że Agata wybaczyła mu tę krótką dezercję z ich łóżka. Dotąd nie traktował swojej obsesji na punkcie Petry poważnie. Puszczał mimo uszu utyskiwania narzeczonej. Drażniła go. Wiele razy zarzucał jej głupotę. Dlaczego teraz wystarczyło kilka wspomnień o Tośce? Nawet w ubraniu, gdy stała na sądowym korytarzu? Tembr jej głosu, kiedy go zawołała, pałająca gniewem. Aż musiał uciec, by nie odczytała z jego twarzy prawdziwych pragnień. I wreszcie ten jej nieuświadomiony erotyzm, niczym gorący lód, kiedy przyszedł przeszukać jej pokój, a ona była tuż po kąpieli. Naga i bezbronna. Bez końca wspominał, jak go spoliczkowała. Śnił o tym, rozwijał w erotyczne fantazje. Zawsze wtedy budził się gotowy do odbycia stosunku, ale chociaż Agata leżała obok, wolał to zrobić sam. Było to zbyt intymne. Ten cios, który zadała mu w gniewie, był jedynym dotykiem, na jaki Tośka pozwoliła sobie od lat. Tak, ta dziewczyna strasznie go brała. Wreszcie to przed sobą przyznał.

Bawił się ze sobą dość długo, przekonany, że Agata śpi twardo. Mylił się. Słyszała każde poruszenie ręki, każde jego skrywane westchnienie. I tak jak on ukrywał się przed nią na jednej części łóżka, tak ona łkała na drugim jego końcu. Gryzła palce, by się nie zdradzić, choć nie rozumiała, dlaczego to znosi. Julek był już blisko eksplozji, ale wciąż jeszcze się kontrolował. Tośka właśnie klękała przed nim i prosiła o wybaczenie. Wyznawała mu, że pragnie zadośćuczynić za sprowadzoną hańbę, gdyby tylko zechciał zdjąć spodenki. On zaś zwodził ją i odsuwał moment swojej decyzji, zmuszając ją do płaszczenia się i wyuzdanych póz, gdy nagle rozdzwonił się budzik. Strzał nastąpił przedwcześnie. Miał mokre dłonie i ochlapał chyba połowę łóżka. Do tego sapnął oraz wydarł się jak zwierzę, a potem strachliwie odwrócił, by sprawdzić, czy Agata mogła to słyszeć. Siedziała sztywno, bez śladów snu na twarzy.

– Ze mną nie możesz, ale sam sobie doskonale radzisz. Nie dokonuje się wykładni tego, co jasne. *Clara non sunt interpretanda.*

Była zimna i opanowana, jak w sali sądowej. Tylko poduszka, którą kurczowo przyciskała do brzucha, ujawniała, że cierpi ponad miarę.

– Często to robisz?

Przemilczał. Nie dlatego, że go zawstydziła. Czuł pewien rodzaj ulgi. Pozbył się właśnie jednego z ciężarów, które, kiedy je zrzucisz, wydają się niczym. Ale przede wszystkim odczuwał złość, bo samą swoją obecnością zabrała mu z tego strzału to, co najlepsze. Nie mógł się odprężyć, a było to tak dobre i mocne, że najchętniej zasnąłby teraz kamiennym snem.

– Często to robisz, kiedy leżę obok? – powtórzyła, tym razem konfrontacyjnie.

– Ostatnio codziennie – odpowiedział bardzo spokojnie i sprawił mu przyjemność widok zmian na jej twarzy. Niedowierzanie, potem krótki przebłysk buntu, a na koniec groza. – Ale to nie ma nic wspólnego z tobą.

– Zauważyłam – mruknęła płaczliwie.

Czuł się jak oprawca, który już wbił nóż głęboko, ale jeszcze obraca ostrzem, by zadać dodatkową porcję bólu. I znów był podniecony. Ucieszyło go to, ale po namyśle zdecydował się nad nią ulitować.

– Nie kochamy się od lat. A ja wciąż jestem facetem. Muszę sobie jakoś radzić. Czysta fizjologia.

Odetchnęła z ulgą.

– Pójdziemy do kogoś?

– Nie zapłacę więcej ani grosza żadnemu konowałowi. – Zmarszczył brwi. Odruchowo poprawił włosy. Ręka pachniała spermą. Był bliski euforii. Dawno już nie czuł takich emocji. – I nie przebieraj się tak więcej. Jesteś śmieszna.

Pochyliła głowę jak skarcona dziewczynka.

– Dobrze.

Na jej i tak zwykle rumiane policzki wystąpiły nieregularne buraczkowe plamy. Wyglądała żałośnie.

– Idź, bo się spóźnisz – powiedział na odchodne. – Porozmawiamy wieczorem. Zrobię zielone curry, takie jak lubisz.

Wstała. Ściągnęła swoją kołdrę i opatuliła się nią szczelnie, jakby nagle poczuła zażenowanie własną golizną. Miał ochotę wybuchnąć śmiechem. Przecież przed chwilą biegała po domu w kombinezonie z siatki. O przypinanym ogonie i zajęczych uszach nie wspominając. Czekał, aż wyjdzie i zostawi go samego. Przymknął oczy, relaksował się.

– Pimpek – szepnęła zbolałym głosem.

Podniósł powieki i spojrzał na nią z pogardą.

– Wtedy, tej nocy, kiedy stałeś do rana pod hotelem w Srebrnej Górze, ale nie aresztowałeś go... Ty nie pojechałeś tam po Kunanbajewa, prawda? Komendant mi powiedział, że list gończy znaleźli na tablicy dopiero następnego dnia, kiedy Kerej sam się zgłosił. Po co tam pojechałeś?

Jakby uderzyła go obuchem w czoło. Podniósł się na łokciu.

– Coś sugerujesz?

– Masz rację, pytajnik nie jest konieczny. Powiem prościej. Ty pojechałeś tam do niej.

– Nie mam z nią kontaktu od lat.

– Nie mówię, że macie kontakt. Wiem, że ona kocha tamtego. Ale ty nie możesz tego zaakceptować. Jeździłeś pod pretekstem patroli i obserwowałeś ich okna. Byłam tam kilka dni temu. W tym miejscu, w krzakach, gdzie zaparkowałeś. To dobry punkt widokowy. Onanizowałeś się wtedy? Stawał ci?

– Jesteś zdrowo pierdolnięta.

– Ja? – zdziwiła się. Odzyskała już rezon. – Jak wrócę, ma cię tu nie być. Zrób sobie posłanie w suszarni. Pojedź do mamusi. Nie wiem. Rób, co ci się podoba. Ale nie chcę cię więcej widzieć w moim łóżku.

– Znów się rozstajemy?

– Połowa tego domu jest moja. Tak samo jak jedna druga twojego auta i tych wszystkich pierdół, które zgromadziliśmy. Nie jesteśmy małżeństwem, ale żyjemy razem tak długo, że przysługują mi prawa konkubiny. Jeśli nie chcesz sprzedawać domu, spłać mnie. Oczywiście bierzemy pod uwagę obecną wartość rynkową, a nie kwotę, na którą zaciągałeś kredyt.

– Już raz to przerabialiśmy – mruknął pod nosem, nie patrząc jej w oczy, a potem opadł na poduszki, wyraźnie znudzony. – Sama błagałaś, żebym wrócił. Wtedy rzeczywiście miałaś powód i byłem gotowy wyzbyć się majątku w imię uczucia. Bo ja wtedy się w Tośce zakochałem. Rozpaczliwie. Twoi terapeuci, za których, przypominam, ja płaciłem, wkładali ci to do głowy łopatą. Widzę, że nie dotarło i nadal masz żal. To nie była zdrada.

– A co? – Przechyliła głowę jak sprytny kocur.

Spojrzał na nią i już wiedział, że choć owinięta w kołdrę, mentalnie ma na sobie togę.

– Miłość – odparł hardo. – A mimo to wróciłem. Jestem z tobą już jedenaście lat!

– Z małym przerywnikiem na miłość swojego życia? Szkoda tylko, że to nie ja jestem jej obiektem. Po co więc ze mną żyjesz?

– Z wygody – wyrwało się Julkowi i zaraz tego pożałował. – Nie wiem, dlaczego wciąż do tego wracamy. Przygoda z Tośką trwała raptem miesiąc. Lata temu – podkreślił z naciskiem. – A ty chcesz mnie puścić z torbami za walenie konia? Puknij się w głowę, Pimpek.

– Nigdy nie wróciłeś. – Agata rzuciła swoją kołdrę na podłogę. Wyprostowała się i przez moment wyglądała naprawdę ładnie. Odeszła z godnością. – Ta larwa zawsze leżała między nami. To dlatego nam nie wychodzi. Bo w tym łóżku od sześciu lat jest nas troje. Sądziłam, że ci przejdzie, że zapomnisz. Ale dziś zrozumiałam, że będzie tylko gorzej. W twojej chorej głowie wciąż tli się nadzieja, że pewnego dnia ją odzyskasz. Jak w tej piosence *First Day of Spring*, którą sobie puszczaliście. Tylko że masz pecha. Minęły lata, ona ma innego i nie chce cię już znać. Masz poważny problem, chłopie.

– Spierdalaj! – wrzasnął i zaklął jeszcze kilka razy.

Wykrzykiwał, że nigdy tak naprawdę mu się nie podobała. Jest faktycznie otyła, ma obwisłe cycki, tandetny gust. A do tego kastruje go i robi z niego maminsynka. Oraz że nigdy, ale to nigdy, nie zrozumie, co połączyło go z Tośką. Bo w ciągu miesiąca zdołał zbliżyć się do tej dziewczyny bardziej niż do swojej narzeczonej przez jedenaście lat. Zresztą zszedł się z nią tylko dlatego, że mu się to opłacało. Córka lokalnego polityka była dla niego atrakcyjną partią. Chyba nie sądziła, że zachwyciła go urodą i czarem? A potem jakoś to się toczyło. Po prostu został, przez zasiedzenie. Dodał, że owszem, z całej jej familii lubił zawsze tylko jej ojca. Stary Harpula pomógł mu w sprawach zawodowych. Nigdy mu tego nie zapomni.

Agata wysłuchała tej tyrady w milczeniu. Podniosła z podłogi swoje zajęcze uszy i cielisty kombinezon. Cisnęła nimi Julkowi w twarz.

– Tyle zostało z naszego związku. Łachy z sex shopu i zimne łóżko. Ale przynajmniej dowiedziałam się, jak było naprawdę. Bezcenne.

Ze wstrętem zdjął z siebie jej erotyczne fatałaszki, jakby obsypała go wiaderkiem glist.

– I wiesz co, Pimpusiu? – tym razem Agata przemówiła słodko. – Ja też mam cię gdzieś. Najpierw zniszczę ciebie, ogolę do zera, aż zostanie ci tylko ten słynny bezużyteczny członek oraz fryzura podstarzałego lambrosa. Ale to będzie dopiero początek. W tym czasie zajmę się nią. Właściwie to już się zajęłam. Nie dopuszczę do sytuacji, żeby jej fagas został w kraju. Zrobię wszystko, by go stracili. Jeśli ustalę, kto podejmie się sprzątnięcia go w pierdlu, pójdę z nim na układ. Chcę, by i ona cierpiała. By straciła swoją jedyną miłość. Tak jak ja straciłam przez nią ciebie.

– Jesteś ohydna.

– Ta suka rozwaliła mi życie, odpłacę jej pięknym za nadobne. Wendeta. Na to wszak powołuje się ten dzikus. To się dowie, jak pachnie babski gniew.

– Nie tylko ohydna – powtórzył oniemiały Julek. – Ale i zła.

Adwokat Mirosław Leszczyński ostrożnym gestem zdjął jedną drażę z patery i włożył sobie do ust. Poprawił przepisowo wystający mankiet. Długo ważył słowa.

– Coś między dobrym a ohydnym. Trudno powiedzieć.

– Nie chodzi mi o te cukierki, wujku – niecierpliwił się młody, efektowny prawnik, jakby żywcem wyjęty z najnowszego hitu TVN. – Pytam, jak oceniasz mój plan.

Krzysztof Bucefał pracował przy najważniejszych procesach o obronę praw człowieka dla Amnesty International i Fundacji Helsińskiej, a po to, żeby zająć się obroną Kunanbajewa, zrezygnował ze słynnego procesu Marcisza. I nie podobało mu się, że brat matki wciąż traktuje go protekcjonalnie. Wykonał przecież ogrom pracy, przekopał się przez tony materiałów, by przygotować grunt do wykazania, że wymiar sprawiedliwości Kazachstanu wciąż nie spełnia wymogów europejskich, a dla Leszczyńskiego Bucefał wciąż był tylko Krzysiem, jednym z wielu krewnych, którzy poszli w jego ślady. Podniósł teraz zgromadzone akta i zaczął czytać:

– Gorozaszwili Oleg, lat dwadzieścia siedem. Skazany na karę śmierci za morderstwo z premedytacją przez Wschodniokazachstański Sąd Regionalny. Sąd Najwyższy oddalił jego apelację. Komisja ułaskawień wydała decyzję odmowną. Został stracony dwudziestego szóstego stycznia dziewięćdziesiątego siódmego. Podczas procesu pozbawiono go prawa do obrony w śledztwie i w pierwszym procesie. Inny przykład: Maszytow, lat trzydzieści siedem. Sprawca zabójstwa z premedytacją. Skazany na karę śmierci. Prokurator generalny odrzucił wniosek Amnesty International, by w tej sprawie podjąć interwencję, która mogłaby zmniejszyć karę. Wyrok podtrzymany przez Sąd Najwyższy. – Wertował. – Co mamy dalej? Bogatyrenko, morderstwo z premedytacją. Skazany na śmierć, odmowa interwencji, podtrzymanie wyroku. Darżakow Bierik, identyczny mechanizm. Morderstwo z premedytacją, kara śmierci, odmowa, stracony. Jeden strzał w tył głowy. Mogę tak długo. – Zawahał się i spojrzał na Leszczyńskiego, który wciąż oglądał draże i podjadał.

Młody prawnik odczytał więc podsumowanie, które sam napisał.

– W Kazachstanie nadal obowiązuje sowiecki system karny. Przewiduje karę śmierci za osiemnaście przestępstw, w tym także ekonomicznych. W ciągu ostatnich dziesięciu lat była ona orzekana za morderstwo, gwałt, nastawanie na życie milicjanta i bandytyzm.

– Masz dane, ile wyroków śmierci ostatecznie wykonano? – przerwał wuj. – I jeszcze jedno, nasza sprawa jest z dziewięćdziesiątego piątego. Przydałyby się wcześniejsze wyroki.

Bucefał żachnął się, ale był przygotowany.

– Pomiędzy osiemdziesiątym siódmym a dziewięćdziesiątym skazano sto sześćdziesiąt pięć osób. Nie wszystkie wyroki wykonano. Zrewidowano czterdzieści jeden. W dziewięćdziesiątym pierwszym orzeczono sześćdziesiąt siedem wyroków, dwadzieścia sześć złagodzono. Rok później nie mamy danych. W dziewięćdziesiątym trzecim – sześćdziesiąt pięć osób skazanych, potem sto dziesięć, z czego siedem zamieniono na wyroki dożywotniego więzienia. W marcu dziewięćdziesiątego szóstego Amnesty International wydała oświadczenie potępiające sytuację w Kazachstanie. Ze statystyk podanych wówczas wynika, że to jeden z najwyższych na świecie wskaźników wyroków wykonanych.

Leszczyński podniósł głowę.

– Dobra robota.

Krzysztof odetchnął z ulgą. Pierwsza pochwała. Nie było tak źle.

– Na to władze Kazachstanu odpowiedziały, że dane są niedokładne, a wyroków było tylko sześćdziesiąt trzy.

– Tylko? – Lemir podniósł brew. – Ale oczywiście nie wyjaśniono rozbieżności, dlaczego ta liczba nagle się zmienia?

– Oczywiście – potwierdził Bucefał i mówił dalej: – Za to w tym samym roku nie udało się już uzyskać żadnych danych o egzekucjach. Choć jako członek ONZ Kazachstan powinien ujawnić ich liczbę. Warto chyba też przytoczyć mowę prezydenta Nursułtana Nazarbajewa z dziewięćdziesiątego piątego o przestępczości, w której opowiada się on za karą śmierci.

– Co mówi?

– „Obecne głosy za zniesieniem kary śmierci są absolutnie bezpodstawne i nie do przyjęcia – zacytował fragment przemówienia kazachskiego przywódcy młody adwokat. – Możliwe jest, że w przyszłości rozwój naszego społeczeństwa doprowadzi do zniesienia kary śmierci i zastąpienia jej karą dożywotniego więzienia, jak to ma miejsce w krajach o wyższym rozwoju poczucia sprawiedliwości, ale jak na razie jest o wiele za wcześnie, by dyskutować o tym w Kazachstanie".

– Pewnie podaje ekonomiczną słabość kraju i gwałtownie rosnącą przestępczość jako uzasadnienie.

– Coś koło tego – potwierdził Bucefał i dorzucił: – Oczywiście w tym kraju nie funkcjonuje ani jedna poważna inicjatywa przeciwko karze śmierci, a wszystkie działania władz skupiają się na ulepszeniu obowiązujących procedur dotyczących egzekucji.

– Mimo to prokuratura w pismach do naszego Ministerstwa Sprawiedliwości obiecuje uczciwy proces i zapewnia, że po wydaniu Kereja nie zostanie wykonany na nim wyrok śmierci. – Leszczyński odsunął wreszcie cukierki. – Szkoda tylko, że ten wyrok wydano, zanim zgromadzono jakiekolwiek dowody.

– I to zaocznie. Nie znalazłem żadnego innego przypadku na całym globie, w którym zapadłby zaoczny wyrok śmierci na człowieka, który nie został nawet przesłuchany.

– Co więcej, by umożliwić taką procedurę, specjalnie zmieniono przepisy – dodał Lemir.

– Mimo że prawo nie działa wstecz.

– Jak widać są wyjątki od tej reguły. Czyli co mamy?

Bucefał wskazał stosy akt na podłodze. Zajmowały niemal całą powierzchnię gabinetu Leszczyńskiego.

– Sprawa Iriny Czerkasowej z Abajska. Kobieta została zmuszona gwałtem do przyznania się do zabójstwa, mimo że go nie popełniła, oraz wiele innych spraw, w których mamy udokumentowane tortury wobec więźniów. Plus setki ludzi aresztowanych z powodów politycznych. Przetrzymywanie bez przedstawienia zarzutów, zwykle w nieznanych rodzinie miejscach. Przypadki bezpodstawnego więzienia osób podejrzanych o szpiegostwo, kontakty z uzbrojonymi grupami opozycyjnymi, gwałty, przemoc wobec kobiet, angażowanie dzieci w armii, łamanie praw człowieka i tak dalej. To powinno udowodnić, że powrót obywatela Kazachstanu do ojczyzny zagraża jego bezpieczeństwu i życiu. Jako wisienkę na torcie mam precedensowe orzeczenia, między innymi sprawę z ubiegłego roku. Miejsce akcji: Rzeszów. Sąd uznał, że ekstradycja podejrzanego o przywłaszczenie siedmiuset tysięcy dolarów na szkodę jednego z przedsiębiorstw państwowych jest humanitarnie niedopuszczalna.

– Podstawa? – zainteresował się Lemir.

Siostrzeniec pierwszy raz zobaczył błysk w oku doświadczonego prawnika.

– Oparł się na tych samych danych AI, które moja kancelaria uaktualniła – wyjaśnił i podsunął dokumenty, by dostarczyć wujowi więcej szczegółów. – Za ten czyn Siergowi Pingotowi groziła kara śmierci. Polski sąd, już w pierwszej instancji, zakazał ekstradycji, uznając, że proces byłby nierzetelny, a traktowanie podejrzanego poniżające. Zresztą w procesie, który odbył się w Rzeszowie, wykazano, że ta suma została rozparcelowana na kontrahentów dyrektora kolei. Prokuratura z Uralska nie przesłuchała kluczowych świadków.

– Uralsk? – powtórzył Leszczyński. – Więc w grę wchodzi ta sama instytucja. Brawo, Krzysiu. Zaimponowałeś mi.

Po czym machnął ręką, by młody prawnik mówił dalej.

– Sam Pingot był przetrzymywany w piwnicy i torturowany. Wydano też nakaz strzelania bez ostrzeżenia, gdyby stawiał opór przy aresztowaniu. Zresztą facet dwa razy targnął się na swoje życie. Za pierwszym razem odcięli go współwięźniowie. Po nożu trafił do szpitala, skąd uciekł do Rosji, a potem przez Ukrainę do nas. Zwrócił się o status uchodźcy i go otrzymał. Twierdzi, że nie defraudował i nie wywiózł z Kazachstanu ani grosza. Te próby samobójcze też miały być przykrywką dla działań odwetowych kazachskich rodów. Chcieli go zabić. Wendeta jak u naszego Kunanbajewa.

Leszczyński podniósł głowę. Oczy mu błyszczały.

– Bardzo nam się ten Pingot przyda. To jakiś dobry zawodnik. Kazach?

– Obywatel Kazachstanu, ale dziadek miał tatarskie korzenie. Tam uważali go za Polaka.

– Ściągnijmy go na rozprawę. Może zechce pomóc krajanowi?

– Ta dorada jest jakaś taka spierzchnięta – poskarżył się Siergo Pingot łamaną polszczyzną i odsunął od siebie ledwie napoczęte danie mistrza Luigiego.

Ruczajew właśnie kończył tatara z truflą. Rozejrzał się po pustej restauracji. Byli w pałacu Sobańskich, w siedzibie Klubu Polskiej Rady Biznesu, do którego nie należał żaden z nich. Stolik w Amber Room zamówił i opłacił Roman Grajek. Czekali na niego już ponad godzinę.

– Możesz mówić po naszemu – ofuknął Sierga Ruczajew po ukraińsku i dokładnie wytarł usta serwetką. – I radziłem, żebyś wziął mięso. Stare przyzwyczajenia z domu nie blakną, co? Wy tam tylko gulasze i szaszłyki wcinacie. Następnym razem wezmę cię na kebab. Albo do Gruzina. Będziesz mniej awanturny.

– Może być i do budki chińskiej – kwękał wciąż Siergo, a potem wypił duszkiem najdroższe wino z karty. Kelner natychmiast podszedł, by uzupełnić mu kieliszek. Kiedy tylko zniknął, Siergo dodał: – Wiesz, że i tak się nie zgodzę.

– Czy to ja organizuję tę imprezę? – Ruczajew roześmiał się nerwowo.

– Romeo twierdzi, że z nim lecisz. Sam pomagałem przy wizach.

– Jeszcze nie zdecydowałem. – Ukrainiec wzruszył ramionami. – Anastazja jest przeciw. Boi się.

– I ma rację. Mądra kobita.

– Ale Romeo tak łatwo nie odpuści. – Ruczajew wypił łyk bardzo porządnej riojy. Biznesmen smakował trunek, bacznie obserwując towarzysza. – Co więc proponujesz?

– To nie jest już moja sprawa. – Siergo uśmiechnął się kpiąco. Kiedy ujawnił swoje intencje, stał się spokojniejszy. – A pojawiać się tam, by naprowadzać wrogów na swój trop, nie zamierzam. Przecież tam zapadł na mnie wyrok śmierci. Co innego zeznawać w procesie. Dzwonił do mnie ten młody adwokat. Przyda mi się trochę blasku kamer w interesach.

– Dobrze to rozegrałeś – pochwalił Sierga Ruczajew. – Ale wciąż masz u Kunanbajewa dług. Kerej wziął na siebie to, co Zere od dawna chciała ci przybić. I jak dotąd się nie przypucował.

– Nikt nie kazał mu brać gnata i strzelać do dzieci prokuratorów – prychnął Siergo. – Wiesz, kim były te chłopaki? To nie była zwykła rozróba. Ci ludzie gotowi byli zafundować mi kulkę w łeb za głupią bocznicę. Wymyślili dwie bańki papieru, które im wyprowadziłem.

– Połowę ci się udało.

– Nie liczysz kosztów – westchnął ciężko Siergo. – Na czysto maksymalnie sto tysięcy.

– Chyba milion trzysta. – Ruczajew roześmiał się. – I to bez podatku.

– To moja emerytura – zgodził się wreszcie Siergo. – Ale słono zapłaciłem. I mogło się wcale nie udać. Wisu nie żyje. Tylko Jurka mi został. Kerej powinien był się liczyć z zemstą krwi. Zabrał Bajdałym twarz, ośmieszył ich i chociaż aksakałowie zakazali wendety rodowej, są ludzie, tam w Uralsku, ale też w innych miejscach na świecie, którzy zawsze będą mu to pamiętać. Tamci zginęli, ale mają braci, ojców, a teraz i synowie niektórych dorośli. Co się dziwisz, że nie dają mu odetchnąć? Należało brać to pod uwagę, kiedy był czas. Ale ja go znam, on jest honorowy.

– Z kim ty grasz, Siergo? – przerwał mu Ruczajew. – Bo zdaje mi się, że żyjesz tylko dlatego, że młody Kunanbajew rozpierdolił tamtych. Gdyby nie ta rozróba, sprawa magazynów byłaby priorytetowa dla uralskiej prokuratury.

– On mi nie pomógł w ucieczce – podkreślił z naciskiem Siergo. – Komu innemu zawdzięczam życie i zdrowie mojego dziecka. Wybacz, zachowam jego nazwisko dla siebie. Wisu i tak życia to nie wróci.

– I z tym kimś trzymasz?

– To nie jest wróg Kereja.

– Przyjaciel też nie.

– Przed tobą tłumaczyć się nie muszę. Gdyby Kerej nie strzelał do tamtych, inaczej by się ułożyło. Tak jest, skorzystałem z okazji. Ale ty też byś tak postąpił. Obaj jesteśmy biznesmenami.

– Ja to wszystko wiem – niecierpliwił się Ruczajew. – A to, czego nie wiem, nie jest mi potrzebne. I na spytki cię nie biorę. Przedstaw jednak twardo swoje stanowisko Romeowi, bo on chyba nie ma pełnej świadomości.

– Jak się tylko pojawi, nie będę przedłużał. To porządny chłop. Nie chcę go okłamywać. Ludzie Futnikowa też mają go za swojaka.

– Romeo umie się ustawić – westchnął Ruczajew.

Milczeli długi czas. Ukrainiec nerwowo spoglądał na zegarek.

– Któryś z nas jednak musi pojechać. Wypada.

– Zgodziłeś się, to teraz się martw. – Siergo rzucił serwetkę na stół. – Idę do kibla. Jakby Roman przyszedł, nie zaczynajcie beze mnie.

Natychmiast gdy Siergo wyszedł, Ruczajew wyjął telefon. Zadzwonił do Grajka. Zajęte. Tak było, odkąd tu siedzieli. Wystukał więc numer żony i po chwili usłyszał jej niski, oleisty głos. Dziś jednak był nieco drżący. Anastazja bardzo się denerwowała.

– Powiedz to, co chcę usłyszeć.

– Jeszcze siedzimy.

Po drugiej stronie panowała niepokojąca cisza. Żadnych wyrzutów, jęczenia czy płaczu.

– Nie martw się. Powiem mu.

– Nie dojechał?

Anastazja miała niesamowitą zdolność odgadywania jego myśli. Zawsze go to zadziwiało. Uśmiechnął się teraz i spróbował żartu, by ją rozluźnić.

– Może kombinuje, żebym to ja albo Siergo uregulował rachunek?

– Wracaj do domu, Alosza – powiedziała z naciskiem piękna Nastia. – I nie pozwól się w nic wkręcić. Nie życzę sobie zostać wdową.

W korytarzu pojawił się już Siergo. Ruczajew nie chciał przy nim okazywać słabości. Postanowił zakończyć rozmowę.

– Będzie dobrze. Dam znać, jak się okaże, na czym stoimy.

– Przegrali proces – dodała bardzo spokojnie Anastazja. – Zamknęło się na jednym posiedzeniu. Świdnicki sąd uznał ekstradycję za zasadną.

– Jesteś pewna? Leszczyński i Bucefał są kuci na wszystkie kopyta. Byli pewni wygranej. Nawet Siergo zgodził się zeznawać.

– Kwity są bardzo dobre, ale sąd boi się kosztów. Wszyscy w mieście o tym plotą. Gdybyś był bliżej, słyszałbyś płacz niewiast i korki od szampana w prokuraturze. Tak przy okazji, nasz przyjaciel Julek Sioło dostał awans. Wszystko wraca do normy.

– Czyli po sprawie – ucieszył się Ruczajew. – Koniec historii.

– Odwołają się. Tak zapewniali dziennikarzy. Zresztą nie mają wyjścia. Kasa płynie szeroką strugą, dlatego tym bardziej Romeo będzie cisnął na wyjazd. Zaparł się i jest wkurwiony. Nie daruje ci, jeśli odmówisz. Dlatego proszę cię, zrób to dla mnie. Dla nas. Nie jedź!

– Kończę.

– Kończ to spotkanie i wracaj!

– To się odbije na naszych interesach – zdążył wyszeptać, bo konsjerż wprowadził właśnie Romana Grajka w towarzystwie ekipy telewizyjnej oraz chudej kobiety o zaciśniętych ustach. Ruczajew dopiero po chwili rozpoznał Tośkę. Zmizerniała i wyglądała, jakby ją z krzyża zdjęto. – Burmistrz stoi za Romeem. Tak samo jak cała rada i kupa ludzi z Ząbkowic.

– Dogadamy się z przeciwnikami – pocieszyła go żona, zanim się rozłączyła. – A nawet jeśli nie, wolę być biedna, niż mieć męża w trumnie.

Ruczajew pomyślał, że Anastazja szybciej znajdzie sobie nowego małżonka, niż on się dowie, że jest nędzarzem. Nie chciał być jednak jedynym zdrajcą w tym gronie. Uśmiechnął się szeroko do Sierga, który podnosił się z krzesła i witał wylewnie z żoną Kereja. Romeo jeszcze chwilę pozdrawiał zgromadzonych w pozostałych lożach kolegów z rady biznesu, a potem się rozsiadł. Na stole między talerzami położył wypełnioną dokumentami aktówkę.

– Słyszeliście?

Siergo i Ruczajew zerknęli po sobie. Żaden nic nie powiedział.

– Już zjedliśmy, wybacz. Długo to trwało – pierwszy odezwał się Siergo.

Romeo zmrużył oczy i zniżył głos do szeptu, ale groźba brzmiała tak donośnie, że gdyby sala była wypełniona, każdy by go usłyszał:

– Prędzej dam się zabić, niż pozwolę ci stchórzyć, Pingot. Tylko mi nie mów, że zostawiasz nas samych!

Siergowi zaparło dech, a potem roześmiał się teatralnie. Dołączył do niego Ruczajew. Spojrzał na zegarek i rzekł do Romea:

– Do której zamierzasz dziś siedzieć? Bo wypadałoby się zdrzemnąć przed podróżą, co, Pingot?

Porozumieli się z Ukraińcem bez słów.

– Niegrzeczne chłopaki! – ucieszył się Romeo, po czym zamówił kolejkę dla wszystkich. Dziennikarze okazali się najbardziej spragnieni. Dalej Grajek przemawiał już wyłącznie do Pingota i Ruczajewa: – Wy nas poprowadzicie jak po sznurku, a my wszystko nagramy. Dziś po tej hucpie prokuratury zebraliśmy kolejne podpisy. Jest już ponad tysiąc. Tysiąc, rozumiecie? Nie poddajemy się. To będzie sprawa stulecia. Wielki bój o życie człowieka.

– Jesteś wariat! – Ruczajew roześmiał się, podnosząc do ust kielich oszronionej wódki. – Zupełnie nie rozumiem, dlaczego ci tak zależy.

– Bo to jest dobry chłop – zawtórował mu Romeo. – I mój przyjaciel. A w życiu trzeba zrobić coś wielkiego, coś głupiego i coś dobrego. Te dwie pierwsze rzeczy dawno wykonałem. Czas na tę trzecią. Robię to dla siebie. Przede wszystkim dla siebie. Dobry uczynek. Jesteś chrześcijaninem?

– Niech Bóg ma cię w swojej opiece, Roman. – Siergo smutno pokiwał głową.

Tylko Tośka nie piła i siedziała sztywno, wpatrując się w twarze mężczyzn, którzy jechali w tak daleką podróż, by ratować jej męża. Zastanawiała się, czy może im zaufać, czy okażą się skuteczni. Na razie poza Romeem i Sztabą nie dałaby za nich pięciu groszy. Komu powinna przekazać amulet Kereja? Bo choć Romeo zdawał się być przywódcą tej watahy, potrzebował świty i klakierów, a to jej się nie podobało. Czyżby sam bał się jechać? Patrzyła na cwanego Polaka zwanego Siergiem, na śliskiego Ruczajewa, który niby był ich sojusznikiem, ale kiedy przyjechali tajemniczy Azjaci, umył ręce od sprawy. Przyglądała się żądnemu sławy Sztabie i jego operatorom, który robili to dla pieniędzy. Wszyscy śmieli się i doskonale bawili, nakręcając wzajemnie, jak chłopcy przed rozstrzygającym meczem. Wtedy poczuła w kieszeni wibrowanie komórki. Odebrała wiadomość: „Przykro mi. Mimo wszystko – współczuję Ci. Gdybyś potrzebowała pomocy… Jestem". Zdziwiła się. Numeru nie było w bazie jej kontaktów, ale swego czasu znała go na pamięć. To Julek. Miał czelność napisać po tym, jak jego kobieta rozwałkowała adwokatów Kunanbajewa w sądzie? Skasowała wiadomość, zanim to przemyślała. Po chwili przyszła jednak następna, z innego telefonu. „Ona nic nie wie. Gdybyś chciała się skontaktować, dzwoń. To służbowa komórka, zastrzeżona. Jest czynna całą dobę". Nie usunęła tej wiadomości tylko dlatego, że Romeo zarządził naradę i Tośka była zmuszona relacjonować swoim, nawalonym teraz w sztok posłańcom wszystko, co Kerej przekazał jej w więzieniu.

Kilka godzin później rozdzielili się. Tośka prowadziła auto Romea, którego miała odwieźć do Ząbkowic jeszcze tego samego dnia. Dziennikarze zabrali się z nimi. Wszyscy byli jeszcze nietrzeźwi, ale mieli szampańskie humory oraz stuprocentową pewność powodzenia wyprawy. Jakby jechali na bohaterską potyczkę albo wspinaczkę wysokogórską. Siergo z Ruczajewem wezwali sobie taksówkę. Tłumaczyli, że nie chcą uszkodzić sprzętu telewizyjnego.

Tośka odstawiła auto Romea na płatny parking, a potem z bankomatu wyciągnęła wszystkie pieniądze, jakie miała na koncie. Starczyło na lot do Ałmatów, i był to bodaj najdroższy bilet, jaki kupiła w życiu. Resztę pieniędzy wymieniła na dolary. Na pokład weszła w ostatniej chwili. Dopiero wtedy dotarło do niej, że nie wzięła ze sobą żadnego bagażu poza amuletem Kereja, szczoteczką do zębów i bielizną na zmianę.

– Co ty tu robisz? – Romeo zerwał się na jej widok, kiedy stewardesa prowadziła ją na miejsce, a pilot zapowiadał już kołowanie. – Gdzie Siergo i Ruczajew?

– Ze mną ich nie było. – Tośka się rozejrzała, ale dostrzegła tylko Sztabę, ryżego reportera i kilku operatorów, którzy rozpięli pasy bezpieczeństwa i biegli już w jej stronę.

– Nie dojechali na lotnisko. – Romeo pienił się ze złości. – Nie pojawili się na odprawie, choć ich nazwiska wywoływano kilkakrotnie. Żaden nie odbiera telefonu.

– Mieli być naszymi pilotami, przewodnikami – zaczęła Tośka. – Jak sobie poradzimy? Nie znamy kazachskiego.

– My? – Romeo uderzył ją w mostek, aż zabolało. – Nikt mnie nie słucha. Wszyscy robią, co chcą.

Po czym zaczął grzebać w schowku na bagaże i wyciągnął swoją walizeczkę i kapelusz, a potem podreptał do wyjścia. Tośka i Sztaba patrzyli za nim, bezradni jak dzieci.

– Co się gapicie – powiedział do przyglądających się pasażerów, w większości Azjatów, choć jego gniew przeznaczony był teraz wyłącznie dla Sierga i Ruczajewa. Ale dostało się wszystkim. – Tak się nie prowadzi wojen ani biznesów. Życie to nie psychodeliczna zabawka.

– I kto to mówi – szepnęła Tośka. – A bilety, wizy? Wszystko od nowa?

– Rozmawiałem z Leszczyńskim. Wyznaczenie rozprawy apelacyjnej może potrwać kilka miesięcy.

– Naprawdę odpuszczamy? – nie dowierzała Petry. – Właśnie wydałam ostatnie pieniądze na bilet, którego nie wykorzystam. To chyba największy błąd, jaki kiedykolwiek popełniłam.

– Za moich czasów to się nazywało romantyzm – uśmiechnął się Roman i zarządził, jakby dyrygował wojskiem: – Wysiadka. Koniec przygody. Te chuje mają adresy, dokumenty, listy polecające. Wszystko.

– Ja zupełnie przypadkowo paszport z wbitą wizą mam ze sobą – słabo broniła swoich pozycji Tośka.

– Najpierw muszę tym Ruskom nogi z dupy powyrywać. Głupotą to jest jechać na bój bez oręża.

Wracali do Ząbkowic w ponurych nastrojach.

Do Kazachstanu mieli ruszyć dopiero po Nowym Roku. Tym razem miała być ich tylko trójka: Romeo, Sztaba i Tośka, która została przeszkolona w obsłudze kamery. Plan spotkań mieli ustalony co do minuty. Zapowiadano, że w Astanie mróz będzie dochodził do pięćdziesięciu trzech stopni.

PO SZÓSTE

UCZYĆ SIĘ SĄDÓW SPRAWIEDLIWYCH

wrzesień 1994 roku, Uralsk, Kazachstan

Smakowity zapach pieczonej baraniny obezwładnił Wanię, gdy tylko zbliżył się do posiadłości Bajdałych. Chwilę później minęła go gromada dzieci, które niosły placki lawasz takie duże jak one same. Wańka poprawił rozciągniętą koszulkę, otrzepał kolana, ale wędrował tak długo, że brud wniknął w odzież i te zabiegi niewiele zmieniły stan jego higieny. Krok w spodniach sięgał mu do kolan, a gumkę w pasie musiał związać dwukrotnie na supły, by nie spadły z tyłka – tak wychudł w czasie swojej tułaczki. Kurtka wisiała mu na grzbiecie jak u stracha na wróble. Na szczęście wciąż było upalnie i mógł nieść ją pod pachą. Nie oglądał się w lustrze, odkąd wyjechał z milicjantami, ale i bez tego wiedział, że zarósł szczeciną jak wiking. Zapach uczty przypomniał mu o głodzie, do którego przywykł, i o tym, że kiedyś miał niedźwiedzi apetyt.

– Hej, gospodarzu – zwrócił się wesoło do pierwszego napotkanego Kazacha, który prowadził przed sobą kilkoro maluchów zajadających świąteczne wypieki. – A skąd to niesiecie taką pyszną katyrmę? Rustem się dziś żeni? Czy to może już święto z okazji rychłych narodzin potomka Bajdałych?

Starał się sprawiać wrażenie hecnego, ale jako spaślak miał chyba w sobie więcej z fircyka. Napotkany mężczyzna odwarknął coś po kazachsku i pogonił swoje dzieciaki, jakby miały się od Wańki zarazić śmiertelną chorobą. Były bokser zatrzymał się, rozejrzał po terenie. Bramę do rezydencji jego mocodawców otwarto na oścież. Na podjeździe nie stało żadne służbowe auto. Nie dostrzegł też ani jednego żiguli, którego numer by znał. A pracował przecież z Rustemem, odkąd obaj wyrośli z krótkich spodenek. Można powiedzieć, że razem się chowali. Wania wprawdzie w stajni, bo jego ojciec oporządzał konie Jerboła, kiedy ten jeszcze takowe hodował, a Rustem w pałacu. Ale przepędzili wspólnie całe dzieciństwo i młodość. To dzięki Rustiemu oraz wsparciu jego ojca, Jerboła, Wańka pierwszy raz wszedł na ring. A potem wygrał dla nich wszystkie walki. Oczywiście hołubili go tylko do czasu kontuzji, a potem z litości wzięli na siepacza, ale krzywdy z nimi nie miał. Czasy się zmieniały. Najemnicy przychodzili i odchodzili, a on pozostawał Bajdałym wierny. Dokąd miał zresztą pójść? Od śmierci ojca żadnej rodziny nie miał. Rusti był dla niego jak brat. Gdzie chłopaki? – zastanawiał się. Dlaczego nikt nie pilnuje obejścia? Nie podobało mu się to, co widzi. Gdzie ochrona, nożownicy? Co z uzbrojonymi wartownikami w wieżyczkach? Podniósł głowę i przysłonił grzbietem dłoni mordercze słońce, by się ostatecznie upewnić. Pusto. Wszędzie pusto. Za to na ulicy nie było gdzie zaparkować. Aut ponastawiano także w miejscach niedozwolonych. Rabatki zjeżdżone kołami horrendalnie drogich dżipów i zagranicznych terenówek, niedostępnych dla zwykłych zjadaczy chleba, bo Wania bez pudła rozpoznawał ich bieżniki. Czyżby Zere zezwoliła na taką zniewagę swoim możnym przyjaciołom? A jakby tego było mało, pomiędzy samochodami cisnęło się mrowie rowerów, riksz, a nawet wozów z końmi i wielbłądami uwiązanymi do ręcznie kutej bramy. Takiego świętokradztwa w majątku Bajdałych jeszcze Wania w swoim życiu nie oglądał. Niektóre kibitki musiały przybyć z daleka. Na przyczepach znajdował się obrok i siano dla zwierząt. Impreza była więc publiczna. Do Bajdałych przybyli dzisiaj wszyscy: bogaci i biedni. To mogło oznaczać tylko jedno.

Wania wspiął się na ogrodzenie i choć zdawało mu się, że nic go nie zaskoczy, dopiero wtedy zaparło mu dech w piersiach. Cały dziedziniec wymuskanego dotąd pałacu zajęty był przez ogromne namioty z drewnianych obręczy i wojłoku. Przed każdym z nich stała starucha z nie mniej sędziwymi pomocnicami. Mozolnie wypiekały chlebowe placki. Lawasz takiej wielkości i w ilościach zdolnych wykarmić szwadron wojska wypiekano w tych stronach tylko z wyjątkowych okazji: narodzin potomków bądź ceremonii pogrzebowych. Wania nie dostrzegł jednak kolorowych chorągiewek. Radosnych śpiewów też nie słyszał. Za to w głębi, przed samym wejściem do rezydencji, stało auto Rustema. Waniliowy niegdyś elsbett o pojemności 1450, z noktowizorem, karoserią z duralu i nowatorskim wyświetlaczem funkcjonowania podzespołów, był teraz podziurawiony od kul oraz ozdobiony w żałobne wstęgi niczym koń zmarłego wojownika, czekający na zarżnięcie. Wania znał ten obyczaj. To dlatego anonimowi ludzie wędrowali w tę i we w tę po zazwyczaj zamkniętej posesji, otoczonej kilkumetrowym murem. A więc trwał *as*. Wania przyśpieszył kroku, przygładził rozwichrzoną brodę i skierował się do największego namiotu. Staruchy skinęły mu głową, wręczając największą jupkę. Była jeszcze gorąca. Mężczyzna wytarł dłonie o spodnie, zanim wziął placek do ręki. Urwał po kawałku i podzielił się z nimi, jak nakazywał obrządek pogrzebowy, a potem wytrzymał ich zawodzenie. Płakały popisowo przez dobre kilka minut, by wreszcie odsłonić kurtynę. Wania przekroczył próg jurty.

Trumien było siedem. Stały w rzędzie na samym środku. W kręgu zaś siedziały kobiety opatulone w bezkształtne białe chałaty. Pocierały zaczerwienione twarze, mokre raczej od gorąca niż łez, choć na niektórych rzeczywiście rysował się ból. Przypatrywały się Wani bardziej ze wścibstwa niż z wrogości. W pomieszczeniu poza akynem, który mamrotał wersy ze starych ksiąg, panowała cisza. Nikt nic nie mówił, nie padały żadne pytania. Wania skłonił się żeńskiemu zgromadzeniu, podzielił katrymą, ale nie zbliżył do zmarłych. Szukał wejścia do drugiej części jurty. Tam obradowali mężczyźni. Żył na garnuszku Kazachów wystarczająco długo, by to wiedzieć, choć nie był pewien, czy wpuszczą białego.

– Wanieczka! – usłyszał. Jedna z okutanych w biel kobiet poderwała się i chyżo do niego podbiegła. – Gdzieżeś ty był?

Wania z przerażeniem stwierdził, że to Zere, matka Rustema. Nie była podobna do siebie. Wychudła, zdawało się, że lada chwila złamie się wpół. Włosy miała całkiem siwe. Bardzo krótkie i wystrzępione, jakby sama je sobie ostrzygła. Twarz żółtą niczym cerkiewne świece.

– Jak ty zmizerniałeś. – Przytuliła się do niego.

– Pani Zere, co się stało? – wyszeptał i otoczył matkę Rustema swoimi wciąż potężnymi ramionami. A kiedy zadał następne pytanie, głos mu już drżał, bo odpowiedź była przecież oczywista. Zere była w żałobnej bieli, a auto jego przyjaciela stało naszpikowane ołowiem. – Czyli on tam jest?

Odpowiedział mu szloch. Wania tulił Zere, nic nie mówiąc. Kiedy zrozpaczona kobieta się wypłakała, chwyciła kawałek jego placka. On zaś urwał cząstkę jej katrymy.

– By miał dobre życie w zaświatach – wyszeptał i dodał: – Niech jego dusza się nie błąka.

Zere zjadła swój kęs, a potem spojrzała na Wańkę i nakazała:

– Znajdziesz tego skurwysyna i zabijesz, tak?

– Tak, pani Zere. – Pokiwał głową, choć nie znał jeszcze nazwiska zabójcy Rustiego.

– Chcę, żeby cierpiał – jęczała Zere. – Żeby jego matka cierpiała bardziej niż ja.

– Tak uczynię – powtórzył Wania. – Może pani na mnie liczyć.

– To teraz idź. – Wskazała mu wąskie przejście za trumnami. – Posłuchaj kłótni tych staruchów, a wszystko zrozumiesz. Zobaczymy się po pogrzebie. Jak spalą auto Rustema, będę na ciebie czekała w swoim gabinecie. To musi być okrutne, Wania.

– Będzie – jeszcze raz powtórzył jak echo.

– I jego żonę, i dzieci. I wszystkich, których kocha, kochał lub będzie kochał. Rozumiesz? Oni zapłacą życiem za śmierć mojego księcia.

A potem nagle wyplątała się z jego objęć i wróciła do kręgu, by opłakiwać syna.

– Źle z nim. – Siergo wrzucił do skrzynki lekarstwa i bandaże. Po czym oddał prowizoryczną apteczkę Tusipowi, który wciąż jeszcze kuśtykał o kulach, ale czuł się o niebo lepiej od przyjaciela. – Lekarzem nie jestem, ale mus to operować. Inaczej nigdy na oczy już nie będzie widział. A noga też nie chce się goić. Musicie stąd jechać.

Tusip odstawił skrzynkę, podszedł do zlewu, nalał sobie szklankę wody. Drugą podał Siergowi, ale ten nią wzgardził.

– Koniaku mi polej. Tam na dole została jeszcze kapka. Dziś ktoś jedzenie mi podrzuci, to poproszę o jeszcze kilka butelek. Nie ma co sobie żałować.

– Za dużo pijesz.

– Co mi zostało? – Siergo westchnął zrezygnowany. – Nawet wyjść do ogrodu nie mogę. Wysrać się pod krzakiem, popatrzeć na słońce.

Tusip uśmiechnął się smutno.

– Grzeje podobno jak skurwysyn. Tak słyszałem.

Siergowi jednak nie było do śmiechu. Podszedł do okna i uchylił zasłonę na palec. Wpadł mały promyk światła.

– Życie – mruknął. – Co to, kurwa, za życie? Szczur, co ja mówię, wesz ma lepsze. Może sobie łazić i gryźć psy, wiewiórki.

– Chcesz się nas pozbyć? – wszedł mu w słowo Tusip. – Wiem, że się boisz.

– Nie boję się, dzieciaku. Umieram, kurwa, ze strachu. Nie mogę spać, nie mogę się obudzić. Dziecka i żony pewnie już nie zobaczę. Nie wiem, co się z nimi dzieje. Nie mam żadnych wiadomości od nich, a jeszcze was muszę hodować. Mało wam było problemów? I mnie za sobą chcecie pociągnąć?

– Chodzi ci o to, że nas szukają?

– A nie? Przetrząsną cały Uralsk. Każde ziarenko piasku przejrzą.

– Kerej wiedział, co robi, kiedy nas tutaj przywoził. Tak było dogadane.

– Ach ten Kerej-ak. – Siergo zarechotał gorzko. – Wielki wojownik, syn mistrza sambo. Następca tronu Kunanbajewów. Debil, kurwojebca! Żebyś ty wiedział, co mu rzekłem, jak mi was tutaj podrzucił. Dwa ciała bez czucia. Krew wszędzie. Auto potrzaskane. Automat na siedzeniu. Zostawił was i zwiał. To się nazywa przyjaciel. A ja na niego cały majątek chciałem zapisać. Własne życie mu powierzyć. Wszystko na nic! Kazałem mu spierdalać. To dostałem fangę w nos. Tak mnie ugotował ten wasz przywódca. Ani grosza nie zostawił. Co ja teraz zrobię z bronią i trefnym wozem? Jak mam to sprzedać?

– Jeszcze tylko jeden, może dwa dni – prosił Tusip. – Niech tylko Dima odzyska przytomność. Odejdziemy.

– Za dwa dni on umrze, chłopcze.

Siergo podniósł się i sam ruszył po flaszkę. Był już tak pijany, że zaczepił się na prostej drodze o skrzynie, których wcześniej zabraniał Ormianinowi ruszać. Teraz wieko jednej z nich odpadło, a zamroczony Siergo widać o zakazie zapomniał, bo nie zwrócił na ten detal uwagi. Tusip dostrzegł w środku lufy karabinów owinięte w szmaty. Nic jednak nie powiedział. Policzył automaty. Była tego spora bateria.

– Umrze i będziesz miał go na sumieniu – powtórzył po drodze Siergo. Podniósł wieko, przyłożył. Lufy zniknęły. – Ciekawe, gdzie schowamy truchło, bo przecież nie możemy go pogrzebać. Jesteśmy zamknięci, idioto.

– Masz klucz.

– Mam, ale jakbym nie miał. Przecież nie wyjdę. Wszędzie pełno milicji.

– To ja mam wyjść i taszczyć go przez miasto?

– Przydałoby się.

– Wtedy byłbyś spokojniejszy?

– Spokojniejszy będę w grobie. Nie wkurwiaj mnie, chłopcze. Idź do swoich spraw.

– Jakich?

Siergo wskazał na rozmontowane radio.

– Miałeś naprawić.

– Bezpiecznik się spalił.

– To chuj ci w dupę. – Siergo chwycił jedną z prowizorycznych kul Tusipa i rzucił nią o ścianę. – Wymyśl coś.

Tusip odłożył drugą kulę, próbował przejść bez niej, ale wciąż upadał. Na twarzy miał sińce, były już fioletowe. Rany od noża się babrały, ropa ciekła i przyklejała do spodni. Stękał przy każdym kroku. Nie dałby rady sam dojść do szpitala, a co dopiero zanieść tam nieprzytomnego Dimasza. Hokeista ważył o jedną trzecią więcej.

– Potrzebujemy pomocy. – Z prośbą w oczach spojrzał na Sierga.

– A kto nie potrzebuje – roześmiał się w odpowiedzi Polak. Był to jednak śmiech niewesoły, raczej przejaw ostatecznego niepowodzenia. W końcu zlitował się nad chłopakiem. Podał mu kij. – Coś trzeba postanowić.

– Temu człowiekowi od jedzenia powiedz – przerwał Tusip, bo wiedział, że jeszcze dwie szklanki i Siergo padnie jak kłoda. Obudzi się dopiero nad ranem następnego dnia. Wściekły, skacowany, a jeśli nie znajdzie alkoholu, znów będzie wrzeszczał i rzucał szkłem. – Powiedz mu, że dostanie pieniądze, jak załatwi samochód.

– Może jeszcze helikopter. Oni biorą kasę z góry. Masz coś na wymianę?

– Co na przykład?

– Złoto, dolary, broń? Cokolwiek.

Tusip wzruszył ramionami. Spojrzał na sześć skrzyń pod ścianą, ale milczał.

– A auto Kereja? Ono się nie nada? Prawie nieuszkodzone. Tylko kilka dziur na drzwiach i bagażniku. Silnik cały. Na chodzie. Możemy je wymienić. My wyjedziemy, a i tobie dokumenty do Polski się załatwi.

Siergo zmierzył chłopaka nienawistnym spojrzeniem.

– Miałem cię za mądrzejszego. Przecież tu nie o was chodzi. Jego szukają. Twojego durnego *sifu*, co się zabawił w bohatera. Jeśli damy im taki trop, zginiemy, zanim zdołasz wystawić palec za okno.

– To co robić? Mam wyjść na ulicę i wołać „ratunku"?

Siergo przyjrzał się Ormianinowi. A potem wyjął jeden ze swoich paszportów.

– Trzeba zahandlować.

– Czym? Nic nie mamy.

– Wy nie.

Podał mu dokument z polskim białym orłem na okładce.

– Idź do Kodara. Pokaż mu ten papier. Niech nas z tego wyciągnie. Powiedz, że jeśli tego nie zrobi, wydam auto jego syna.

– To szantaż – obruszył się Tusip.

– Biznes – skorygował Siergo. I zaraz spróbował wyrwać dokument z rąk Ormianina. – A w ogóle, jak nie chcesz, to nie zawracaj mi dupy.

Tusip otworzył okładki. Ze zdjęcia patrzył na niego rumiany mężczyzna z burzą loków na głowie.

– Roman Grajek – odczytał z trudem. – Niepodobny do ciebie. I nie Rosjanin. Polak?

– To prawdziwy dokument – zdenerwował się Siergo. – I zresztą nieaktualny. Dlatego mi został. Dzięki Bogu, zachowałem na pamiątkę. Dawno temu zrobiliśmy z Romeem jakiś interes. Trakcje kolejowe czy mazut albo kilka dziwek. Nieważne. Ale dobrze na tym zarobił, więc powinien mnie pamiętać. Jeśli on da ląd synowi Kodara w Polsce, poradzą sobie z tranzytem. Tylko Kodar może was z tego gówna wydobyć. Nie zamierzam przeżyć ani tygodnia dłużej w tej ziemiance. Prędzej zapiję się na śmierć.

– Teraz mam iść?

– Nocą, idioto.

– A co z Dimaszem?

– Przecież mówię, że czas goni.

– Jesteś dobrym człowiekiem, Siergo, wiesz?

– Spierdalaj. – Polak machnął ręką. – I nie zapomnij o flaszce dla mnie.

A potem wypił ostatni łyk i padł na legowisko z kartonów. Zasnął, zanim Tusip dotarabanił się do okna, by spojrzeć na zachód słońca. Czerwona kula chowała się w połowie za horyzontem. Nadchodziła godzina duchów.

– Niebo krwawi – rzekł Jerboł Żyrensze Bajdały i zasłonił kotarę.

W tej części jurty panowały absolutna cisza i półmrok. Mężczyźni stali przy ścianach, czekając na rozkazy. Na środku, w metalowej misie, palił się ogromny znicz. Niektórzy podchodzili i ciskali do ognia zwitki papieru z modlitwami w intencji zabitych. Inni teatralnie cięli kosmyki włosów, które również rzucali w płomienie.

– Trzeba coś postanowić – odezwał się pomarszczony starzec o włosach białych jak śnieg.

W ręku ściskał ludową czapeczkę. Obok jego poduszki stała klatka z ptakiem. Nikt jednak nie traktował staruszka poważnie. Szmer narastał, głosy rozsierdzonych niosły się echem aż po wejście do komnaty z trumnami. Mężczyzna zwrócił się więc do stojącego obok Futnikowa.

– Ludzie się niecierpliwią. Mogą powstać zamieszki. Wojny rodów nam nie trzeba.

– Za kim jesteś! – padło z tłumu. – Niech każdy się opowie, po której stronie stoi!

W sali już wrzało.

– Dom Kunanbajewa i członków jego rodziny jest pod obserwacją. Kereja szukają wszyscy moi ludzie. Żywego albo martwego, znajdziemy go – zapewnił starszy śledczy i spojrzał wymownie na starostę.

Przypominało to przekazywanie odpowiedzialności. Ale Darmienow nie chciał jej wziąć na siebie. Rozłożył ręce i pośpieszył z wyjaśnieniem:

– Skoro Kodar wyjechał, trzeba czekać.

– Nie ma na co czekać! Kombinuje jakiś fortel – padło z tłumu.

To Sierik Chajruszew ze swoimi siedmioma braćmi gangsterami, którzy przybyli na *as* prosto z Rosji i stali niczym mały pułk.

– Żaden *konoss* nie zadośćuczyni tej hańbie. Matka nasza zgłosi do prokuratury nagrodę w wysokości dwóch milionów dolarów za głowę Kereja, ale nawet jeśliby Kodar zgromadził kesz, to i tak będzie mało. Takiego zabójstwa w Uralsku jeszcze nie było. My, Chajruszewowie, jesteśmy gotowi pomścić Bierika, Mika, Rustiego i pozostałych choćby w tej chwili!

Powyjmowali naostrzone noże, którymi dopiero co jednym cięciem okrawali sobie kosmyki na ofiarę dla zmarłych.

– Daj tylko znak, panie Bajdały – włączył się szef wzburzonych i dopiero kiedy postąpił bliżej ognia, rozpoznano Nochę, który bał się płomieni i praktycznie nie zbliżał do żaru. Teraz jednak podszedł do symbolicznego kotła. Podniósł głos i krzyknął do swojej zapienionej hordy: – Pójdziemy i wyrżniemy wszystkich z rodu Kereja Kunanbajewa. Ta zemsta powinna być zaprzysiężona!

A następnie na jego znak każdy przeciął sobie lewy policzek.

– Bracia krwi – zagrzewał do boju niezdecydowanych. – Teraz z daleka będzie wiadomo, kto jest z nami, a kto przeciwko nam.

Chwilę później krew spływała strugami i wsiąkała w wydeptaną glebę. Mężczyźni mieli poznaczone nią ubrania. Wielu krzywiło się z bólu. Wania widząc, co się dzieje, wycofał się do przedsionka. Zdecydował się przeczekać rytuał. Wtedy podeszła do niego Zere. Przyjrzała się jego twarzy.

– Nie mam noża – wydukał.

– Nie rób głupstw – syknęła. – Naznaczeni będą wkrótce żałować tej brawury. Mściciel nie krzyczy. Jest cichy i zwinny jak wąż. Nie potrzebuje poroża, kolców ani pstrokatego upierzenia, by straszyć nimi przeciwnika. Nie o popis mu chodzi. Uderza tylko raz, z zaskoczenia, ale śmiertelnie. Obiecałeś.

Wania skinął głową. Popchnęła go z powrotem do męskiej sali.

– Więc bądź moim wężem. I ruszaj się stąd, bo zasłaniasz. Tutaj mam dobry punkt obserwacyjny.

Tymczasem Jerboł usiadł na swoim złoconym fotelu. Twarz miał zbolałą, ranę zaś minimalną, jakby się zaciął przy goleniu. Widać było jednak, że przedstawienie mu się podoba. Docenił lojalność Nochy i jego bandy. Obecni wiedzieli, że ich wynagrodzi.

– Zemsta nie zając – zaczął bardzo powoli, czekając, aż wzburzone zgromadzenie przycichnie. – Nic nie przywróci życia mojemu synowi i innym zamordowanym. Ale tradycja jest tradycją. To nie był nikt, lecz syn wojownika. Mojego niegdyś przyjaciela. Jeśli askałowie podejmą decyzję o zaprzestaniu porachunków, będę miał związane ręce, lecz uszanuję ją.

Zapadła głucha cisza. Jerboł odchrząknął. Wskazał starca, który wcześniej przemawiał.

– Tolik będzie dziś Kodara sądził.

Wszystkie twarze z zaciekawieniem zwróciły się teraz w stronę niepozornego staruszka z wieszczkiem. Ptak został wypuszczony z klatki i maszerował po podłodze. Nie odstępował leciwego mężczyzny na krok. Dziobał zaś pracowicie tych, którzy odważnie postąpili do przodu. A każdy chciał przyjrzeć się twarzy słynnego Tolika.

– Jeśli ojciec zabójcy nie przybędzie na posiedzenie, Nocha was poprowadzi – dokończył Jerboł.

Rozległ się gromki ryk aprobaty.

– Nie tak prędko, panie Bajdały – odezwał się piskliwy głos.

A potem rozległa się przeraźliwie smutna melodia. W miarę jak mężczyzna zawodził, jego śpiew stawał się czysty, bardziej przejmujący. Na początku trudno było określić, skąd dochodzi. Po chwili jednak atleci Nochy rozstąpili się i przed Jerbołem kłaniał się nieduży dziad z dombrą w dłoni. Teraz przestał nucić i włożył do ust drucik, który szarpał językiem, wydając przepiękne dźwięki. Wyglądał trochę jak żebrak, ale nie śmierdział ani nie woniało od niego alkoholem, jak od reszty osiłków. Chromą nogę obwiązał szmatami i usztywnił deską. Wyraźnie kulał, kiedy się zbliżał do Bajdałego, i cały się trząsł ze strachu. Musiał się zdobyć na wielki hart ducha, by zabrać głos w tym miejscu i czasie. Jerboł to docenił. Pokazał ręką, by mężczyzna z dombrą podszedł do jego fotela.

– Kim jesteś?

– Akynem. Pragnę darować ci pieśń, panie. Niedawno straciłem żonę i córkę. Wiem, co znaczy cierpieć.

– Śpiewaj więc – zezwolił Jerboł, a po tych słowach wszyscy usiedli w kucki na ziemi.

Jurta nie miała podłogi. Trawa była w wielu miejscach wydeptana, prześwitywała gleba. Mimo to orda Nochy zajęła swoje miejsca.

– To będzie pieśń, która ma swój morał – wyjaśnił ośmielony *akyn*. – Wybacz, panie, ale dawno już nie występowałem. Jeśli popełnię jakiś błąd lub będę fałszował, proszę o waszą wyrozumiałość.

– Dosyć, dawaj już! – padło z tyłu.

Bajdały potarł oczy i uciszył buntownika. Futnikow natychmiast dał znak swoim ludziom, by wyprowadzili pijanego na zewnątrz i zajęli się nim wedle zasług. Wszystko odbyło się bez udziału słów.

– Będziemy zaszczyceni, słuchając ciebie, jeśli wypełnisz ten dręczący czas oczekiwania, ale jeśli pojawi się ten, na którego czekamy, odejdziesz – rzekł Jerboł do akyna, który ponownie się skłonił, uznając te zasady. – Jak cię zwą? Mogłem już słuchać twoich pieśni? To rzadka dziś umiejętność. Kazachowie zapomnieli o swojej tradycji. Dobrze, że ją kontynuujesz.

– Jestem Abaj. – Mężczyzna znów pochylił głowę. – Pochodzę z rodu Kulinszaków. Moim wujem jest Merdybaj Umirzakow. Nie ma czasu odwiedzać mnie na rubieżach kraju. Praca w parlamencie wymaga obecności nieustannej. Znasz go, panie, osobiście. Mieszka daleko stąd, ale wiem, że się widujecie w stolicy.

– Oczywiście. – Jerboł skinął głową, lecz głos mu stężał. Czuło się w nim nutę respektu. Patrzył już inaczej na żebraka, kiedy dodawał: – Jego kuzyn także zginął. Leży w czwartej trumnie.

– Znałem Mika – potwierdził Abaj. – Wziął ode mnie ostatnie pieniądze, kiedy chciałem pomścić żonę, lecz z jakiejś przyczyny nie udało mu się tego dokonać. Teraz sam jest martwy. Taki los człowieczy.

Jerboł milczał. Sala ucichła. Takie zdanie mógł wypowiedzieć tylko samobójca albo człowiek z dobrą kryszą.

– Przychodzisz po odwet? – upewnił się Jerboł. – Czy ktoś z tutaj obecnych dokonał hańby na twojej ślubnej?

– Przychodzę jedynie po to, by ci zaśpiewać, panie – odparł bardzo powoli Abaj. – I pragnę, byś mnie wysłuchał. Do końca, choć jak mówiłem, dawno nie występowałem.

– Czyń więc, po coś przyszedł – uciął wymianę zdań Bajdały.

A następnie porozumiał się wzrokiem z Futnikowem, a ten ze swoimi ludźmi. Byli gotowi obezwładnić akyna w kilka sekund. Zresztą nikt nie miał wątpliwości, że ten człowiek nie potrafi się bronić. Występując dziś przed szereg, pogodził się ze śmiercią.

Abaj tymczasem usiadł na podłodze, wziął dombrę i zaintonował melodię, a potem zaczął śpiewnie recytować:

– Na bazarze jest plemię, które straciło karabietów. Oni zbierają od handlarzy *jasak*, dla tych, co u nich nazywa się krysza. To żadni mafiosi, tylko drobne cwaniaczki, którzy zaopatrują w towary i finansują różne imprezy w restauracji Mietiełka. Jeden z nich to Mana, nazywany tak z powodu lizusowatego wyrazu twarzy i małego wzrostu. Waży ze dwadzieścia dziewięć kilogramów i dwieście trzydzieści pięć gramów razem z mokasynami. Oberwał parę razy, kiedy zaczepiał młodych sportowców.

Rozległy się gwizdy. Sala zaczęła buczeć. Ktoś rzucił w Abaja kością. Inny szarpnął go za ubranie. *Akyn* jednak nie przerywał pieśni. Przymknął tylko oczy i śpiewał dalej:

– W odwecie wybrał się Mana ze swoimi, takimi jak on, siedmioma autami na porachunki z krzywdzicielami. Chcieli wywieźć chłopców na prerię i ukarać więziennym sposobem. W tym czasie bystronogi jeleń bywał w mieście w swoich sprawach, ale gdy zobaczył stado aut, zatrzymał się i powiedział, że nie pozwoli wywieźć młodzieńców, a w środku miasta bić się zabronił. Zaproponował dwa warianty. Raz: pojedynek jeden na jeden z dowolnym karabietem, dwa: jeden na jeden z każdym z nich. Bazarowi odmówili. Więc zaproponował pojechać do niego i zabrać jeszcze swoich chłopaków. A potem urządzić pojedynek w czystym polu z równymi siłami. Pojechali. Przy przystanku „Instytucje Przedszkolne" za zgodą bazarowych wszedł do domu Owczynnikowów, aby telefonicznie zebrać przyjaciół. Jeden karabiet, z automatem owiniętym w odzież, poszedł go konwojować. W tym czasie do bazarowych podjechały kolejne auta jako wsparcie. Przybył też młody piękny wąż. Patrzył, jak bazarowi wywlekają z aut sportowców i zaczynają ich niemiłosiernie bić, ale nic nie zrobił, by ich ratować. Nocha, watażka z dłońmi bazyliszka, okładał ich kawałkiem rury metalowej, narkoman Miko skakał po leżącym hokeiście. Gdy bystronogi jeleń wyskoczył z budynku, wyrwał z rąk konwojenta karabin i zażądał przerwania bójki. Mana wyśmiał bystronogiego jelenia i oparł się brzuchem o lufę, rzekłszy: „to strzelaj, bohaterze". Pozostali bazarowi natychmiast do niego doskoczyli. A potem i młody piękny wąż dołączył do nich, by upokorzyć bystronogiego jelenia. Wtedy rozległy się pierwsze strzały z bliska. Mało kto je słyszał. Legli na miejscu piękny młody wąż i Mana, siedzący w aucie Mandaryn też dostał kulkę w łeb, i inni z plemienia, które straciło swą twarz, też dostali. Każdy swoje. Strzelał bystronogi jeleń pojedynczymi strzałami, by nie trafić żadnej przypadkowej osoby. Dobrze im tak, szakalom.

Po tych słowach kilku zerwało się i dopadło akyna, przewróciło go i zaczęło tarmosić. Nagle rozległ się huk, jakby ktoś wystrzelił z automatu. Wszyscy chwycili za swoje kabury. Wstał Tolik. Odrzucił papierową torbę. Była pęknięta. Podszedł do Abaja. Wieszczek dreptał za nim jak stary, mądry kocur.

– Won! – starzec starał się przepędzić napastników, ale to nie zadziałało, podniósł więc rękę i krzyknął: – Padyszach!

Wieszczek wzbił się do góry i natarł na agresorów, dziobiąc ich z całej siły, aż sikała krew, a ludzie się rozpierzchli. Jedno klaśnięcie Tolika wystarczyło, aby ptak wrócił na swoje miejsce i zasiadł na ramieniu starca, który całą koszulę miał podartą od pazurów podopiecznego. Zapadła cisza. Tolik nabrał powietrza i oświadczył niskim, wibrującym głosem, jakby wydawał orzeczenie:

– Jerboł Żyrensze Bajdały dał słowo, że wysłucha pieśni do końca.

– Tak powiedziałem – potwierdził niechętnie wspomniany, ale jego twarz wykrzywiał gniew. – Co jednak wydarzy się po jej zakończeniu, tego nie ustaliliśmy.

Tolik usadził poturbowanego na swoim miejscu, wręczył mu dombrę i nakazał:

– Kończ więc, akynie, skoro zacząłeś. Byle szybko.

Abaj nabrał powietrza, otarł pot z czoła, jakby zbierał siły i odwagę, a potem zaśpiewał pewnym głosem, już bez drżenia. Widać uznał, że i tak cało nie wyjdzie z tej jurty.

– Często słyszę: porachunki. Ale w porachunkach nie uczestniczą pracownicy milicji! Wśród siedmiu, którzy dostali za swoje: jeden sierżant, drugi oficer, były dowódca oddziału w zonie*. Dobrze wszyscy wiedzą, że na odprawie bazarowej Nocha rzucił: „jedźmy na prerię, zabawmy się". Taki rodzaj zboczenia nigdy nie był znany stepowym. Jeszcze raz mówię, że bazarowi to szakale. Trzydziestu karabietów na trzech sportowców? Uważali widać, że kryszę mają wysoko do nieba. A skoro młody piękny wąż do nich dołączył, mogli być tego pewni. Ot i cała bajka. Kto ukarał tych nieludzi? Prawdziwy mężczyzna i godny syn swojego ojca i narodu. Szanowny wielki wężu, wiem, jak cierpisz po stracie syna, a jednak chciałbym ci zaprzeczyć. Bystronogi jeleń nie pierwszy ukarał szantażystów. Trzech karabietów kilka zim wstecz szewc Musa zabił nożem, Oładiew wkrótce jeszcze dwóch stuknął z automatu, Mana i narkoman Miko, moją żonę upodlił i zanim ją zabił, znęcał się tak samo nad moją córką. Nie od dziś wiadomo, że wywozili dziewczyny i chłopców na grupowy gwałt na prerię. Gdzie było wtedy prawo? Milczało. Niech się cieszą, że przeżyli, bo moje nie miały tyle szczęścia. Jak to możliwe, że nie szuka się tych szakali, nie sądzi? A na bazar wstępu nie mają ludzie, którzy się im nie opłacają. Stoi taki przed tobą. Pokonany żebrak. Kiedyś byłem zamożny. Sześć samochodów, garnitur i kompletna rodzina. Ale ja nie chcę wendety. Ja żądam sprawiedliwości. W tradycji stepu i kozactwa leży, że przy nieszczęściu trzeba stawić czoło nawet całej armii. Gdzie są teraz prawdziwi stepowcy? Bystronogi jeleń okazał się ostatni, który nie zapomniał, że jego korzenie są w Azji.

Akyn umilkł. Pochylił głowę i czekał na swój wyrok. Jerboł nie patrzył na niego. Podniósł do ust czarkę małą jak naparstek i wypił zawartość. A potem podszedł do

* *Zona* (ros.) – karny obóz pracy.

akyna. Szarpnął go za kołnierz, podniósł do góry. Abaj nie zaprotestował. Był miękki jak lipowy miód. Wprost przelewał się przez ręce przywódcy, co wyraźnie żenowało Bajdałego.

– Dziś chowam mojego jedynego syna – oświadczył i rzucił Abajem jak piłką.

Rozległ się głuchy odgłos. To pękł instrument.

– Brać go – wydał polecenie Futnikow.

W tym momencie wystąpił Kodar.

– Puść go. Ja za niego ręczę. I oddaję się w zamian.

Jerboł roześmiał się nieprzyjemnie. A potem splunął na ziemię i przydeptał.

– Ty nie masz żadnych praw. Ciebie i tak już mam. Po co zgrywać bohatera? Teraz wiadomo, po kim tę postawę odziedziczył twój syn.

– Askałowie o tym zadecydują – wtrącił się Tolik i podał Abajowi kawałki drewna, które kiedyś były dombrą. – To była zacna pieśń, akynie, choć mało miała rymów i nazbyt dosłownie opowiadałeś. Wolę poetyckie metafory. Uciekaj, synu Kulinszaka, póki możesz.

Plecami dotykał do drewnianej skrzyni, której róg wbijał mu się boleśnie między żebra. Poruszył się, by zmniejszyć ból, ale tylko wysypały się na niego obierki, a za kołnierz wlała się jakaś maź. Siedział w pojemniku na śmieci tak długo, że nie czuł już wstrętu. Bardziej się tylko skulił w pozycji embrionalnej, by rozmasować stopy. Buty wyrzucił przy trzeciej przecznicy, licząc od kryjówki Sierga. Miały odblaskowe paski i bał się, że w nocy ktoś go zauważy, kiedy będzie biegł. W ślad za nim z pewnością wyruszyły psy. Miał nadzieję, że uda mu się zmylić trop i chociaż trochę opóźnić pogoń. Kluczyki do auta zostawił Siergowi, wraz z urzynem Dimasza i automatem Bierika, z którego zabijał. Z pewnością brak narzędzia zbrodni utrudni śledczym spreparowanie dowodów. Był jednak pewien, że sobie poradzą. Łusek pozostało tyle, że jakiś automat da się dopasować. Teraz nie chciał o tym myśleć. Jeśli Siergo dobrze zagospodaruje pozostawiony mu majątek, będzie miał z żiguli pożytek. Jeśli nie, Kodar je kiedyś odzyska. Kerejowi pozostał tylko stary składany nóż.

Siergo niechętnie przyjął pobitych uczniów. Wprawdzie nie powiedział ani słowa, kiedy Kerej wyrzucił na podjazd zmasakrowane ciała chłopców, ale zadowolony nie był. Dopiero gdy młody Kunanbajew się oddalił, posypały się za nim przekleństwa. Świadkiem tego był Kaszo, ochroniarz Sobirżana Kazangapa. Prawdopodobnie przyniósł Pingotowi wałówkę, a wcześniej pomógł zniknąć.

Wtedy Kerej zrozumiał wszystko – Siergo zmienił front. To dlatego tyle czasu się nie odzywał. Zawrócił więc i poczęstował Polaka pięścią. Dalszego planu nie miał. Ledwie uciekł z miejsca zdarzenia i dałby głowę, że na osiedlu Żdanowa roi się od milicjantów. Nie miał gwarancji, że zostawił chłopców w bezpiecznym miejscu. Poprosił Sierga o zawiadomienie Kodara, ale w tej sytuacji nie było pewne, czy Pingot zaryzykuje, by ich ratować. Sam się ukrywał i miał ograniczone możliwości. Czy Kaszo go wyda? Tego Kerej nie wiedział, a ból głowy narastał od myślenia: „co dalej?". Do domu wrócić nie mógł. Naraziłby żonę i dziecko. Do ojca – tym bardziej. Kodar musiałby kłamać podczas zeznań, a na to by się nie zdobył. Pieniędzy w karmanie* pozostało mu niewiele. Choć przed wyjściem z domu wziął wszystko,

Karaman (ros.) – kieszeń.

co miał, z pewnością było to za mało na nowe dokumenty i bilet do Rosji. Zresztą dokąd miałby jechać? Szukano go wszędzie. Zaglądano pod każde źdźbło trawy. Jeśli ta ucieczka miała się udać, potrzebował sojusznika. Nikt znaczący, kto miałby w tym interes i nie bałby się go wesprzeć, nie przychodził mu do głowy. Co z Isą? Czy zdołał wyjść z tego cało? Co z Ałgyz? Czy Dimasz ma szansę przeżyć? Był naprawdę w ciężkim stanie. Tusip się wyliże. Ocknął się w aucie, kiedy uciekali, i mówił już składnie. Kerej był pewien, że jeśli Ormianin poczuje się lepiej, nie zostawi przyjaciela. Byle tylko chłopcy trzymali języki za zębami. Bił się tak z myślami już kolejną godzinę. Nie zwracał uwagi, kiedy ktoś wrzucał mu nowe śmieci na głowę. Na co czekał, sam nie wiedział.

W końcu zasnął. Śnił mu się step, choć nigdy na nim nie był. A potem ujrzał dziwną górzystą krainę. Kwitł rzepak. Na niebie było pełno paralotniarzy. Kiedy otworzył oczy, wiedział, że czas ruszać dalej. Wygramolił się z pojemnika na śmieci, zanim wstał dzień. Miasto było opustoszałe. To dlatego o tej porze mundurowi na całym świecie przychodzą, by kogoś zatrzymać. Ale to także najlepsza pora dla uciekinierów. Można ukryć się w tej szarości, zlać z otoczeniem. Dziś akurat mgły nie było, ale jeśli postara się nie rzucać w oczy, ma szanse pozostać niezauważony. Poszperał w śmietniku. Znalazł podarty i zabrudzony smarem kombinezon roboczy. Miał się stać jego czapką niewidką. Zdjął spodnie z czerwonymi lamówkami, przebrał się i wdrapał na górę śmieci. Zeskoczył. Ruszył, nie wiedząc dokąd. Liczył, że instynkt go nie zawiedzie. Dopiero po kilku kilometrach zrozumiał, że popełnił błąd, nie wkładając nic na nogi. Podeszwy stóp szybko zaczęły krwawić. Ból był w stanie znieść, adrenalina wciąż dawała znać o sobie, ale zostawiał ślady. Rozdarł więc białą koszulę, którą Bibi zawsze pieczołowicie prasowała, i owinął stopy. Był na siebie zły. Wiedział, że szmaty szybko się przetrą, a nogi będą boleć. To na pewno spowolni ucieczkę, a może nawet go zgubić. Przysiadł więc na kamieniu i oddał się medytacji. Nie mógł pozwolić, by uczucie bólu go zatrzymało. Musi pokonać swoją psychikę. Umysł musi zasnąć.

Sierioża udawał, że śpi, kiedy jego matka zajrzała do pokoju, ale musiała usłyszeć grzechot łusek, bo stanęła w drzwiach i bacznie mu się przyglądała. Nie poruszył się. Starał się nie oddychać i mocno ściskał w ręku brzeg kołdry.

– Synku, jak się czujesz? – zapytała Rażma, przysiadając na skraju tapczanu.

Ponieważ nie odpowiadał, poprawiła mu poduszkę i już miała wychodzić, kiedy pod łóżkiem dostrzegła pusty nabój. Musiał odtoczyć się tam, kiedy chłopiec oglądał swoje znaleziska. Kucnęła, pochyliła się i wyciągnęła szmaciany worek. Zajrzała. Był pełny zużytej amunicji różnych kalibrów. Niektóre łuski miały ciemne plamki, a na dnie worka znajdował się też karabin z połamaną kolbą oraz drewniany nóż. Wszystko zazielenione trawą i zapiaszczone.

– Zostaw!

Chłopak wyskoczył z pościeli kompletnie ubrany. Złapał swój skarb, przycisnął do piersi.

– Co to ma znaczyć? – Rażma groźnie oparła dłonie na biodrach.

Chłopak znalazł okulary i mimo że jedno ze szkieł było potrzaskane, założył je. Patrzył hardo.

– To moje. – Wyciągnął rękę. – Oddaj.

Matka niechętnie zwróciła mu worek.

– Skąd to masz? – Starała się, by jej głos brzmiał spokojnie, ale drżał, a ona sama czuła ogromny strach.

Chłopak zawinął wór i wcisnął go do nowiutkiego tornistra, który dzień wcześniej podarowała mu ciotka Sabiyanaz. Założył go na plecy. Z powodu strzelaniny rodzice postanowili wyjechać do Samary wcześniej, niż zamierzali. Lada chwila miał się pojawić ojciec. Walizki stały już przy drzwiach.

– Synu, zadałam ci pytanie.

Matce znów odpowiedziała cisza.

– To dlatego wróciłeś do domu dopiero przed północą? Wiesz, jak się denerwowałam?

– Już przepraszałem.

– Oni będą tego szukać. Musimy zanieść na milicję.

– Nie. – Sierioża stanął w rozkroku. – To moje.

– Dziecko, to niebezpieczne – zaczęła błagalnym tonem matka. – Nie możemy tego przewieźć przez granicę. Chcesz, żeby nas aresztowali? To nie są żarty!

– Jeden pan pozwolił mi wziąć na pamiątkę – łamał się chłopiec. – Miał na sobie mundur.

– Jaki pan? Ktoś cię widział, jak to zgarniałeś?

– Ten pan mi pomagał. A potem podarował. To prezent.

– Prezent?

Rażma przysiadła na tapczanie z wrażenia i ukryła twarz w dłoniach. Zdawało się, że płacze, ale kiedy odsłoniła ręce, usta miała wykrzywione, a oczyma ciskała gromy. Wstała i otrzepała spódnicę.

– Wyjeżdżamy, jak tylko tata się pojawi. Ty też nie będziesz jadł dzisiaj obiadu, skoro się tak zachowujesz. Trudno, wszystko zapakuję na drogę.

– Obiecałaś, że będę się mógł pożegnać z Malikiem.

– Zobaczycie się zimą.

Sierioża pierwszy raz widział matkę w takiej furii. Nagle chwyciła tornister i siłą ściągnęła go z pleców syna.

– Ustaliliśmy, że zapomnisz, co się stało. I nigdy nikomu nie będziesz o tym mówił. Nie było żadnego pana w mundurze!

– Ale Malik tam był. Muszę wiedzieć, czy wrócił cały.

– Jedyne, co musisz, to milczeć. Wyjedziemy stąd, będziemy żyć normalnie. A to trafia do kosza.

Sierioża rozpłakał się z bezsilności, a potem rzucił na Rażmę i zaczął ją kopać, okładać pięściami. W tym momencie do pokoju wpadła bratowa.

– Sierioża, obudzisz Ardak. Całą godzinę ją usypiałam.

– Oddaj! – jęczał Sierioża, próbując wyszarpać z rąk matki plecak. – Oddaj mi mój prezent!

Rażma spojrzała przerażona na bratową, która najpierw przytuliła chłopca, a potem wstawiła się za nim u matki.

– Oddaj mu – poprosiła Sabiyanaz i zrobiło się jej przyjemnie, że prezent od niej tak się chłopcu spodobał. – Mały przeżył już swoje. Pozwól mu zatrzymać zabawki.

Rażma pokręciła głową.

– Dostaniesz w domu.

Rozległ się klakson. Kobiety wyjrzały przez okno.

– To ojciec – ucieszyła się Rażma. – Zbieraj się, synku.

– Nie będziecie jeść? – Sabiyanaz zaniepokoiła się. – Obiad gorący. Zdążycie. I tak dojedziecie nad ranem. Muhtar jechał tyle kilometrów. Pozwól mu chociaż herbaty się napić.

– Nie umrze z pragnienia – odparła twardo Rażma. – Nie będziemy wam dłużej przeszkadzać.

– Nie przeszkadzacie – zapewniła Sabiyanaz, rozkładając ramiona. – Nic więcej się nie stanie. Już po wszystkim.

Podeszła i przytuliła bratową. Rażma mocno uścisnęła Sabiyanaz, ale wciąż drżała. Patrzyła na tornister Sierioży i zastanawiała się, co powiedzieć. W końcu zdecydowała się zachować tajemnicę dla siebie. Im mniej osób będzie wiedziało, tym bezpieczniej. Zaraz padną pytania o mundurowego, o Azjatę o płowych włosach, o to, co Rażma widziała. A widziała wszystko. Widok twarzy zabitych prześladował ją od wczoraj. Chciała jak najszybciej znaleźć się w domu. I jeszcze te naboje. Tego wszystkiego dla Rażmy było już za wiele.

– Uprałam i uprasowałam ci wszystko – dodała na pożegnanie. Nie wiedziała, kiedy ponownie się zobaczą. Najadła się strachu na całe życie. – Dbaj o siebie i dzwoń, gdybyście chcieli z Ardak i Artemem przyjechać. Zawsze czeka na was pokój.

Sabiyanaz tylko skinęła głową w podzięce.

– Porozmawiaj z mężem. Na twoim miejscu wyjechałabym od razu, z nami. Miejsce jest. Małą wzięłabyś na kolana.

– Poczekam, aż Artem wróci z trasy. To tylko trzy dni. Niech on zdecyduje.

Rażma uznała rację bratowej.

– Bywaj z Bogiem.

Podniosła tornister syna. Był znacznie cięższy niż wcześniej, ale przy bratowej nie chciała sprawdzać, co do niego włożył. Zamierzała wyrzucić niebezpieczną zbieraninę do kubła przy garażach, do którego miała zanieść worek ze śmieciami kuchennymi.

– Gotów? – Spojrzała na syna.

Sierioża już nie płakał. Był spokojny. Poprawił okulary i ruszył grzecznie na korytarz. Aż ją to zadziwiło.

– Uściskam od ciebie Malika – krzyknęła za nim ciotka.

Chłopiec odwrócił się na pięcie i rzucił jej na szyję.

– Kocham cię, ciociu – wyznał gorąco. – Podrap w stópki małą Ardak.

– Tak zrobię. Już lepiej?

– Pewnie. Tylko głodny jestem.

Ponad głową chłopca Sabiyanaz spojrzała wymownie na bratową, ale Rażma udała, że nie widzi.

– Zapakowałam ci na drogę pierożki z mięsem – rzekła do bratanka. – I kulki z sera. Te słone i z chili. Do chrupania. Zabawki swoje wziąłeś? Tak się cieszę, że podoba ci się nowy tornister. Oby ci dobrze służył. Zbieraj same piątki w szkole. Przyjedziesz do mnie na ferie zimowe? Nie martw się, mama tylko żartowała. Dostaniesz wszystkie swoje skarby w domu. Wiesz, jak się o ciebie niepokoiła?

Sierioża odsunął się i pokazał podrapane ręce.

– Przecież nic mi nie jest.

– Dzięki Bogu, dziecko. Dzięki Bogu.

Znów rozległ się klakson. Sierioża wybiegł, pokonując po kilka stopni naraz, a potem, zanim matka zdążyła wyjść z walizkami i przywitać się z ojcem, zniknął za rogiem. Stanął pod oknem Malika i zagwizdał trzy razy.

Bibi położyła palec na ustach, zmuszając się do uśmiechu.

– Bądź grzeczny – szepnęła. – A teraz cichutko. Mama sprawdzi, kto przyszedł.

Wtedy Ojsze podniosła się z fotela, w którym siedziała od kilku godzin, pogrążona w modlitwie.

– Ja pójdę – powiedziała. – Pilnuj Osmana. Nie wychodźcie.

Bibi spojrzała na nią z wdzięcznością.

– Babcia zaraz wróci – wyjaśniła synkowi i zaczęła się z nim bawić.

W mieszkaniu panowała cisza. Bibi wytężała słuch, ale nie było żadnych odgłosów ani kroków. Wreszcie, zaniepokojona, uchyliła drzwi i wyjrzała na korytarz. Ojsze wracała już z kubkiem kumysu, wycierając denko naczynia fartuchem. Niemal zderzyły się głowami, kiedy babcia popchnęła skrzydło drzwi.

– Kto to? – spytała ledwie słyszalnie Bibi.

– Nie musisz szeptać – głos Ojsze zabrzmiał ostro. – Nikogo poza nami tu nie ma.

– Ktoś pukał.

– Zdawało ci się. – Ojsze podała jej kubek. – I zjedz coś, bo wyglądasz jak śmierć na chorągwi. Dziecko potrzebuje opieki. Musisz być silna.

– Przecież jestem. – Bibi się zdenerwowała.

Pokornie siorbnęła łyk, a potem oddała kumys Ojsze i pobiegła do drzwi. Wychyliła się na klatkę. Z dołu słychać było powolne kroki oraz głośne sapanie. Zeszła piętro niżej, wyjrzała za balustradę. Zobaczyła jasną czuprynę i kolorowy dres. Zbiegła jeszcze niżej. Potężny mężczyzna leżał bezwładnie. Drugi kilka stopni za nim łapał oddech.

– Tusip? – wyszeptała.

Podniósł głowę. Początkowe przerażenie widoczne na jego twarzy zastępowała stopniowo ulga.

– Pani Bibi?

Nie zwlekała ani chwili. Po chwili była już obok uczniów męża.

– Co z nim?

Chwyciła Ormianina za ramiona i potrząsnęła. Dopiero wtedy zobaczyła, że chłopak jest poważnie ranny. Opierał się na kuli. Twarz miał posiniaczoną i pociętą. Ale drugi był w o wiele gorszym stanie. Nie dało się rozpoznać jego rysów. Oczy były zaklejone ropą i wyglądały ohydnie. Obejrzała się. Na schodach pozostawiał brunatne smugi. Tusip nie dał rady nieść przyjaciela i musiał go ciągnąć. Stąd ten głuchy jednostajny odgłos.

– Kerej uciekł – wyszeptał Tusip.

Bibi z lękiem obejrzała się na drzwi sąsiadów. Była pewna, że stoją przy wizjerach. Tusip urwał, potarł czoło i oparł się o parapet, jakby chciał powiedzieć, że więcej już nie zniesie. Bibi podeszła do niego i chwyciła pod ramię. Podprowadziła do balustrady, na której mógł się oprzeć. W tym czasie powiedziała mu wprost do ucha:

– Gdzie jest?

Tusip tylko pokręcił głową.

– Ale żyje? Nic mu nie jest?

– Nie wiem, pani Bibi. Nie wiem – powtarzał Ormianin. – Uratował nas. Zastrzelił tamtych, a nas zabrał. Potem ukrywaliśmy się. Pomoże nam pani?

Bibi spojrzała na umierającego Dimasza.

– Nie ruszaj się stąd – rzuciła do Tusipa.

– Już nigdzie się nie ruszę. Nie mam siły.

– Poczekaj – powtórzyła i pędem pobiegła do mieszkania. Chwyciła kluczyki do auta, które stało przed blokiem, modląc się o to, by potrafiła sobie poradzić. Miała prawo jazdy, ale nigdy nie prowadziła. Kerej przyjeżdżał po nią, kiedy o to prosiła, i przez całe lata namawiał, by nabrała wprawy. Teraz ta umiejętność bardzo by się jej przydała.

– A ty dokąd? – Ojsze zagrodziła jej drogę.

– Jak babcia mogła! – Bibi prawie krzyczała. – Ten chłopiec umiera.

Ojsze wzniosła oczy.

– Nie mieszaj się.

– Już jestem zamieszana. Twój wnuk wydał na mnie wyrok – nie przebierała w słowach Bibi.

Ojsze przypomniała sobie, że jest matroną i ma prawo upomnieć dziewczynę.

– Twoim obowiązkiem jest zajmować się własnym dzieckiem. Tamci są obcy.

– Moim obowiązkiem jest udzielić im pomocy. I zrobię to.

Osman wychylił się ze swojego pokoju.

– Babcia da ci kolację – zaszczebiotała Bibi. – Słuchaj babci. Ona zna wiele bajek i legend. Opowie ci, jak ładnie poprosisz. – A potem podniosła wzrok na Ojsze. – Tak, babciu?

– Będziemy się świetnie bawili. – Ojsze zacisnęła usta. Wyciągnęła pomarszczoną dłoń i wzięła malca za rączkę. – Ale jeśli teraz wyjdziesz, zadzwonimy do dziadka Kodara. Jestem przekonana, że nie pochwali twojej lekkomyślności.

Po tych słowach Bibi wybiegła. Na klatce niewiele się zmieniło. Tusip siedział oparty o ścianę, Dimasz dogorywał. Krwi było coraz więcej. Bibi oceniła sytuację i bez wahania zastukała do pierwszych lepszych drzwi. Nikt nie otworzył. Uderzyła więc do następnych. Kiedy sytuacja się powtórzyła, ruszyła do kolejnych, waliła w nie jak opętana.

– Muszę przenieść rannych do samochodu. Jeśli nikt mi nie pomoże, wezwę milicję i pogotowie – krzyczała w furii. – Zostaniecie wszyscy przesłuchani. Już idę dzwonić!

Wtedy drzwi zaczęły się uchylać. Mężczyźni chwycili chłopców za ramiona i nogi. Bibi ledwie zdążyła otworzyć auto. O dziwo, silnik zaskoczył za pierwszym razem.

Jechała tak wolno, że wyprzedzali ją rowerzyści. A kiedy w końcu dotarła przed wejście do szpitala, zostawiła kluczyki w stacyjce i nie wyłączając silnika, pobiegła do izby przyjęć.

– Oni umierają. Ludzie, ratujcie!

– Macie go?

Starszy śledczy Futnikow nie ruszył się zza biurka, kiedy wszedł porucznik Chajruszew. Sierik był w mundurze, czapkę przepisowo trzymał pod pachą.

– Szukamy – odparł. – Przecież się nie teleportuje. Rogatki i dworzec obstawione. Na granicy też dostali dane. List gończy poszedł do Interpolu.

Futnikow odchrząknął. Sięgnął po papierosa. Poszukał zapalniczki.

– Te dwa gnoje się znalazły – meldował dalej Sierik. – Żona Kunanbajewa przywiozła ich do izby przyjęć.

– To co tutaj jeszcze robisz?

– Puściłem do szpitala ekipę pod bronią. Pilnują wyjść. Hokeista jest w stanie krytycznym. Trwa druga operacja. Nie ruszą ich stamtąd bez zgody lekarza.

– A co z kobietą?

– Nie kontaktowali się. Nic nie wie. Cały czas była obserwowana.

– To jakim cudem te dwa smarki dotarły do niej bez twojej wiedzy?

– Moi pojechali dwie przecznice dalej. Było fałszywe wezwanie.

– Niech zgadnę, anonimowy telefon?

– Ustalamy, z której budki dzwoniono.

– A więc ktoś odważył się im pomóc? – Futnikow się zamyślił. Zgniótł gniewnie niedopalonego peta. – Zgarnąć wszystkich z ich kręgu. Zamknąć, postawić zarzuty i trzymać do odwołania. Jak znajdzie się Kunanbajew, zobaczymy, kogo można wypuścić. Żadnej litości.

– Tak jest, szefie.

– Co z kobietą Kereja?

– Jest na dołku. Właśnie dlatego przyszedłem.

– Ty ją weźmiesz – zadecydował Futnikow. – I pomyśl o bracie, gdyby się stawiała. Nie przychodź, póki rura jej nie zmięknie. Mam dużo papierkowej roboty.

– Szefie, ona ma małe dziecko.

– Ty miałeś brata. Już nie masz.

Przyjrzał się uważniej funkcjonariuszowi.

– A ty co taki miękki siurek się zrobiłeś?

Chajruszew nie zmienił pozycji. Na jego ospowatej twarzy nie było widać żadnych emocji. Spojrzenie miał jak ze stali.

– Askałowie przyjęli zadośćuczynienie Kodara. Ich decyzja o zaprzestaniu porachunków wiąże nam ręce. Kobieta i dziecko mają przeżyć.

– Czy ja powiedziałem, że masz ją ukatrupić? Wystarczy nam jej godność. Po wyjściu będzie żyła, ale nikt jej już nie zechce. Wezwij chłopaków, jeśli sam nie czujesz się na siłach.

– Dam radę. – Sierik zasalutował.

Kiedy tylko wyszedł, Futnikow wcisnął interkom. Wezwał eksperta od balistyki i techników, którzy zabezpieczali ślady na miejscu zdarzenia. Plany i rysunki dla sądu musiały wyglądać właściwie. Zere Bajdały wydała wyraźne dyspozycje.

Nawet jeśli stary Kunanbajew uratował rodzinę przed zemstą rodową, to jego syn jest stracony. Wcześniej czy później dopadną go. Formalnie i nieformalnie mieli do tego stosowne narzędzia.

– Jak się czujesz?

Grisza Hajdarowicz kolejny raz nacisnął klamkę drzwi do łazienki, w której zamknęła się żona. Słyszał, że długo wymiotowała. Ale od kilkunastu minut panowała tam niepokojąca cisza.

– Wszystko w porządku? Martwię się. – Spróbował jeszcze raz. Nie ukrywał już zdenerwowania. Podniósł głos. Starał się być stanowczy. – Gaju, otwórz. Nie podoba mi się, że się przede mną zamykasz. W twoim stanie to niebezpieczne!

– Życie jest niebezpieczne.

Otworzyła drzwi z impetem. Była lekko zarumieniona, w bieliźnie i kusym szlafroczku z satyny. Gładziła ręką dolną część brzucha.

– Panie prokuratorze, niech pan nie będzie taki strachliwy.

Ruszyła zdecydowanym krokiem do kuchni. Wyjęła z lodówki wino, nalała sobie pół szklanki i wypiła duszkiem.

– Co ty robisz? – Grisza wyrwał jej szklankę z rąk. Był zdruzgotany. – To przecież alkohol.

– Jaki tam alkohol. – Gaja wzruszyła ramionami. Był już pewien, że piła również wcześniej i jest czymś podminowana. – A zresztą czerwone dobrze mi robi na bóle. Muszę się odprężyć. Mała kopie jak oszalała. Nie chce już chyba siedzieć w arbuzie.

– To już? – przeraził się Hajdarowicz.

– Zamiast tyle gadać, lepiej byś mi pomógł.

Gaja wskazała na podłogę w kuchni. Zobaczył tam sporą kałużę. Poczuł, jak oblewa go zimny pot. W dwóch susach znalazł się w sypialni. Kiedy wrócił, miał już w rękach spakowaną torbę porodową oraz kluczyki do nowiutkiego samochodu, który niedawno otrzymał od Zere.

– Spokojnie, jeszcze chwila. – Gaja machnęła ręką i zachichotała, zadowolona, że dał się nabrać. – Lemoniadę wylałam. Tam jest szkło. Pozbierałbyś, bo nie bardzo mogę się schylać. Tylko się nie pokalecz.

Grisza odłożył torbę. Był zły, że żona stroi sobie z niego żarty.

– Nie powinnaś pić – powiedział cicho, widząc, że szklanka jest już opróżniona, a żona skrada się po kolejną porcję.

Wino było domowej roboty i rzeczywiście miało znikomą zawartość alkoholu, ale mimo wszystko. Nie był pewien, jak zadziała na płód.

– Co ty możesz wiedzieć, co powinnam, a czego nie – warknęła rozeźlona kobieta, dolała sobie i wypiła, zanim mąż zdołał ją powstrzymać. – I tak nigdy nie ma cię w domu.

– A gdzie mam być? Toczę walkę o nasz przyszły, lepszy los.

– Aha, przyszły i lepszy. Fajnie. A ja wstydzę się, że uczestniczysz w tej farsie – ryknęła Gaja i zwiesiła głowę zrezygnowana.

– Muszę wytrwać. – Grisza chwycił żonę za ramiona i posadził na taborecie. – Nie łaź tutaj, zanim nie pozbieram. Przecież wiesz, jak to działa. Frycowe trzeba zapłacić. Tylko taką drogą mogę się dochrapać stanowiska sędziego. Wtedy wszystko się zmieni. Będę niezawisły.

– Nigdy nie będziesz!

Gaja wydostała się z jego ramion. Wsunęła stopy w mężowskie klapki i podreptała do sypialni, co wymagało od niej postawienia zaledwie czterech kroków.

Mieszkanko, które wynajmowali od ślubu, składało się z trzech miniaturowych pomieszczeń: przedpokoju, spełniającego także funkcję salonu i pokoju dla interesantów, w którym Gaja przyjmowała swoich klientów, z ciemnej kuchni i sypialni. Na końcu korytarza znajdowała się łazienka. Choć odmalowali ten mały lokalik, a przy łóżku przygotowali kącik dla dziecka, nadal była to straszna nora. Gaja wyjrzała przez jedyne okno. Na podjeździe stało lśniące żiguli, które Grisza otrzymał za swoje zasługi. Nazywał je służbowym, ale wiadomo było, że to forma korupcji.

– Dopiero wtedy zaczniesz chodzić na pasku.

– W przeciwieństwie do ciebie przynoszę do domu pieniądze! – Hajdarowicz nie pozostał żonie dłużny. – Nie dość, że harujesz za darmo, to jeszcze narażasz dziecko.

– Co ty nie powiesz? – Gaja zsunęła szlafroczek i w samej bieliźnie ułożyła się na łóżku. Podniosła nogi do góry, by zeszła z nich opuchlizna. – Za to bez problemu patrzę w lustro. A w ubiegłym miesiącu zarobiłam więcej niż ty.

– Bo Kazangap dał ci łapówkę.

– Zapłacił mi w imieniu poszkodowanych. Ci ludzie nie mają nic, a on chce się bawić w ich patrona. Co w tym złego? Rachunek mu wypisałam. Nie wzięłam nic na lewo. W przeciwieństwie do ciebie. To auto za oknem jest mieniem prywatnym. Twojego nazwiska w papierach nie ma.

Grisza nie skomentował sprawy samochodu. Kłócili się o to już kolejny raz, chociaż Hajdarowicz dawno temu uznał temat za zamknięty. Nie zwróci auta, tak jak tego chciała Gaja. Nie ma mowy! Za to pieniądze od Kazangapa niepokoiły Griszę, gdyż działania Gai stały w sprzeczności z jego planami zawodowymi.

– Patrona, mówisz? Ciekawe, co na to Bajdałowie?

– A więc tylko samopoczucie mocodawcy cię interesuje! – Gaja przekręciła się na bok i popatrzyła gniewnie na męża. – Boisz się o swoją dupę? Dobro moich klientów masz gdzieś. I przy okazji mnie! Więc, jak rozumiem, od ciebie się o tym nie dowie. Chyba tajemnica cię jeszcze obowiązuje?

– To chore.

Grisza z łoskotem wrzucił szkło do kubła na śmieci. Umył ręce i dopiero wtedy zobaczył na małym stoliku w ich niby-salonie plik akt. Na pierwszej okładce widniało nazwisko Kunanbajew. Podniósł i przewertował pośpiesznie. A potem z furią rzucił dokumenty na łóżko, na którym leżała roznegliżowana Gaja.

– Co to ma znaczyć?

Gaja nie okazała zdziwienia.

– To ja oczekuję, że mi wyjaśnisz – odparła bardzo spokojnie, choć jej słowa podszyte były kpiną. – Przydzielili mi tę sprawę. Przypadek?

Grisza usiadł obok żony.

– Nie możesz bronić w sprawie, w której ja oskarżam.

– Oczywiście. To okazja do podważenia wyroku.

Spojrzał na żonę, chwycił jej dłoń. Uścisnęła ją, przysunęła się do niego i wtuliła głowę w jego brzuch. Siedzieli tak długi czas. On odezwał się pierwszy.

– Chcą nas skłócić, tak?

– Nie wiem, Grisza. Myślałam, że ty coś wiesz.

– Nie wiem. Jesteśmy jednością – zaczął. – Ktoś musi zrezygnować.

– Ja nie mogę – szepnęła. – Jeśli odmówię, stracę prawo do wykonywania zawodu.

– Widać Zere uznała, że już za długo chodzisz bez smyczy – skwitował Grisza.

– Najwyraźniej.

– A może? – Zawahał się.

– Tak?

– Może się dowiedzieli o Kazangapie? O tym, że zdecydował się wesprzeć poszkodowanych i stanął przeciwko Bajdałym.

– To niemożliwe. Nie ma na to świadków.

– Rachunek mu wypisałaś.

– Ale jeszcze go nie zarejestrowałam. Oficjalnie tej sprawy nie ma. Nikt nie wie, że chcemy połączyć zbrodnie bandy Nochy w jeden społeczny proces.

– Więc to prowokacja. Może stoi za tym Kazangap? Wiedzą przecież, że jesteśmy uczciwi i któreś zrezygnuje. Czy w ten sposób chcą nas pogrążyć?

– Wiadomo, kto ma odpuścić – uśmiechnęła się smutno Gaja. Pogładziła się po brzuchu. – Za chwilę rodzę. I tak na jakiś czas musiałabym się wycofać. Potem macierzyński i wychowawczy. Jak wrócę do pracy, jeśli w ogóle wrócę, sytuacja może być inna. Zakładają, że już teraz nie będziemy chcieli ryzykować. Może to i dobrze? Najbardziej martwi mnie jednak to, Grisza, że się kłócimy o duperele. To, co powiedziałeś, nie było miłe. Albo jesteśmy razem, albo od razu się rozstańmy.

– Nie gadaj głupot! – przestraszył się Hajdarowicz. – Upiłaś się.

Wstał. Ruszył w obchód łóżka.

– Zadzwonię do Zere.

– Najpierw musimy rozważyć naszą sytuację. Ustalić front ze sobą.

– A co tu rozważać? Zere kontroluje w tym mieście wszystkie urzędy. Niech mi wyjaśni, co to za kombinacja.

Gaja usiadła. Zaczęła się ubierać. Wkładała pończochy, wciągała przez głowę sweter.

– Obiecałam tym ludziom pomoc. Nie zostawię ich, Grisza.

– W takim razie ja będę musiał się zwolnić. Z czego będziemy żyć?

Gaja wysunęła szufladę. Leżały w niej zwitki banknotów.

– Jeszcze nie zgłosiłam tego rachunku. Możemy dziś w nocy wyjechać. W Rosji albo na Białorusi zaczniemy na nowo. Może pojedziemy dalej, na zachód? Tam jest inaczej. Poprośmy o azyl. Nostryfikujemy dyplomy. Jesteśmy młodzi. Dziecko urodzi się już tam.

– Chcesz uciekać? A co z twoimi ludźmi? Co z Kazangapem? To byłaby defraudacja. Kradzież.

Wzruszyła ramionami.

– Nie wiem. Głośno myślę. Ale to byłoby dla nas najlepsze rozwiązanie. Zniknąć i nie mieć już z tym krajem nic wspólnego. Może kiedy nasze dziecko dorośnie, będzie inaczej. Może, bo to wcale nie jest pewne. Ludzie się zmienili, ale system pozostał ten sam. Sojuz wciąż wygrywa z tradycją.

W tym momencie rozległo się pukanie.

– Panie Hajdarowicz, telefon.

Grisza przygwoździł żonę spojrzeniem.

– Dziś zostań w domu. Musimy coś postanowić.

– Nic nie musimy. Jesteśmy wolnymi ludźmi. Wszystko jeszcze możemy. Te pieniądze oddam. Wystarczy, że odwieziemy je do domu Sułtana. Rachunek mogę podrzeć. Listy z rezygnacją wyślę do klientów już z zagranicy. Mam do tego prawo.

– Dzwonią z prokuratury – dobiegło ich ponaglenie sąsiada. – Pilna sprawa.

Hajdarowicz wyszedł w połowie zdania żony. Gaja, czekając na niego, spakowała do walizek ich nieliczne rzeczy. Zdawało się jej, że męża nie ma całe wieki. Wyobraziła sobie w tym czasie wszystko: aresztowanie, tortury, śmierć. Dopiero kiedy zegar wybił kolejną godzinę, Grisza pojawił się w drzwiach.

– Dostałem awans na sędziego. – Grisza podbiegł do żony. Mocno ją ucałował. – I podwyżkę! Co za zbieg okoliczności! Nie ma już konfliktu interesów. Jesteśmy uratowani!

Gaja pozwalała się przytulać i całować, ale była sztywna jak kawałek drewna. Milczała. Zaplotła tylko dłonie na brzuchu, jakby odruchowo chciała chronić swoje nienarodzone dziecko.

– Jest jeszcze gorzej – odezwała się, kiedy uradowany mąż wypuścił ją z objęć. – Mają cię. Nigdy się nie przeciwstawisz. A co gorsza, podzielili nas. Teraz już rozumiem, jak to się załatwia. Pieniędzmi.

– Przestań psioczyć, kobieto. – Grisza nadal cieszył się jak dziecko i otwierał kolejne wino. – Napij się łyczek. Zrelaksuj, złap oddech. Zere obiecała mi, że będziesz mogła prowadzić te swoje sprawy. Jest tak, jak chciałaś.

– Grisza – powtórzyła Gaja stanowczo. – Czy ty nic nie rozumiesz? Zere trzyma na tym łapę. Ona to zaplanowała. A ty będziesz miał teraz zupełnie inne zadanie do wykonania.

– Niby jakie?

– Czarną robotę. Ona chce, żebyś ty skazał Kereja na śmierć. I ty to zrobisz.

– Zrobiłem, co chciałaś.

Sobirżan Kazangap był wściekły. Otaksował dwie torby podróżne córki, które Jekatryna kazała przynieść na jego polecenie do gabinetu, i dał jej znak, by ich zostawiła. Mimo to kobieta wciąż stała w drzwiach ze zbolałą miną. Teatralnie ocierała łzy, jakby rzeczywiście cierpiała z powodu wyjazdu pasierbicy.

– Nic nie zjecie przed drogą? – dopytywała się kolejny raz i przymilała do Isy, który speszony bogactwem wyłamywał palce.

Sobirżan nie zamierzał mu jednak niczego ułatwiać. Mówił wyłącznie do córki, całkowicie ignorując jej wybranka. Wtedy Isa przyjrzał się dokładniej twarzy starszej kobiety. Przed oczyma mignął mu obraz z szamańskiego snu. Jekatryna była teraz pomarszczona, policzki miała obwisłe, ale chłopak nie miał wątpliwości, że ma przed sobą trucicielkę Salimy. Zbladł, delikatnie uścisnął rękę Ałgyz, która nieznacznie skinęła głową. Macocha zauważyła ich porozumiewawcze spojrzenia. Cofnęła się do przedsionka. Isa już jej nie widział, ale przymknął oczy i spróbował poczuć energię tej kobiety. Aż zakłuło go w żołądku, skulił się i cicho jęknął.

– Chyba już zdecydowali – zniecierpliwił się na Jekatrynę mąż. – Zajmij się domem. I niech Kaszo zaniesie bagaże do auta.

Starsza żona potruchtała do wyjścia z miną zbitego psa, ale Ałgyz wiedziała, że to tylko poza. Pewnie biegła już uradowana po schodach do swojej niebieskiej sypialni, nie mogąc się doczekać, aż przyłoży trąbkę do ucha. Kiedy tylko Jekatryna zniknęła z pola widzenia, Isa znów mógł swobodnie oddychać.

– Nie wiem, po co się na niej wyżywasz – odezwała się Ałgyz. – To nic nie da.

Sobirżan przyjrzał się córce. Bardzo się zmieniła podczas tego wyjazdu. Wydoroślała i jeszcze bardziej przypominała matkę.

– A za pomoc ludziom skrzywdzonym przez Nochę jestem ci wdzięczna. Z pewnością nikt się nie dowie, kto zapłacił za pełnomocnika. Pani mecenas zachowa dyskrecję. W przeciwnym razie sama będzie miała kłopoty.

Sobirżan odchrząknął. Nie zamierzał informować córki, że Gaję Hajdarowicz obserwują od dawna i to jedna z tych działaczek, które wcześniej czy później doczekają się klapsa. Ale na razie chciał, by córka miała satysfakcję z pozornej wygranej, więc uśmiechnął się, kiedy powiedziała:

– To najlepszy uczynek w całym twoim życiu, tato. Dobro, które teraz czynisz, wróci do ciebie zwielokrotnione.

Tej nowomowy Kazangap nie miał jednak ochoty słuchać.

– Więc co planujesz? Bo za taką cenę mam prawo wiedzieć.

– Wkraczam na ścieżkę duchową. Prawdopodobnie się już nie spotkamy. Chyba żebyś potrzebował pomocy *baksy*. Choć ty nie wierzysz. W twojej branży to źle widziane.

– Jakże się mylisz, córko.

Ałgyz przyjrzała się ojcu.

– Nie mówię o czarownikach, wróżkach i astrologach. To szarlatani.

– Za to jacy skuteczni. – Znów się roześmiał. – I słono sobie liczą.

– Ja nie zajmuję się czarną magią – ucięła dziewczyna. – Zresztą rozumiemy się doskonale. Nie potrzebuję twojego błogosławieństwa ani też nie powstrzyma mnie jego brak. Tobie zaś zawsze byłam ciężarem.

– Więc co tutaj jeszcze robisz?

– Czekam na Kasza.

– Skoro masz takie moce, jedź autobusem – warknął Sobiżan. – Na co ci moje auto? A może rodziny też nie potrzebujesz? Sekta łapiduchów spełnia teraz to zadanie. I ten gołodupiec.

Dziewczyna wstała. Isa natychmiast uczynił to samo. Był czerwony ze wstydu i zażenowania. Cierpliwie jednak znosił upokorzenia, nie mając odwagi się odezwać. To był dom ojca Ałgyz. Sułtan miał prawo w nim mówić, co i kiedy chciał.

– Odkąd mama odeszła, straciłam swoją rodzinę.

– Powinnaś dostać za to w twarz.

– Nigdy mnie nie biłeś i wiem, że to poniżej twojego poziomu. A poza tym jestem ci winna wyjaśnienie.

– Nareszcie – kpił dalej ojciec.

– Salima nie zmarła naturalną śmiercią. Zawsze o tym wiedziałeś. Podejrzewam też, że wiesz również, kto podał jej truciznę i kto ją przyrządził.

Sobirżan przestał się uśmiechać. Rzucił okiem na drzwi, potem na Isę i znów zatrzymał wzrok na córce.

– Chyba naprawdę pomieszało ci się w głowie. Współczuję tym, którzy będą zwracać się do ciebie o pomoc. Powinnaś być w zakładzie, w pasach bezpieczeństwa. Regularnie brać leki. Może by pomogło.

Ałgyz stała wyprostowana. Uśmiechała się kpiąco. Ojciec nie był w stanie jej dotknąć…

– Dopóki Sonia jest potulna, nic jej nie grozi – kontynuowała. – Ale to się zmieni. Ona wcale nie jest głupia, jak sądzi Jekatryna. I przyjdzie odpowiedni moment. Ty zaś stracisz wszystko.

– Próbujesz przestraszyć ojca, który cię karmił, hodował i znosił twoje wybryki przez lata? – Sobirżan był już naprawdę rozzłoszczony. – To ci się nie uda.

– Zginiesz z tej samej ręki. Ona podsłuchuje nas teraz ze swojej komnaty. Przecież to, że cię śledzi i kontroluje każdy twój ruch, również wiedziałeś. Porozmawiaj z najstarszą żoną, jak wyjedziemy. Pojednaj się z nią. Bo ta żmija jako jedyna przetrwa.

– Jesteś bezczelna. Jak bardzo jej nienawidzisz.

Ałgyz spojrzała na Isę. Chłopak chwycił ją za rękę i pociągnął do drzwi.

– Jeszcze jedno. – Dziewczyna się odwróciła. – Dziękuję ci, że uwolniłeś mnie od tego małżeństwa, choć wiem, ile mogłeś na nim zarobić. Nie zapomnę ci tego. – Głos brzmiał błagalnie, znów dziecinnie. – Ale zostaw nas w spokoju. Nie rób nam krzywdy.

– Przecież ci pomagam. – Sobirżan podszedł do córki i przytulił ją, choć w oczach miał furię. – Jeszcze się zastanów.

– Wszystko dobrze przemyślałam.

Ałgyz wyplątała się z objęć ojca.

– I uważaj. Wokół ciebie same szakale. Teraz mi nie wierzysz, ale przyjdzie czas, że stanie się tak, jak ci powiedziałam. Przyjrzyj się tym, których nie doceniasz. Oni wyjdą przed szereg. Bądź na to przygotowany. Gdybyś mnie potrzebował, wiesz, gdzie mnie szukać. Nie przychodź jednak bez prawdziwej potrzeby.

– Dziecko – wychrypiał zrezygnowany Sobirżan. – Nawet nie wiesz, ile mnie to kosztuje.

– Wiem doskonale. Kałym za mnie nie był duży. Zwrócisz te pieniądze. Twoje finanse na tym nie ucierpią.

– Przecież nie o pieniądze chodzi – zdobył się na wielkoduszność Sobirżan.

– Właśnie, że o nie. Wszystko przez nie i dla nich – westchnęła Ałgyz. – Ale odzyskasz je. Wszystko odzyskasz, jak mnie już nie będzie. Akt zgonu macie. Dogadasz się na tej podstawie z kontrahentami.

– Nie bądź okrutna.

– Nie umiałabym – zapewniła dziewczyna. – Otwieram przed tobą przyszłość. Bo ty nie jesteś złym człowiekiem. Jeszcze się opamiętasz. Pomyśl o tym inaczej. Gdybym odeszła do domu męża, nie płakałbyś. Teraz odchodzę dokładnie tak samo. A Isę kocham. Będziemy szczęśliwi. Przypomnij sobie, czym jest miłość. Darzyłeś mamę prawdziwym uczuciem. Wiem to. Czułam cały czas. Na tym i tamtym świecie. Ona też cię kochała najbardziej na świecie. Oddała za ciebie życie i wciąż cię chroni. Zostaw jej czasem pierożek, pomódl się za spokój jej duszy. Ona ci wybaczyła. Nie ma do ciebie żalu.

– Chodźmy już – szepnął Isa i pociągnął Ałgyz bliżej siebie. A potem skłonił się Sobirżanowi. – Będę jej strzegł, panie. Zawsze.

– Ty nawet o siebie nie potrafisz zadbać – odparł z pogardą Sobirżan.

Kiedy młodzi opuścili gabinet, wykręcił numer i poinformował kogoś po drugiej stronie słuchawki, że sprawa jest aktualna.

– Miejsce w szpitalu jest opłacone – potwierdził. – Wystarczy imię. Salima. On ma zniknąć bez śladu. Nie, nie grzebcie go. Ten patałach nie zasłużył na godny pochówek. Niech oczy wydrapią mu ptaki, a zwierzęta rozwłóczą jego kości po stepie. To wszystko, co musisz wiedzieć, Sierik. Wyślij kogoś niezawodnego. Zgodnie z ustaleniami.

– Panienko. – Kaszo zwolnił, skręcił w dróżkę prowadzącą do wąwozu i na niej zatrzymał auto.

Isa chwycił dziewczynę za rękę. Jego wzrok prosił: „nie wysiadaj". Mimo to Ałgyz porozumiała się wzrokiem z Tadżykiem i podkreśliła z naciskiem:

– Mów przy nim. Nie mamy tajemnic.

– Niech panienka ucieka – zaczął szeptem ochroniarz, ale jego głos nabierał mocy. – Na rogatkach miasta czeka na was patrol milicji. Zamkną panienkę w szpitalu, a co przygotowali panu, tego mogę się tylko domyślać.

Isa przyjrzał się czarnym tęczówkom Kasza. Nie wyczuł wrogości ani fałszu. Mężczyzna jednak po raz pierwszy zwrócił się do niego z szacunkiem. To chłopaka zaniepokoiło. Skoro jednak został wywołany, zdecydował się włączyć do rozmowy.

– Dlaczego mamy ci wierzyć?

– A dlaczego miałbym was ostrzegać? – Kaszo był zawiedziony, że mu nie ufają. – Płacą mi za dowiezienie was na miejsce. Tyle że nie dojedziemy do osady szamanów, ale na rogatki miasta. Tam kończy się moje zlecenie. Chyba że mnie posłuchacie.

– Mówisz prawdę? – chciała się upewnić Ałgyz.

– Ryzykuję życie, panienko.

– Jak wytłumaczysz, że uciekliśmy? Co powiesz?

– Powiem, że on miał pistolet. – Wskazał na Isę. – I przyłożył mi lufę do głowy.

– Ale ja nie mam broni. – Chłopak wzruszył ramionami.

Kaszo sięgnął do schowka. Podał do tyłu automat z uciętą lufą, owinięty w szmatę uwalaną towotem. Isa rozpoznał przedmiot od razu. To była broń Dimasza i Tusipa. Ta, którą kupili od dziadka z wielbłądami i z której już raz Isa celował. Była złożona i naładowana. Wystarczyło odbezpieczyć.

– To mi się nie podoba – rzekł Isa, odmawiając przyjęcia wątpliwego prezentu. – Skąd go masz?

– Twoi przyjaciele zostawili w aucie po strzelaninie – wyjaśnił Kaszo i skłamał: – Są martwi. Nie będzie im już potrzebny. Kilka podziurawionych wozów odholowano na parking Sułtana. Jeden z nich to czarne żiguli Kunanbajewa, którym jechali hokeiści. Sierik Chajruszew prowadził ekipę techników i wyjął go ze schowka. Poza jednym strzałem nie był używany.

– Wrabiasz mnie? – Isa zmarszczył brwi. Czuł fałsz na kilometr. Zwrócił się do dziewczyny: – On łże. Nie wierz w ani jedno jego słowo, Ałgyz. To zdrajca.

Tadżyk nie zamierzał tłumaczyć się przed jakimś chłystkiem, ale wtedy Ałgyz dotknęła jego ramienia.

– Kaszo, powiedz mi, jak było naprawdę. Nie obawiaj się.

Coś w nim pękło. Nagle zapragnął wyznać wszystko.

– Kerej po strzelaninie przywiózł chłopców do kryjówki Sierga. Zostawił samochód i automaty. Pingot jest pod moją opieką. Prosił mnie, żeby sprzedać albo zdobyć nowe dokumenty. Ale na razie to trefny towar. A z chłopakami jest naprawdę źle. Ten większy nie dożyje jutra.

– Co z Kerejem? – Ałgyz wciąż trzymała dłoń na ramieniu Kasza.

– Zdążył uciec. Szukają go – oznajmił Tadżyk i dodał niemal błagalnie: – Panienko, nie ma czasu na rozmowy. Musicie działać szybko.

Dziewczyna zabrała rękę z ramienia Tadżyka. Spojrzała na Isę. Oboje wiedzieli, że ochroniarz był teraz wobec nich szczery. To ich przekonało.

– Co mamy zrobić?

– On strzeli do mnie i zabierzecie wóz. Może być noga albo ręka. Jeśli mógłbym prosić, to prawa. Jestem mańkutem. Lewa bardziej jest mi przydatna. Ale ma być krew. To musi być prawdziwa rana.

– A co będzie, jeśli cię zabiję? – wycedził przez zęby Isa. – Skoro dajesz mi broń, nie możesz mieć pewności, że cię ocalę.

– Wtedy stracicie świadka. Nie będę mógł opóźnić za wami pogoni. Jeśli ja przeżyję, wy też zdążycie uciec. A dobrze poinformowany człowiek w siedzibie wroga jest cenniejszy niż martwy sojusznik. Twój ojciec, Ałgyz, wydał wyraźne dyspozycje.

– Komu?

– Nie wiem.

– Dlaczego to robisz? – Isa wciąż nie dowierzał kierowcy. Wskazał broń. – Tam są ślepaki. Albo wcale nie jest nabita. Ałgyz, nie słuchaj go!

Dziewczyna przymknęła oczy. Chwyciła Kasza oburącz za ramię. Kierowca odłożył automat, pozwolił jej medytować. Isa był tak zdenerwowany, że paprochy na chodniczku pod jego stopami uniosły się i zaczęły wirować. Z trudem nad sobą panował.

– On mówi prawdę. Ojciec chce się mnie pozbyć, a ciebie zabić – oświadczyła Ałgyz, kiedy otworzyła oczy. – Ale nie zrobimy ci krzywdy, Kaszo. To się nie godzi. Jedź okrężną drogą. Wysadzisz nas na najbliższej stacji. Tam załapiemy się na łebka. Nie muszę brać tych wszystkich rzeczy. Niczego nie potrzebuję. Pieniądze mamy. Połowę ty dostaniesz, Kaszo, za to, co dla nas robisz.

– Nie wezmę forsy – zaprotestował Tadżyk. – Wam ona potrzebna. Ja sobie poradzę. Nie o nią mi zresztą idzie. Panienka dobrze wie. Gdyby nie nasza rozmowa, leżałbym w jednej z trumien u Jerboła w jurtach.

– Więc ruszaj – zdecydowała Ałgyz. – Jeśli potrzebujesz alibi, postrzel się sam.

– Nie! – krzyknął nagle Isa. Chwycił urzyn Dimasza i przystawił Kaszowi do głowy. – Wysiadaj.

Tadżyk posłusznie wykonał polecenie. Isa przyparł mężczyznę twarzą do auta, rozsunął nogi i nakazał, żeby położył ręce na dachu.

– Jak najdalej od wozu – upomniał go Kaszo. – W środku jest panienka.

Isa dopiero teraz pojął, na co się porwał. Kopnął Kasza i popchnął lufą do przodu. Uszli kawałek wąwozem. Ałgyz z krzykiem biegła za nimi, ale Isa był jak w transie. Nigdy nie miał w sobie takiej determinacji. I chyba pierwszy raz w życiu czuł tak wielki strach. Ale teraz go nie paraliżował, wprost przeciwnie. Pomyślał, że po przebytej drodze nie tylko w Ałgyz zaszła przemiana.

– Tutaj będzie dobrze? – zapytał lekko piskliwym głosem.

– Może być – potwierdził Kaszo. – Byle nie dalej, bo nie doczołgam się do szosy.

– Gotów?

– Strzelaj, chłopcze – burknął zniecierpliwiony ochroniarz. – To nie tokowanie. A jeszcze musicie zdążyć uciec.

Isa wymierzył. Trząsł się jednak tak bardzo, że nie mógł znaleźć spustu. Podtrzymał automat obiema rękoma. Przymknął na chwilę powieki, starał się uspokoić. Nagle broń wypaliła sama. Jak wtedy, kiedy Isa siedział w żiguli z Dimaszem i Tusipem i opędzali się od ludzi Nochy. Usłyszeli tylko głuchy dźwięk. I tym razem Isa chybił. Kula została w piachu.

Tadżyk jednak upadł, zakrył głowę dłońmi. Wtedy Isa ustawił się ponownie, zmobilizował, wycelował w nogi. Oddał strzał. Trysnęła krew, więc musiał trafić. Kaszo natychmiast się poderwał, podczołgał w bok, ale wstał. Chwycił się za ramię. Draśnięcie nie było duże. Isa znów strzelił. Odrzut wystrzału zszkował go, ale samo trafienie w bark Tadżyka podnieciło. Nabrał ochoty na więcej. Kaszo wciąż był w zasięgu jego wzroku. Chłopak zrobił kilka kroków, ułożył palec na spuście, muszka weszła w szczerbinkę. I w tym momencie poczuł, jak coś zimnego niczym lodowy grot wbija mu się w plecy. A potem stopniowo rozżarza się, jakby róża z drutu kolczastego rozwijała się od pleców aż po pierś. Później przeszyło go jeszcze jedno pchnięcie. Było ostatecznie uwalniające. Upadł na kolana, wciąż kurczowo trzymając automat. Zdawało mu się, że strzela, że wpakował w ścianę wąwozu całą amunicję z magazynka, ale to nie mogła być prawda, bo już ulatywał. Wtedy przypomniał sobie sen u Dżamy, kiedy Ałgyz była w śpiączce. Obiecywał, że nie będzie się bał, a jednak nieustannie truchlał ze strachu. Przysięgał, że jeśli Ałgyz zawróci, gotów jest za nią zginąć. I poczuł się nagle lekki, swobodny. Jakby ta płomienna kula, którą zawsze miał w brzuchu, wydostała się nagle na zewnątrz i rozproszyła niby wybuchający granat. Ta sama ognista energia, którą tak dobrze znał, bo pozwalała mu robić sztuczki, otaczała go teraz ciepłym, przyjemnym strumieniem, tworząc wokół jego ciała coś w rodzaju bańki albo aureoli. Wzbił się więc w niebo i pofrunął, przyglądając się wszystkiemu z góry.

Patrzył, jak Ałgyz – nie bacząc na zbliżającego się ku niej uzbrojonego Nochę – rzuca się na jego ciało leżące bez czucia, potrząsa nim i coś krzyczy. Jak Nocha podnosi dłoń z pistoletem i oddaje strzał w jego własną głowę, a mózg rozbryzguje się po piasku. Jak morderca odchodzi wolnym krokiem i ukrywa się między drzewami, pochyla i wymiotuje. A w tym samym czasie Kaszo odciąga Ałgyz od jego zwłok, podnosi ją z trudem i siłą wpycha na tylne siedzenie. Odjeżdżają.

Wtedy Isa dmuchnął dwa razy. Góra kamieni ze szczytu wąwozu zwaliła się w miejscu, gdzie leżało jego ludzkie truchło. Dalej zaczęła osypywać się ściana przełęczy. Zniżył lot, przysiadł na kamieniach i ze zdziwieniem stwierdził, że po tak spektakularnym triku powinien czuć się wyczerpany. Tymczasem był pełen energii, gotów lecieć za swoją ukochaną choćby tysiące kilometrów. Jego zadaniem było jej strzec. Przyrzekł przecież Dżamie, że zrobi dla Ałgyz coś w świecie żywych. Lęku nie czuł teraz wcale.

PO SIÓDME

POZNAWAĆ I ROZUMIEĆ TO, CO NIEWIDOCZNE

styczeń 2002 roku, Uralsk, Kazachstan

– Może by pan jednak usiadł w tym miejscu?

Sztaba wskazał fotel Kodarowi, który był już lekko zniecierpliwiony traktowaniem go jak małpy na drucie, ale wciąż jeszcze zachowywał spokój. Kazach umościł się wygodnie, ręce położył na podłokietnikach. Zdawało się, że z trudem pojmuje intencje gości z Polski, choć Romeo po rosyjsku mówił biegle i prawie bez akcentu. Sztaba natomiast próbował najpierw dogadać się z ojcem Kereja po angielsku, niemiecku, a nawet francusku, ale ponieważ te usiłowania budziły jedynie dobrotliwy uśmiech mistrza sambo, nie poddawał się i wiązał język na supeł, by brzmieć choć trochę z rosyjska.

– Dobrze? – Sztaba podszedł do Romea, który nieustannie zerkał na zegarek.

– Bardzo niedobrze. Zaraz zajdzie słońce.

– Już teraz jest mało światła. – Sztaba wciąż miał wątpliwości. – Może przyniosę z samochodu jeszcze jedną lampę? Albo poproszę Tośkę. Sprzęt nie jest ciężki. Dziewczyna da radę.

– Niech nie wychodzi – rzekł stanowczo Kodar. – Zaczynajmy.

Przybysze z Polski się zdziwili. Kazach wszystko rozumie. Dlaczego więc uparcie milczy? Sztaba wymienił spojrzenia z Romeem. Obaj byli zaniepokojeni.

Tym razem przed wyjazdem ustalili wszystkie szczegóły, a ojciec Kereja zgodził się pomóc w ich małym śledztwie. Wyraził także zgodę na realizację filmu.

– Pan Kodar ma rację – przyznał wreszcie Romeo, który w mowie ciała ojca Kereja dostrzegał to, czego młody dziennikarz widzieć nie chciał: niechęć, rezerwę i wrogie spojrzenie, jakby nie byli sojusznikami, lecz musieli to dopiero udowodnić. – Będzie bardziej tajemniczo.

– Może chociaż ten dywan przesuniemy? – Sztaba, wiedząc już, że złamali barierę językową, poczuł nagle wezwanie do walki o dobry obrazek i zabrał się do odpinania kilimu zasłaniającego sporą część okna. – Bo jak wyjdzie za ciemno, będziemy musieli powtarzać.

– Tak jest w sam raz – uparł się Kodar i jeszcze szczelniej przysłonił okno.

Za dywanem Polacy dostrzegli solidną dyktę. Musiała być zakładana jako ściemniacz, ale w jakim celu, trudno było dociec.

– Już nie pierdol, graj.

Romeo dał kuksańca Sztabie, po czym uśmiechnął się promiennie do zaglądającej nieustannie staruszki, która jak cerber pilnowała przebiegu nagrania i co rusz podsuwała mężczyznom słone smakołyki w małych miseczkach. Miała na imię Ojsze i jako jedyna nie wykazywała wobec nich powściągliwości. Przeciwnie, zdawała się bardzo rada z ich przyjazdu, a każdą okazję do rozmowy wykorzystywała do zadawania pytań o swojego wnuka, którego nazywała telkarą. Biznesmen skwapliwie z jej przychylności korzystał. Widać było od razu, że w tym domu wszyscy liczą się z opinią Ojsze jak z wyrocznią. Roman schlebiał jej więc, czarował i wszelkimi sposobami starał się, by ich polubiła. Na razie najlepiej działało na nią pochłanianie z apetytem przysmaków, co obojgu pasowało.

Goście z Polski przylecieli poprzedniej nocy. Kodar osobiście wyjechał po nich na lotnisko w Ałmatach, a potem całą noc podróżowali do Uralska. Zdezelowane czarne żiguli – pamiętające czasy transformacji, a może i niemy świadek pamiętnej strzelaniny, gdyż w drzwiach widniały jeszcze zapacykowane ślady po kulach – prowadził Nazar, dużo młodszy od Kereja. Bracia nie byli do siebie podobni. Czarnowłosy, niewysoki i chudy jak patyk Nazar był milkliwy, żeby nie powiedzieć, gburowaty. Mówił wyłącznie po kazachsku i nie angażował się w dyskusje z gośćmi, oddając to prawo ojcu. Do Tośki nie zbliżył się nawet na krok. Spuszczał wstydliwie oczy, kiedy próbowała nawiązać z nim kontakt. Wszelkie zaś przejawy życzliwości z jej strony przyjmował z obawą, jakby zamierzała oblać go wrzącym łojem. Wprawdzie Romeo zaraz po wyjściu z samolotu przedstawił ją jako dobrodziejkę i nową żonę ich syna, której nazwisko Kerej przyjął, ale poza uprzejmymi skinieniami głowy kobieta nie doczekała się od swoich nowych krewnych żadnych czułości. Tośka, wyprawiając się do Azji, była świadoma różnic kulturowych i zdawała sobie sprawę, że Kazachowie nie są zbyt wylewni, ale to, co ją spotykało, przerosło jej najgorsze wyobrażenia. Miała wręcz wrażenie, że traktują ją jak intruza i czuliby się o niebo lepiej, gdyby wróciła do Polski. Nawet wobec Romea i Sztaby byli sympatyczniejsi.

Kodar po przyjeździe do hotelu bezceremonialnie wszystkich wylegitymował, a dokumenty zabrał do kserowania. Potem nakazał im się zdrzemnąć i wyszedł bez słowa. Należność za pobyt całej ekipy – mimo sprzeciwów Romea – uregulował w całości, o czym zostali powiadomieni godzinę później przez starego recepcjonistę, który przyniósł im kwit opiewający na sumę trzech tysięcy dolarów, wraz z wiadomością, że auto już na nich czeka, a rodzina Kunanbajewa wydaje powitalną ucztę. Żadne z nich nie zdążyło zmrużyć oka nawet na pięć minut. Było niemal czterdzieści stopni poniżej zera, choć tutejsi twierdzili, że pogoda jest nadzwyczaj zacna. I rzeczywiście, mimo siarczystego mrozu, słońce świeciło tak mocno, że bez ciemnych okularów nie należało opuszczać hotelu lub samochodu. Powietrze było suche i przejrzyste.

Kamery znów trafiły do bagażnika podziurawionego kulami auta. Telefony nakazano zostawić w sejfie. Tośka odniosła wrażenie, że te trzy tysiące dolarów Kodar zapłacił staremu szpiclowi z pensjonatu nie tyle za nocleg, ile za przeszukanie ich bagaży oraz bieżące meldunki o tym, co goście z Polski robią i dokąd się udają. Kiedy podzieliła się tą myślą z Romeem i Sztabą, przyznali jej rację. Dlatego po krótkiej naradzie zażądali wydania dokumentów, a w sklepie obok kantoru kupili tutejsze komórki na karty, by w razie rozdzielenia móc się porozumieć.

Dalej wszystko szło również nie tak, jak zaplanowali. Nie mogli się ruszyć bez obstawy Nazara, który najpierw obwiózł ich po mieście, jakby przyjechali do Uralska na wycieczkę krajoznawczą. Dreptali więc, kuląc się z zimna, po bazarze Zielona Krysza, na którym przed laty Kerej miał swój sklepik. Potem obejrzeli dzielnicę zabytkowych kamienic, odwiedzili też teatr. Obeszli wzdłuż i wszerz dziesiątki placów z wielkimi postkomunistycznymi pomnikami i długie godziny spacerowali bezproduktywnie po pokrytym śniegiem parku. Nazar przemierzał z nimi te kilometry, nie odzywając się słowem. Tośka była pewna, że te działania mają na celu odciągnięcie ich od właściwych zadań i są demonstracją dla tych, którzy z daleka ich obserwują. Nie potrafiła tego wyjaśnić ani udowodnić, ale podczas tych ekskursji czuła na sobie niejedną parę niewidocznych oczu. Tylko ostatkiem sił odganiała te myśli, zrzucając je na karb wybujałej wyobraźni. Znosili pokornie te atrakcje przez cały dzień. Dopiero kiedy Nazar wywiózł ich poza miasto do stadniny i przyprowadził każdemu konia, by spróbowali dżokejki, Romeo podniósł larum, a potem na znak protestu wsiadł do samochodu i pożarł ostatnią paczkę delicji, którą przywiózł jako podarek dla rodziny Kereja.

Było już późne popołudnie, kiedy przyjechali do domu Kunanbajewów. Nie mieli ani jednego nagrania, nawet śladu tropu. Do Sztaby w kółko dzwonił ktoś z polskiej telewizji, bo otrzymał odpowiedni sprzęt, by móc wysyłać materiały bezpośrednio z Kazachstanu. Dziennikarz wił się teraz jak jakiś krętacz oraz gęsto tłumaczył. W końcu wyjął z aparatu kartę i rzucił ją w zaspę, żałując, że podał redakcji swój kazachstański numer. W domu gospodarzy czekała ich następna nieprzyjemna niespodzianka. Żaden z umówionych jeszcze w Polsce bohaterów nie przybył na wywiad. Na stół tymczasem wjechały rozmaite mięsa. Kodar orzekł, że dziennikarze najpierw będą jedli, potem on powie, co ma do powiedzenia, a potem znów będą jedli. Kiedy Tośka zaczęła wyjaśniać, że Sztaba musi dziś jeszcze wysłać jakiś fragment nagrań do kraju, ojciec Kereja odwrócił się plecami i schował w gabinecie. Wrócił, kiedy zachodziło słońce. Nic nie pomogły argumenty Romea, że stacja wydała na ich wyjazd mnóstwo pieniędzy, ma więc prawo liczyć na sensacyjną opowieść z kochanką Azjaty w roli głównej. I choć Petry wcześniej niezbyt podobała się rola bohaterki reportażu, zdecydowała się zagrać ją dla dobra sprawy, bo w ten sposób miała szansę uczestniczyć w ich małym śledztwie. Kiedy jednak tak przedstawili sprawę rodzicom Kereja, ich pomysł kolejny raz wziął w łeb, bo teść wskazał Tośce jej właściwie miejsce: miała zostać kuchni do zakończenia pracy mężczyzn. Na blacie czekało na nią dziesięć kilo mięsa na szaszłyki. To wszystko sprawiło, że Petry cały dzień chodziła jak struta. Szczerze żałowała, że wzięła urlop i zdecydowała się przyjechać do Uralska.

Kiedy tylko nowa żona Kereja zamknęła się w kuchni, Kodar dał znak Sztabie, że mogą zaczynać. Wyglądało na to, że Kazach nie pochwala pojawienia się białej kobiety w roli wybawicielki syna i wszyscy tylko czekali, aż wreszcie jej to wygarnie. Jak się okazało, czekali na próżno. Żadne słowa wprost nie padły, za to Tośka czuła się coraz gorzej. Na początku związku z Kerejem walczyła z jego potwornym – jak jej się wtedy wydawało – męskim szowinizmem, ale okazało się, że syn to w porównaniu z ojcem niewinne jagnię. Wyglądała więc tylko co jakiś czas do salonu, korzystając z okazji, że Mnaura, matka Kereja, nieustannie musiała donosić na stół półmiski z jedzeniem. Wszyscy byli uprzejmi, a z ich ust nie schodził tradycyjny azjatycki uśmiech à la Mona Lisa. Tośka czuła jednak, że z jakiejś przyczyny rodzice Kereja traktują ją z rezerwą i nie spuszczają z niej oka, jakby miała się okazać złodziejką. Choć w tym domu nie było czego ukraść.

Kerej opowiadał jej o swoich jedenastu samochodach, rozległych biznesach i koligacjach z elitą miasta. Tymczasem mieszkanie jego rodziców przypominało typowy poradziecki lokal, żywcem wyjęty z lat osiemdziesiątych ubiegłego stulecia. Zastanawiała się, czy przypadkiem nie zaciągnęli pożyczki u sąsiadów, aby kupić mięso z okazji ich przyjazdu.

Ale nie tylko Tośka nic z tego nie rozumiała. Romeo i Sztaba nieustannie wymieniali porozumiewawcze spojrzenia. I też mieli dość wędrówek po mrozie, kurtuazyjnych rozmów i jedzenia. Oczywiście w dalszym ciągu nie dowiedzieli się niczego, a na dodatek już niedługo czekała ich kolejna milcząca uczta, na którą nawet żarłok Romeo nie miał już siły. Awantura wisiała w powietrzu.

– Kamera w zapisie – ogłosił Sztaba.

Kodar rzecz jasna na to nie zareagował. Patrzył na wprost, jakby miał przed sobą widok na Wielką Czerwoną Górę, i trwał tak z miną Buddy dobrych kilkanaście sekund. Sztaba pomachał do niego zachęcająco, a ponieważ mistrz sambo nadal zdawał się medytować, dziennikarz wychylił się zza sprzętu i zapytał bez owijania w bawełnę:

– Co pan sądzi o postępku syna?

– Jestem z niego dumny – zaczął zapaśnik. – Postąpił prawidłowo. To byli jego uczniowie, a on ryzykował życie. Gdyby uczynił inaczej, zdarzyłoby się nieszczęście. Mogłoby dojść do zamieszek. Dlatego powtarzam, że jeśli on okazałby się człowiekiem małego ducha i oddał tych chłopców w ręce tamtych, doszłoby do rzezi. Nie chcę mówić o szczegółach, by nie zhańbić swojej nacji, ale ludzie mówili mi, że chłopcy byli bezsilni. Tamci poniewierali nimi, a świadkowie wszystko widzieli. Całe osiedle oglądało tę kaźń i choć nikt nie odważył się temu zapobiec, relacje są zgodne. Napastnicy byli nietrzeźwi i mieli przewagę liczebną. Jeden z nich to syn prokurator, inny kuzyn majora milicji, który nawet do prezydenta dotarł, żeby skazać winowajcę, czyli mojego syna. Na rozprawie rodziny zabitych krzyczały, żeby rozstrzelać Kereja, zabić wszystkich członków naszego rodu. W pewnym momencie całej naszej rodzinie groził odwet żuzów. Wiem o naciskach, bo wszyscy w Uralsku o tym słyszeli. Jeśli Kerej zostanie wydany, to na dziewięćdziesiąt dziewięć koma dziewięć procent nie będzie to proces sprawiedliwy. Tutaj nie było i nie będzie żadnego śledztwa. Tylko rozkaz: rozstrzelać, i koniec.

Sztaba sprawdził, czy cała wypowiedź się nagrała. Nabrał powietrza, by zadać kolejne pytanie, ale Kodar nie dał mu takiej szansy.

– U nas tradycja i kultura mają wielką wartość. Moje drzewo genealogiczne sięga tysiąc pięćset czterdziestego drugiego roku. Wychowywałem swoje dzieci na osobowości harmonijne. Kerej nigdy wcześniej nie miał konfliktu z prawem. Pracował od dwunastego roku życia, a pieniądze przynosił do domu. Kiedy pewnego razu na bazarze sprzedawca arbuzów obraził jego matkę, a on nie stanął w jej obronie, zbiłem go, by wiedział, że honor kobiety i słabszych jest ważniejszy niż jego życie. Gdyby więc nie obronił tych chłopców, tylko uciekł, sam musiałbym go zabić. I miałbym do tego prawo. To jest trudne do zrozumienia dla ludzi z Zachodu.

– Za Kerejem rozesłano międzynarodowy list gończy. – Sztabie udało się w końcu przerwać monolog mistrza. – Tutejsza milicja poszukiwała go ponad pięć lat.

– Nikt go nie szukał. – Kodar skwitował stwierdzenie dziennikarza machnięciem ręki. – W rysopisie znalazła się informacja, że to wyjątkowo rozwinięty fizycznie sportowiec. Wzrost sto dziewięćdziesiąt osiem centymetrów, waga sto trzydzieści dwa kilo. Ma opanowane chwyty walki wręcz. Jaki dureń polezie?

– To znaczy, że przez wszystkie te lata nikt Kereja nie szukał?

– Chyba nie powinienem tego mówić – zawahał się Kodar. – Może już skończymy?

– Jeszcze chwila. – Romeo podniósł rękę i zapewnił: – To bardzo podziała na wyobraźnię sądu. Nie trzeba się bać.

– Ja się nie boję. – Kazach się napuszył. – Wy nic nie rozumiecie. Kerej zrobił to, na co wszyscy w mieście czekali. Nikt wcześniej nie odważył się przeciwstawić członkom gangu Nochy. Kiedy bandyci skrzykiwali ekipę na uczniów mojego syna, porządni za nimi nie poszli. Sportowcy się odcięli i wiadomo było, że po rzezi, jaką ludzie Nochy zafundują młodziakom, dojdzie do następnych porachunków.

– I doszło?

Kodar nie odpowiedział. Milczał uparcie.

– Dlatego pozwolili mu uciec? – pośpieszył z kolejnym pytaniem dziennikarz.

– Kerej uciekł, bo był sprytny, a nie dlatego, że prokuratura i milicja go nie szukała. Chcieli go znaleźć, ale im się nie udało. To duża różnica.

Znów umilkł. Widać było, że waży słowa.

– Wyrok na mojego syna zapadł dużo wcześniej. Kerej uprzedził jedynie ruch adwersarzy. Może dlatego przeżył. Inna sprawa, że to, że postąpił po dżentelmeńsku, ratując chłopców, przysporzyło mu sojuszników. Nie dość powiedzieć, że tego wieczoru świętowało całe miasto. Ludzie przychodzili do nas, by nam dziękować. I do tej pory przychodzą.

Romeo i Sztaba spojrzeli na siebie znacząco. Chcieli zapytać, dlaczego nie ma tutaj tego tłumu, ale żaden się nie odważył. Liczyli, że Kodar ma swój plan. Inaczej ich misja zakończy się sromotnym fiaskiem. Roman już teraz liczył straty i był coraz bardziej wściekły.

– Tego w dokumentach od adwokata nie było – zwrócił uwagę Sztaba. – To nowy wątek.

Kodar znów zbagatelizował komentarze Sztaby, co zaczynało go drażnić.

– A co z kilerami? – westchnął Romeo. – Podobno wyznaczono nagrodę za głowę pańskiego syna. Milion dolarów.

– Tak, oni nawet przyjechali – padła rzeczowa odpowiedź. – Trzech młodzieńców w białych żiguli. Model pięć, szyby zaciemniane. Kiedy stali przed wejściem do Instytutu Kultury, nagrały ich kamery. Nie zdążyli odpalić mojego syna, bo pojechali zabawić się do agencji, a potem czekali na dyspozycje. Zanim doszło do narady starszych plemion, mój syn wykosił wszystkich z bandy Nochy. Wynajęci zabójcy błąkali się po mieście jeszcze dwa tygodnie. Chciałem zwabić ich za miasto, rozprawić się z nimi, zrobić porządek, ale rozmyśliłem się. Wiem, że nie dostali ani grosza za swoją fatygę.

– Czy próbowali jeszcze potem? Czy możliwe, że udali się tropem Kereja do Polski?

– Nie wiem – odparł niepewnie ojciec. – Nie miałem kontaktu z synem od tragicznych wydarzeń. Ostatni list dostałem w perfumowanej kopercie. Osoba, która mi go przywiozła, twierdziła, że Kerej jest bezpieczny w jednym z krajów Beneluksu. Czy za nim jeździli? Może próbowali. Wielu miało chrapkę na pękatą walizkę z pieniędzmi. Milion baksów to znaczna kwota. Ale to musieli być łowcy nagród. Nikt z tutejszych. Decyzja askałów była jednoznaczna: zaprzestać porachunków. I nasi uszanowali rodowy wyrok.

Rozległo się głuche skrzypnięcie. Kodar przerwał. Jego nieruchome oczy zrobiły się czujne. Rozejrzał się. Pochylił do przodu, jakby szykował się do ataku. Ale po ustaleniu źródła dźwięku uspokoił się i znów przybrał minę sfinksa. Tośka nie odważyła się więcej poruszyć. Żałowała, że nie uchyliła mocniej drzwi, by lepiej słyszeć wypowiedzi teścia, choć już wiedziała, że to nie uszło jego uwagi. Kiedy padły następne zdania, pojęła natychmiast, że są przeznaczone dla niej.

– Żona Kereja była ciągana i dotkliwie poniewierana po komisariatach. Baliśmy się o nią. Zemsta krwi obejmuje wszystkich najbliższych, nie tylko samego obwinionego. Powiem to wprost. Zagrożone było nie tyle jej życie, ile godność. Dla kobiety to straszna sytuacja. Dlatego na trzy lata Bibi musiała opuścić ojczyznę. Osman chodził do szkoły w Rosji, na długo był pozbawiony normalnego domu. Rozwód ich został orzeczony zaocznie, choć dla naszej rodziny to tylko kwestia formalna. Tak trzeba było zrobić ze względów bezpieczeństwa, ale to nie znaczy, że Bibi nie jest już członkiem naszej rodziny. Przeciwnie, zawsze będziemy się o nią troszczyć. O ile wiem, żona mojego syna nie wstąpiła i nie planuje wstępować w nowy związek małżeński, a Kerej pozostaje w jej sercu jedynym i wiecznym mężem, choć może nigdy się już nie spotkają.

Więcej Tośka nie chciała słuchać. Czuła się upokorzona słowami teścia i powoli zaczynała rozumieć, dlaczego traktują ją w ten sposób. Popełniła błąd, przybywając do Kazachstanu. Na własne życzenie wystawiła plecy do bicia.

Przymknęła drzwi, nie bacząc na hałas, jaki powoduje, i zabrała się do oprawiania żeberek, choć mdliło ją od tego.

W Polsce ona i Kerej nie jedli mięsa. Matka jej męża – Mnaura – stała obok niej z nożem w dłoni, ale zdawała się nie dostrzegać Tośki, jakby była powietrzem. Nie odpowiadała też na jej nieliczne pytania. Gestem tylko wskazywała kawałki do przygotowania. Wprawdzie rosyjski Petry nie był doskonały, ale po latach życia z jej synem rozumiała trochę po kazachsku, więc była na bieżąco z tym, co teściowa mówi do Ojsze. Stosunki między kobietami pozostawiały dużo do życzenia. Mnaura w kółko opowiadała się przed starszą kobietą, a ta była wobec synowej wyniosła i złośliwa. Ale na razie Tośka zachowała tę obserwację dla siebie.

Kiedy wreszcie skończyły z mięsem, Tośka umyła ręce i usiadła zrezygnowana przy stole. Nagle dopadło ją wyczerpanie. Zyskała pewność, że nie wytrzyma w tym domu ani godziny dłużej. O dwóch tygodniach w ogóle nie było mowy. Czuła się jak w więzieniu i chciała wracać natychmiast. Nagle, sama nie wiedząc dlaczego, wybuchnęła głośnym płaczem. Ojsze pośpiesznie wybiegła z kuchni do swojego pokoiku w głębi, zostawiając Mnaurę z Tośką sam na sam. Teściowa podeszła najpierw do drzwi, które prowadziły do salonu, i zasunęła na nich zasłonkę, a potem to samo zrobiła z kotarą dzielącą pomieszczenie od pokoju Ojsze.

– Herbaty? – Postawiła przed rozdygotaną Tośką mały saganek, a obok salaterkę z kruszonym cukrem, który tutejszym zwyczajem należało włożyć pod język.

Tośka upiła łyk czarnego jak smoła wywaru, parząc sobie język. Wciąż łkała.

– Chyba lepiej tego? – Mnaura wyjęła z dolnej szafki nalewkę. Podała ją w małych czarkach. Była mocna i słodka, aż wykrzywiała Tośce twarz.

Wtedy matka Kereja usiadła obok i wzięła dłonie dziewczyny w swoje, już pomarszczone i chropowate.

– Jesteśmy ci wdzięczni za to, co robisz dla naszego syna – rzekła pięknym rosyjskim. – Ale zrozum, jesteś kobietą.

Tośka zamrugała kilka razy.

– Przyjeżdżając tutaj, naraziłaś na niebezpieczeństwo nie tylko siebie, ale nas wszystkich. Cały ród ma prawo się teraz bać. Zobacz, nikt z umówionych starszych nie przyszedł, chociaż obiecywali. Nie przyszli uczniowie Kereja. Żaden z jego dawnych przyjaciół. To dlatego, że ty tutaj jesteś.

Tośka oniemiała.

– Ale ja przecież nikomu nie zagrażam.

– To ty jesteś zagrożona – powtórzyła Mnaura. – Twoja obecność może spowodować wykopanie topora wojennego przez inne rody. Zmusiłaś Kodara do podjęcia środków zaradczych. Rozdrapujesz stare rany.

Tośka obejrzała się na drzwi. Słychać było donośny głos Kodara, który teraz relacjonował przebieg strzelaniny i to, co się po niej działo w Uralsku.

– Jeśli zaś chodzi o Bibi – podjęła ten wątek teściowa i nabrała powietrza. Westchnęła ciężko. – Słyszałaś o wielożeństwie? Nie jest dopuszczalne oficjalnie, ale u nas funkcjonuje.

Tośka miała ochotę wybadać, czy Kodar ma jeszcze inną żonę, czy Mnaura mówi o tym z własnego doświadczenia. To nie był jednak odpowiedni moment na tak intymne pytania.

– Bibi wie o tobie i rozumie sytuację. Akceptuje to, że Kerej ponownie się ożenił. To, czy mu wybaczyła tak po kobiecemu, to co innego. Możliwe, że nigdy się tego nie dowiemy, bo u nas o takich sprawach się nie mówi. Ale nie w tym rzecz. Tu nie idzie o uczucia czy zazdrość. Bibi również ma wobec ciebie dług oraz obowiązek cię chronić, bo skoro Kerej cię wybrał, należysz do naszej rodziny.

– Więc dlaczego Kodar jest taki rozgniewany? – odważyła się zapytać Tośka, bo wszystko wciąż było dla niej za bardzo zagmatwane.

– On się nie gniewa. Jest zaniepokojony – uśmiechnęła się ciepło kobieta. – Wie, jak ważny jest wasz przyjazd i że to, co znajdziecie, może uratować naszego telkarę. Ale też zdaje sobie sprawę, że ta wizyta obudzi stare antagonizmy. Założę się, że nasi wrogowie szykują już fortele. O nich mniejsza. – Wskazała drzwi, za którymi Romeo i Sztaba wciąż nagrywali mistrza sambo. – Nikt nie odważy się zrobić krzywdy dziennikarzom. Zwłaszcza pan Sztaba jest bezpieczny, choć obawiam się, że podczas rutynowych kontroli lub na granicy mogą chcieć zarekwirować mu sprzęt. Mam nadzieję, że uda się zrobić te filmy. To zależy, jak załatwi sprawę z władzami. I ile przywiózł ze sobą gotówki na *wziatki*.

– Dlatego zamknęliście kamery w bagażniku Nazara?

– Mój młodszy syn pracuje w ochronie. Ma licencję. Zawsze może powiedzieć, że kamera należy do niego. – Kobieta znów się zawahała. – Ale jeśli dowiedzą się, kim ty jesteś, może być nam wszystkim trudniej.

– Przecież mam ze sobą prawdziwe dokumenty. Przekroczyłam na ich podstawie granicę. Starałam się o wizę, kiedy byliśmy już małżeństwem.

– W tym problem, Tonia. – Choć teściowa użyła wschodniego zdrobnienia, to i tak Tośkę ujęło, że zwróciła się do niej po imieniu. Stało się to pierwszy raz. Wcześniej stosowała bezosobową formę grzecznościową. – U nas służby działają bardzo szybko.

– Zauważyłam. Miałam okazję spotkać ich przedstawicieli. Myślałam, że to bandyci. Regularni gangsterzy.

– Więc chyba rozumiesz, że to nie żarty? A my nie mamy już pieniędzy. Znaczące rody nie poprą nas za dobre słowo. Honor uratowaliśmy, ale nie wszystko udało się wyciszyć. Teraz ruszył ten proces. Cała historia z waszym przyjazdem i szukaniem świadków powoduje ferment. Niektórzy się boją. Zrozum, ludzie tutaj cenią spokój. Nikt nie wystawi głowy, żeby mu ją odcięli. A jeśli będą chcieli się zemścić, zaczną od ciebie. Tylko czekali na taką okazję. Warunki są nowe, więc stary układ przestał obowiązywać. Zrobią to, choćby dlatego, żeby pokazać, kto teraz rządzi. A rządzą te same osoby co kiedyś. Nic się nie zmieniło. To, że chwilowo zaległa cisza, nie znaczy wcale, że nie mają cię na oku. Czekają na sposobność.

Tośka pomyślała o swoich przeczuciach. Czyżby Kodar próbował dać do zrozumienia innym plemionom, że Tośka z przyjaciółmi przybyli tu turystycznie? Przecież to kompletny idiotyzm, przemknęło jej przez głowę. A może to rodzaj tutejszych gierek? Wciąż jednak nie docierało do niej, że zagrożenie jest rzeczywiste.

– Chodzi pani o to, że mogą mnie zabić? To chyba przesada.

Mnaura popatrzyła na nią spokojnie, wciąż z pobłażliwym uśmiechem, jak matka.

– Są inne sposoby upokorzenia kobiety. O wiele łatwiejsze niż morderstwo. Jesteś dorosła, więc chyba się rozumiemy. Bibi tego, niestety, doświadczyła. – Teściowa zwiesiła głowę, jakby to dotyczyło jej bezpośrednio. – Dlatego nigdy, przenigdy, nie mów o tym przy pierwszej żonie.

– Sugeruje pani, że mam nie wychodzić z domu? Bo mnie zgwałcą, pobiją? Tak bez dania racji, na ulicy?

– Po prostu nie wolno ci ryzykować. – W czarnych oczach Mnaury zalśnił gniew. – Przyjechałaś do nas i naszym obowiązkiem jest cię chronić. A mnie pozostał tylko jeden syn. Nie pozwolę go poświęcić, by ratował cię z opresji.

Podniosła się i zaczęła łomotać blachami, wstawiając mięso do piekarnika.

– Dlaczego więc nie powiedzieliście o tym wszystkim Romeowi? – Teraz Tośka się rozzłościła. – Dlaczego nikt nas nie uprzedził, że lepiej będzie, jeśli zostanie w Polsce? Rozmowy trwały prawie pół roku. Co więc ustalaliście?

Sięgnęła do kieszeni, by wyjąć amulet, ale się powstrzymała, widząc zimny wzrok teściowej. Mnaura wydęła wargi. Podparła się pod boki.

– Nie wierzę, że Kerej cię tutaj przysłał. To musiała być twoja własna inicjatywa. Co ci powiedział? Czy on wie, że tu jesteś?

Tośka z wahaniem skinęła głową. Ukryła głębiej *tengri*.

– Właściwie to chyba nie do końca to ustaliliśmy.

– Tak przypuszczałam. – Mnaura grzmotnęła klapą od piekarnika. – Musisz się więc nauczyć kilku rzeczy. Kobieta w tutejszej kulturze nie jest potulna i uległa, jak możesz sądzić na pierwszy rzut oka. To ona decyduje o najważniejszych sprawach w rodzinie, gdyż prowadzi dom i za to odpowiada. To za jej sprawą wszystko działa prawidłowo lub się sypie. Ty nie jesteś silna, choć taką udajesz. Rozkleiłaś się z powodu zwykłego focha. A mój mąż ma rację, że się boi. Nie skonsultowano z nim twojego przyjazdu. To oznaka braku zaufania i nadużycie autorytetu. Jesteś mu winna szacunek, nie mówiąc o przeprosinach. Ale skoro już przyjechałaś, proś o wybaczenie oraz dostosuj się do zastanych warunków zamiast stawiać własne. To ty jesteś gościem. Sypianie z moim synem nie wystarczy, by zostać kobietą wojownika. Nie wiesz o nas nic.

– Czyli to ja jestem waszym największym problemem?

Tośka zerwała się. Czuła się upokorzona. Nie zamierzała dłużej odgrywać sierotki.

– Mieliśmy namówić świadków pominiętych przez prokuraturę, by zdecydowali się zeznawać. Chyba nie rozumiecie, że od ich zeznań może zależeć orzeczenie polskiego sądu.

Mnaura nie słuchała.

– Wyrok zapadł. Mój syn nie ma po co tutaj wracać.

– Ma szansę na proces jeszcze raz. Żeby wyjaśnić wszystko. Powiedzieć prawdę.

– Prawdę? – uśmiechnęła się kpiąco Mnaura. – Od kiedy to niewinny musi się tłumaczyć.

– Tak działa to na Zachodzie.

– Gdyby była szansa na niezależny proces, sąd wezwałby świadków i nie musiałabyś przyjeżdżać, by mieszać w naszym życiu.

– Przecież oni się boją. Nikt nie będzie zeznawał na korzyść Kereja, kiedy słucha tego wysłannik kazachstańskiej prokuratury.

– I ty, dzielna Polko, sądzisz, że ich przekonasz? – Mnaura roześmiała się z politowaniem. – Zdejmiesz z nich ten strach? Nakłonisz? Jak?

– Wystarczy, że nagramy ich zeznania i przedstawimy w sądzie jako materiał pomocniczy. Tak się robi z artykułami prasowymi, reportażami telewizyjnymi. Dlatego niezwykle ważne jest, by nagrania zostały najpierw wyemitowane. W jakiejkolwiek formie. Jeśli zacznie się proces, sąd będzie miał podstawę, by przesłuchać ich u nas, w bezpiecznym miejscu.

– Nikt nie przyjedzie.

– Dlaczego?

– Bo nie – ucięła Mnaura.

Tośce ta odpowiedź wydała się co najmniej dziwna. Wzięła się pod boki.

– W takim razie nie potrzebuję waszej pomocy. Będę działać sama.

Mnaura odwróciła się na pięcie tak gwałtownie, że aż spadły blachy.

– Do niczego się nie mieszaj! – ryknęła. – Kodar zajmie się rozmowami.

– Właśnie widzę, jak skutecznie działa – odparowała Tośka. – Nikt nie przyszedł!

Mnaura nagle złagodniała. Usiadła na zydelku. Wskazała drugi Tośce. Dziewczyna pokornie wykonała polecenie. Twarz miała jednak zaciętą.

– Słuchaj mnie, dziecko – zaczęła teściowa. – U nas niczego nie załatwia się otwarcie. Zawsze musisz mieć dojście i kilka rekomendacji. Nie sądzisz chyba, że przychodzisz z ulicy i zaczynasz gawędzić z ludźmi o strzelaninie? Obca, biała, połączona z zabójcą węzłem małżeńskim?

– Umiem rozmawiać z ludźmi. Poza tym nie byłabym sama. Są ze mną Roman i Sztaba.

– Na całe szczęście! – żachnęła się Kazaszka. – Pozwól im działać i nie przeszkadzaj – oświadczyła, po czym wyszła z kolejną tacą pełną jedzenia, umyślnie trzaskając drzwiami.

Tośka została w kuchni sama. Miała wrażenie, że w uszach dzwonią jej słowa Kereja. W kółko kruszyli o to kopie. O jej rolę w związku. Od zawsze chciał, by mu się poddawała, porzucała aktywność. Czasami się buntowała, innym razem jakoś dochodzili do zgody. Ich największy konflikt, po przybyciu do Ząbkowic mścicieli, dotyczył przecież właśnie tej materii. Kerej chciał, by ona czekała, i nie wtajemniczał jej. Ona zaś pragnęła być pełnoprawną partnerką w jego walce. Nie poszło o jej strach, ale o relacje między nimi. Wreszcie zrozumiała, że nigdy nie pokonają różnic kulturowych. Nie chciała się zgodzić na rolę popychadła, ale czuła się jak w potrzasku. Była przecież na łasce Kunanbajewów. Nawet nie znała drogi na lotnisko. Nagle zasłonka się poruszyła i z ukrytego pokoiku wyszła Ojsze. Mówiła szybko, jakby się obawiała, że nie zdąży przekazać wszystkiego, nim wróci synowa.

– Lekcja pierwsza. – Rzuciła fartuszek Tośce i zachęciła ją, by towarzyszyła jej w zmywaniu. – Na otwartą wojnę idą mężczyźni. Obowiązkiem kobiety jest stworzyć takie warunki wojownikowi, by wrócił z niej cały. A więc milczysz, nie awanturujesz się. Uśmiechasz, jeśli trzeba, i zgadzasz dosłownie na wszystko. Ale robisz swoje: obserwujesz, wyciągasz wnioski, planujesz, przekonujesz. Jeśli rzecz idzie nie po twojej myśli, okazujesz to działaniem, a nie językiem. Kobiety za dużo mówią. To psuje wszystko. Jeśli zrobisz, jak powiedziałam, mężczyzna nawet nie zauważy, że działa według twojej strategii. To jest naprawdę od cholery pracy, zapewniam.

Uśmiechnęły się do siebie. Tośka poczuła, że lubi tę kobietę. I że nie bez powodu Kodar zostawił ją w kuchni. Wiedział, że żona i matka zadbają o wdrożenie jej do tego świata. Teraz była mu wdzięczna. A nawet gotowa jeść te pieczone żebra, byle odzyskać jego sympatię. Znów wstąpiła w nią energia.

Trzasnęły drzwi. Ojsze położyła palec na ustach i obie zabrały się do zmywania.

– Jest Dimaszka – zapowiedziała Mnaura i przyjrzała się badawczo Tośce, a potem babci, przy tym uśmiechając się znacząco. – Pewnie głodny.

Skinęła na Tośkę.

– Chodź, przedstawię ci twojego ochroniarza. To jeden z uczniów Kereja. Były hokeista i zapaśnik. Obecnie świetny trener, dzieciaki go kochają. Prowadzi zajęcia w szkole

Kodara, odkąd Kereja zabrakło. Nasz zaufany przyjaciel. Niestety Nazar nie może sobie pozwolić na dłuższe zwolnienie z pracy. Ma na głowie rodzinę. Jest młody, ale przez te lata jemu i Nadii urodziło się już czworo dzieci. Gdybyś musiała wyjść, Dimasz będzie z tobą wszędzie, rozumiesz?

– Tak myślę – zachowała ostrożność Petry.

– Kiedy przyjdzie pora – podkreśliła z naciskiem Mnaura.

– Sama się zorientujesz, że nadeszła – dopowiedziała Ojsze. – To lekcja druga.

Uśmiechnęły się do siebie.

– Zdaje mi się, że zaczynam pojmować – już pewniej odparła Polka. I nabrała odwagi, żeby zadać pytanie: – Czy Kodar mówił poważnie, że gdyby Kerej nie stanął w obronie chłopców, sam podniósłby na niego rękę?

Mnaura spojrzała na ołtarzyk z pierożkami na oknie i zawahała się, zanim odpowiedziała. Tośka mimowolnie też popatrzyła w tym kierunku. Stały tam trzy zdjęcia. Na jednym z nich był Kerej, pod spodem dostrzegła zdjęcie Nazara, wizerunku trzeciej osoby nie mogła zobaczyć. Była przysłonięta suszonymi kwiatami i wstążką wotywną z tajemniczymi napisami, która musiała mieć wiele lat, bo była cała postrzępiona i wyblakła.

– Gdyby był takim okrutnikiem, zamknąłby cię w pokoju na klucz i trzymał aż do wyjazdu – rzekła wreszcie Mnaura. – A nie rzucał groźne spojrzenia.

– Po co jej mieszasz w głowie?

Tym razem odezwała się Ojsze. Objęła białą żonę wnuka i pocałowała w czoło. Tośka poczuła specyficzny zapach staruszki. Jakby palenisko i jakieś zioła. Ktoś wreszcie okazał jej ciepło oraz nie udawał, że jest niemile widziana. Może Ojsze nie bała się jak reszta rodziny, bo była tak stara, że w każdej chwili mogła dołączyć do krainy duchów. A może zawsze taka była: sympatyczna i kochana. W każdym razie Tośka pierwszy raz od przyjazdu poczuła się lepiej.

– Powinien wtedy zabić syna. Tak mówi prawo naszych rodów. Ale już raz miał okazję tego dowieść i nie zdołał podnieść ręki na własne dziecko. Przegnał je. Czy dobrze uczynił? Nie wiemy do dziś. Może wszystko potoczyłoby się inaczej. Ale tutaj, moje białe *babisze*, zasady są ważniejsze niż życie.

– I jeszcze honor – dorzuciła Tośka. Kerej powtarzał jej to całe lata. – Utrata twarzy jest gorsza niż śmierć.

– To męskie bzdury. – Ojsze machnęła ręką tak zapalczywie, że fotografie na ołtarzyku sfrunęły na podłogę.

Tośka podniosła je i podała babci. Z trzeciej z nich, tej przysłoniętej i oklejonej największą liczbą modlitw, spoglądał na nią starszy brat Kereja, Kim. Nie zdziwiło to Polki, ale i tak z trudem udała obojętność. Tymczasem Ojsze mówiła:

– My, kobiety, mamy inny kodeks. Najważniejsze jest bezpieczeństwo rodziny. Kiedy mężczyźni idą się bić, naszym zadaniem jest chronić młode.

– Lekcja trzecia?

– Zaliczona. – Ojsze się rozpromieniła. – Ale widzę, że już wiesz, co mówić w razie potrzeby.

Po czym odwróciła się do nadąsanej Mnaury i skomentowała po kazachsku, sądząc, że Tośka tego nie zrozumie.

– Jest identyczna jak ty. *Telkara* wybrał sobie klon matki. – Roześmiała się gromko i poklepała Tośkę po udzie. – Choć jest harda i biała, będzie jeszcze z niej kobieta Kazacha, zobaczysz!

– Jedną taką już pochowaliśmy – mruknęła matka Kereja w tym samym języku, a Tośce przebiegł po kręgosłupie dziwny dreszcz.

Dimasza uprzedzono, czego szukają wysłannicy Kereja, a on gotów był oddać za swojego nauczyciela życie, pochylił więc głowę przed Tośką, a potem padł do stóp. Po chłodnym przyjęciu przez rodzinę męża Polka była w ciężkim szoku i nie bardzo wiedziała, jak ma zareagować. Oglądała się na Mnaurę i Ojsze, szukając u nich podpowiedzi, ale kobiety zachowywały pełne szacunku milczenie. W końcu Tośka podeszła do rosłego mężczyzny, który kiedyś musiał być okazem urody, a poza słowiańskimi genami z pewnością miał domieszkę krwi wikingów, bo był wysoki, barczysty, a gęstą brodę miał całkiem rudą. Kiedy jednak tak klęczał, na jego czaszce widać było gołe miejsca, przez które prześwitywały paskudne blizny. Na całym ciele zresztą miał ich sporo. Kobieta nie musiała pytać, jak się ich dorobił. Kerej miał podobne, z tym że tylko na nogach i klatce piersiowej. Mógł je więc zasłonić ubraniem. Oprawcy poza karabinami sprawnie posługiwali się ostrymi jak brzytwa kindżałami, które pozostawiają rany wyjątkowo głębokie i najczęściej śmiertelne. Tośka czytała akta kazachstańskiej prokuratury i wiedziała, że te detale również nie pojawiały się w żadnym z protokołów. Kerej sam sobie jednak ran nie zadał. Dimasz również nie dałby się tak oszpecić na własne życzenie. Podała mu dłoń, nakazując powstanie. On jednak chwycił ją i ucałował, jakby była jakimś duchownym. Najpierw chciała wyrwać rękę, ale po chwili poddała się, domyślając się, że to jakiś tutejszy rytuał. Coś na kształt składanego damie ślubowania rycerza, który ma ją chronić. Teraz już wierzyła, że Mnaura i Kodar starają się, jak umieją, zapewnić jej bezpieczeństwo. Czuła ciepło w sercu i przyrzekła sobie, że postara się dostosować do tutejszych zwyczajów, a z ich pomocą zdobędzie materiały tak potrzebne do wygrania procesu o życie męża.

– Dziękuję Bogu i Kerejowi, że się tutaj znajduję – odezwał się młody Rosjanin, wciąż nie podnosząc wzroku.

– To ja dziękuję ci w imieniu męża, że przyszedłeś. Możemy na ciebie liczyć?

Podniósł głowę i niemal jednocześnie poderwał się z kolan. Wtedy zobaczyła, że jedno oko Dimasza jest nieruchome. Wyglądał przerażająco, niczym cyklop. Tośka z trudem utrzymała ten sam wyraz twarzy.

– Zawsze – zapewnił.

– Twoje zeznanie tutaj to dopiero początek. Może trzeba będzie przyjechać do Polski – powiedziała mu Tośka i odwróciła się do gospodarzy, zostawiając Kodarowi dalsze decyzje.

– Pojadę i na koniec świata – pośpieszył z obietnicą Dimasz i wszyscy w tym pokoju wiedzieli, że słowa dotrzyma. – Nie boję się, choć trzy dni temu napadli mnie w bramie.

Zniżył głos do szeptu.

– Już o was wiedzą.

– Milicja? – zapytał niepewnie Romeo.

– Starszyzna plemienna posłała młodych – sprostował wciąż niewzruszony Kodar i skinął na Dimasza, który usiadł z jego prawej strony. – A więc przygotowują się?

Rosjanin potwierdził, dalsze wyjaśnienia uznając za zbędne.

– Co to znaczy?

Tośka nie kryła zaniepokojenia. Zamiast odpowiedzi Kodar wskazał jej miejsce obok siebie z lewej strony i nałożył na talerz górę szaszłyków.

– Bardzo jesteś wychudła.

Romeo roześmiał się pierwszy.

– To od bułeczek z masełkiem tak jej się robi, mistrzu. Wciąga ich nieprawdopodobne ilości. Gdybym ja się tak odżywiał, nie zmieściłbym się w tych drzwiach.

Tośka udała obrażoną, ale atmosfera się poprawiła. Dziewczyna co jakiś czas spoglądała na wyraźnie spiętego Dimasza. W końcu odważyła się spytać:

– A twój przyjaciel, Tusip? Kiedy może przyjść?

Dimasz odłożył kość i sięgnął po kolejne żeberko. Milczał. Tośka skierowała więc pytający wzrok na gospodarza. Kodar siorbnął łyk coli.

– Nie będzie go, niestety.

– Może jutro, pojutrze? Jesteśmy całe dwa tygodnie – zatrajkotał niezrażony Sztaba i wyciągnął swój magiczny notes, w którym miał całą dokumentację. – Wprawdzie do końca tygodnia mieliśmy robić przebitki z Uralska. A potem jechać do Astany, żeby odnaleźć prokuratora, który oskarżał w sprawie. Teraz, jak sprawdziłem, jest prawnikiem w spółce handlującej ropą. Skoro już nie jest w służbie, może chlapnie ze dwa zdania o dawnych mocodawcach. Co mu zależy?

Kodar chrząknął znacząco, ale Sztaba jakby nie usłyszał.

– No i ta adwokatka. Kobieta ma jaja. Ona z pewnością zechce coś powiedzieć. Takie uchybienia wyraźnie wskazują na manipulowanie materiałem dowodowym. Nie rozumiem tylko, dlaczego utajniono dokumenty przez nią złożone, włącznie z nazwiskiem pani mecenas i nazwą jej kancelarii. Do Polski tych kart nie przesłano. Dobrze by było je odnaleźć i zrobić z nią osobny odcinek.

– Gaja Hajdarowicz nie żyje – wtrącił się Kodar. – A jej mąż, Grisza, nam nie pomoże. Co najwyżej ściągniemy na siebie kłopoty. Przyjedzie dwóch rosłych i smutnych. Potłuką ci sprzęt. Dobrze, jeśli tylko na tym się zakończy. Oczywiście nikt nie powiąże tego z waszą misją. Może uznają, że nagrałeś teren korporacji, a nie masz stosownego zezwolenia. Bo i skąd? Albo któryś z pracowników poczuje się dotknięty. Sprowokują cię, coś krzykniesz. Wezmą cię na dołek. Postraszą, pobiją. Sprzęt zarekwirują. Tak to działa.

– To jakiś absurd! – wzburzył się Sztaba. – Mamy stosowne pozwolenia! Cztery miesiące wszystko załatwiałem.

– Witamy w naszym świecie – mruknął Dimasz.

Zapadła złowroga cisza.

– Co się stało z tą kobietą? – zapytała Tośka.

– Szczegółów nie znamy – powiedział Kodar i niespodziewanie zamilkł, ale pod spojrzeniami Polaków i przede wszystkim Ojsze podjął wątek. – Zniknęła sprzed swojego domu w dniu, w którym złożyła w Prokuraturze Generalnej pismo o uzupełnienie dochodzenia. To było już jej trzecie odwołanie, ostatnia instancja, gdyż jako obrońca nie chciała się zgodzić na zaoczne wydanie wyroku śmierci. Wcześniej protestowała przeciwko prowadzeniu procesu pod nieobecność oskarżonego. Kiedy zniknęła, mojemu synowi nie przydzielono innego obrońcy.

– To w ogóle możliwe? Muszę to mieć na filmie!

– Nikt tego nie powie do kamery. – Kodar znów urwał. – Kiedy pani mecenas zaginęła, była w dziewiątym miesiącu ciąży. Uprowadzono ją tuż przed rozwiązaniem. Jej spalone ciało odkryto dopiero dwa lata temu nad rzeką Ural. Mąż zidentyfikował zwłoki i odszedł z urzędu. Jeszcze w tym samym miesiącu wyjechał do Astany. Zajmuje teraz to stanowisko, o którym mówiłeś. Głównego prawnika Bongo-NaftaGroup. To ich człowiek.

Wszyscy odłożyli sztućce.

– Jak to możliwe, że prokurator oskarża w sprawie, w której jego żona jest obrońcą?

– Formalnie nie prowadził tej sprawy. Kilka dni po jej wszczęciu awansował na sędziego. Nie on wydawał wyrok, ale był wtedy szefem wydziału karnego w tamtejszym sądzie. Miał wpływ na orzeczenie. Mówi się u nas, że sędziowie są niezawiśli. Skoro tak, to sędzia podlegający Hajdarowiczowi musiał święcie wierzyć w winę mojego syna, choć żona przewodniczącego wydziału broniła go zaciekle.

– To znaczy, że Hajdarowicz ją zdradził? Wydał własną żonę? Przecież musieli o tym rozmawiać w domu, doradzać sobie – zgadywał Sztaba. – Dziwne to.

– Nawet bardzo – odezwała się Tośka, ale widząc minę Mnaury, ucichła.

– Tę kobietę dręczono przed śmiercią, gwałcono wielokrotnie, a potem spalono żywcem – powiedział Dimasz. – Niewiele brakowało, a Bibi spotkałby podobny los.

Urwał, kiedy Kodar zaczął gwałtownie kaszleć.

Tośka wpatrywała się w ojca Kereja, a w jej głowie galopowały myśli. Chciała zapytać, jak udało im się uratować żonę obwinionego, skoro adwokatka zapłaciła tak srogą cenę. Chciała krzyczeć, by przestali trzymać tajemnice dla siebie, żądać wyjaśnień, ale pamiętała słowa Ojsze i ostrzeżenie Mnaury o martwej białej i hardej, więc powiedziała tylko:

– Macie te dokumenty?

– Jakie dokumenty? – Kodar spojrzał, jakby w tej chwili się obudził.

– Pisma, które składała pani mecenas w sprawie uchybień. Wnioski o uzupełnienie śledztwa. Te, które utajniono.

– Nie ma ich w aktach – usłyszała. – Wraz ze śmiercią adwokatki zniknęła część kart. To dlatego polskie ministerstwo poinformowano o ich utajnieniu. Ale to nie jedyne tajemnicze zaginięcie materiałów z tej sprawy. Numery stron się nie zgadzają, a niektóre zeznania świadków są spreparowane. Jak choćby majora Gazizowa, kluczowego i naocznego świadka strzelaniny. Na podstawie jego zeznań oskarżono mojego syna. Major twierdził, że tamci nie mieli broni i było ich tylu, ilu zginęło lub zostało rannych.

– Kto to jest Gazizow?

– Nikt nie wie. – Kodar rozłożył ręce. – A moim zdaniem nikt taki nigdy nie istniał.

– A numer identyfikacyjny, adres?

– Blok pierwszy, klatka pierwsza. Drugie mieszkanie na czwartym piętrze. Z balkonem. Podobno widać z niego podjazd jak na dłoni. Może ktoś był wtedy w tym lokalu, a może nie. Musicie wiedzieć, że z jakiejś przyczyny tylko jedna trzecia mieszkańców na Żdanowa mieszka tam z czasów strzelaniny. Inni wyprowadzili się bez śladu, zostali wykwaterowani pod przymusem albo zmarli w niewyjaśnionych okolicznościach.

– To zaczyna być naprawdę ciekawe – mruknął Sztaba.

– Dlatego powiedziałem, że nikt z tych, którzy pozostali i są zmuszeni tam żyć, nie piśnie do kamery ani słowa – ciągnął Kodar. – Ani o strzelaninie, ani tym bardziej o plotkach w sprawie pani mecenas i jej męża karierowicza. A już tym bardziej nikt nie pojedzie na proces do Polski, choć nieustannie przychodzą do nas ze smakołykami i kłaniają się na ulicy, dziękując Kerejowi za oczyszczenie miasta z szumowin. Cóż, ja ich rozumiem.

– A ja nie – zaprotestował Dimasz. – Po tym, co się stało, zaczęło się wreszcie w Uralsku coś zmieniać. Wielu mieszkańców skorzystało na nowych porządkach.

– Jak Tusip? – Kodar przekrzywił głowę i przyjrzał się uważnie przyjacielowi syna. – Gwarantowałeś za niego. Swego czasu oddałbyś nawet głowę. Kerej naraził swoje życie, by go ratować. A on?

– Co on? – nie wytrzymała Tośka.

– Przystał do tamtych. I ma się świetnie.

Kodar powiedział to z goryczą.

– A mówiłem ci kiedyś, chłopcze, że to za ciebie dawałem mniej niż pięć tenge.

– Wiem, mistrzu. – Dimasz pochylił głowę. – I byłem pewien, że się nie mylisz.

Sięgnął do kieszeni i położył na stole pakunek.

– Rozmawiałem z nim dzisiaj. Jeszcze raz go prosiłem. Nie zmienia frontu, ale daje wam to jako rodzaj zadośćuczynienia. Jeśli można tak powiedzieć, trop.

Wszyscy pochylili się nad zawiniątkiem. W białej haftowanej chusteczce ukryty był wyświechtany portfel, pełen starych kart z wizerunkami nagich niewiast różnych ras oraz zdjęcia i dokumenty. Tośka sięgnęła po jedną z fotografii. Romeo wziął do rąk przecięty na pół paszport. Przekartkował.

– Iwan Barycznikow – odczytał. – Obywatel Kazachstanu, Rosjanin. Wygląda na niezłego zakapiora.

– Bardzo schudł. To stare zdjęcie – pośpieszył z wyjaśnieniem Dimasz. – Tusip twierdzi, że nie tylko fizjonomia mu się pozmieniała. Gwarantuje, że będziemy mieli z tego świadka pożytek. Jeśli się zgodzi, jego zeznanie może pomóc senseiowi.

Tośka położyła zdjęcie na stole. Dimasz pochylił się nad nim i pokazał palcem potężnego grubasa w asyście pięciu uśmiechniętych młodych mężczyzn.

– To on. Mamy pokazać to Wani i przypomnieć mu o wypadku.

– Jakim wypadku? – zainteresowała się Tośka, ale nikt jej nie słuchał.

– Da się nagrać? Przyjedzie do Polski? Będzie nadawał na swoich? – podniecony Sztaba zarzucił Dimasza pytaniami.

Kodar skrzywił twarz.

– W życiu. To podstęp.

Tośka nadal wpatrywała się w fotografię. Tylko gruby był Europejczykiem, pozostali to Azjaci. Nie pozostawiało wątpliwości, czym w tamtym czasie się zajmowali. Tak wyglądali rekieterzy, którzy oficjalnie parali się biznesem: dresy, buty sportowe, karki spulchnione na siłowni. W samym środku stał piękny, choć niezbyt wysoki Kazach, jako jedyny ubrany we flauszowy płaszcz, zgodnie z ówczesną modą, o kilka numerów za duży. Biały satynowy szalik wisiał luźno na szyi, jakby za chwilę jego właściciel wybierał się do opery. Obok stał dziwaczny sportowy samochód – zabaweczka. A w nim, na miejscu pasażera, siedziała oszałamiająca blondynka. Starała się odwracać głowę. Widać było tylko jej zakręcone w grube loki jasne włosy i zarys profilu.

– A to kto?

– Kobiety nie znam. Ale to Rustem Bajdały, syn Jerboła – wyjaśnił Kodar bez patrzenia na zdjęcie. – Reszta to jego ludzie. Bierik, Sierik, Miko. Ten z poparzonymi dłońmi to Nocha. Ich kapitan.

Tośka podniosła fotografię.

– Czy Rustem zginął?

– Tak, to jeden z zabitych – potwierdził Kodar.

– Nie pasuje do nich – stwierdziła Tośka i odłożyła zdjęcie.

Ojciec Kereja przymknął oczy, jakby coś wspominał.

– Bogaty chłopiec, który bawił się w bandyterkę, choć tak naprawdę kryszę gangsterom Nochy zapewniał jego ojciec. Rustem zginął przed swoim weselem. Przyjechał, bo znudził się narzeczoną. Nie powinno go tam być.

– Kawał skurwysyna – syknął Dimasz i zmrużył oczy, jakby ponownie przypominał sobie tamte wydarzenia.

– I oni się przyjaźnili? – chciał się upewnić Romeo, wskazując grubasa i pięknisia. – Wybacz, mistrzu, ale skoro Wania trzymał z Bajdałymi, jaki może mieć interes, żeby nam pomagać?

– Żadnego. To fortel – upierał się Kodar, zwracając się bezpośrednio do byłego hokeisty. – Nie wiem, synu, w jakim celu Tusip ci to dał, ale nie ufam mu. Moim zdaniem to zagrywka taktyczna.

Dimasz zachował jednak sceptycyzm.

– Może czyści sumienie? Zawsze był wyrachowany.

– I mądry – wtrącił Kodar. – To mu trzeba przyznać, że nadawał się na doradcę.

– Sprawdźmy tego Wanię – zapalił się mimo wszystko Sztaba. – Co ryzykujemy?

– To nie będzie proste – westchnął Dimasz. – Wania jest w szpitalu. Coś mu się stało z głową po tych zdarzeniach.

– A może Bajdały w ten sposób pozbył się go, bo chłopak okazał się niewygodny?

– Nie sądzę – szybko zaprzeczył Rosjanin. – Są tańsze sposoby na eliminację wrogów. A z tego, co mówi Tusip, pobyt w zakładzie jest opłacany przez rodzinę Bajdałych. Zresztą Zere, matka Rustema, regularnie go odwiedza. Po śmierci jedynaka są bardzo blisko. Pytałem, na co Wania choruje, ale Tusip nie wie. Lekarze są ponoć bezradni.

Zapadła cisza. Wtedy odezwała się Mnaura. Tośkę bardzo to zdziwiło, bo stało w sprzeczności z wpajanymi jej przed chwilą zasadami.

– Wania długo był w drodze i się zmienił – powiedziała stanowczo. – Nie jest już taki, jak wtedy, gdy go poznałeś, Kodarze. Ludzie mówią, że opowiadał o duchach zaklętych w ptaki i miejscach mocy w innym wymiarze. Twierdzi, że przeżył śmierć. Zawróciła go szamanka pod postacią białej sowy. Czy coś takiego. – Urwała, a następnie z niepokojem spojrzała na gości z Polski, których miny mówiły, że to zasługuje na pobyt w zakładzie zamkniętym. – Dlatego powinniście go odwiedzić. Jeśli to prawda, może chcieć odkupić swoje winy. To pewniejszy świadek niż nasi kuzyni. Oni będą się oglądać na siebie i w końcu nie otworzą ust. Człowiek, który przeżył własną śmierć, patrzy na życie inaczej.

– Może od razu wyślij ich do Zere. To szybsza droga do kłopotów niż jeżdżenie po wariatkowach – zdenerwował się Kodar i spojrzał groźnie na żonę, ale Mnaura nic sobie z tego nie robiła i udawała, że zajmuje się samowarem.

Tośka z trudem powstrzymywała śmiech. Ojsze miała rację. Były z tej samej gliny. Teraz odsunęła talerz, ciesząc się, że nie musi już dalej udawać, że pochłania z apetytem kolejny kawał pieczonego mięsa, bo w życiu nie napchała się tak podpłomykami i marynowaną papryką.

– Super! Mamy więc chętnego do współpracy z wrogiego obozu. Tyle że wariata – powiedziała. – Genialna koncepcja. Zajmujmy się tym przez najbliższy tydzień. Polski sąd z pewnością da mu wiarę – szydziła już otwarcie.

Kodar, co ją bardzo zaskoczyło, pierwszy raz, odkąd przyjechała, spojrzał na nią z szacunkiem. W sprawie Wani byli zaskakująco zgodni. Za to Sztaba i Romeo wahali się. Wymieniali spojrzenia i kombinowali, jak przekonać pozostałych do wizyty w szpitalu. Opowieści o duchach i zaklętych sowach brzmiały fantastycznie, ale jak to by się sprzedawało w telewizji!

– On mógł widzieć to i przeżyć – odezwał się wreszcie Dimasz. Początkowo w jego głosie była obawa, jak to, co mówi, zostanie odebrane, ale po chwili przybrał stanowczy ton. – Byłem w tym miejscu, o którym on wspomina.

Działy się tam i dzieją rzeczy nadzwyczajne. Tusip wie, że to ważny trop, i w mojej opinii ma rację. Wania musiał się zmienić po tym doświadczeniu, bo wszyscy się zmieniliśmy. Poza tym nie było go, kiedy doszło do strzelaniny. Nie nosi też znamienia mścicieli. Nie mówię, że zostanie naszym przyjacielem, ale może chcieć wyznać prawdę, a my potrzebujemy tylko jego zeznania.

Przerwał na chwilę, żeby złapać oddech.

– A ta kobieta to może być moja znajoma. Daleka krewna właściwie. Ona jest *baksy*. Mówią, że czasem przybiera postać sowy. Kiedy mnie zawracała z tunelu śmierci, w takiej postaci właśnie ją widziałem. Jako białego ptaka.

Tośka poczuła, że papryka jednak gryzie się z kumysem. Przeprosiła i pędem pobiegła do łazienki.

Zapadał już trzeci zmierzch podczas pobytu Tośki w Uralsku. Dom Kunanbajewów był opustoszały. Ojsze po modlitwie położyła się na swoją codzienną drzemkę i miała wstać dopiero przed kolacją. Mnaura zeszła do spiżarni, która znajdowała się w piwnicy budynku, i przekładała coś na półkach. Odkąd była na emeryturze, brakowało jej zajęć, więc nieustannie znajdowała w domu jakieś miejsce do posprzątania. Kodar z Romeem i Sztabą wciąż nagrywali uczniów Kereja. Mieli za sobą także upragnione spotkania ze starszyzną rodową. Bułat zgodził się udzielić wywiadu w swoim domu, bo nie chciał być widziany pod klatką Kunanbajewa. W imieniu zmarłego Żosumana wypowiedział się jego syn. Udało się też namówić do współpracy ojca Nadii, żony Nazara. Żeptis chorował na raka i zostało mu kilka miesięcy życia. Nie bał się więc już niczego i w imię przyjaźni z Kodarem zgodził się opowiedzieć to, co wiedział na temat gangu Nochy i jego powiązań. Chyba wywiady szły nieźle, bo Romea i Sztaby nie było od rana.

Dimasz przez cały ten czas siedział na kanapie, skoncentrowany jak w budce wartowniczej, i wpatrywał się niemo w odbiornik telewizyjny, w którym wyłączono dźwięk. Trwała właśnie relacja z monumentalnego koncertu. Na scenie występowała śpiewaczka w toalecie z brokatu. Towarzyszył jej urodziwy skrzypek pod muszką. Częściej niż gwiazdy przedstawienia pokazywano jednak prezydenta Nazarbajewa z rodziną, ulokowanych w pierwszym rzędzie widowni, oddzielonym kordonem ochroniarzy od reszty. Tośka tylko raz rzuciła okiem na ekran. Chciała policzyć świtę przywódcy kazachskiego narodu i zaraz na początku straciła rachubę. Nursułtan wyglądał jak współczesny monarcha. Z takim też uniżeniem był traktowany. Korzystając z okazji, że nikogo nie było, Polka przyjrzała się swojemu opiekunowi. Dimasz udawał, że tego nie widzi. Bawili się w tę grę jakiś czas, aż wreszcie Petry podeszła do mężczyzny i usiadła obok. Odsunął się gwałtownie. Chwyciła go za rękę. Wyrwał ją natychmiast, jakby go ugryzła.

– Spokojnie. – Uśmiechnęła się niepewnie i przypomniała sobie, jak kilka dni temu klękał przed nią i całował w dłoń. – Chcę tylko porozmawiać.

Dimasz pozostał skupiony, a przedwczesne zmarszczki na jego czole się pogłębiły. Martwe oko zadygotało. Wreszcie zerwał się, podbiegł do okna. Znów dzielił ich ten sam dystans.

– Nie wolno – wydukał. Rozejrzał się po domu. Panowała w nim cisza. Tylko z pokoju Ojsze co jakiś czas dochodziło głośne chrapanie. – Nie możemy być sami.

Petry poczuła się niezręcznie.

– Chodzi ci o przyzwoitkę? – zapytała po polsku.

Teraz on podniósł brwi, nie rozumiejąc.

– Zamierzasz się na mnie rzucić czy co? – Tośka znów przeszła na rosyjski i roześmiała się. – A może boisz się, że ja to zrobię?

– Pani ma męża – burknął i ruszył do drzwi wejściowych. Usiadł na schodku.

– A jego tu nie ma. To mój sensei. Szanuję go bardziej niż własnego ojca.

– I dlatego nie możesz być ze mną sam na sam w jednym pokoju?

Tośka z rozbawieniem patrzyła na mężczyznę.

– Wracaj. Tam jest zimno. Pewnie koło zera.

Wskazała na zaszronione okna na klatce schodowej i zdjęte kaloryfery. Mimo to Dimasz się nie ruszył.

– Długo będziesz robił to przedstawienie? – zniecierpliwiła się i usiadła w kucki na dywanie w progu.

– Takie są zasady.

– Wykończyć się można. Te wasze zasady są idiotyczne. A poza tym w domu jest babcia. Chcesz, to ją obudzę?

– Nie. – Dimasz wstał. Był jeszcze bardziej zaniepokojony. – Nie trzeba.

– Czyli będziemy tutaj marzli – westchnęła. – Bo ja też nie wejdę do domu. Niech sąsiedzi słyszą, o czym rozmawiamy.

Dimasz był skołowany. Ta kobieta go drażniła.

– Chciałabym pojechać na osiedle Żdanowa – odezwała się po dłuższej pauzie. – Zobaczyć to miejsce, porozmawiać z ludźmi. Ale rozumiem, że nie możemy, bo przecież bylibyśmy w samochodzie sami.

Dimasz znów nic nie odpowiedział.

– W takim razie dla ciebie będzie to ciężki tydzień. Wyglądasz mi na faceta, który woli działać, niż siedzieć bezproduktywnie. Pewnie wolałbyś być teraz w domu ze swoją dziewczyną, a nie kiblować tutaj ze mną na klatce schodowej – podpuszczała go.

– Nie mam dziewczyny.

– A dlaczego?

Wzruszył ramionami.

– Szkoła, praca, treningi. Nie mam czasu. Po tym wszystkim trochę pozmieniało mi się w głowie. Inne sprawy są ważniejsze.

– A co jest dla ciebie ważne, Dimasz?

– Rodzina. Te dzieciaki, którym mogę pomóc. I zdrowie. Widzi pani, po tym wszystkim skończyłem z hokejem. Rehabilitacja nogi trwała pół roku. Ale przeżyliśmy. To najważniejsze. Dlatego moje życie należy teraz do Kodara. Przyrzekłem, że będę służył Kunanbajewom.

– Brzmi to, jakbyś został ich mnichem – uśmiechnęła się Tośka. – Albo wstąpił do wojska, którym dowodzi Kodar. Ja cię nie uwiodę, Dimasz. Kocham mojego męża. Tylko na chwilę byśmy pojechali. I zaraz wracamy. Chcę zobaczyć mieszkanie Gazizowa. Nikt się nie dowie.

Dimasz się spłoszył. Spojrzał na zegarek.

– Powinni zaraz być.

Tośka przyjęła tę informację obojętnie.

– To wchodzisz czy będziesz tutaj siedział, bo, wiesz, cholernie zimno.

– Zostanę.

Bez słowa zamknęła drzwi, ale po namyśle wzięła z kanapy koc z wielbłądziej wełny. Zaniosła mu na schody.

– Jak tylko Ojsze wstanie, zawołam cię. Wtedy będziesz mógł wrócić. Może chcesz coś do czytania?

Pokręcił głową, znów pogrążony w myślach.

– To naprawdę nienormalne – mruknęła Tośka i schroniła się w mieszkaniu.

Ledwie zdążyła stanąć w pokoju z telewizorem, na klatce schodowej rozległ się hałas. Wybiegła na korytarz, wyjrzała przez wizjer. Dimasz rozmawiał po kazachsku z młodym rosłym Azjatą, który z trudem oddychał. Na głowie miał futrzaną czapkę, puchowa kurtka była rozchełstana. Pod spodem widać było wściekle zielony T-shirt. Chłopak musiał biec całą drogę. Przyłożyła ucho do drzwi, ale nic nie rozumiała. Wychyliła się więc i uśmiechnęła do chłopca.

– Cześć, jestem Tosia.

Zgodnie z tutejszym obyczajem nie wyciągała już ręki, witając się z mężczyznami. Płoszyli się i patrzyli na nią jak na pomyloną.

– Malik – odpowiedział chłopak i umilkł, jakby nabrał wody w usta.

– To mój uczeń – wyjaśnił Dimasz. – Pamięta Kereja. Jako dzieciak chodził do niego na treningi. W mistrzostwach świata karate juniorów zajął drugie miejsce. Teraz zdobywa same złote medale.

– Kolejny wojownik. – Tosia się rozpromieniła. – Bardzo mi miło.

Potem zwróciła się do Dimasza:

– Skoro Malik tu jest, możesz już wejść do środka.

Mężczyźni spojrzeli po sobie, a potem były hokeista wstał, podał uczniowi kluczyki do auta i poklepał go po ramieniu.

– Odpal wóz i nagrzej go.

Odwrócił się do Tośki.

– Jeśli pani chce, możemy pojechać. Polacy potrzebują pomocy.

– Co się stało?

– Zaaresztowano sprzęt. Jeden z pani kolegów, ten starszy, został zabrany na przesłuchanie. Jest z nim Kodar.

– Dlaczego?

– Malik nie wie – odparł Dimasz. – Ale prosili, żeby przywieźć drugą kamerę. Podobno pani wie, gdzie ona jest. No i spełni się pani życzenie. Zobaczymy parking, na którym doszło do strzelaniny, bo tam czeka ten młodszy kolega. Trzeba szybko, bo Sztaba został sam.

– Możesz mówić do mnie po imieniu – powiedziała Tośka, ale Dimasz nie zwrócił na to uwagi.

– I niech pani weźmie dokumenty. Zrobimy kopie po drodze.

– Kodar je skopiował. Jak tylko przyjechaliśmy.

– Im więcej kopii, tym lepiej. Milicja zabiera, kiedy legitymuje cudzoziemców. Dlatego paszporty najlepiej zostawiać w hotelu.

– To bezpieczne?

– O wiele bezpieczniejsze niż chodzenie z oryginałami. Jeśli zechcą zatrzymać dokumenty pana Romana, może nie wyjechać na czas z Uralska. A jak mu się skończy wiza, deportują go. I jeszcze będzie musiał zapłacić.

– To niezgodne z prawem. Mamy wszystkie pozwolenia – powtórzyła słowa Sztaby.

– Oni mogą wszystko – warknął Dimasz. – Kiedy mnie i Tusipa aresztowali, nakładali nam maski przeciwgazowe i oblewali wodą. Bili, przypalali, grozili gwałtem. Zabrali na dołek prosto ze szpitala. Nikt nas tam nie leczył. Gdyby nie joga, nie wytrzymałbym więzienia. Poddałbym się i przyznał do wszystkiego. Nawet do tego, czego nigdy nie zrobiłem. Z Tusipem tak właśnie było. Złamali go, a teraz chłopak nie ma wyboru. Musi trzymać z nimi na ich warunkach. Kodar tego pani nie powie. To był jego ulubiony uczeń. Wstydzi się, jakby to dotyczyło jego samego. Ale ja wiem, że Tusip żałuje. Bardzo chciałby cofnąć czas. Dlatego wystarał się o zeznanie Wańki.

– Złożyłeś skargę?

– Cieszyłem się, że wyszedłem żywy. Szybko, bo jeśli syn Mika wypatrzy pani kolegę, nie będzie wesoło. Teraz on wiele może.

– Kto to jest Miko?

– Opowiem po drodze.

– Daj mi minutę. – Tośka wbiegła do mieszkania. Wkładała buty, ściągała z wieszaka kurtkę i krzyczała: – A ty, Malik, wpadnij do piwnicy i powiedz Mnaurze, że jedziemy zrobić kserokopie dokumentów, bo kazał nam Kodar. O zatrzymaniu Romea na razie nic nie mów. Niech się nie denerwuje. Jak mąż wróci, sam wszystko wyjaśni.

Dimasz uśmiechnął się pod wąsem i powiedział łagodnie:

– Ciepło się ubierz. W aucie jest ogrzewanie, ale nie wiem, czy działa.

Tośka zauważyła, że wreszcie przestał się do niej zwracać per pani. Nie bardzo wiedziała, czemu to zawdzięcza, ale miała nadzieję, że kiedy przestaną mówić o przyzwoitkach, dowie się od niego więcej o strzelaninie i tunelach śmierci. Była tego bardzo ciekawa.

Miejsce zbrodni. Masowy mord. Krwawe porachunki wrogich gangów. Autorytety przestępcze. Kałasznikowy, metalowe rury, kindżały. Krew. Morze krwi i zatrzęsienie rannych. Tyle Sztaba wyczytał z akt i w czasie ich lektury wyobraźnia podpowiadała mu obrazy rodem z filmów kryminalnych. Tymczasem było to zwyczajne blokowisko. Alejki wysadzane drzewami, latem dającymi zapewne sporo cienia. Ogołocone z liści przydawały brzydkim kilkupiętrowym klockom smutku, ale nie grozy. Na każdym z pięter znajdował się ciąg balkonów, w większości zabudowanych szkłem i zastawionych gratami. Słońce już zaszło, ale lampy uliczne jeszcze się nie zapaliły. Kontury niknęły w zapadającym zmierzchu. Nic interesującego.

Sztaba czekał w zaparkowanym na podjeździe aucie i szczękał zębami. Puchówka oraz kombinezon narciarski, które wytrzymywały najtrudniejsze wyprawy w góry, tutaj nie spełniały zadania. Teraz mężczyzna rozumiał, dlaczego Kazachowie noszą futra i kożuchy, a na nogach walonki. By przenikliwe zimno nie odmroziło mu całkiem nosa, owinął sobie twarz szalikiem. Miał jednak wrażenie, że to nie gruba wełna, ale kawałek dziurawej ścierki, przez którą przewiewa lodowaty wicher. Czuł, że ma oszronione rzęsy, choć siedział w żiguli Nazara, z włączonym nawiewem gorącego powietrza. Silnik pracował miarowo, ale dziennikarz nie mógł nigdzie pojechać. Przepisy mówiły wyraźnie, że cudzoziemiec bez tutejszego pozwolenia nie może prowadzić pojazdów mechanicznych należących do obywateli Kazachstanu. Był zmuszony czekać i pierwszy raz w życiu, będąc w pracy, czuł niepokój, bo mimo że starał się nie ulegać pesymistycznym wizjom, nasuwały się same. Facet, który zabrał mu sprzęt, musi mieć interes, by przeszkadzać w nagraniu. Choć się nie przedstawił, wyglądało na to, że zna Kodara. Romeo nie miał wątpliwości, że to tutejszy szpicel. Czy przypadkiem nie tajemniczy Gazizow? Nie, zganił się w myślach Sztaba, Kodar wyraźnie mówił, że tamten został zmyślony przez służby. Ten istniał i miał mocne plecy w milicji, a może sam w niej pracował, bo jeden telefon wystarczył, by ich zgarnąć. Dobre było tylko to, że kiedy gościa nie będzie na osiedlu, może uda się Sztabie porozmawiać z mieszkańcami.

Gdzie ta Tośka? – Dziennikarz setny raz rozejrzał się po wymarłym osiedlu.

Plac zabaw był zasypany śniegiem. Przed garażami leżały hałdy białego puchu, jakby nikt do wiosny nie zamierzał tam parkować. Huśtawki i karuzele zdjęto. Na metalowych pałąkach wisiały sople lodu. Cisza dzwoniła w uszach.

Sztaba spojrzał na wskaźnik paliwa i zdecydował się je oszczędzać. Rezerwa zaświeciła się, zanim dotarli na Żdanowa. Tego tylko brakowało, żeby stanęli w polu z powodu jego wygodnictwa. Wyłączył silnik i skulił się. A potem uzmysłowił sobie, że przy tej temperaturze nie ma większego znaczenia, czy znajduje się w aucie, czy poza nim. Skurwysyn mróz za chwilę ubezwłasnowolni go całkowicie. Wysiadł więc, poskakał chwilę, żeby się rozgrzać, a następnie ruszył do jednej z pierwszych klatek.

Drzwi były otwarte. Wszedł i z ulgą schronił się w pomieszczeniu, zapalił papierosa. Nie czuł jednak smaku tytoniu. Zdawało mu się, że wydychana para zamarza mu na skórze i osadza się szadzią na włosach. Rzucił peta, wspiął się na pierwsze piętro, choć tam wcale nie było cieplej. W myślach odtwarzał zdarzenia, które znali z akt.

Kerej pobiegł na trzecie, zastukał do Tolika. Teraz Sztaba szedł po jego śladach. Żałował, że nie ma kamery i jest sam. Miałby chociaż przebitki. Kiedy wchodził na drugą kondygnację, czuł, że trochę odtajał. Wtedy z jednego z mieszkań wychylił się niski, przysadzisty Azjata w lisiej szubie. Wyglądał jak Czeczen albo Gruzin, ale może był Kazachem z któregoś ich mrocznego żuzu, bo na to wskazywała twarz.

Mieszanka ras wśród tutejszych mieszkańców przerastała możliwości poznawcze Sztaby. Było tu tyle narodowości, co rodzajów mięsa, które w kółko żarli. Gdyby dziennikarz miał podać jego rysopis, jako znaki szczególne wskazałby tylko sumiaste wąsy i plastikową klatkę dla kota, którą trzymał w dłoniach. Z tym że zamiast miauczenia spomiędzy kratek rozlegało się krakanie.

– Czego? – usłyszał, gdy tylko minęli się na schodach.

Sztaba poszperał zgrabiałymi dłońmi w kieszeniach. Bez zdjęcia rękawiczek nie był w stanie wydobyć legitymacji prasowej.

– Robimy reportaż – zaczął, ale tamten tylko splunął i już szarpał Sztabę za kurtkę.

Pchnął go w dół schodów, aż Polak się zatoczył. Zbiegał tak szybko, że pierwszy raz tego popołudnia nie czuł się zmarznięty. W tym momencie na górze trzasnęły drzwi i wyjrzała z nich kobieta w hidżabie.

– Mudiła, Padyszach musi natychmiast dostać lekarstwo – zganiła dzikusa łagodnie. – Nie zajmuj się głupotami.

Mężczyzna zwany Mudiłą obejrzał się, po czym z ociąganiem puścił Sztabę.

– Wynoś się i nie wracaj – burknął.

Sztaba potulnie ruszył w dół. Myślał tylko o tym, że wszystko zrozumiał. Widać, bariera językowa w takich sytuacjach nie przeszkadza. Wyszedł pierwszy. Za nim zaś, niczym eskorta, podążał człowiek z ptakiem. Sztaba otworzył drzwi klatki schodowej i przestąpił próg. Mróz znów paraliżował i przypiekał wicher. Reporter przeklinał dzień, w którym się zgodził na pracę w taką pogodę. Na szczęście, kiedy tylko znalazł się na podjeździe, z auta wysiadał Dimasz. Z drugiej strony gramoliła się Tośka z małą kamerą w dłoni. Za ich plecami wyrósł potężny młodzian, który rozpromienił się na widok popędliwego Mudiły, jakby zaświeciło słońce.

– Cześć, wujek. Padyszach znów wrócił?

Dimasz podał wąsatemu rękę bez zdejmowania rękawicy. Sztaba odetchnął z ulgą. Ci dwaj się znali.

– Wasz człowiek? – Mudiła wskazał Sztabę. – Węszy tu.

– To dziennikarz z Polski – wyjaśnił Dimasz. – Nagrywamy materiał dla Kereja.

Wąsaty odstawił klatkę i spojrzał z naganą na Sztabę.

– To było mówić! A Kodar gdzie?

– Syn Mika zadzwonił. Pojechali wyjaśniać.

Mudiła wyjął papierosa.

– Malik, zbierzesz chłopców. Jak młody wróci, trzeba będzie mu znów przypierdolić, bo się rozochocił. Niedobrze.

– Bardzo niedobrze – potwierdził Dimasz i wskazał na klatkę z ptakiem. – A jemu co jest?

– Dziś rano znalazłem go przy garażach. Znów ma złamane skrzydło.

– Szuka Tolika.

Mudiła wolno pokiwał głową.

– Już nie znajdzie.

Stali tak w milczeniu, jakby wspominali zmarłego. Tośka ulokowała się z tyłu, za plecami Dimasza. Nie kwapiła się sama do przedstawiania ani też nikt nie pytał jej, kim jest.

– Czego potrzebujecie? – odezwał się wreszcie Mudiła, kiedy skończył papierosa.

– Dobrze by było, żeby ktoś z mieszkańców się wypowiedział, jak było naprawdę – odparł Dimasz.

– Wszystkich przesiedlili. Tylko ja z Terezą zostałem.

– Ciebie nie pytam.

– Słusznie. – Mudiła uśmiechnął się szeroko. – Byłem przecież na daczy.

– A twoja mama? – Dimasz odwrócił się do Malika. – Wasze okna wychodzą na podwórze.

– Nie zgodzi się.

– Może jednak zapytamy? – wtrąciła się Tośka i natychmiast poczuła na sobie ciekawskie spojrzenie Czeczena. – Herbaty człowiek by się napił. Upał jakby zelżał.

Wyjęła zza pazuchy torcik wedlowski.

– Flaszki nie zabrałam, ale mamy coś na ząb.

Dimasz spojrzał na Petry z uznaniem. Wyraz twarzy Mudiły się nie zmienił. Tylko w oczach błysnęła szelma.

– To ona? – upewnił się.

Rosjanin pokiwał głową.

– To idźcie do nas – zarządził Mudiła. – Ja muszę z Padyszachem do doktora. Tereza mówi, że to znak. Wieszczek zawsze wraca, jak ma się coś dziać. A po drodze zajadę do Sułtana. Sobirżan nie ma już nic do stracenia.

– Naprawdę? – nie dowierzał Dimasz.

– Niczego nie obiecuję. Ale jest w fazie kupowania nowej kobity, więc może trafiliście na dobry moment. I pokażę mu Padyszacha.

– Kodarowi odmówił – zaznaczył Dimasz.

– Nie będziemy rozmawiać na ulicy. Idźcie, rozgrzejcie się. Znajdę was.

Znów herbata, mięso i słone kulki z sera na spodkach. Znów rytuał jedzenia, kurtuazyjne rozmowy. Nowością było dotykanie włosów Tośki i wgapianie się w jej bursztynowe oczy.

– Jak u naszych kobiet. Twarde i mocne geny. Dobrze wybrał Kerej. Sam biały, to sobie czarnowłosą wziął. Ty prawie Kazaszka. – Tereza, która przed chwilą uratowała Sztabę z rąk Mudiły, klepała po buzi Tośkę.

– To jak to było, pani Terezo? – zachęcał ją już trzeci raz Sztaba, a ona po raz kolejny odpowiadała to samo:

– Ja nic nie wiem. Pojechali my za miasto. Mudiła wam nie mówił?

– Wszyscy byli na daczy – zniecierpliwił się Dimasz. – Akurat tego dnia nikogo na Żdanowa nie było. Dobrze wybrali termin napadu.

– Ty, Dimaszka, się nie denerwuj. To był koniec lata. Mnóstwo owoców do przerobienia. A skwar straszliwy. Kto by siedział w taki dzień w mieście?

– Wiem, ciociu – westchnął Dimasz. – Nigdy tego dnia nie zapomnę.

Malik odłożył słuchawkę i pokręcił głową.

– Nie chce. – Dimasz odgadł przebieg jego rozmowy z matką. – Co powiedziała? Dacza?

Zapadła cisza.

– Boi się – skwitowała żona Mudiły. – Pomyśl, Dimaszka, co będzie z tymi, którzy zaczną nagle mówić. Co będzie z nami, jak milicja się dowie, że szczekamy Polakom? Ci, którzy mogli, uciekli. Reszta poginęła w wypadkach albo ślad po nich zaginął. Oni dokładnie sprawdzają, kto pomaga Kunanbajewom. Milczenie jest jedynym ratunkiem. Pani mecenas? Spalona. Twoja Sołtanat? Cudem uratowała godność. Nawet ją dopadli. A za co? Bo jechała z wami te pięćset metrów, choć na przesłuchaniu nawet niewiele powiedziała. A już nigdy nie będzie wyglądała tak jak kiedyś. Twój przyjaciel Isa? Gdzie on jest? Czy żyje? Ludzie tak nie znikają bez śladu. A ci ludzie z trzeciego piętra, ci z Samary. Nic nie zawinili. Coś tam wiedzieli, coś zobaczyli. Tylko tyle i aż tyle.

– Kereja rozstrzelają – przerwała jej Tośka. – Bez waszej pomocy wydadzą go prokuraturze.

Kobieta rozłożyła ręce, jakby na usprawiedliwienie, że jest między młotem a kowadłem. Chce pomóc, ale nie zdoła.

– Może poszukajcie tych, którzy wyjechali? Ich tutejsi nie dopadną – zaczęła. – Malik, pamiętasz Sieriożę? Jego rodzice żyją w Samarze.

– To mój kuzyn. – Dimasz machnął ręką. – Nie odwiedzili nas po tamtym ani razu.

– Więc wy do nich jedźcie.

– Nie mamy takiej wizy – odparł za Dimasza Sztaba. – Jak wyjedziemy z Kazachstanu, nie będziemy mogli wrócić.

– Więc umówcie się w jakimś dużym mieście. Jedźcie do Astany, do Ałmatów. Gdziekolwiek. Może pociągiem? Byle z dala od tutejszych służb.

– Wierzysz, że nie śledzą tego, co robimy? – roześmiał się Dimasz. – Czyli umywasz ręce, ciociu?

– Nagrać się nie dam – zarzekła się kobieta. – Mudiła tym bardziej się nie zgodzi. Zresztą my nic nie wiemy. Tyle co ludzie gadali. Zwykłe plotki.

– To powiedzcie, co słyszeliście – zapalił się Sztaba. – Zawsze coś. Przecież to tylko na nasze potrzeby. Nic w Kazachstanie nie będzie publikowane.

– Oni będą wiedzieli. To nasza narodowa sprawa, synku – tym razem żona Mudiły odmówiła twardo. – Ale wiem, kto chciałby i ma interes, żeby wypowiedzieć się do kamery. Może i do waszego kraju pojedzie, bo ma teraz pieniądze. I nie musi się bać o byt. Tyle że nie jest Kazachem.

Wszystkie twarze zwróciły się na nią. Tereza aż się zarumieniła.

– I powiem ci, chłopcze, że od niego powinieneś zacząć.

– Nie, ciociu – gwałtownie zaprotestował Dimasz. – Nie pójdę do niego w łaskę.

– A ja ci mówię, że on pomoże. Ma teraz posłuch w mieście i nienawidzi Bajdałych. Jeśli go przekonacie, Sobirżan może wróci i wszyscy pojadą do Polski zeznawać. Potrzebne jest tylko zielone światło.

– Kto? – nie wytrzymała Tośka. – O kogo chodzi?

Ciszę przeciął dzwonek telefonu. Tereza podbiegła do aparatu jak młódka i podniosła słuchawkę. Milczała, wysłuchując długiego wywodu, a potem uśmiechnęła się szeroko.

– Malik, prowadź do siebie. Twoja mama chce wam coś pokazać. Szybko, zanim Mudiła przyjedzie. Bo to może mu się nie spodobać.

Na stole przykrytym śnieżnobiałym obrusem leżały zaplamiony cementem tornister, stary, pordzewiały urzyn i dwa drewniane noże.

– To znalazłam pod drzwiami naszej piwnicy dwa dni po strzelaninie – oznajmiła matka Malika i zastrzegła: – Ale żadnych nagrań! Synku, opowiedz.

Zdziwiona Tośka spojrzała na Dimasza. Miał taką samą minę jak ona. Była pewna, że również widzi te eksponaty pierwszy raz w życiu. Nie był dobry w udawaniu.

Rosjanin tymczasem zerkał na Malika, a ten z kolei na matkę. Chłopak był wyraźnie zły, że przypucowała jego skarb Polakom. Tylko Sztaba zachował spokój, jakby takich odkryć dokonywał codziennie.

– A co tutaj opowiadać? – Chłopak wzruszył ramionami. – Sierioża zostawił mi to, zanim wyjechali.

Tośka zajrzała do plecaka. Był wypełniony łuskami po nabojach. Natychmiast zapięła zamek.

– A więc to nie ty zebrałeś je z miejsca zdarzenia?

Malik zaprzeczył i pochylił głowę.

– Skąd wiesz, że zrobił to twój przyjaciel? A może ktoś inny je podrzucił?

– Zanim wyjechał, zagwizdał trzy razy, jak byliśmy umówieni na okoliczność alarmu wojennego. – Odchrząknął. – Byliśmy wtedy szczylami. Bawiliśmy się w wojowników. Zszedłem na dół, ale jego już nie było. Widziałem tylko tył auta jego ojca. Nie zabrali wszystkich bagaży, tak się śpieszyli. Zbiegłem zaraz do naszej piwnicy, gdzie mieliśmy kryjówkę. Wtedy to znalazłem. Ciotka sprezentowała Sierioży nowy tornister do szkoły. Tylko on jeden w Uralsku miał taki model. To był wtedy hit.

– Otworzyłeś?

Skinienie głową.

– Na górze były nowe przybory szkolne, nasz urzyn i noże, które sobie strugaliśmy dla zabawy. Nie ruszyłem tego przez dwa dni.

– A potem zeszłam do spiżarni po przetwory – wtrąciła się jego matka. – Od razu się domyśliłam, skąd pochodzą te łuski.

Wszyscy milczeli. W napięciu czekali na dalszy ciąg relacji, ale Malik się wahał.

– Powiedz, jak było – zachęcał chłopca Sztaba.

Tośka zauważyła, że spod jego rozpiętej kurtki wystaje oko kamery. Czerwona lampka pulsowała. Poruszyła się niepewnie, ale najwyraźniej nikt poza nią nie zauważył, że Sztaba nagrywa. Dziennikarz się uśmiechał. Mówił zachęcającym tonem:

– Widzieliście, jak przyjechali napastnicy? Musieliście na tych dachach mieć doskonały punkt obserwacyjny. Jak snajperzy, nie?

Malik potwierdził, mile połechtany. O dziwo, dał się złapać na tani lep Sztaby.

– Tego dnia bawiliśmy się przy garażach. Dobrze widać było tylko tych, którzy wysiedli z wozów. Ciebie i Tusipa wtedy nie poznałem – zwrócił się do Dimasza, który pokiwał głową ze zrozumieniem. – Tam sikała krew. Twarze mieliście jak posiekane mięso. Do głowy mi nie przyszło, że to wy. Kiedy zaczęli strzelać, uciekłem. Sierioża został. Wcale nie mogłem go ruszyć. Był jak przymurowany do dachu. Miał potłuczone okulary. Nie był w stanie biec. Dlatego sądzę, że musiał być do samego końca. Nie wiem, jak to się stało, że pozbierał te łuski. Po co to zrobił? Kiedy? Czy się nie bał? Dlaczego mu pozwolili? Nie wiem. Wcześniej miałem go za tchórza. Teraz sobie myślę, że ja bym nigdy nie wrócił. Przez prawie dwa tygodnie nie wychodziłem z domu. Potem musiałem odrabiać zaległości w szkole.

– To prawda – potwierdziła matka Malika. – Lekarza do niego wzywaliśmy. Zaczął się moczyć w nocy i miał koszmary.

– Mamo! – jęknął chłopak.

– Na szczęście to minęło. – Kobieta rozłożyła ręce i dodała, by uratować godność syna: – Teraz jest w porządku.

– Kontaktowaliście się z Sieriożą? – dopytywał Sztaba.

– Nie napisał. Nie odezwał się więcej. Od tamtej pory go nie widziałem.

– Dlaczego ich nie wyrzuciłeś? Trzymałeś je przez te wszystkie lata? – wtrąciła się Tośka. – Makabryczna pamiątka. Gdyby milicja znalazła to u was, mogłoby być nieciekawie.

– To samo mówiłam – podniosła głos jego matka. – Ale Malik się uparł. Ustalili z ojcem, że to dla nich punkt honoru. Zamurowali plecak w spiżarni. I był tam przez cały czas. Przed chwilą rozbiłam ścianę. Pomyślałam, że tak trzeba. Dla Kereja. Jeśli mu to pomoże.

Tośka spojrzała na kobietę z szacunkiem.

– Zostawił mi je – odezwał się znów Malik. – Zrozumiałem, że mam ich strzec.

Wszyscy byli poruszeni.

– Czy wiesz, że to bardzo ważny dowód? – zapytał Sztaba, a Tośka zauważyła, że formułuje pytania tak, by móc je wykorzystać w ewentualnym programie.

Była na niego wściekła, że oszukuje ludzi. Nic jednak nie powiedziała. Ostatnią rzeczą, jaką by chciała im teraz zrobić, to zawieść ich zaufanie. To rzutowałoby na całą ekipę. Ale była pewna, że zmyje Sztabie głowę, jak tylko wyjdą, i nie dopuści, by nielegalnie zebrany materiał znalazł się w filmie. Sztaba tymczasem nie ustawał:

– Te łuski powinny być zbadane. Teraz nie wiem, czy to możliwe, by zebrać z nich odciski, wykonać analizy balistyczne i czy to coś w ogóle da, ale jeśli to prawda, wszyscy napastnicy mieli broń, i było ich wielu. Przecież tutaj jest kilka kilogramów wystrzelonej amunicji. To podważa całkowicie akt oskarżenia kazachstańskiej prokuratury!

– Było ich wielu. Ze trzydziestu – potwierdził Malik jednoznacznie. – I wszyscy mieli broń. Niektórzy po kilka sztuk. Plus noże, rurki metalowe i kije do hokeja.

Sztaba był tak podekscytowany, że aż się zarumienił. Poruszył się, kurtka mu się rozchyliła. Kamera była teraz wyraźnie widoczna. Tośka natychmiast przysunęła się do niego, by Kazachowie się nie zorientowali, że są nagrywani.

– Naprawdę niesamowite, że to zachowałeś – schlebiał Malikowi dziennikarz.

– Pomyślałem, że trener tak by zrobił – przyznał chłopak. – Kerej nie pozbyłby się dowodu, tylko poczekał na odpowiedni moment.

– Weźcie to – zarządziła matka Malika i zawinęła eksponaty w obrus. – Nam będzie lżej bez tej tajemnicy. Już wystarczająco długo żyłam w strachu, że ktoś niepowołany to znajdzie i ukarze nas. Daj Bóg, żeby Kerejowi to się przysłużyło. Ratujcie go. Ale pamiętajcie, co obiecaliście.

– Bez waszych zeznań nic nam to nie daje – mruknęła Tośka i spojrzała z wyrzutem na Sztabę.

– W tej sprawie zeznawać może tylko Sierioża – oświadczyła z powagą matka Malika. – Jeśli będzie trzeba potwierdzić, że znalazłam te naboje na progu, zrobię to. Ale nic więcej nie wiem. I to prawda.

– Daliśmy słowo – potwierdził Dimasz. Wstał, odebrał pakunek od matki Malika i ją zapewnił: – Nie bój się, ciociu. Nie wydamy was.

Sztaba wykorzystał ten moment, by wyłączyć i ukryć kamerę. Tośka posłała mu karcące spojrzenie. Wzruszył tylko ramionami i uśmiechnął się.

– Powodzenia – szepnęła matka Malika, kiedy się żegnali. – I uważajcie na siebie. Przekażcie nasze *salem* trenerowi. Kerej-ak to wielki człowiek, prawy i szlachetny. Chcemy mu pomóc, ale chcemy też żyć. Rozumiecie?

– Aż nadto. – Tośka przytuliła ją. Kiedy tak stały, matka Malika szepnęła Petry na ucho: – Porozmawiaj z Rażmą, matką Sierioży. Ona była wtedy na podwórku. Słyszałam jej nawoływania. Dlatego tutaj nie wracają. Zabrali bratową do siebie, a ich mieszkanie od lat stoi puste. Ale Rażma widziała. Wie wszystko.

Tośka poczuła ukłucie w sercu. To kobieta, o której mówił Kerej. Widziała, jak wyrwał broń z dłoni Bierika. Jeśli zgodzi się zeznawać, dowód na obronę konieczną mieliby w kieszeni.

– Gdzie jej szukać?

– Nie mam pojęcia. Ale prababcia Sierioży jest *baksy*. Dimasz musi wiedzieć, gdzie mieszka słynna uzdrowicielka. Ona was doprowadzi do Rażmy.

– O kogo chodziło żonie Mudiły? – zapytała Tośka, kiedy wsiedli do samochodu.

Drugie auto przejął Malik. Umówili się, że odprowadzi je pod dom Kodara i tam się spotkają.

– O czyją łaskę nie chcesz się prosić, Dimasz? – powtórzyła gniewnie Petry.

Nie odpowiedział, pogrążony w swoich myślach. Sztaba wzruszył ramionami. Ponieważ wyraźnie ją ignorowano, Tośka stuknęła Sztabę w ramię i rzekła po polsku:

– Nie tak się umawialiśmy. Skasujesz to.

Sztaba zakręcił kółko na czole.

– Chyba cię pojebało, Petry. O takie rzeczy właśnie walczymy.

– Możesz ich pogrążyć! – złościła się Tośka. – Nie chcę brać w tym udziału.

– O co chodzi? – Dimasz natychmiast się ożywił. – Mówcie po rosyjsku. Dlaczego na niego wrzeszczysz?

– Bo jest debilem i mnie wkurwia – odpowiedziała ponownie po polsku Tośka.

Dimasz się roześmiał.

– To akurat zrozumiałem.

Mężczyźni porozumieli się wzrokiem.

– Wredna jędza – łamanym rosyjskim skwitował Sztaba. – Nie ma łatwo Kerej. Tyle ci powiem.

Dimasz spojrzał we wsteczne lusterko. Tośka wydymała wargi ze złości i ciskała oczyma gromy. Uśmiechnął się.

– Zawsze lubił charakterne baby.

– Wszystko słyszę – mruknęła Tośka. – Zadałam pytanie.

– Wiem – odparł Dimasz. – Ale uchylam się od odpowiedzi.

– Szkoda. – Tośka jeszcze bardziej się rozfukała. – Bo może ja bym do niego lub do niej poszła albo ten debil z kamerą, skoro tobie honor nie pozwala.

– O, to jest niegłupie – zapalił się Sztaba.

Dimasz się wahał.

– Najpierw porozmawiam o tym z Kodarem.

– To kobieta czy mężczyzna? – nie odpuszczała Tośka.

Dimasz wzruszył ramionami.

– Trudno powiedzieć.

Jęknęła zrezygnowana.

– Dobra, to jedźmy w końcu sprawdzić, co z Romeem i kamerą – zmienił nagle temat Sztaba. – Zresztą i tak muszę nagrać coś na komisariacie.

– Nie ma mowy. Jedziecie do domu.

– Aha, poczujesz się wreszcie jak ja. – Tośka uśmiechnęła się do Sztaby z satysfakcją. – Będą ci mówić, co masz robić. I co jeść.

– W sumie jestem głodny – odparł radośnie Sztaba.

Już nie czuł strachu, tylko zew przygody. Tośka była pewna, że oczyma wyobraźni widzi nagłówki prasowe i myśli o gratulacjach, jakie będzie odbierał. Idiota.

– Ale Romeo wyjdzie, kamerę odzyskamy? Muszę koniecznie nadać dziś materiał, zanim karty się pokończą.

– Zaraz się dowiemy – zgasił jego zapał Dimasz i przyhamował, bo przed wejściem do bloku Kodara stał kordon radiowozów z włączonymi kogutami.

Na parkingu, aż po skwerek, roiło się od milicjantów w mundurach. Dimasz dojechał do skrzyżowania, a potem nagle skręcił i ruszył w przeciwnym kierunku.

– Albo i nie – dodał.

Tośka dostrzegła, że jest przybity i zaniepokojony. Wygrzebał ze schowka w drzwiach przedpotopowy telefon. Powoli wyciągnął antenkę, na ślepo wybrał numer.

– Co jest? – zapytał krótko.

Słuchał chwilę, a potem się wyłączył i wrzucił aparat z powrotem do schowka.

– Metę u Kodara macie już spaloną – oświadczył grobowym głosem. – Przed waszym hotelem też czeka ekipa tajniaków. Tosia, chyba wiedzą już, kim jesteś. Szukają cię.

– Mnie? – zdziwiła się Tośka. – Kto mnie szuka?

– Milicja.

– Co zrobiłam?

– Jesteś tutaj. To wystarczy.

– Na okrągło to słyszę. Nigdy w życiu nie byłam tak popularna. O co im chodzi?

– Lepiej, żebyś się nie dowiedziała.

– I co teraz?

– Nie wiem – przerwał Dimasz. – Daj pomyśleć.

– To znaczy, że do hotelu nie mamy co wracać?

– Dziś nie. Trzeba przeczekać.

– Myślisz, że przeszukali nasze rzeczy?

– Przetrzepali wszystko.

– Coś nam zabiorą?

– Na razie to działania prewencyjne.

– Chcą nas przestraszyć i wykurzyć?

– Coś koło tego.

– Nie wracamy – zaperzył się Sztaba. – Tym bardziej tego nie zrobimy. A zresztą to nam się przyda do materiału.

Wyjął kamerę i zrobił długie ujęcie stojących radiowozów.

– Dureń – skwitowała Tośka.

Jechali długo w milczeniu. Zatrzymali się dopiero na rogatkach, w bardzo bogatej dzielnicy. Każdy z domów miał betonowy płot wysokości kilku metrów. Część obrastały winorośle, teraz zmarznięte i pokryte soplami. Wyglądały jak z horroru. Inne były obsadzone iglakami albo wykute z metalu jak mosty zwodzone w średniowiecznych zamkach. Petry pomyślała, że nawet ładunek wybuchowy nie zdołałby sforsować niektórych z tych fortec.

– Gdzie jesteśmy? – Rozejrzała się. – Dokąd nas wieziesz, Dimasz?

– Zaczekacie tutaj, a jutro zobaczymy.

– Zostawisz nas? Miałeś mnie pilnować.

– Właśnie to robię. I poznasz kogoś, o kogo tyle razy pytałaś. Myśl to energia.

Zatrzymał się przed furtą bogato inkrustowaną kolorową ceramiką i tłuczonym szkłem. Wysiadł, nacisnął dzwonek wideofonu. Po chwili brama zaczęła się rozsuwać. Gdy się całkowicie otworzyła, zobaczyli, że każde z jej skrzydeł ma trzydzieści centymetrów grubości. Nie tylko strzały z kałasznikowa, ale i z bazooki nie dałyby jej rady. Dimasz szybko wsiadł do auta i wjechał na podjazd. Brama natychmiast się zatrzasnęła, a chwilę później usłyszeli stłumione wycie kogutów. Kolumna przejechała i wszystko ucichło.

Tośka wysiadła z auta, spojrzała na Sztabę, który bez skrępowania wyjął kamerę i filmował pałac, ogród pod szkłem oraz stajnie.

– Ale hacjenda – emocjonował się. – Mieszkałbym.

– Wjechać wjechaliśmy – odparła Tośka i z niepokojem spojrzała na zamknięte wrota. – Ale czy się wydostaniemy? To może być nie tylko kryjówka, ale i więzienie.

– Nie przesadzaj, Petry – ofuknął ją. – Mamy dobre przebitki. Nie zmarnują się. Takiego zbytku w życiu nie widziałem. Co to za pieniądze? Ropa, diamenty, gaz?

– Wszystko – odparł Dimasz. – Choć oficjalnie budowlanka. W Astanie. Połowa tamtejszych apartamentów zbudowana została przez Sobirżana Kazangapa.

– To rezydencja Sułtana?

Tośka pamiętała, że to kolejna osoba, z którą Kerej kazał jej rozmawiać, a której nazwisko nie padało w aktach. Pod niepokojem rozbłysła radość. Żal, że na tak krótko.

– Kiedyś tak – mruknął Dimasz i odszedł kilka kroków, próbując się gdzieś dodzwonić.

W tym czasie Tośka i Sztaba rozglądali się po obejściu. Lewe skrzydło ogromnego budynku było niedokończone. Przez wyrwane drzwi widoczna była gigantyczna sala balowa z freskami na suficie. Tymczasem z głównego wejścia na schody wyszedł pulchny Kazach w wyszywanej złotem jedwabnej czapeczce i kolorowych szatach, jakby opuścił na chwilę teatralne przedstawienie. Lekko utykał na jedną nogę.

– Abaj – zwrócił się do niego Dimasz. Tośka dostrzegła, że powitanie należało do chłodnych. Nie tak jak z Mudiłą i Malikiem. Mężczyźni byli dla siebie uprzejmi, ale zachowywali dystans. – Wiem, że Kaszo wyjechał w interesach. Tylko dlatego przyjechałem. Przechowasz ich do jutra?

– Zawsze to samo – westchnął *akyn* i rozciągnął usta w szerokim uśmiechu. – Nie odwiedzasz mnie wcale. A jak trwoga, to do Abaja. Raz na kilka lat przywozisz mi tylko ludzi w kłopotach. To już stało się tradycją.

– Czyli się zgadzasz?

Abaj poklepał Rosjanina po plecach.

– Chodź, mały. Napijesz się, zjesz coś. Żanymkul się ucieszy.

– Jak się miewa? – Dimasz się zarumienił.

– A co? Wciąż się martwisz, że nie stać cię na *kałym*?

– Bo to prawda. I nie zapowiada się na to. Z treningów w szkole sam ledwie się utrzymuję. Operacji też nie zrobiłem. – Urwał i pochylił głowę, jakby nagle się zawstydził martwego oka.

– Mówiłem ci, że jeśli przyjmiesz islam, nic nie będzie miało znaczenia. Pieniędzy mamy dość. Wiara jest najważniejsza.

Tośka i Sztaba podeszli do gospodarza.

– Piękny dom – powiedzieli jednocześnie. – Właściwie perski pałac, jak za sułtana czy szacha.

– Trochę drogi w utrzymaniu. – Kazach wzruszył ramionami. – Ale ma swoją historię. I rzeczywiście należał kiedyś do Sułtana. Napisałem o tym piosenkę. Chcecie posłuchać? Córka pięknie akompaniuje mi na dombrze.

– I sama jest piękna – dodał Dimasz.

– Podobna do matki. – Abaj zamyślił się. – Tak bardzo przypomina mi Aliję. Zobacz, Dimka, los zawsze oddaje, co zabrał. Nie zwlekaj już dłużej. Żanymkul nie będzie wiecznie panną.

– Najpierw muszę wykonać zadanie – mruknął Dimasz. – Wiesz przecież.

Goście z Polski nie bardzo wiedzieli, co powiedzieć. Rozmowa dotyczyła spraw prywatnych. Tośka nic z tego nie rozumiała. Z pozoru wszystko wyglądało elegancko, ale dało się wyczuć zadrę między nimi. Pytać jednak nie zamierzała, bo były hokeista i tak by nie odpowiedział. Dokładnie wytarli więc buty na bogato zdobionym dywanie i ruszyli po marmurowych schodach do pałacu. W drzwiach lokaj w liberii odebrał od nich okrycia. Wewnątrz panowało wręcz tropikalne ciepło. Na ich twarzach natychmiast pojawiły się rumieńce. Tośce nawet nie chciało się myśleć, ile kosztuje ogrzanie tego luksusowego stadionu.

– Wyłącz kamerę. – Szturchnęła Sztabę. – Nie narażaj nas. To nie blokowisko na Żdanowa. Tym się nie wypłacimy.

– I tak bateria się wyładowała. – Schował sprzęt do wewnętrznej kieszeni kurtki. – Musimy jak najszybciej odzyskać nasze rzeczy.

A głośniej się zachwycał:

– Jak ciepło, miło. I jak pięknie pachnie.

Abaj wskazał im miejsce przy długim stole, a potem dzwonkiem wezwał służbę.

Zaczęto wnosić dania. Na złotych półmiskach pyszniły się raki, bażanty, ciasta w kolorach jak z kalejdoskopu. Karafki z winem i owoce na paterach. Tośka czuła się jak w świecie bajek Disneya. Nie do końca była pewna, czy jej się to nie śni. Wtedy Abaj zajął miejsce u szczytu stołu. Po jego obydwu stronach stały dwa wolne nakrycia.

– Ktoś dawno chciał cię poznać – zwrócił się Abaj do Tośki i dodał poważnym tonem: – Podobno masz coś, co należy do niego. Buszi, pozwolisz?

Do sali wkroczył czarnowłosy sobowtór Kereja. Sztaba kopnął Tośkę w kostkę, a ona poczuła, że ziemia usuwa się jej spod stóp.

– Kim Kunanbajew. Antonina Petry – przedstawił ich sobie Abaj. – Nowa żona twojego brata. Z Polski.

– Nie spotkaliśmy się już? – niepewnie zapytała Tośka. – W moim kraju?

Kim się nie odezwał. Spoglądał tylko na Polaków i Dimasza spod oka. Oni zaś wpatrywali się w jego tatuaże i nastroszone jak u samuraja włosy. Był tak podobny z rysów do Kereja, a jednocześnie nie dało się go z nim pomylić. Biła od niego zupełnie inna energia. Na policzku miał wielką bliznę po nacięciu od noża, co upodabniało go do szwarccharakteru z mangi.

– A pan, przepraszam, jak ma na nazwisko? – zwrócił się do Sztaby gospodarz.

– Kamil Woźniak – wyjąkał dziennikarz.

Wpatrywał się w Dimasza, oczekując wyjaśnień, ale ten nisko pochylił głowę i zaciskał ręce na sztućcach. Był wściekły i z trudem to ukrywał. Tośka wiedziała, że coś się nie powiodło. Nie dopuszczała jeszcze do siebie tej myśli, która tłukła się jej uparcie po głowie, że *akyn* w czapeczce oszukał jej anioła stróża i zostaną uwięzieni. Miała nadzieję, że to tylko jej czarnowidztwo.

– Wspaniale – ucieszył się Abaj. – Dimasza znasz. Więc tylko brakuje twojego ojca i byłaby cała rodzinka. Nie bójcie się. Tutaj jesteście bezpieczni.

– Czyżby? – sarknął Dimasz, ale Abaj tylko się roześmiał.

Zadzwonił małym dzwoneczkiem i w drzwiach ukazała się śliczna Kazaszka z instrumentem w dłoni. Przypominał mandolinę, ale miał tylko dwie struny. Obok niej szła pucołowata, dumna dama. Zachowywała się jak tutejsza dziedziczka. Nie przedstawiła się. Przemaszerowała przez salę i zajęła miejsce obok Kima. Położyła mu dłoń na ramieniu, jakby ogłaszała swoją własność.

– Zagrasz nam dzisiaj, Żanymkul? – Abaj zwrócił się słodko do córki. – Dimasz przyszedł posłuchać. Dawno go nie widziałaś.

Dziewczyna usiadła na taborecie obok ojca i zaintonowała melodię. Tośka nie mogła uwierzyć, że po zawoalowanych groźbach będą teraz słuchać koncertu na dombrze.

– A nasz przyjaciel? Roman Grajek? – odważyła się zapytać, zanim Żanymkul na dobre oddała się muzykowaniu.

– Kto? – Abaj zmarszczył brew.

Poprawił czapeczkę. Był niezadowolony, że Polka przerwała jego córce tak pięknie zapowiadający się występ.

– Romeo jest biznesmenem – pośpieszył z wyjaśnieniem Sztaba. – Produkuje nasz film. Przyjechaliśmy razem. Został aresztowany dziś wraz z naszą kamerą.

– Nic nie wiem. – Abaj wzruszył ramionami. Był poirytowany. – Skoro nie chcecie słuchać dombry, to jedzmy, bo zupa stygnie. Nie znoszę zimnej zupy.

Romeo po raz kolejny tłumaczył młodej milicjantce, że przyjechali do Uralska nagrywać film o atrakcjach turystycznych miasta. Okazał wszystkie pozwolenia i setny raz zaprzeczył, że ma coś wspólnego ze sprawą Kereja Kunanbajewa.

– Nie wiem, o co chodzi – odpowiadał na każde pytanie. – A może wezwałaby pani tłumacza? Rozumiem co nieco po rosyjsku, ale moja znajomość tej mowy przypomina urodą starego wilka lub też, nie przymierzając, mnie samego.

Nic nie dawały żarty, pochlebstwa, kuszenie ani wyrzuty. Jakby była automatem zaprogramowanym na te same działania. Z nieporuszoną miną zapisywała monolog na starej maszynie do pisania. Wkręcała i wykręcała kartki, gniotła je, a potem zaczynali wszystko od nowa.

Kodar był przesłuchiwany w innym pokoju. Romeo stracił z nim kontakt zaraz po tym, jak zabrano ich z radiowozu. Musiał przyznać, że jak na razie odnoszono się do niego z szacunkiem. Nikt mu nie groził, nie bił go. Protokolantka była bardzo ładna i nadzwyczaj uprzejma. Jedynie to wszystko ślimaczyło się nieznośnie i zaczynało mu już burczeć w brzuchu. Poza tym czuł dotkliwe zimno, a kożuch zostawił przy wejściu.

Kiedy minęła piętnasta, kobieta nagle odsunęła maszynę, nacisnęła przycisk interkomu, zacharkotała coś po kazachsku i do pokoju wszedł wysoki brunet w mundurze oraz złotych okularach. Pod pachą trzymał czapkę. Położył ją na stole i zajął miejsce kobiety. Romeo przyjrzał się jego pagonom i już wiedział, że ma do czynienia z oficerem wyższej rangi. Mężczyzna się nie przedstawił. Nie padły żadne słowa powitania.

– Nagrywacie nielegalnie – rzekł pięknym rosyjskim. – Ludzi nam straszycie. Mamy na was skargi.

– Jestem niespotykanie spokojnym człowiekiem.

Romeo uśmiechnął się przymilnie i oplótł ramionami, by wytracać jak najmniej ciepła, bo w jednej chwili zrozumiał, że zabawa dopiero się zaczyna i na pewno potrwa. Tymczasem zmarzł już tak, że przy nim kostka lodu była jak plastelina.

– Nie umiem nawet własnej żony przestraszyć.

Twarz oficera pozostała niewzruszona.

– Starszy śledczy Futnikow. To ja prowadziłem tę sprawę. I nadal trzymam nad nią pieczę. Jeśli polska prokuratura ma jakieś pytania, jestem do dyspozycji.

Romeo milczał. Zastanawiał się, jak to możliwe, że po tylu latach go nie awansowali. W Polsce, choćby za ten staż, dochrapałby się już stanowiska komendanta. Coś było nie tak.

– Ale nikt się do mnie nie zwrócił – ciągnął tymczasem Futnikow. – I to był błąd, panie Grajek. Sierga Pingota znasz?

Romea natychmiast oblał zimny pot.

– Dzwonił dziś rano, że będziesz – dodał. – Prosił, żeby was potraktować łagodnie. Dostaliśmy wasze dokumenty na faks oraz adres hotelu. Tak się składa, że mieliśmy już te informacje. Tylko je potwierdziliśmy.

– A to chuj złamany – mruknął wściekły Romeo.

Futnikow uniósł kąciki ust.

– Siergo się wykaraskał. I ty też zrób to samo, Roman. Nie mieszaj się. Dobrze radzę.

Następnie wyjął z maszyny kartkę, którą zapisała wcześniej kobieta, i podarł ją na strzępy.

– Wyjedziecie jutro z samego rana. Ty, ten młody szpicel i ta dziewczyna. Na razie i ją puszczamy. Albo prokurator zrobi ze złożonych skarg sprawy karne.

Wszedł mężczyzna niższy rangą. Podał Futnikowowi wyrwaną z notesu karteczkę.

– Uregulujesz gotówką w okienku oficera dyżurnego. Pokwitowania nie będzie. Rozumiemy się?

– Siedemnaście tysięcy dolarów?! – Romeo poczerwieniał, kiedy spojrzał na kwotę łapówki. – Za co? I gdzie jest jakiś dokument?

– Sprzęt oraz wasze dokumenty zostają jako depozyt.

– Nie zapłacę – zaparł się Romeo i rzucił do telefonu. – Zawiadomię konsulat. Będziecie tego żałować. A tego skurwysyna Pingota uduszę gołymi rękoma.

Futnikow i jego pomocnik patrzyli niewzruszeni. Roman próbował wykręcić numer, ale w aparacie była głucha cisza. Spojrzał na uchylone drzwi. Na korytarzu stało kilku mężczyzn. Palili i zdawało się, że nie interesują się wcale tym, co się dzieje w pokoju przesłuchań, ale Romeo wiedział, że to nieprawda. Tylko dwaj z nich byli w spodniach od munduru. Pozostali w cywilnych ubraniach. Między nimi stał Kodar. Na rękach miał kajdanki.

Roman odwrócił się do Futnikowa i jego przydupasa, a potem wziął do ręki kartkę.

– Jeśli ureguluję, wypuścicie go i oddacie nam kamery?

– Kamery dostarczymy na płytę lotniska – rzucił od niechcenia Futnikow. – Deportujemy was pierwszym możliwym wojskowym lotem. Z Uralska. Nie będziecie musieli tracić czasu na dojazd do Ałmatów. Oczywiście wy płacicie za bilety.

– To, co robisz, jest bardzo głupie – warknął Roman.

– To, w co wy się mieszacie, też nie było niczym mądrym – odparł Futnikow i ruszył do wyjścia. Ale zatrzymał się w drzwiach. – Staram się pomóc, jak mogę, bo ktoś mnie o to poprosił. W przeciwnym razie siedziałbyś już na dole i miał obite jaja. A w tutejszym areszcie nie mamy ogrzewania. Ojciec Kunanbajewa o tym wie. Był tam niejeden raz.

Tośka dostała pokój w wieży. Po wystawnej kolacji, w której trakcie podano nogi krabów oraz ośmiornice, a na deser ciasto cytrynowe z kandyzowaną różą, każdą z osób odprowadzono do innej części rezydencji. Brat Kereja – Kim – odezwał się w czasie posiłku tylko raz, a potem pałaszował kolejne potrawy, jakby nie jadł przynajmniej od tygodnia. Dilda, bo tak się nazywała jego żona, uszczknęła tylko kilka krabów i popiła winem. Tośka patrzyła, jak cierpi na widok wspaniałości na stole, ale najwyraźniej się odchudzała. Nikt im nadal niczego nie wyjaśnił. Nie mieli pojęcia, na czym polega ta intryga. Dlatego Sztaba, Dimasz i Tośka ledwie dotknęli sztućców. Córka Abaja ostatecznie wystąpiła dla nich i rzeczywiście grała i śpiewała przejmująco. Ojciec tłumaczył im teksty utworów, które Żanymkul wykonywała, a Tośka odniosła wrażenie, że ich treść zawiera ukryte znaczenia. Były jednak zbyt metaforyczne albo ona nie potrafiła jeszcze pojąć wszystkich kontekstów. Chociaż Abaj zapewniał kilka razy, że zadba o ich bezpieczeństwo oraz sprowadzi rzeczy z hotelu, utwierdziła się w tym, że jej pierwsze przeczucie było prawidłowe i zostali podstępnie uwięzieni. To przekonanie się utrwaliło, kiedy z okna swojego pokoju dostrzegła, jak auto Dimasza opuszcza zamek. Czy jej domniemany ochroniarz wyjechał sam, czy towarzyszyli mu Kim lub Abaj – nie wiedziała. Rosjanin nie pożegnał się z nią ani ze Sztabą. Była skołowana.

Rozejrzała się po pomieszczeniu. Pokój musiał należeć do dziewczyny, najprawdopodobniej dziedziczki tego zamczyska. Wszystkie sprzęty były bogato zdobione. Na wieszakach znalazła mnóstwo jedwabnych szat, w szufladach pełno było kolorowych chust. Nigdy w życiu nie widziała takich wzorów i tak delikatnych tkanin. Na półkach stały buddyjskie książki oraz stosy kolorowych pism o modzie i urodzie. Był też tamborek do haftowania, maszyna do szycia i papier listowy z zestawem lśniących piór. W kącie dostrzegła podobny instrument do tego, na jakim w jadalni grała córka Abaja. Ten był jednak w jasnym kolorze, zdobiony laką i miał zerwane struny. Żadnych zdjęć, notatników z nazwiskiem. Na toaletce stał tylko mały flakon wody różanej z dedykacją „Tatusiowi od A.”. Kiedy Tośka podniosła wieczko, przekonała się, że zapach był ledwie wyczuwalny, jakby zwietrzały. Może to nie były perfumy, lecz lekarstwo? Na dnie mikstury pływały płatki kwiatów oraz drobinki złota. W jednej z szuflad znalazła potłuczone czarne zwierciadło. W pierwszej chwili myślała, że to kawałki onyksu, ale kiedy omal nie przecięła sobie skóry barwionym szkłem, zamknęła szufladę. Dosłownie wszystko – parapety czy brzegi mebli – pokrywała gruba warstwa kurzu. Nikt nie przebywał tutaj od lat. Tośka poczuła się nagle śmiertelnie zmęczona. Z pewną obawą zdjęła buty i położyła się na cudzym łóżku. Czuła się jak intruz, jakby popełniała świętokradztwo, ale i tak była zmuszona spędzić tu noc. Leżała dłuższą chwilę, rozmyślając, że na szczęście ma ze sobą dokumenty, czym nie mógł się poszczycić na przykład Sztaba, gdy usłyszała delikatne szuranie. A potem ktoś nacisnął klamkę. Zerwała się z łóżka i zanim drzwi się otworzyły, stała już na baczność. Zdążyła nawet wygładzić narzutę.

– Spierdalamy? – Przyjaciel był w samych skarpetkach. Kiedy szedł, zostawiał na podłodze mokre ślady. W dłoni trzymał buty. Tośka wskazała mur obrośnięty od wewnątrz zmarzniętym gąszczem roślin. Był tak wysoki, że nie widzieli ulicy.

– Niby jak? Dokąd?

– Dzwoniłem do Romea. Nie bardzo mógł rozmawiać, ale już wyszli z komisariatu. Podałem im jak najwięcej szczegółów. Może Kodar się domyśli, gdzie jesteśmy.

– Rozumiesz coś z tego?

– Nic a nic.

– Kim są ci ludzie?

– Romeo mówi, że będziemy wracać do kraju. Są trudności.

Tośka zasłoniła usta dłonią.

– Co się stało? Dlaczego pod domem Kunanbajewów był szwadron mundurowych?

– Nie wiem. Nic więcej nie wiem – miotał się Sztaba. Z chojraka nie pozostał nawet ślad. – Jeśli nie oddadzą nam sprzętu, do końca życia się nie wypłacę. Zresztą nieważne. Chcę tylko stąd wyjechać. To banda dzikusów. W chuj bogatych dzikusów. Tacy mogą wszystko. Sorry, Tosiu, ale ja mam rodzinę i za stary już jestem na wygłupy. To wszystko mi śmierdzi. Oni są porąbani. Ten kulawy, tamten cyklop. Jacyś wąsaci mnie zwalają ze schodów. Łażą z czarnymi ptaszyskami w samym środku zimy do weterynarza. Że o duchach nie wspomnę. Nie dziwię się, że ten gruby zbzikował. Sam jestem bliski. O babach zamieniających się w sowy i tunelach śmierci nie odważę się opowiedzieć nawet przy wódce.

Tośka usiadła na łóżku. Dobrze rozumiała przyjaciela.

– Zdołałeś coś wysłać?

– Tylko zeznanie Kodara, uczniów i kilku członków rodziny. Tego zakłamanego starucha, na przykład, co zwolnił Mnaurę z pracy, bo się niby bał. Ale nie wiem, czy przeszło. Wieszało się co chwila.

– Masz tę małą kamerę?

Sztaba podniósł kurtkę.

– Bateria padła. Ładowarkę mam w hotelu, jeśli jej nie zabrali. To znaczy nie mam.

– Abaj obiecał, że przywiezie nasze rzeczy.

– Kiedy? Nie ufam mu. – Dziennikarz pokręcił głową. – W co my się wpierdoliliśmy, Petry?

– Trzeba się z nimi dogadać.

– Z tym olbrzymem? – roześmiał się kpiąco Sztaba. – Przecież oni chodzą spać z nożami i mają milicję w kieszeni. A może i wojsko.

– Jesteśmy im potrzebni. Bo niby dlaczego nas zamknęli? Mogli nas wywieźć na lotnisko.

– Albo do żwirowni, jak opowiadał twój chłop. Wszystko, co mówił, to prawda.

– Wiem. – Pokiwała głową. – Teraz rozumiem.

– Szkoda, że nic nie mamy. Ale musimy się ratować. Kurwa, Petry, w życiu się tak nie bałem. A jeszcze nic nam nie zrobili.

Siedzieli tak chwilę, rozważając swoją sytuację.

– Masz ten telefon?

Sztaba wyjął bezużyteczny aparat. Nie miał karty.

– No mistrz – zganiła go. – Genialny ruch. Winszuję.

– Też mogłaś zabrać swój, jak jesteś taka mądra – odpowiedział ze złością.

– To jak dzwoniłeś do Romea?

– Z dołu. Tam jest aparat. Jedna ze sprzątaczek wykręciła mi kierunkowy do miasta.

– Durny jesteś! – ofuknęła go. – Z pewnością podsłuchiwali.

– I czego się dowiedzieli? Że Romeo ma kłopoty? To dla nich nowość. Myślę, że to sitwa. Nie dojdziemy, o co chodzi. Mamy tylko to, co ze sobą. Ile masz kasy?

Tośka wywróciła kieszenie. Sztaba zrobił to samo. Uzbierali sto dwadzieścia dolarów i kilka tysięcy tenge.

– Nie wystarczy na bilety autobusowe.

– Mamy bilety. Za dwa tygodnie wracamy.

– Ja nie zamierzam tutaj siedzieć ani jednego dnia dłużej – zadeklarował Sztaba i złapał się za głowę. – To jest ryfa. A Kura mnie ostrzegała.

– Więc co proponujesz? Przeskoczyć przez płot? Dzwonić do kraju, żeby żona po ciebie przyjechała?

– Wystarczy, że się stąd wydostaniemy. Załapiemy się na łebka, pojedziemy na lotnisko. Stamtąd zawiadomimy polskie władze. Nie mogą nam jeszcze nic zrobić. Jaką masz gwarancję, że ktoś nas tutaj znajdzie?

– Abaj kazał czekać.

– Pierdolić Abaja! On nic nie znaczy. To figurant, mówię ci. Ten wielki samuraj i ta pucołowata flądra, Dildo, tu rządzą.

– Dilda – poprawiła go Tośka. – I nie krzycz tak! Myślę.

– Tych dwoje trzyma tutaj stery. Ale ty znasz się na olbrzymich Kazachach. To brat Kereja, jego krew. Idź, wybadaj tego koczownika. Niech ci powie, o co chodzi.

Tośka wzruszyła ramionami.

– Przecież spróbować możesz. Mieszka obok mnie. Dilda w drugim skrzydle. Jak za dawnych czasów. Każdy ma swoją komnatę. I powiem ci, że to jest niegłupia koncepcja. Gdybym miał więcej hajsu, sam bym ten numer lokalowy zastosował. A bachory w ogóle w takiej wieży jak ta bym trzymał. Klucz wyrzucił. I tylko służbę do nich puścił. To jest życie.

Tośka nie słuchała jego gadaniny. Wiedziała, że żartami oswaja swój strach.

– Trzeba kogoś zawiadomić.

– Kogo?

– Nie wiem.

– No to powiedziałaś – roześmiał się Sztaba.

– Widział cię, jak wychodzisz?

– Kto?

– Chyba nie Matka Boska. Kim. Buszi. Brat Kereja.

– Nie było go. Pokój był pusty. Najwyraźniej wszyscy pojechali z Dimaszem. Nie wiem, co oni kombinują, ale to mi się coraz mniej podoba.

– Mnie też – przyznała Tośka. – Cały ten dom jest opustoszały. Jakby ludzie, którzy tutaj kiedyś mieszkali, umarli albo wyjechali. To jest jak zamek śpiącej królewny. Zwłaszcza ten pokój. Trochę jak z horroru.

Sztaba poderwał się, podszedł do okna. Wskazał światło w szopie nad stajniami.

– Tam ktoś jest. Wcześniej było ciemno.

– Przecież nie będę łaziła po obejściu. Abaj kazał nam zostać w pokojach.

– Więc słuchaj go, a zostaniesz tu do śmierci. Oby nie nastąpiła zbyt prędko.

– Skoro nie ma Kima, to z kim mam rozmawiać? Zwariowałeś do reszty.

Przekomarzali się jeszcze chwilę, aż wreszcie Sztaba pochylił się i zaczął sznurować buty.

– To ja idę.

Tośka zawahała się, ale stanęła obok przyjaciela.

– Sama tu przecież nie zostanę – mruknęła. – I wiesz co, mam pomysł. Zadzwonimy do mecenasa Leszczyńskiego.

– Pamiętasz numer?

Pokręciła głową.

– Wszystko mam w komórce. Ale ta młoda pieśniarka wygląda mi na pokolenie mejla. W takiej chacie musi być gdzieś laptop. Wszystko jest przecież sterowane elektronicznie.

– Ty to masz łeb – ucieszył się Sztaba. – I mejle z prośbą o ratunek wyślemy. Na forach społecznościowych damy ogłoszenie. Kurę powiadomię.

– Nie jest dobrym pomysłem wychodzenie stąd.

Usłyszeli kroki na schodach. Obejrzeli się. U szczytu stał Kim Kunanbajew. Za jego plecami Tośka rozpoznała tych samych dwóch mężczyzn, którzy kiedyś próbowali ją uprowadzić spod domu w Srebrnej Górze. Poczuła, jak serce jej przyśpiesza, a potem wyszarpała z kieszeni *tengri*, wyciągnęła przed siebie jak tarczę i wyjąkała:

– Chyba powinniśmy porozmawiać, panie Kim. Na osobności, jeśli panowie pozwolą.

Brat Kereja obejrzał się na swoich towarzyszy i polecił:

– Zostawcie nas. Pana Sztabę proszę odholować do jego pokoju. I pilnować, bo widzę, że gotów narobić jeszcze większych kłopotów.

Romeo porozkładał kupki dolarów na stole i ponownie zabrał się do liczenia.

– Od tego ich nie przybędzie – rzekł Kodar. – Nadal trzech tysięcy brakuje.

– Nie masz już nikogo, od kogo można pożyczyć?

Kodar pokręcił głową.

– Powiedz, że resztę prześlę z Polski. Przecież cię znają.

– To nic nie da.

Romeo zsunął złotego roleksa.

– Sprzedajmy go.

Kodar wyjrzał za okno. Wszystkie wyjścia były obstawione. Na podjeździe nie widział już radiowozów, ale stały trzy auta tajniaków.

– Nie wypuszczą nas. A telefonicznie tak szybko nikt nie wyłoży całej kwoty. Pieniądze musisz mieć do jutra. Inaczej nie wyjedziecie.

– Więc dołóżmy zegarek.

– Jeśli nie przyniesiesz całości, i tak ci go zabiorą.

Usiedli na kanapie zrezygnowani.

– Kto daje kryszę Futnikowowi? Chodźmy do niego.

– Zere Bajdały prędzej żywcem mnie rozszarpie, niż pozwoli na wpłacenie mniejszej kwoty. Jeśli się dowie, że tak mało zażądał, podwoi albo potroi stawkę. Lepiej nie drażnić tej czarownicy.

Roman spojrzał na Kodara. Zebrał pieniądze i wsypał je do torby na kamery.

– Szczerze, to ja w ogóle nie widzę sensu płacić. Musi być jakiś sposób, żeby ominąć tego chujka.

– Nie ma. Zamkną cię.

– Za co?

– Daj mi człowieka, a ja znajdę na niego paragraf. Takie są zasady tutejszej prokuratury. W naszym więzieniu nie przetrwasz miesiąca. Tortury, głodówka, warunki jak w łagrach. Nie przesadzam.

– Mój kraj się o mnie upomni – chełpliwie skomentował Romeo.

Kodar przemilczał ostatnią wypowiedź, a potem podniósł głowę.

– Jest jeden sposób, żebyście wyjechali, ale to byłoby niebezpieczne i dziewczyna musi się zgodzić.

– Tośka?

– O nią im chodzi.

– Chcesz im ją wydać? Sądziłem, że za wszelką cenę starasz się ją chronić.

– Na razie ona i twój dziennikarz są bezpieczni. Ale to się może w każdej chwili zmienić. Nie uciekniecie bez ich wiedzy. Tutaj wszystko ma podgląd. Teraz powiedzieli siedemnaście, jutro powiedzą trzydzieści. Jak i to zapłacisz, zażądają miliona.

Romeo wstał, chwycił z talerza kawałek kotleta. Porwał go na kawałki i zjadł z wyrzutem sumienia.

– Nie masz już nic słodkiego? – upewnił się.

Kodar dał znak Mnaurze. Wyszła, a po chwili wróciła z miską placków polanych sosem. Wręczyła je Romeowi, wraz z wykałaczkami. Biznesmen od razu zabrał się do odstresowywania.

– Więc sugerujesz, żeby nie płacić wcale? – zapytał z pełnymi ustami.

– Nie wiem. Głośno myślę.

– Po co im Tośka? Chcą ją zabić?

– Chcą, żeby sprawiedliwości w ich mniemaniu stało się zadość. Zere chce odzyskać twarz.

– Nadal nic nie pojmuję z tych waszych ustaleń.

– Są trzy rzeczy, dla których tutejsi ludzie mają respekt.

– Pierwsza to pieniądze – odgadł Romeo. – Ale nie mam przy sobie tyle gotówki. Co za pech.

– Druga to słowo starszego rodu.

– A trzecia?

– Jeszcze większe pieniądze. Największe pieniądze.

– Czyli władza?

– Jak zwał, tak zwał.

– Skąd je weźmiemy?

– Do tego potrzebna jest żona Kereja.

– Przecież Tośka jest ukryta. I zdawało mi się, że miałeś żal, że ją zabrałem.

Romeo wstał. Wyprostował się, deklarując swoją gotowość do odbicia jeńców.

– Nie chodzi o nią. – Kodar machnął lekceważąco ręką. – Muszę ci chyba coś więcej powiedzieć o Bibi. Czasami to, co się nam wydaje, takie właśnie jest.

1994 rok, Uralsk, Kazachstan

Bibi leżała na skrzyni – przytwierdzona pasami, jak do ukrzyżowania. Wokół niej nie było już nikogo. Nie mogła się zasłonić, obetrzeć łez. Zresztą od dawna już tylko milczała. Kończyny jej zdrętwiały. Nie miała czucia w palcach. Zdawało się jej, że zniknęła i przeniosła się do innego wymiaru. Tylko cykający miarowo zegar uparcie przypominał, że się łudzi. Zaraz przecież wrócą, a tym razem nie skończy się na obmacywaniu i groźbach. Jak się do tego zabiorą? Ilu ich będzie? Czy to się powtórzy? Wcześniej tylko słyszała makabryczne historie o tym, co milicjanci wyprawiają z zatrzymanymi kobietami, i nie zawsze dawała im wiarę. Nie wiedziała wtedy, że najgorsze w tej sytuacji jest nie pastwienie się, ból, upokorzenie, ale ten czas pomiędzy – oczekiwanie. Krótki atak można dźwignąć. Kolejne przychodzą już coraz łatwiej. Jak z każdą barierą, w przekraczaniu następnych pomaga znany mechanizm. Człowiek jest istotą genialną. Przystosuje się do każdych warunków. Ale te przerwy, cisza i narastający lęk przed nieznanym są jak chińska tortura.

To czas łamie ducha. Siła czy słabość nie mają nic do tego.

Wpatrywała się więc w sufit, myślała o dziecku i ostatnich wakacjach na Krymie z mężem, kiedy wszystko było jeszcze inaczej. Miała wrażenie, że przydarzyło się to komuś innemu, w innym życiu. Nie jej. Chyba że już umarła i trafiła do piekła. Ale niby za co? To nie ona pognała z karabinem na osiedle Żdanowa. Nie ona stanęła w obronie swoich uczniów, biła się, obrzucała wyzwiskami i groziła. Nie ona odmówiła zapłaty haraczu. Jej nikt o nic nie pytał, ale to ona musi płacić. Była zawsze wierna, ulega, potulna. Doprawdy jedyną jej winą było to, że kiedyś wyszła za Kereja. Czy go wciąż kochała? Odkąd odkryła, że ją zdradzał, nie była tego pewna. Coś w niej pękło. I z czasem rozpękała się na drobniejsze, wreszcie na milion małych kawałeczków. Sama już nie wiedziała, jak się pozbierać do kupy. Ale choć chodził do aktorki, wciąż dbał o nią, troszczył się. Spali ze sobą regularnie. Był dobrym ojcem. Rozpierała ją duma, że należy do jego rodziny. Dlatego nie dała po sobie poznać, że wie o Boskiej Verze. A wszyscy się domyślali: matki, koledzy, nawet nauczyciele ze szkoły, w której uczyła. Kiedy wracał rozgrzany i pachnący cipką tamtej, podawała mu gorącą kolację i pozwalała tulić się do swoich piersi, by zmniejszyć poczucie winy, choć chciało jej się wyć. Odwracała głowę od plakatów na ulicach. Cierpiała razem z nim, kiedy tamtą zabili. Współczuła mu szczerze. Piekła racuchy. Myślała, że tak trzeba. Gdyby, kiedy jeszcze kochanka żyła, przyszedł i zapytał, czy chce się rozwieść, zgodziłaby się. Gdyby poprosił, aby została pierwszą żoną, zamieszkaliby razem. Mnaura dzieliłaby im jeden kawałek polędwicy, wychowywałyby wspólnie dzieci. Ojsze zmywałaby im głowę, że nie umieją gotować. Za jakiś czas Kerej przyprowadziłby do domu kolejną, zapewne młodszą. Bibi skinęłaby tylko głową i wynegocjowała większy pokój dla siebie i Osmana. Była wszak własnością rodu Kunanbajewów. Kupili ją za worek wełny. A ponieważ tanio się sprzedała, nie wymagała szacunku. Sama go nie miała dla siebie. I dlatego też, wmawiała sobie, jej zadaniem jest znieść teraz to poniżenie. Ktoś musi beknąć za postępek jej męża. Ale skrywany gniew na małżonka rósł jej w brzuchu od tak dawna, niczym wypełniony ropą wrzód, że to, co się teraz działo, zdawało się jej tak samo groźne jak ostry lancet w ręku lekarza przed operacją. Zwykła konieczność. Jedno przerażające cięcie, trochę cierpienia, a kiedy ropa się wyleje, będzie miała szansę zacząć się czyścić.

Liczyła więc czarne zapałki, które tworzyły na powale makabryczną mandalę, i nie mogła się doczekać powrotu oprawców. Jeśli stanie się to, co nieuniknione, będzie mogła dać sobie przyzwolenie na odejście. Uwolni się od tej przeklętej rodziny i zacznie żyć po swojemu. Chyba że ją zabiją. Wtedy i tak będzie jej wszystko jedno.

Była pewna, że ją obserwują przez lustro weneckie, które zajmowało połowę ściany naprzeciwko. Liczą na jej rychłe załamanie. Tymczasem ona była od tego taka daleka, że aż chciało się jej śmiać.

Sierik Chajruszew stał po drugiej stronie szyby i nudził się jak mops. Przejął stanowisko, by pozostali mogli wyjść do miasta, żeby coś zjeść, bo strasznie się umęczyli. Nie musieli mu niczego relacjonować. Sam widział, że, na swoje nieszczęście, kobieta jest twarda i porządnie da im jeszcze w kość. A nie mogli się posunąć za daleko. Rozkazy Futnikowa były jednoznaczne. Bibi ma przeżyć. Askałowie zakazali odwetu na bliskich Kereja. Kobieta miała wycierpieć swoje, bać się przeokrutnie i wyznać wszystko, co wie.

Potem zostanie wypuszczona. Jeśli okaże się słaba, dojadą ją tak jeszcze wiele razy, choć było oczywiste, że nie ma pojęcia, gdzie jest jej mąż. Sprawa była delikatna, łatwa do spartolenia, dlatego Sierik dostał rozkaz, by osobiście się nią zająć. Patrzył teraz na tę rozpiętą na pasach, upokorzoną, choć przecież niewinną kobietę i starał się rozgrzać w sobie całą nienawiść za zabicie jego brata. Mówili mu, że tylko na początku się awanturowała. Potem przestała się odzywać, reagować na zaczepki i bicie. Po prostu leżała apatycznie, znosząc wszystko, byle tylko wrócić do synka. Jasne, że Sierik robił to już wiele razy. Robota jak robota. Jej monotonia była wprost odrażająca. Od takich przesłuchań bolały go potem knykcie i ciągnęło w ramionach. Ile razy zresztą można zadawać jedno pytanie? Uderzać, podnosić i szarpać. Kiedy był młodszy, strasznie się władzą absolutną nad innymi ekscytował. Teraz ogarniało go tylko znużenie, jeśli nie miał do czynienia z kimś, kto go po prostu wkurwiał.

Milicjant wiedział, że powinien już wejść do niej i przystąpić do rzeczy, bo zaraz wrócą chłopcy. Inaczej straci tytuł największego zwyrodnialca w komendzie. Ale nie mógł się na to zdobyć. Może zmiękł tak po śmierci Bierika? Czy to żałoba tak się przejawia? – rozważał. A może to jednak ona? Nie była jakoś szczególnie urodziwa. Przed laty to co innego. Urodzenie dziecka i lata małżeństwa zabrały jej lekkość i czar podlotka. Bo widział ją już kiedyś. Nie była mu całkiem obca. A o wiele trudniej jest zadać ból komuś, kogo się znało, choćby w przelocie. Tym bardziej, jeśli i tak życie mu ostro dokopało. Zgasił papierosa i zaraz zapalił następnego. Też miał rodzinę, dzieci. Żona czekała na niego z obiadem i prasowała mu koszule, by w pracy nie miał nawet zagniecenia. Choć obcych bez pardonu walił w ryj, dla bliskich potrafił być czuły. Kiedy wracał do domu, brał maluchy do ich wielkiego małżeńskiego łoża i baraszkował z nimi, a jego żona tak tkliwie się wtedy doń uśmiechała. Czuł, że zło, które go oblepia na co dzień, jest tylko umowne.

Skrzypnęły drzwi i Bibi wiedziała, że nareszcie nadchodzi ta chwila. Ale zamiast hałaśliwych tłuków, którzy byli tutaj wcześniej, wszedł tylko ponury Kazach z ospowatą twarzą. Jego błękitna koszula nie miała ani jednej zmarszczki. Był sam. W rękach nie miał pałki. Nie dostrzegła też kastetu na palcach. Broń spoczywała grzecznie w zapiętej kaburze przy pasku. Wpatrywali się w siebie dłuższą chwilę.

– Chciałaby pani coś dodać? – zaczął i Bibi zrozumiała, że ten będzie udawał dobrego.

Skrzywiła się z niechęcią. A więc to jeszcze potrwa. Znów czas. Wolałaby mieć to już naprawdę za sobą. Chciała krzyknąć: „Zróbcie to wreszcie i dajcie mi spokój", ale zamiast tego wychrypiała:

– Nic mnie to wszystko nie obchodzi. To nie moja sprawa.

Sierik przysiadł na parapecie. Wyciągnął z paczki papierosy.

– Też będziesz mnie bił? – Bibi nagle przeszła na ty.

– A chciałabyś?

– Wszystko mi jedno. Ile to jeszcze potrwa?

– Aż sobie przypomnisz, gdzie on jest.

– Gdybym wiedziała, dawno miałbyś to na piśmie. Trzymacie mnie pokazowo. Przywiozłam tylko chłopców do szpitala. Ot, cała moja zbrodnia – powiedziała i przymknęła oczy.

Zdawała się odprężona, ale wiedział, że to nieprawda. Stres dopiero narastał. A Sierik umiał to robić na miękko. Dlatego był taki skuteczny. Odwrócił się do niej plecami. Westchnął ciężko i strzepnął popiół za okno.

– Wiesz, kim jestem?

Bibi zareagowała prawidłowo. Natychmiast przekręciła głowę. Ale w tym świetle mogła widzieć tylko zarys jego sylwetki.

– Chodziłaś z moim bratem do szkoły. Byłaś dwa lata wyżej. Teraz on nie żyje.

– Nie pamiętam cię – odparła rzeczowo i zadziwiła go tym. Liczył, że zacznie się tłumaczyć, jęczeć i prosić go, by ją wypuścił, bo to przecież nie ona zabijała. – Jak się nazywa twój brat?

– Nazywał – skorygował zimno. – Bierik Chajruszew.

Milczała dłuższą chwilę.

– Mówili na niego Mana. Był ponoć okrutnym skurwysynem – rzekła w końcu. – Ale bardzo mi przykro, że straciłeś brata. Ja nie mam rodzeństwa. Nie mam nikogo.

Odwrócił się, zaciekawiony.

– Masz synka.

– Gdybym tutaj umarła, rodzina męża się nim zaopiekuje. Pewnie tak by woleli.

– Wiesz, że jeśli pójdziesz na współpracę, wyjdziesz szybciej.

– Co mam ci powiedzieć? – zdenerwowała się w końcu. – Nic mi nie mówił. Nie kontaktował się. I nie skontaktuje. Prędzej pojedzie do swoich uczniów, do tatusia i mamusi, do kontrahentów, ale mnie znaku życia nie da. Podobno, żeby mnie chronić. Pierdolę taką ochronę.

Zaczęła się wreszcie szarpać. Sama jednak się zorientowała, że wpadła w jego sidła i dała się sprowokować, bo natychmiast się uspokoiła.

– Gdyby przyjechał, obiecuję, że dam ci znać. Jak coś będę wiedziała od innych, to samo. Jak masz na imię? Nazwisko twoje zapamiętałam.

– Żona największego zadziora w tym mieście, a nawet gwałt nie będzie potrzebny? – roześmiał się szyderczo. – Zdradzisz go? Tak po prostu? Nie wierzę.

– On mnie zdradzał długi czas – syknęła. – Nic mu nie jestem winna.

– Tak łatwo nie pójdzie. Zaraz wrócą i mają rozkaz cię jeszcze pomęczyć.

– Jak sobie chcecie. – Poruszyła nogami na tyle, ile pozwalała jej swoboda w pasach. – Powiem tylko tobie. Bierz albo wypierdalaj. Nic więcej nie mam do zaoferowania.

Wtedy się do niej zbliżył. Z tej pozycji widziała jego kanciasty podbródek, zagojone wulkany na skórze i czuła jego pot i zapach taniego tytoniu. Zauważyła, że ma rozpruty szew na lewej nogawce. Nie poruszyła się, oddychała tylko szybciej.

– Sądziłem, że będziesz inna. – Obsunął jej spódnicę. Poprawił majtki. Zrobił to bardzo delikatnie, wręcz tkliwie. Poczuła, że znów wraca niepokój. Spodziewała się brutala, nie rycerza, dlatego nic nie odpowiedziała. On zaś wciąż nad nią stał i przyglądał się jej dorodnym piersiom, brzydko teraz spłaszczonym podsuniętym do góry biustonoszem, ale tego nie odważył się skorygować. – Że będziesz o męża walczyła jak lwica.

– Masz żonę?

– Nie twoja sprawa.

Nie przejęła się jego obcesowością.

– Zdradzasz ją?

Zmierzył ją zimnym spojrzeniem, a potem znów się roześmiał. I uświadomił sobie, że od lat nikt go tak nie bawił jak ona.

– A więc narodowy bohater Uralska nie był ci wierny? I to wydaje ci się straszniejsze niż zbrodnia, której dokonał?

– Wolałabym być już wdową niż słuchać tych głupot. Możecie zrobić ze mną, co chcecie – rzekła i nie powiedziała już więcej ani słowa, choć Sierik zagadywał do niej i próbował wszelkimi sposobami sprowokować ją do kontaktu.

Dopiero kiedy z korytarza dobiegł ich rumor, a do pomieszczenia wmaszerowywali już najedzeni i zdrowo wypici milicjanci, Bibi się poruszyła. Wtedy Sierik podszedł do niej i uderzył ją z całej siły w twarz. Poprawił jeszcze kilkoma ciosami, ale używał znacznie mniej siły niż za pierwszym razem. Opadła na skrzynię, do której była przymocowana, całkiem zamroczona. Kiedy się ocknęła, była już wypięta. Ktoś trzymał ją za ramiona na krześle. Rozejrzała się. Chwilę zajęło jej zorientowanie się w nowej sytuacji, ale nowy oficer siedzący przed nią za biurkiem przesuwał w jej stronę dokumenty.

– Tutaj podpisz i możesz iść.

Pokręciła głową.

– Niczego nie podpiszę.

– To odbiór rzeczy osobistych. Że nic ci nie ukradli. Przeczytaj.

Wzięła papier do ręki i przeleciała wzrokiem protokół. Zapisanych zdań było tylko kilka, włączając w to jej dane personalne. Odwróciła kartkę.

– Nie ma tutaj moich zeznań.

– Bo niczego nie zeznałaś – mruknął milicjant. – Podpisuj, póki Sierik ma dobry humor, i wypierdalaj.

– Ktoś po mnie przyjechał? – dopytywała się, bazgrząc na dole kartki. – Zapłacił za mnie?

– Zjeżdżaj. – Milicjant wyrwał jej z dłoni bumagę i wskazał drzwi.

Kiedy wydostała się z komendy, była już ciemna noc. Wróciła do mieszkania okrężną drogą, na piechotę. Szła nieoświetlonymi uliczkami, a potem przez park. Wybierała tylko te drogi, którymi mąż zakazywał jej chadzać, kiedy zapadał zmierzch, ale teraz Bibi niczego już się nie bała. Przed wejściem do klatki spojrzała na pozasłaniane okna swojego mieszkania i wiedziała, że nie zastanie tam nikogo. Ojsze z pewnością zabrała Osmana do Kodara. Na pewno zameldowała mu o mojej niesubordynacji, pomyślała z żalem, a mimo to nikt z rodziny Kunanbajewów nie trudził się wyciąganiem mnie z aresztu. Czekali na decyzję starszych rodu albo negocjowali z askałami zamiast wezwać prawnika. Nie wiedziała dokładnie, jak długo była na przesłuchaniu, ale doba minęła z pewnością. Postanowiła solennie, że dotrzyma swej obietnicy i postara się zacząć żyć samodzielnie. Jeszcze nie wiedziała, jak to zrobi, ale musi się uniezależnić od Kunanbajewów. Ta sytuacja dobitnie jej pokazała, jak bardzo jest dla nich cenna. A raczej, że warta jest dla nich mniej niż nic. Mieli wnuka, Osman był bezpieczny, więc zostawili ją własnemu losowi. I poradziła sobie. Przecież wyszła, żyje. Ma dwie nogi, dwie ręce. Wciąż widzi, słyszy. Nie jest źle.

Dotarła do klatki schodowej. Przed wejściem stało kilku wyrostków. Mieli włączone przenośne głośniczki, pili piwo i palili papierosy. Kiedy ich mijała, rozstąpili się, nisko kłaniając, jakby dokonała czegoś niezwykłego. Odpowiedziała zdawkowym uśmiechem i przyjęła pozdrowienia dla Kereja, a potem powłócząc nogami, bo nagle poczuła, jak bardzo jest zmęczona, ruszyła na górę. Twarz ją piekła od uderzeń, całe ciało miała obolałe. Marzyła o kąpieli i położeniu się do łóżka. Rano zamierzała pójść normalnie do pracy i dopiero stamtąd zadzwonić do Kodara, by po południu przywieźli jej dziecko. Zgasło światło. Zanim wyszukała na ścianie kontakt, rozbłysło ponownie. Zatrzymała się, wytężyła słuch. Żadnego odgłosu, ale wiedziała, że ktoś tam jest. Poczuła znów, że żołądek się zaciska. A potem przyszedł gniew. Przyśpieszyła, gotowa zmierzyć się z intruzem, dopóki jeszcze krążyła w niej adrenalina. Kiedy dopadła swojego półpiętra, zobaczyła wysokiego mężczyznę w ciężkich butach i wojskowych spodniach. Nie od razu go poznała. W pierwszej chwili myślała, że to Kerej.

– Musiałem to zrobić. – Sierik Chajruszew wyciągnął w jej kierunku foliową torebkę z lekarstwami i bandażami. Bibi odruchowo dotknęła swojej opuchniętej twarzy. – Inaczej nie mógłbym cię puścić.

Stała chwilę jak wryta, zupełnie nie wiedząc, co powiedzieć. Mężczyzna pochylił głowę. Oboje byli zmieszani. Wreszcie Bibi zebrała się na odwagę.

– Czego chcesz? Liczysz, że dam ci teraz, po dobroci?

Podniósł brew, skrzywił się zawstydzony.

– Naprawdę mnie nie pamiętasz?

– Będę krzyczeć – ostrzegła, ale tylko zacisnęła bardziej usta.

– Jako dużo starszy brat odprowadzałem często Bierika na treningi do Kodara – rzekł cicho, starając się, by echo nie niosło ich rozmowy, choć oboje wiedzieli, że sąsiedzi z pewnością mają pod drzwiami niezłe radio. – Ty spotykałaś się już z Kerejem. Siedzieliście zawsze na ławce przed tylnym wyjściem z sali. Miałaś taką niebieską sukienkę w groszki – urwał. – Ja nosiłem wtedy okulary.

Pokręciła bezradnie głową, a potem mruknęła opryskliwie:

– Nic, poza przedwczesną ciążą, z tego okresu nie pamiętam. Niebieskiej sukienki tym bardziej.

Sierik przytaknął i już kierował się na schody.

– Jeszcze raz przepraszam. Ty nie jesteś niczemu winna. Wyjedź z kraju na jakiś czas. Tak byłoby najlepiej.

– Dokąd? – żachnęła się. – Kto mi teraz wyda wizę? Z czego utrzymam dziecko?

– Na razie odpocznij, jeśli zdołasz – powiedział niemal szeptem. Znów zgasło światło, ale żadne z nich nie sięgnęło do włącznika. Kolejne zdanie dobiegło Bibi już z oddali: – Ja też powinienem, chociaż nie umiem zasnąć.

Stała w miejscu i nie była w stanie się poruszyć. Słuchała, jak milicjant powoli schodzi na dół. Wkrótce odgłos jego kroków był już ledwie słyszalny. Wtedy dosięgnęła włącznika, kiedy klatkę zalała jasność, wychyliła się za balustradę.

– Hej, napijesz się może herbaty? Wódki nie mam, ale jakaś wiśniówka się znajdzie.

Ale jego już nie było. Usłyszała tylko trzaśnięcie drzwi wyjściowych i odgłos śmiechu młodzieży zgromadzonej przed klatką. Wtedy uświadomiła sobie, że nadal nie wie, jak ten człowiek ma na imię.

Następnego dnia w swojej przegródce w pokoju nauczycielskim Bibi znalazła pudełko zagranicznych czekoladek i paszporty z wbitymi wizami do Rosji, wystawione dla niej i Osmana.

Droga była pomarańczowa jak niebo o zachodzie słońca i kończyła się w porośniętym suchymi krzakami wąwozie. Wskaźnik paliwa świecił się ostrzegawczo od dawna, a Kaszo wiedział, że jadą już na oparach. Nie mówił jednak o tym dziewczynie, bo i tak leżała z tyłu bez czucia. Po pierwszym wybuchu rozpaczy i wrzaskach na miejscu strzelaniny uspokoiła się i zapadła w sobie. Czuł, że moc silnika słabnie. Grzęźli w gliniastej ziemi. Wreszcie maszyna zacharkotała, kaszlnęła kilka razy i zatrzymała się, z godnością ogłaszając kres ich podróży. Kaszo patrzył w gęstwinę gołych gałęzi i pomyślał, że dalej i tak by już nie przejechali. Było zbyt grząsko, górzyście, a w tym lesie podobno znajdowały się bagna. Tadżyk wysiadł więc i zaczął wyjmować ekwipunek z bagażnika. Miał tam mały ortalionowy namiot, śpiwory, wodę i żywność na kilka dni. Spojrzał na urzyn Dimasza ukryty w miejscu koła zapasowego, ale zostawił go tam. Zabrał jedynie pudełka z amunicją. Nie zostało tych naboi wiele. Potem wyjął łopatę. Precyzyjnie zawinął walizki Ałgyz w koc i zakopał je. Ubił ziemię, przyłożył stertą gałęzi. Jeśli ludzie Sobirżana znajdą auto, przesieją teren do ostatniej drobiny piasku, ale przynajmniej utrudni im poszukiwania. Teraz pozostało mu jakoś wydostać z auta dziewczynę.

– Panienko – szepnął, nie licząc na nic więcej, ale ku jego zaskoczeniu natychmiast podniosła głowę. – Musimy uciekać.

– Nic nigdy nie musisz, Kaszo – odpowiedziała twardo.

Zaskoczyło go, że jest w tak dobrej formie. Na jej twarzy nie widział już śladu łez. W ogóle nic nie można było z niej wyczytać. Głos miała chrapliwy, zagniewany, kiedy dodawała:

– Wyrzuć to słowo ze słownika. Możesz. Chcesz. Zawsze działaj w zgodzie ze sobą.

Podał jej rękę. Wysiadła z samochodu i stanęła szeroko na nogach. Uniosła dłonie ku górze, jakby zbierała z kosmosu energię, zadarła głowę. Kaszowi wydało się, że czuje lekki wietrzyk. Po chwili gałęzie zaczęły się poruszać. Spojrzał na Ałgyz. To ona poruszała rękoma. Oczy miała zamknięte, a z jej ust wydobywał się cichy pomruk. Wiatr się wzmagał. Dziewczyna śpiewała głośniej. Teraz już mógł rozróżnić jej słowa.

Aulie, *który jest w świętym starcu.*
Aulie *z Zachodu,*
Aulie, *który chodzi po górach,*
Aulie, *który jest w kamieniach,*
Aulie, *który jest w jeziorze,*
Aulie, *który jest na drodze,*
Wszystkim życzę nadziei.

Nagle Kaszo poczuł na twarzy drobiny piasku, a chwilę później podniósł się tuman. Gliniasta ziemia wznosiła się, tworząc niezliczone wiry, maleńkie trąby powietrzne. Skulił się i ukrył za samochodem. Przyciągnął do siebie ekwipunek, ale zaraz zrozumiał, że to najgorsza strategia z możliwych. Piach przylegał do wozu, jakby Ałgyz wznosiła na jego szkielecie budowlę z gliny. Odbiegł i zaczął przeciągać śpiwory, namiot. Łopatę zostawił, a już po chwili pokryła ją warstwa gliny. Kiedy tylko zdołał oddalić się na bezpieczną odległość, ściana jednego z wąwozów zwaliła się na auto i Kaszo z satysfakcją pomyślał, że teraz już nigdy nie znajdą rzeczy Ałgyz. Wtedy wiatr ustał. Wszystko ucichło. Ruszyła bez słowa przed siebie, a Kaszo, pośpiesznie chwytając dobytek, podążył za nią.

– Masz zapałki? – zapytała, kiedy się oddalili i weszli w głąb zadziwiająco nagich zarośli.

Skinął głową.

– Potrzebny mi jest dym.

– Co chcesz zrobić? – pytał, nie kryjąc przerażenia. – Jaki masz plan?

– O czym zawsze marzyłeś, Kaszo?

– O wolności, panienko – odparł bez namysłu. – O tym, by samemu o sobie decydować.

– A nie o bogactwie?

Kaszo pomyślał o dokumentach, które niósł na plecach i które zapobiegliwie zapakował razem z jedzeniem.

– Też – przyznał. – Kiedyś. Ale to dlatego, że pieniądze dają wolność.

– Sekret życia tkwi w tym, żeby umrzeć, zanim umrzesz.

– Nie boję się śmierci. Życia owszem.

– A powinieneś. Akurat twoja śmierć nie przyjdzie prędko. Będziesz stary i bogaty, a ona nie nadejdzie, nawet gdy wszyscy twoi wrogowie będą po tamtej stronie. To ci gwarantuję.

– Czy to klątwa?

– Zabezpieczenie – odparła Ałgyz. – Ci, którzy rozpętali tę wojnę, nie zaznają już spokoju. Pierwszym, którego zaklnę w czarnym zwierciadle, będzie mój ojciec. Ty zajmiesz jego miejsce. W zamian zobowiązuję cię do strzeżenia tej tajemnicy i zadbania o to, by nie doszło więcej do żadnej śmierci. Nikt więcej nie zginie. To będzie moja kara dla nich.

– Do tego potrzebny ci dym? – dopytał. – By dokonać zemsty?

– Dym łączy oba światy: ten, w którym jesteśmy, i świat duchów. Przywołam jednego z nich, by chronił nas oraz naszych przyjaciół.

Zatrzymała się. Rozejrzała.

– Tutaj będzie dobrze.

Wspólnie nazbierali chrustu na ognisko. Kaszo otworzył konserwy z jedzeniem, ale Ałgyz odmówiła strawy. Nie wzięła też do ust nawet łyka wody. Siedzieli w milczeniu przy ogniu, choć z nieba lał się żar. Kaszowi zdawało się, że czuwa, lecz zasnął jak dziecko. Śniła mu się baśń o trzech braciach, którą opowiadała mu babcia, kiedy był mały. Pierwszym, najdzielniejszym z braci był Kerej. Ruszył żwawo do pieczary potwora, lecz nie zdołał sforsować wejścia. Uciekł w popłochu. Drugi, najmłodszy, zginął na miejscu. Kaszo zbliżył się do trupa i rozpoznał Isę. On sam był Orancz-batyrem, który celnie zaatakował króla węży o głowie wielkiej jak misa i tułowiu grubym i długim jak pień drzewa. Kiedy zraniony potwór uciekł w stronę źródła, Kaszo się zorientował, że wąż ma twarz Jerboła Bajdałego. Zrozumiał, że nie może pozwolić potworowi odejść, i choć w źródle znajdowało się więcej węży, poddanych króla, siekł swoim mieczem wszystkie po kolei. A po zakończonej walce uciął pasemko wężowej skóry i przepasał się nim pod odzieżą, jak gdyby nic nie zaszło. Wtedy na szczycie pieczary zobaczył białą sowę.

– Zajmiesz jego miejsce, ale najstarszej żony jego nie waż się nigdy tknąć, choćby błagała – zaskrzeczał puchacz. – Młoda Kunke urodzi ci jeszcze siedmioro dzieci. Dbaj o nie, bo tak zaczyna się twój ród. Będzie potężny, jak przystało na plemię władców.

Obudził się zlany potem, lecz szczęśliwy, dumny z wygranej i spokojny jak nigdy dotąd. Była już ciemna noc. Spoza kłębów dymu prześwitywały fiolety Ałgyz. Siedziała w kucki przy ogniu, w niezmienionej pozycji. Słyszał, jak mruczy coś zapamiętale pod nosem, ale kiedy tylko spostrzegła, że się obudził, przemówiła do niego głosem staruszki:

– Wrócisz teraz do domu Sułtana i każesz mu odejść z pałacu.

Kaszo natychmiast podniósł się na łokciu. Usiadł. Wtedy obok Ałgyz zobaczył staruchę w łachmanach, z rozczochranymi białymi włosami i rzędami paciorków na szyi. Kiedy przyjrzał się jej bliżej, zrozumiał, że to nie zwykłe koraliki, lecz kości zwierząt i ptaków oraz kamienie nanizane na sznur, które *baksy* kolejno zdejmowała. Nie musiał liczyć kumalaków, by wiedzieć, że jest ich czterdzieści jeden. Dżama rzuciła je teraz na ziemię. Rozsypały się, tworząc gwiaździstą konfigurację. Gdy znów przemówiła, Kaszo pojął, że to jej głos słyszał jeszcze we śnie, nie zaś Ałgyz, która wciąż dryfowała gdzieś między światami i nuciła jednostajnie.

– Jekatryna zostanie w wieży do końca swych dni. Będzie odwiedzała Sobirżana w letniej rezydencji, donosiła mu o tym, co się dzieje, i próbowała sztuczek. Nie zważaj na nią, bo twoje przeznaczenie i tak się dokona. A od tego, jak postąpisz teraz, będą zależały dalsze losy pozostałych.

– Ode mnie? – zdziwił się Kaszo. – Nigdy nie byłem dobrym człowiekiem. Nie zasługuję.

– To prawda – przyznała Dżama, a jej żółte oczy ptaka przewiercały go na wskroś. – Ale ratując *baksy*, duchową istotę, podobnie jak Kerej, stałeś się osią tego wszystkiego. Twoje losy splotły się z jego losami, choć pewnie tego nie chciałeś. A równowagę przywrócić może czasem tylko zbrodnia.

– Chcesz, żebym kogoś zabił? – nie pojmował Kaszo.

Dżama zaprzeczyła gwałtownie.

– Pogódź się ze śmiercią chłopca. On jest teraz szczęśliwszy. Zawsze był powietrzem. Jako człowiek niewystarczająco mógł wykorzystywać swoje moce – rzekła szamanka, a Kaszowi przez mgnienie oka wydało się, że także ona nie jest człowiekiem i ma ostre, ptasie rysy.

Dopiero wtedy dostrzegł na ramieniu Ałgyz szikrę, niedużego szarego ptaszka z czerwoną plamką pod brodą. Wyglądał na tresowanego. Tadżyk pomyślał, że musiał przylecieć w trakcie rytuału, który przespał.

– Śnił mi się martwy Isa – zaczął. – I Jerboł. A także młody Kunanbajew. Udało mu się zbiec.

– Sama ci tę historię opowiedziałam – wyjaśniła Dżama. – Klątwa Ałgyz cię nie dotyczy. Jesteś chroniony.

Kaszo poczuł ukłucie w okolicy brzucha. Zadarł koszulę i spostrzegł z przerażeniem, że ma wypalone znamię. Piekło i swędziało jak świeżo zrobiony tatuaż. Był to wąski ślad o chropawej strukturze. Przypominał w dotyku gadzie łuski.

– Każdą klątwę można odczynić – powiedział cicho.

Nie podziękował Dżamie, bo nie wiedział jeszcze, co o tym myśleć.

– Wszystko się skończy, kiedy zginie dziewczyna – odparła Dżama, po czym wskazała Ałgyz. – Wtedy jej ojciec wróci z kryjówki, ale ty zbudujesz już własne imperium. Jak tego pragnąłeś. Zaprowadzisz nowe porządki w tym mieście. To mój dar dla ciebie za twoją wiarę.

Skinęła córce Kazangapa, jakby się żegnała, i na oczach Kasza przemieniła się w sowę śnieżną. Ałgyz zaś podniosła ramię. Szikra podreptał wzdłuż, jak po promenadzie, i zatrzymał się na jej otwartej dłoni.

– Leć, chroń go – poleciła ptaszynie. – Dżama wszystkiego cię nauczy.

– Twoją rolą jest posprzątać – usłyszał Kaszo i doprawdy nie wiedział, czyj głos słyszy w swojej głowie. Nie był podobny do niczego, co kiedykolwiek dotąd słyszał. Jakby to sam Tengri do niego przemawiał. Nie miał wątpliwości, że nie będzie w stanie sprzeciwić się temu nakazowi. Następne zdanie zabrzmiało jak ostrzeżenie: – Wykonaj swoje zadanie sumiennie, Kaszo-san.

Upadł. Podniósł się. Ale po chwili znów się zaczepił i legł jak długi wzdłuż obsranego przez psy trawnika. Był w drodze czwarty dzień. Na stopach, zamiast szmat, miał foliowe torebki i damskie klapki, które znalazł po drodze. Nie odważył się wrócić do miasta. Jeszcze dwie noce spędził w kontenerach. Raz tylko odważył się zajść do byłych kontrahentów. O dziwo, wpuścili go. Dali jeść i zrobili gorącej herbaty. A nawet wyciągnęli z sejfu pieniądze. Ale wiedział, że boją się potwornie, więc chociaż zaoferowali łóżko, uciekł, zanim powieki mu się zatrzasnęły, a gospodarz skorzystał z telefonu. Nie spał prawie wcale. To dlatego słaniał się teraz jak pijany, a przed oczyma latały mu mroczki. Ale bał się zatrzymywać. Znów się podniósł. Ruszył ślamazarnie niczym lokomotywa z dużym załadunkiem. Czasami, choć z rzadka, spotykał ludzi. Chował wtedy głowę, z nikim nie rozmawiał, bo zdawało mu się, że go rozpoznają.

Nieustannie mijał plakaty ze swoją podobizną i nazwiskiem, opatrzone adnotacją: „Murderer, person may be dangerous". Czasami na kserokopiach znajdowały się dopiski wykonane flamastrami przez dowcipnisiów: „bohater", „niech żyje" lub przekreślenie i kwota „1 mln baksów". Były po prostu wszędzie. Jego własna facjata straszyła z przystanków, witryn sklepowych, wejść do klatek schodowych. Miał lepiej zorganizowaną kampanię niż ta, którą planował zrobić ojcu. Zdarzały się i chwile wzruszenia. Z domów wybiegały starsze kobiety, wciskały mu do rąk pierożki w papierowych torebkach, a potem chowały się bojaźliwie. Musiały zawijać gościniec w pośpiechu, bo ktoś dostrzegł go z okna i doniósł im, kim jest. Wtedy zmieniał trasę ucieczki, przyśpieszał. Innym razem jakiś mężczyzna z bokobrodami próbował mu sprzedać zepsuty automat, a człowiek spacerujący z wielbłądem o imieniu Stiopa oddał mu własne buty. Niestety, okazały się za małe. Na szczęście niedługo później napatoczył się na te babskie chodaki. Jakby ktoś je tam podrzucił specjalnie. Rozmiar się zgadzał. Nie miał wciąż planu, jak przedostać się za granicę, więc był pewien, że w końcu go złapią i rozstrzelają. Ktoś rzucił się na jego widok do ucieczki. Inny nie chciał nawet wynieść szklanki wody, ale zdradził, że wydano rozkaz strzelania do Kereja bez ostrzeżenia. Wtedy zrozumiał, dlaczego tamten poprzedni tak szybko wiał. Zaczął omijać osiedla i wyruszył poza miasto. Szedł teraz przez pola, a raczej wlókł się, wypatrując jakichś krzaków, gdzie mógłby się położyć. Chciało mu się bardzo pić i powoli zaczynała go ogarniać apatia. Stracił ducha walki. Kiedy minął pachnący szpaler dzikiego jaśminu i znów wokół rozciągała się ogromna połać pól jak wielki, płaski stół, załamał się. Wiedział, że nie da rady dojść w tym stanie do następnej miejscowości. Zresztą to nie miało sensu. Wtedy poczuł na grzbiecie ukłucie, jakby użądlił go giez. Klepnął się po plecach, zdjął drewnianą zabawkową strzałkę z kamiennym grotem. Rozejrzał się przestraszony. Skulił, jakby dosięgły go straszliwe mrozy. A potem padł jak rażony gromem. Słyszał wręcz, jaki robi hałas, choć to było niemożliwe, bo podłoże było miękkie, pokryte wypłowiałą trawą. Zamknął oczy i usnął momentalnie.

– *Sifu* – przemówił do niego Isa. – Wstań. Idź do rzeki.

Kerej natychmiast się obudził. Zdołał podnieść się na łokciu, ale nikogo w pobliżu nie dostrzegł. Podniósł zabawkową strzałkę. Obok zobaczył jeszcze kilka podobnych. A na drzewie wisiał łuk. Isa siedział na gałęzi. Prześwitywało przez niego światło. Kerej był przekonany, że umiera.

– To koniec. Nie dam rady – wymruczał i zwinął się w kłębek. – Poddaję się.

– Tam na ciebie ktoś czeka – upierał się Isa.

Mówił tym swoim niskim, wibrującym szeptem, który zmuszał słuchacza do wytężonej uwagi, czego Kerej tak nie znosił.

– Nikt na mnie nie czeka. Zabiją każdego, kto mi pomoże. Jestem banitą. Wyrzutkiem gorszym niż mój brat. Choć nigdy nie wyrzekłem się swojego rodu.

– Będziesz jednak musiał, ale nie na długo. Odzyskasz swoje imię. W chwale. Ktoś czeka na ciebie w dalekiej krainie – powtórzył Isa. – Wstań i idź. Do rzeki. Tam znajdziesz chatę. Rozpalili już ogień. Czekają z obiadem. Nie dadzą cię skrzywdzić. Nie bój się.

Nie boję się, pomyślał Kerej. Sił nie mam. Tu zostanę. Skoro czas umrzeć, wypada mi tylko zgodzić się z losem.

– Nie poznaję cię, sensei. Los daje ci nowe życie, ale musisz coś zrozumieć, zmienić się. Twoje przeznaczenie jest inne. Przyjmij je bez słowa skargi.

Nagle szept ucichł. Kerej zmrużył oczy i spojrzał przez liście krzaków jaśminu na słońce. Uświadomił sobie, że żaden człowiek nie mógłby usiąść na tak wiotkiej gałęzi. Wtedy spomiędzy kwiatów wychylił się niewielki szary ptaszek, pisklę właściwie. Miał czerwoną plamkę pod brodą i białą smugę nad okiem, jakby tarzał się w śniegu.

– Szikra – rozpoznał malucha Kerej.

Ptaszek sfrunął tymczasem do strzałek i zaczął dziobać ziemię, jakby szukał w trawie okruchów albo pędraków.

– Co się ze mną dzieje? – Mężczyzna otrząsnął się. – Wariuję od tego gorąca, zmęczenia i głodu.

Podniósł się. Pozbierał strzałki, zabrał łuk, choć sam nie bardzo wiedział, dlaczego to zrobił. Może myślał, że kiedyś, gdyby jeszcze pewnego dnia mógł wrócić do domu, Osman ucieszyłby się z takiego prezentu? Wtedy ptaszek wzbił się w górę i dotąd latał nad głową Kereja, aż ten pojął, że wskazuje mu kierunek.

– Isa, to ty? – szepnął mężczyzna bardziej do siebie niż do pisklaka, a głos, który wydobył się z jego gardła, zaniepokoił go i zadziwił. Ale podążył za skrzydlatym posłańcem.

Szikra towarzyszył mu do niedużego potoku, raczej ścieku niż rzeki. A potem nagle odfrunął.

Kerej długo stał, patrząc za nim i czując, że właśnie zdarzyło się coś nadzwyczajnego. Coś, czego nie rozumie, co przekracza możliwości jego percepcji w tej chwili. Przestał się więc nad tym głowić. Przyjął stan rzeczy taki, jaki był. A potem przeniósł spojrzenie na skraj rzeczułki, gdzie ktoś z płyt azbestowych zbił lichy kurnik.

Przed jego wejściem młoda kobieta w kolorowej samodziałowej kurtce paliła ognisko i mieszała coś w woku. Była to jakaś smakowita strawa, bo orientalny zapach niósł się aż do miejsca, w którym stał Kerej. Obok kobiety, w chodziku z metalowych rurek, próbowało ustać na nogach malutkie dziecko z jasnymi lokami. To ono pierwsze zauważyło przybysza i zaalarmowało matkę. Obejrzała się najpierw ze strachem za siebie, a potem szybko schwyciła córkę, przycisnęła do piersi. W rękę zapobiegliwie wzięła drąg. Mimo to Kerej podszedł do niej.

– Ty jesteś Oksana – powiedział, czując w sercu ciepło. Jakby dopiero teraz pojął, że niebiosa właśnie zesłały mu cud.

Kobieta nie podzielała jego egzaltacji. Przybrała groźny wyraz twarzy i mocniej zacisnęła w dłoni tyczkę.

– Nie znasz mnie. Ale ja cię już widziałem. Jesteś przyjaciółką Wiery.

W odpowiedzi wymierzyła w niego patyk. Wiedział, że mógłby go wytrącić z jej rąk jednym ruchem, ale nie zrobiłby tego, nawet gdyby z kurnika nie wychylił się teraz ten Chińczyk. Mężczyzna równie dobrze mógł mieć lat trzydzieści, jak i wiek więcej. Twarz miał gładką, ale szyję pomarszczoną niczym starzec. Był ubrany w raperską bluzę z obrazoburczym napisem, a zamiast spodni nosił kawałek spłowiałego batiku, w pasie związanego sznurkiem, na którego końcach chybotały się kolorowe paciorki. Dokładnie takie, jakie Kerej widział na przegubach ciężarnej adwokatki w komisariacie. Ręce mężczyzny były drobne jak u dziecka. Trzymał w nich nieduży moździerz. Chińczyk przyglądał się tej scenie z półuśmiechem, który u Azjatów zwykle oznacza zażenowanie i niechęć, choć Europejczycy mylą go z uległością. Kerej skłonił się gospodarzowi w sukience, a potem podał mu znalezione zabawki.

– To wasze? Leżały po drugiej stronie strumyka.

Dziewczyna rzuciła okiem na właściciela kurnika, a ponieważ nadal nie wyrzekł słowa, rozejrzała się po polach, jakby poczuła nagłą potrzebę podziwiania widoków. Do kurnika nie prowadziła żadna szosa. Przypadkowo nikt tędy nie przejeżdżał. Kochanek Wiery był pierwszym obcym człowiekiem, którego zobaczyła od miesiąca.

– Skąd się tu wziąłeś?

– Taki mały ptaszek mnie przyprowadził.

Zmarszczyła jasne brwi i powtórzyła z niedowierzaniem:

– Ptaszek? A poza tym dobrze się czujesz?

– Nie. – Pokręcił głową. – Szukają mnie.

Po czym upadł i natychmiast zasnął.

Śniły mu się dziwne głazy w kształcie sowich głów oraz żółte kwadraty pól. Kerej nigdy nie był w tej krainie, ale się nie bał. Sen był kojący jak bajka. Czuł się bezpiecznie, bo nad jego głową wciąż fruwał ten mały szikra.

– Już dobrze, odpoczywaj – ćwierkał, a Kerej, choć nie miał pojęcia skąd, wiedział, że to duch Isy do niego przemawia. – Jesteś na swojej drodze.

Mimo że wreszcie zbierało się na deszcz i wyglądało na to, że będzie padać, bo niebo zasnuły czarne burzowe chmury, Sołtanat nie zeszła do szatni po kurtkę. Chłodnym skinieniem głowy pożegnała się z dziewczynami i ruszyła wprost do domu. Ojciec obiecał przyjechać po nią zaraz po lekcjach, ale matematyczka dziś zachorowała, odwołali też zajęcia sportowe, dziewczyna więc była wolna ponad dwie godziny wcześniej. W przeciwieństwie do innych uczennic, Sołtanat nie cieszyła się z nadprogramowego czasu wolnego. Była wręcz przerażona, że nie ma jak zawiadomić o tym taty. Nie chciała iść do świetlicy. W szatni też zaczęliby ją zaczepiać i wypytywać. Stać przed budynkiem tym bardziej nie mogła. Tajniacy byli u nich już dwukrotnie: przed dwoma dniami wieczorem i dzień wcześniej nad ranem. Za każdym razem rozmawiali tylko z ojcem i nie udało im się zastać dziewczyny w domu, ale rodzina wiedziała, że kiedy to się stanie, zabiorą Sołtanat na komisariat. A wszyscy w Uralsku słyszeli, co zrobiono Bibi. I nikt nie miał wątpliwości, dlaczego żona Kereja w takim pośpiechu opuściła miasto. Oczywiście nie rozmawiano o tym wprost. Kodar też niczego nie prostował, jednak ludzie wiedzieli swoje. I bali się. Nikt nie chciał być zamieszany w konflikt rodów. Aby odsunąć od siebie wszelkie podejrzenia, że trzymają z niewygodną sąsiadką, prewencyjnie okazywali rodzinie Sołtanat wrogą obojętność. Dziwnym zbiegiem okoliczności zaraz po wizycie milicji jacyś nienawistnicy zbombardowali jajkami ich okna. Kiedy matka Sołtanat poszła na bazar, jedna z przekupek odmówiła jej sprzedaży mięsa. Potem jakiś młodzian popchnął ją, aż upadła boleśnie i zwichnęła kolano. Splunął i wyrzekł, że jej córka jest „kerejowską kurwą". Kobieta z trudem doczołgała się na trzecie piętro. Odmówiła pójścia do szpitala. Wiedziała, że tam także są wrogowie. Tylko w domu była bezpieczna. Tymczasem Sołtanat musiała chodzić do szkoły i na zajęcia językowe oraz lekcje fortepianu, więc ojciec wziął wolne, by wozić ją wszędzie, niczym osobisty goryl. Zabronił córce chodzić do Dimasza ani tym bardziej opowiadać komukolwiek, co zdarzyło się tamtej nocy. Sołtanat nie miała od swojego chłopca żadnych wiadomości, a bała się zawiadomić jego rodziców, bo telefon sąsiadów, od których zwykle dzwonili, był na podsłuchu. Słyszała tylko, że hokeista przeszedł kilka operacji oka, ale jego stan wciąż jest krytyczny. Tusip był w znacznie lepszej formie. Miał złamaną nogę i rany cięte oraz szarpane na ciele, a choć również pozostawał nieprzytomny przez pierwszą dobę, i tak trafił do aresztu pod zarzutem uczestnictwa w zorganizowanej grupie przestępczej. Kiedy tylko Dimasz odzyskał przytomność, podzielił los przyjaciela. Ojciec Sołtanat bał się, że osiemnastolatkę czeka to samo.

– Trzeba tę gorączkę przeczekać – przekonywał. – Musisz milczeć, zapomnieć o wszystkim. A my zadbamy o to, żebyś nawet przez chwilę nie była sama.

W mieście tymczasem huczało od plotek. Mówiono, że to o Sołtanat chłopcy Kereja pobili się z gangiem Nochy, a potem doszło do tej straszliwej strzelaniny. Feralnej nocy piękną Swietę widziało pod dyskoteką kilkunastu klientów prywatnego kiosku monopolowego i jak jeden mąż złożyli wyczerpujące zeznania. To, że byli pijani, a większość z nich miała na koncie wyroki za rozboje i wymuszenia, więc byli z tej samej bandy, co domniemani gwałciciele, zwykłych ludzi nie przekonywało. Nikt nie wierzył samej zainteresowanej, choć Sołtanat początkowo tłumaczyła się sąsiadom.

Teraz osiemnastolatka szła szybkim krokiem w kierunku głównego placu i już miała nań wchodzić, gdy drogę zastąpił jej smagły oprych z poparzonymi rękoma. Z bocznej alejki wychyliło się kilku mundurowych. Ustawili się dookoła niczym eskorta. Sołtanat natychmiast rzuciła się do ucieczki, ale byli szybsi. Dostała w głowę, upadła. Poparzony podał jej rękę, by wstała. Spojrzała na mężczyznę z przestrachem. Wzgardziła jego pomocą, otrząsnęła się i podniosła samodzielnie. Czuła tylko lekkie pulsowanie z tyłu głowy. Cios nie był mocny.

– Chyba masz coś, co nie należy do ciebie, moje dziecko – uśmiechnął się Nocha.

Sołtanat podniosła dumnie głowę. Nie wierzyła, że mundurowi odważą się ją pobić w samym sercu miasta. Ulżyło jej też, że idzie im o bransoletkę. Choć nie miała pojęcia, skąd o niej wiedzą. Poza agresorami, którzy już przecież nie żyli, oraz Dimaszem i Tusipem nawet ojciec nie wiedział o jej istnieniu, a Sołtanat schowała ją głęboko w starej skrzyni z pościelą na jej własny posag.

– Niczego nie ukradłam – powiedziała. I pożałowała, że nie ma ozdoby ze sobą, by oddać ją bandycie. Może by się odczepił. – Dostałam ją. I dobrze pan o tym wie. Już mówiłam milicjantom.

Zarumieniła się, bo ostatnie zdanie było kłamstwem.

– Pani Bajdały uważa inaczej. I ma do tej błyskotki sentyment. Rozważa właśnie, czy złożyć przeciwko tobie doniesienie – odparł poparzony i odwrócił się na chwilę, by przejąć z tyłu solidny słój do kiszenia ogórków. – Ale rzecz w czymś zupełnie innym. Nie będziemy jej szukać, jeśli zgłosisz się dziś do śledczego Futnikowa i opowiesz, jak chłopcy Kereja rozpętali tę wojnę – podkreślił z naciskiem.

– Nigdzie z wami nie pójdę.

– A czy ktoś cię o to prosi? Złożysz zeznanie z własnej woli. I tym razem powiesz prawdę – roześmiał się Nocha, po czym chlusnął w nią mętną cieczą ze słoja. Sołtanat ryknęła, bo nagle jej twarz zapłonęła żywym ogniem.

PO ÓSME

ZWRACAĆ UWAGĘ NAWET NA TO, CO MAŁE I BŁAHE

1998 rok, Srebrna Góra, Polska

Edyta przyglądała się pieprzykowi na wewnętrznej stronie uda i była pewna, że jeszcze kilka miesięcy wcześniej, w Saint-Tropez, znamię było o połowę mniejsze. Czy to możliwe, by urosło w tak krótkim czasie? Usłyszała chrzęst klucza w zamku i natychmiast opuściła spódnicę. Dla niepoznaki chwyciła pędzel. Udawała, że pudruje twarz. Wpatrywała się w swoje odbicie w lustrze, ale widziała tylko przerażenie w oczach, i za wszelką cenę próbowała się uspokoić.

– Co tak cicho? – Olivier zajrzał do jej ubieralni. – Gdzie Ann-Marie?

– Na spacerze z Tosią. Zamierzają wspiąć się aż do Twierdzy.

– Igor ma dobry wpływ na Ann-Marie. – Mąż się rozpromienił. – A ty połóż się wreszcie, odpocznij. A może chciałabyś wyjść? Zamówię stolik na tarasie.

– Nie jestem głodna.

Spojrzał na jej wychudzone ciało, a potem podniósł książkę, która leżała grzbietem do góry na toaletce.

– Czytasz Tybetańską Księgę Umarłych? – zdziwił się. – Po co?

Edyta wzruszyła ramionami.

– Martwię się.

– Czym, maleńka? Ta nowa kuracja daje efekty.

– Zwłaszcza woda z solą dobrze jej robi – nie bez złośliwości w głosie odpowiedziała Edyta. – Sama powinnam ją pić zamiast szampana.

Olivierowi nie spodobał się jej sarkazm.

– Dawno nie widziałem na twarzy naszej córki takiego uśmiechu, a teraz, skoro mówisz, że nawet zgodziła się wyjść z pokoju, uważam, że wszystko wreszcie zmierza ku lepszemu. Zamówiłem już nowy wózek i łóżko do rehabilitacji. Ona naprawdę odżyła. Widzisz to?

Edyta uśmiechnęła się smutno do męża.

– Chciałabym, żebyś miał rację.

Mąż położył dłonie na ramionach Edyty i pochylił się tak, że oboje widzieli się w lustrze.

– Nasza córka nigdy nie czuła się lepiej. I nie pamiętam, by tak często się śmiała. Chce wyzdrowieć. Zaparła się, a my jej w tym pomożemy.

Edyta kiwała pokornie głową, a potem zacisnęła usta i przymknęła powieki. Kiedy je otworzyła, Olivier zobaczył w nich stal.

– Wiesz, że to się nie stanie. Ona nie wyzdrowieje. Nigdy już nie będzie chodzić. To, co nazywasz poprawą, jest zaślepieniem, bo przecież nie ma nic wspólnego z miłością. Ale kiedy Ann-Marie zrozumie, że nie ma co liczyć na jego wzajemność, znów to zrobi.

– Przestań. – Podniósł się gwałtownie. Znów widziała tylko jego dłonie na swoich chudych ramionach. – Nawet tak nie myśl.

Edyta założyła pędzelkiem książkę i zerwała się z taboretu. Miała ochotę zapalić, ale przy mężu nie odważyła się szukać papierosów. Wierzył, że rozstała się z nałogiem. I niech tak zostanie.

– Przemyślałam sprawę. Napiłabym się wina.

– Więc chodźmy – ucieszył się Olivier i spojrzał na zegarek. – Zadzwonię do restauracji. Dziś czwartek. Przywożą świeże mule.

– Ale nie tutaj. Pojedźmy do Wrocławia.

– Do Wrocławia?

– Ja pojadę.

Nagle zaczęła się śpieszyć. Na chybił trafił wyciągnęła jakieś spodnie i marynarkę. Zapinała już biustonosz i wkładała jedwabną bluzkę.

– Sama – podkreśliła, starając się nie zwracać uwagi na marsa na jego czole.

– Pojedziesz autem? – upewnił się. – A jak wrócisz, skoro zamierzasz się upić?

– Dziś nie wrócę – odpowiedziała Edyta. – Wezmę hotel.

– Tutaj mamy hotel! Co się dzieje? – Olivier wsunął dłonie do kieszeni. Stanął w rozkroku. – Wiesz, że ja jutro lecę do Los Angeles. Chcesz się ze mną minąć? Tego chcesz?

Edyta nie zamierzała kłamać.

– Chcę, żebyś choć raz został ze swoją córką na noc i zobaczył, jak to jest. Chcę, żebyś jej powiedział, że Igor tylko ją leczy. Pomaga jej z litości, a nie dlatego, że ją potajemnie kocha. Chcę, żebyś przestał ją oszukiwać. I wziął to na siebie, bo jak znów wyjedziesz na miesiąc, ta sprawa spadnie na mnie. Dłużej tego nie można przeciągać. Dziś Ann-Marie z pewnością pomówi o tym z Tosią.

– To dlatego musisz jechać do Wrocławia? Tchórzysz?

Edyta się zawahała. Pomyślała o znamieniu, który najprawdopodobniej jest czerniakiem. Na ten rodzaj nowotworu zmarły jej siostra i babcia. Brat matki chorował na raka jelita grubego. Przeszedł operację i przez trzy lata nie było przerzutów, aż do ubiegłych wakacji. Znamię, tej wielkości, co u niej na udzie, pojawiło mu się na czubku nosa. Natychmiast wycięto je do badania. Diagnoza: nowotwór złośliwy. Wuj żyje, ale musi się badać co pół roku i nieustannie uważać. Tylko że on jest starszy o trzydzieści pięć lat.

– Nie muszę – odparła, siląc się na neutralny ton. Nie chciała dokładać mężowi zmartwień. I bez tego miał sporo na głowie. – Ale nie mam wyboru.

A potem nagle wtuliła się w jego ramię.

– Załatw to, proszę cię – szeptała. – Porozmawiaj z doktorem Igorem. Nie wierzę, że nie zauważył jej rozmodlonych spojrzeń. Niech sam zdecyduje, jak powiedzieć Ann-Marie, że to, na co cierpi, jest nieuleczalne. Ona musi się z tym pogodzić.

– Nie ma czegoś takiego jak nieuleczalna choroba. – Kerej podniósł głowę i przyjrzał się Jagodzie Kusyk. – Twój mąż zmarł, bo przestał słuchać własnego ciała. Człowiek zbudowany jest z energii. Ona otacza go i przenika niewidoczne pole. Dlatego moc naszych myśli i emocji wpływa na zdrowie fizyczne. Życie jest transakcją, interakcją z innymi polami mocy. Zawiera element wyboru. Świadomie czy nie – on wybrał. I bardzo długo upierał się przy tej decyzji. Ciebie niemal pociągając za sobą. A nie tak łatwo zniszczyć urządzenie, jakim jest ciało człowieka. Trzeba się porządnie postarać.

– Ja też wybieram?

– A jak sądzisz? – Kerej się uśmiechnął. – Twój woreczek żółciowy był jak sito pełne gnoju. By tak się zaniedbać, potrzeba lat.

– A jednak byłeś w stanie go oczyścić w ciągu zaledwie dwóch miesięcy. Lekarze nie dawali mi żadnych nadziei. A teraz mówią, że operacja jest niepotrzebna – wyszeptała wzruszona i ponownie wzięła do ręki wyniki badań. – Przecież to cud. Trzy razy kazałam sprawdzać, bo sądziłam, że się pomylili. Wskrzesiłeś mnie. Jak Jezus Łazarza.

– Nie moja w tym zasługa. – Uzdrowiciel podniósł dłonie w geście rezygnacji. – To ty zaczęłaś żyć świadomie. Materia jest sprawą wtórną, choć, rzecz jasna, arcyważną. Ciało nasze ma termin przydatności i naszym obowiązkiem jest o nie dbać, by służyło nam jak najdłużej. Każdy atom, cząsteczka i żywa komórka powstają ze świadomości. Pustka nie istnieje. Jesteśmy połączeni w jeden wielki system energetyczny. Ja, ty, to drzewo i tamten pies to jedność. Im więcej w tobie strachu, tym bardziej ograniczasz moc swojego organizmu i swoją witalność. Komórka może być w fazie wzrostu albo obrony, ale nie może być w obu tych stadiach jednocześnie. One się nawzajem wykluczają. Dlatego uruchomienie mechanizmu „uciekaj" albo „walcz" jest prywatnym cudem bądź klęską każdego z pacjentów. Dziewięćdziesiąt pięć procent z nas ma odpowiedni genom, by być zdrowym, ale ilu się to udaje?

– Wszystko więc sprowadza się do wiary? – zdziwiła się Jagoda.

– Do tego, jak postrzegamy świat. I czy żyjemy teraz. Przeszłość nie ma znaczenia. Już się wydarzyła i nie masz na nią wpływu. Przyszłość nie istnieje. Przestań się więc zamartwiać i oddziel od swojego umysłu, który niepotrzebnie wpędza cię w stres. Chce, by twoje emocje stanowiły dla niego pożywkę. Bujać się jak na huśtawce, by wypełnić czas. A ty pieprz go. Uznaj te myślątka za szum informacyjny. Medytuj. Kochaj. Rozkoszuj się tym, co masz. Wszystko jest nam dane po coś. I ma nas czegoś nauczyć. Zwłaszcza ból i cierpienie mówią nam wiele o tym, co wypadałoby zmienić. Sam to wiem najlepiej.

– Jeślibyśmy żyli niefrasobliwie, bylibyśmy głupcami.

– Czy kiedy się zamartwiasz, interesy idą ci lepiej?

Jagoda się roześmiała.

– Dopóki nie pojawił się Romeo ze swoimi pieniędzmi, często byłam bliska podpalenia tej budy, żeby zyskać na odszkodowaniu. Ale potem, kiedy wracał rozum, czułam się jeszcze bardziej chora.

– Sama widzisz. Choroba to niedobór energii lub jej nadmiar. Chodzi wyłącznie o to, by dążyć do równowagi. Ona zdarza się rzadko, to prawda. Ale bywają takie momenty pełni szczęścia. Zanurz się w nich. Choćby to był drobiazg. Kwiat, słońce, ludzki uśmiech. Niczego i tak nie przyśpieszysz ani nie opóźnisz. Na wszystko jest właściwy moment.

– Mówisz o miłości? To już nie dla mnie. Mam sześćdziesiąt osiem lat.

Kerej natychmiast spoważniał.

– Nie idzie o pożądanie czy relacje. A wiek tutaj nie ma nic do rzeczy. Nikt z zewnątrz szczęścia ani zdrowia ci nie użyczy. O to możesz zadbać tylko ty sama. Znaleźć równowagę. Kochać, nie licząc na wzajemność. Kochać siebie znaczy czuć nieustanny przepływ energii. Trzeba to czynić cały czas, całe życie. Być uważnym.

Jagoda wzięła słoik z ziołami, które Kerej kazał jej pić, kiedy zamieszkał w najmniejszym pokoiku 13F, na końcu korytarza. Choć tyle razy hotelarka proponowała swojemu dobroczyńcy, by przeniósł się do apartamentu, ten odmawiał, tłumacząc, że łóżko, stół, szafa na ubrania i książki w zupełności mu wystarczają. Zgodził się tylko na użyczenie mu lepszego auta, by móc sprawniej docierać do swoich pacjentów. Jagoda wiedziała, że Tośka nie była z tej decyzji zadowolona, ale nie śmiała się wtrącać. Znachor sam wiedział, jak ma żyć.

– A to? – Odkręciła słoik i powąchała herbatkę, którą dla niej zrobił. – Te magiczne rośliny, które dla mnie zbierałeś w Górach Sowich i suszyłeś na słońcu, to było placebo? Równie dobrze mogłam pić miętę z cynamonem albo starte na proch żołędzie?

– Żołędzie mogłyby nie zadziałać moczopędnie – roześmiał się. – Choć to zależy, na ile byś uwierzyła. Już ci mówiłem, że idzie nie o te ziółka czy masaże, bo one oczywiście są pomocne. Dają chwilową ulgę oraz pewien rodzaj przyjemności, ale odpowiedzialność za zdrowienie nie leży już po mojej stronie. Jestem tylko twoim pomocnikiem. Biorę cię za rękę i prowadzę na jasną polanę. To ty musisz uwierzyć, że masz moc w sobie. Bo ją masz. Energia świata płynie przez ciebie cały czas. A na efekt placebo składają się przecież trzy rzeczy: akceptacja, wiara i poddanie się. Jeśli pacjent nie zintegruje swojego umysłu, ducha i ciała w jedność energetyczną, nic z tego nie będzie. Tak, efekt oszustwa, jak mówisz, bardzo często działa właśnie z tej przyczyny. Katalizatorem zdrowienia może być jakakolwiek metoda. Gdy ludzie akceptują możliwość wyleczenia, nastawiają się na przyszłą potencjalną rzeczywistość, zmieniają tym samym swoje mózgi. Muszą się wznieść ponad to, co czują, i pozwolić sobie na całkiem nowe doznania. To z kolei wzmacnia nowe myśli, a one przeistaczają stan umysłu. Wszystkie możliwości istnieją w tym jedynym momencie „teraz". Nie wcześniej i nie później. To my budujemy tak fikcyjne opowieści. Zresztą, wiedzą o tym dobrze artyści.

By stworzyć jakiekolwiek dzieło, nieważne, czy to będzie namalowany obraz, wykonana fotografia, ulepiony garnek czy też posadzony kwiat albo wydane na świat niemowlę, gdy się na czymś skupiamy, kierujemy tam naszą energię i wpływamy na materię. Tak powstaje coś z niczego. Bo jak wspominałem wcześniej, nie ma pustki. Jest za to pole energii, które łączy wszystko, a my jesteśmy częścią tego pola. I nic na to nie poradzisz. Możesz to jedynie przyjąć i zacząć żyć w ten sposób.

– Skąd to wszystko wiesz?

Kerej się zamyślił. Pochylił głowę. Wiedział, że kobieta liczy teraz na jakąś mistyczną odpowiedź. Na coś, co uczyni tę rozmowę jeszcze bardziej wzniosłą. Chciała widzieć w nim uosobienie nadczłowieka, maga, którym przecież nie był. I nigdy nie będzie. Nie chciał jej oszukiwać, ale też nie miał zamiaru odbierać jej wiary.

– W twoim kraju ta wiedza jest powszechna? – dociekała Jagoda. – Macie przecież szamanów i wierzycie w moc duchów. Wasi czarownicy są nadzwyczaj skuteczni. Oglądałam ostatnio taki film dokumentalny. O ayahuasce i psychodelicznych wizjach, podczas których pacjenci wyruszają w podróż do swojej podświadomości.

– To zupełnie co innego – mruknął, ale widząc jej zawiedzioną minę, zaraz dodał: – Oczywiście, takie rzeczy są u nas bardziej dostępne, ale zdrowie to nie jest jakieś dryfowanie po świecie umarłych. Ty nie potrzebujesz uciekać od siebie, by coś zrozumieć. Przeciwnie. Musisz twardo stać na nogach. Dobrze się odżywiać, zrezygnować ze szkodliwych używek.

– I wierzyć – przerwała mu rozczarowana. – Wiem.

Wstał, podszedł do okna.

– Ile o mnie wiesz, Jagoda?

Zawahała się. Otwierała i zamykała usta, jąkając się, aż wreszcie sam jej pomógł.

– Niewiele, prawda? Tylko tyle, ile usłyszałaś od Romea. Że musiałem uciekać z Kazachstanu i nie mogę tam wrócić.

– Jesteś dobrym człowiekiem – odpowiedziała natychmiast. Odzyskała już zdolność wypowiedzi i chciała nadrobić wcześniejsze milczenie w dwójnasób. – Najmądrzejszym, jakiego kiedykolwiek znałam. I to mi w zupełności wystarczy. Wiem, że używasz cudzego nazwiska. Wiem, że byłeś kiedyś kimś innym. Może i zrobiłeś coś złego. – Przerwała na chwilę. – Ale to nie ma znaczenia. Nie jesteś w stanie wyznać mi niczego, co zmieniłoby moją opinię o tobie. Nie muszę znać twojej historii. Szanuję to, że jesteś u mnie, że mi pomagasz. I leczysz innych. Wszyscy to doceniają. I wiem też, że o pewnych sprawach nie możesz mówić.

– Ależ mogę! – Kazach odwrócił się gwałtownie. Jego twarz wykrzywiał bolesny grymas. – Mógłbym ci się zwierzyć, obciążyć tą wiedzą. Tylko po co? Mnie da to jedynie chwilową ulgę, ale tobie wrzuciłbym na barki zbędny balast, który musiałabyś taszczyć już zawsze. Tak czynią tylko egoiści. Przeszłość należy zamykać na klucz. Choć czasami jest to niemożliwe.

Wpatrywała się w niego jak zahipnotyzowana. Nie śmiała się odezwać.

– Jak każdy przeszedłem pewną drogę. I masz rację, byłem kiedyś kimś zupełnie innym. Byłem wojownikiem. Zadawałem ciosy, broniłem się, a nawet zabijałem.

Jagoda podniosła dłoń do ust.

– Jestem mordercą – wyznał. – Tak. Zabiłem kilku złych ludzi, którzy zaatakowali mnie i moich przyjaciół. Spytasz pewnie, czy żałuję.

– Nie musisz mi mówić, jeśli nie chcesz.

– Od dawna chciałaś o tym usłyszeć.

W pomieszczeniu zapanowała teraz absolutna cisza. Słychać było brzęczenie muchy i klakson samochodu parkującego na podjeździe.

– Zrobiłbym to ponownie, gdybym musiał. – Kerej wrócił do opowieści. – Bo to był dla mnie taki czas. A potem zostałem wygnańcem. Tułaczem. Straciłem wszystko. Dom, rodzinę, bezpieczeństwo. I bałem się. Wcześniej, kiedy przystępowałem do walki, lęk mnie jedynie mobilizował. Nie martwiłem się o siebie, bo byłem gotów umrzeć, kiedy wziąłem broń do ręki, by pozabijać tamtych. Ale o moje dziecko, żonę, rodziców, braci, uczniów. Czułem się za nich odpowiedzialny. A potem los zaprowadził mnie do Johna Changa. Nie nazywał się tak, ale pod takim nickiem funkcjonował w internecie. W tamtym czasie w Kazachstanie ludzie nie mieli telefonów w domach, nie mówiąc już o globalnej sieci. Zresztą, gdybyś go zobaczyła, nie wpadłabyś na to, że masz do czynienia z milionerem. Mieszkał w rozpadającym się kurniku nad małym strumyczkiem, który nazywaliśmy Bałchasz, bo rzeczywiście jest takie jezioro w moim kraju. Ten potok nie miał z nim nic wspólnego, ale był czysty i zapewniał wodę pitną. Raz w miesiącu puszczaliśmy nim stateczek z załadunkiem, który odbierał ktoś w najbliższej miejscowości. Co kwartał John wyjeżdżał wielbłądem do miasta i sprawdzał, czy z płatnościami jest wszystko w porządku. Nie częściej. Nikt ani razu go nie oszukał, a nawet jeśli, on się tym nie przejmował. Nigdy nie dowiedziałem się, jak miał naprawdę na imię i skąd pochodził. Do Kazachstanu przyjechał chyba z Jawy. Facet sięgał mi do piersi i sprzedawał mikstury ziołowe na wszelkie możliwe choroby. Amerykanie płacili za to jakieś chore pieniądze. Przez pół roku ucierałem zioła i pakowałem je do torebek sklejonych ze starych gazet, które okręcaliśmy sznurkiem i owijaliśmy liśćmi. Zapuściłem się wtedy, powoli było mi już wszystko jedno, czy dostanę się na Ukrainę, bo tam pojechał ktoś, kto mi obiecał pomoc. Wydaje mi się, że mógłbym spędzić z Johnem całe życie, gdyby takie było moje przeznaczenie. Tak się nie stało. Zresztą jak to zwykle w życiu, drobiazg sprawił, że pewnego dnia wyjechałem. Nie ma czegoś takiego jak przypadek, zapamiętaj sobie.

– Tak samo jak to, że przybyłeś do mnie – odezwała się w końcu Jagoda. – Też uważam to za dar od losu.

Kerej się uśmiechnął.

– Kobiety lubią magiczne wyjaśnienia.

– A ja szczególnie – Jagoda się rozpromieniła. Na jej policzkach pojawiły się urocze dołeczki. Kerej był pewien, że nie miała ich, kiedy zaczął ją leczyć. – Nie słyszałeś, co mówią o mnie ludzie w miasteczku? Czarownica. Rzuciłam urok na ten hotel, dlatego interes siadł i mąż mi umarł. A z żałości sama się pochorowałam. Ale to tylko częściowo prawda. Choć sama nie potrafię się uleczyć, bywa, że wiem, co się wydarzy.

– Więc rzeczywiście to przeznaczenie, że się u ciebie ukryłem. Nikt inny nie zrozumiałby mnie, gdybym przyszedł i zaproponował, żebyśmy chodzili po rozżarzonych węglach, a potem zrobili szałas potów.

– Raczej nie – zachichotała wdowa.

– Mam więc tylko nadzieję, że Romeo nie ma takich mocy. Bo tych szamanów byłoby już za wielu.

– Romeo wierzy wyłącznie w moc cukierków, a w trans wprawia go szelest pieniędzy.

Teraz i Kerej wybuchnął śmiechem. Rechotali chwilę obydwoje.

– Choć osobiście uważam, że astrologia to podpórka dla słabego ducha i wróżby nie mają nic wspólnego z prawdziwą magią, to jednak nie śmiem podważać twojej wiedzy – wrócił do tematu. – Nie znam się na tym. A tam, skąd pochodzę, taki dar to przekleństwo. Szło mi o całkiem inny dowód na wiarę, o której ci mówiłem. Będąc z Chińczykiem, zacząłem wierzyć w to, co jest. Mogłem umrzeć tysiąc razy. Byłem chory, poraniony, szukali mnie kilerzy. Zaakceptowałem, że jeśli tak ma być, odejdę. Byłem na to gotowy.

– Od niego wiesz to wszystko? Masaże, joga, zioła, akupunktura, ćwiczenia oddechowe. To on cię uczył? Ten Chang?

– Dużo wyniosłem z domu. Syn zapaśnika musi być z jogą za pan brat od małego. I w sumie ojciec mówił mi o tym wszystkim, ale przed strzelaniną niewiele rozumiałem. Kiedy ugrząząłem u Johna, rozmawialiśmy głównie o energii. Ćwiczyliśmy i kręciliśmy w moździerzu te jego mikstury. Wiele ziół występuje tylko tam. To dlatego zadekował się na tym spłachetku. Ale tutaj, u was, są ich odpowiedniki. Bez trudu je znalazłem. Poza tym zwykłe jedzenie może być lekarstwem. To był etap duchowy, który musiałem przejść, by trafić tutaj, spotkać Tosię i pomóc waszym znajomym.

– Tych znajomych masz teraz całe miasto. I przybywa ich.

– Tutaj też jestem tylko jakiś czas. – Kerej się zamyślił. – Może jutro uznasz, że chcesz zawiadomić policję. Nie miałbym do ciebie żalu.

– Przecież wiesz, że tego nie zrobię – żachnęła się Jagoda. – Nie mogłabym ciebie wydać.

Nagle w oddali zabrzmiał kogut policyjny. Oboje podeszli do okna. Właśnie zachodziło słońce. Niebo zdawało się żarzyć. Jagoda dawno już nie widziała takiego pięknego nieboskłonu. Gdyby nie ta sytuacja, oddałaby się jego kontemplacji i nawet wypiła coś mocniejszego. Zwłaszcza że miała dziś powód do świętowania. Ale Kazach nie podzielał jej entuzjazmu. Zmarszczył czoło i rzekł grobowym tonem:

– *Kyzył ynyr*.

A ponieważ nie zrozumiała, dodał:

– Czerwony zmierzch. U mnie w kraju to prawdziwa godzina duchów. O wiele bardziej się jej boimy niż wy północy. Otwierają się wtedy bramy piekieł i biada wędrowcom, którzy w tym czasie znajdą się w pobliżu siedzib kyrmysów.

– Czego?

– Złych duchów. Spotkania w okolicy cmentarzysk przy takich otwartych wrotach mogą mieć skutki na lata. Trudno się z nich wyplątać nawet następnym pokoleniom.

Tymczasem radiowóz wyminął już korek na wjeździe do Twierdzy. Kierowcy rozstąpili się niczym ciżba przed monarchą i auto wjeżdżało triumfalnie na podjazd. Jeden z policjantów pośpiesznie wyskoczył z samochodu i ruszył do budynku. Drugi wciąż pozostał za kierownicą. Jego twarz skrywała zasłona przeciwsłoneczna.

– To Zygmunt Wasilewski. – Jagoda rozpoznała mundurowego, który wbiegał już do recepcji. Chwyciła Kereja za ramię. – Ukryj się. Powiem, że cię nie ma.

– Nie – zdecydował Kazach. Powoli wyciągnął z buta zdobiony kindżał. Jagoda była przerażona tym, że cały czas miał broń przy sobie. – Ale wiedz, że jeśli przyszli po mnie, żywego mnie nie wezmą.

– Co ty mówisz?

Kerej podszedł, pocałował Jagodę w czubek głowy.

– Nie mam już siły się ukrywać. Teraz jest widać właśnie ten moment. I pamiętaj, co ci powiedziałem.

– Musisz żyć! – krzyknęła. – Jesteś nam potrzebny! Nie pozwolę!

A potem szybko wybiegła z pokoju uzdrowiciela, by powstrzymać policję przed jego aresztowaniem.

Kerej usiadł na łóżku. Oddychał miarowo. Wpatrywał się w ogniste niebo, ale starał się nie myśleć o niczym. Czekał. Kiedy drzwi ponownie się uchyliły i stanął w nich policjant, Kazach był gotów na śmierć. Na razie jednak ukrył nóż za sobą. Przyjął na twarz bezbarwny wyraz. Nie chciał, by Jagoda była świadkiem samobójstwa. Ku jego zdziwieniu funkcjonariusz zdawał się spłoszony.

– Panie Igorze, moja żona... – zaczął błagalnie. – Odebrałem ją wczoraj ze szpitala. Ona była w ciąży. Poroniła dwa tygodnie temu. Wszystko fizycznie jest w porządku, ale ból niesamowity. Nie może jeść, spać. Wzięła wszystkie zapisane jej leki. To nie ustępuje. Odmówili przysłania karetki. Już kilka razy te ataki się zdarzały. To chyba jajniki. Nie wiem dokładnie. A może ona pozoruje, z cierpienia. – Niemal płakał.

Kerej wstał. Pochylił się, udając, że poprawia sobie nogawkę, i sprawnie ukrył sztylet na swoim miejscu.

– Chce pan, żebym z wami pojechał?

Podszedł do okna i wskazał radiowóz z włączonym kogutem. Za kierownicą rozpoznał byłego chłopaka Tośki – Juliana Siołę. Policjant wychylił się i poprawiał sobie fryzurę w bocznym lusterku.

– Gdyby pan mógł – poprosił Wasilewski. – Zapłacę za fatygę.

– Nie trzeba – burknął Kerej i już pakował do torby mikstury z ziołami, olejki do masażu i pocięte paski tkaniny. – Nie wiem jeszcze, czy na coś się przydam. Daleko to?

– Pół godziny drogi. Mieszkamy koło cmentarza.

– Cmentarza? – Kerej podniósł głowę i zawahał się.

Wymienił spojrzenia z Jagodą. Zmartwiała kobieta zbladła. Oboje myśleli o tym samym. O losie wędrowców, którzy w czas czerwonego zmierzchu znajdą się w pobliżu siedzib kyrmysów. Ale przecież to tylko głupie wierzenia koczowników.

– Naprawdę, ja bardzo przepraszam za ten nagły najazd – tłumaczył się mundurowy, który dostrzegł to nagłe zawahanie znachora, więc mówił i mówił, słowami pokrywając zdenerwowanie. Wciąż powtarzał te same kwestie: – Jestem wdzięczny. Ludzie mówią, że pan potrafi różne rzeczy. Chwytamy się wszystkiego. Karetki nam odmówili, bo ostatnio nic nie wykryli, dali jej tylko pyralginę i coś na uspokojenie, a żona po prostu odchodzi od zmysłów. Sam nie wiem, jak mam jej pomóc. Taka tragedia z dzieckiem, pokoik jest gotowy, chrzciny były zamówione u księdza i w restauracji, a teraz to. Czy ona może umrzeć? Może to jakieś wewnętrzne zakażenie?

– Uspokój się, Zyga. – Jagoda gładziła go po ramieniu. – Wszystko będzie dobrze.

Ale policjant już ocierał łzy.

– Czyste ręczniki, bandaże? – upewnił się Kerej i wrócił do pakowania.

Jagoda wiedziała, że mimo przesądów uzdrowiciel pojedzie. Poczuła do niego jeszcze większy szacunek.

– Wszystko będzie. Na miejscu jest siostra i moja mama. To one kazały mi tutaj przyjechać. Obie chodzą na jogę do szkoły. Róża Wasilewska i Arleta Kobierzycka. Może pan kojarzy? Kobra kieruje bankiem. To szefowa pana dziewczyny – Tosi.

– Pewnie – mruknął Kerej i wyszedł z pokoju za policjantem. – Zwłaszcza pani Kobra zrobiła duże postępy, choć wiem, że popala. Może pan jej przekazać.

– Sam jej mówię, żeby rzuciła – trajkotał teraz wyraźnie podniesiony na duchu policjant. – Ale pan ją zna. Uparta jak osioł, pieniędzy ma pod dostatkiem, a odkąd się rozwiodła, uważa, że będzie teraz robić w życiu tylko to, co chce.

– I ma rację – roześmiał się Kerej. – Jedynie tak można być szczęśliwym.

Jagoda stanęła w oknie. Przymknęła oczy, modliła się. Jej twarz płonęła odbitym blaskiem zachodzącego słońca. Kiedy na podjeździe usłyszała znów ich głosy, otworzyła oczy. Była spokojna. Żadne złe duchy ani źli ludzie nie uczynią jej dobrodziejowi krzywdy. Obserwowała, jak Kazach zajmuje miejsce dla zatrzymanych, radiowóz rusza z piskiem opon i znów na wyjącym kogucie gna w kierunku miasteczka. Długo wpatrywała się w dal, myślała o tej pełnej ironii sytuacji. Nie odeszła od okna nawet wtedy, kiedy nie było już ich widać. Uśmiechała się przy tym tajemniczo i myślała, że wszystko, co powiedział jej dziś znachor, widziała w jego kosmogramie, który po raz pierwszy zrobiła dla niego w wieczór przyjazdu. Tej nocy nie zasnęła, dopóki nie przygotowała dla niego prognozy. Znów się potwierdziło, że Kazach miał słońce w Jowiszu, czyli był astrologicznym szczęściarzem, który z każdej opresji wychodzi cało lub ginie jako bohater, oraz że ze wszystkich kłopotów wyciągają go kobiety. On sam darzy je szacunkiem i traktuje po rycersku. Z pieniędzmi nie będzie miał problemów nigdy, choć nie są celem jego życia, a zdrowie dopisywać mu będzie do starości. W jego przeszłości dostrzegła potężny kryzys, który mógł zaowocować wyjazdem z kraju i osiedleniem się na drugim końcu globu. Sprawdzała to wielokrotnie. I znów poczuła ciarki na plecach. Gdyby więc nie wyjechał, nie rozwinął się i nie zmienił – nie czekałyby nań całe lata szczęścia, które teraz przed nim widziała. Bo pierwsze kwadratury dostrzegła w jego horoskopie dopiero za cztery lata, o czym zresztą mu powiedziała następnego dnia przy śniadaniu, bacząc, by jej słowa nie dotarły do niepowołanych uszu. Zadbała nawet o to, by Tosi nimi nie obarczać, posyłając ją z pilną pocztą.

– Żyj, pomagaj ludziom, niczym się nie martw. A kiedy przyjdzie wiosna i czwarty raz od dziś na naszych polach zakwitnie rzepak, wstaniesz i pójdziesz dalej.

– Żółte kwadraty pól – upewnił się tylko i dodał: – Śniło mi się to już kiedyś. I sowie skały. Isa mi o tym opowiadał. To przecież jest tutaj.

Rozpromienił się nagle, jakby go olśniło.

– Kto? – Jagoda wpadła w konfuzję.

– Mój anioł stróż.

Wdowa nie wnikała dalej. Była zbyt poruszona swoimi wczorajszymi odkryciami astrologicznymi, by odbiegać od tematu. Obejrzała się za siebie. Mieli niewiele czasu, a Tosia mogła nadejść w każdej chwili.

– Wtedy wszystko się zmieni i wrócisz do swojego nazwiska.

– Sam mam się zgłosić? – zdziwił się Kerej. – Nigdy tego nie zrobię. Powiedziałem ci, co będzie, jeśli po mnie przyjdą.

Wskazał but. Teraz już wiedziała, co nosił w nim każdego dnia.

– Los cię tak poprowadzi, że będziesz wiedział, co masz robić – odparła bardzo poważnie. – Masz słońce w Jowiszu.

– Hm – odparł tylko i sięgnął po ser kozi. – A ty nie opiłaś się, Jagódka, za dużo moich ziółek?

W tym momencie do sali jadalnej wbiegła Tośka. Była zdyszana, pod pachą miała niewysłaną pocztę.

– Ann-Marie nie żyje.

Kerej i Jagoda zerwali się z krzeseł.

– Wczoraj, po naszym spacerze, rzuciła się z wieży. Nikt nie wie, jak się tam sama doczołgała. Wózek został w hotelu. Olivier i Edyta byli u siebie. Nic nie słyszeli.

Trójka przyjaciół patrzyła na siebie. Nikt nic nie mówił. Po twarzy Jagody płynęły łzy.

– Przecież czuła się już o niebo lepiej – szeptała. – Dlaczego?

Kerej był zszokowany. Tośka spojrzała na niego i już wiedziała, że on doskonale zna powód samobójstwa córki producenta. Ona zresztą też, bo nastolatka wczoraj wszystko Tosi wyznała. Kerej ukrył teraz twarz w dłoniach. Ale Tośka nie dała mu się zanurzyć w cierpieniu. Szarpnęła go za rękaw.

– Szybko. Musisz iść.

– Po co? Nie jestem grabarzem. To misterium rodzinne. W czym mogę im teraz pomóc?

– Z Edytą jest źle – oświadczyła Tośka. – Już wcześniej to głównie ona wymagała opieki. Wszyscy zajmowali się niepełnosprawną, a na matkę Ann-Marie nikt nie zwracał uwagi. Dziś wyznała Olivierowi, że ma czerniaka i nie chce się leczyć.

1994 rok, Uralsk, Kazachstan

Gaja wysiadła z windy, ale zanim doturlała się do marmurowego blatu recepcji w filii spółki BongoNaftaGroup, odruchowo wygładziła swoją hipisowską sukienkę. Rozciągliwa wiskoza natychmiast podsunęła się na jej okrągłym brzuchu, znów odsłaniając kolana. Za kontuarem siedziała piękna Kazaszka, umalowana tak precyzyjnie, że adwokatka zawahała się, czy przypadkiem nie ma kontaktu ze sztuczną inteligencją.

– Hajdarowicz – przedstawiła się. – Ale mój mąż dopiero będzie u was zatrudniony. Chyba nie ma go na liście.

Pani ideał nie potrzebowała więcej danych. Przerwała jej bezceremonialnie.

– Pan sędzia jest u siebie. Gabinet sułtana. Sala sześć.

Gaja bez słowa ruszyła w kierunku wskazanym przez Miss Sekretarek. Z każdym krokiem upewniała się na tym królewskim korytarzu, że kwalifikuje się do kąpieli i wyprasowania.

– Jesteś wreszcie!

Grisza wybiegł jej na powitanie w pełnym garniturze i z kolorową poszetką w butonierce. Ręcznie robione buty błyszczały jak bursztyny, bo zresztą były w takim kolorze. Wyglądał wspaniale jak jakiś cholerny model z żurnala. Gaja zbaraniała i stanęła w miejscu, oglądając się kilkakrotnie za siebie, czy ten opalony playboy przemawia rzeczywiście do niej.

– No chodź już. Pokażę ci moje biuro. Zobaczysz, jak się urządzam.

Ruszyła i dała się przytulić, ale potem znów cofnęła się kilka kroków, by jeszcze raz móc popodziwiać męża.

– Fiu, fiu – roześmiała się, nie kryjąc zaskoczenia. – Powiedz mi, jak to się stało, że ustrzeliłam taką partię.

Grisza ucieszył się z komplementu jak wzorowy uczeń ze świadectwa z wyróżnieniem na koniec roku. I równie nieudolnie udawał, że wcale się tego nie spodziewał. Wykonał półobrót, by żona mogła go obejrzeć w pełnej krasie, a potem zmierzył karcącym spojrzeniem wyświechtaną siatkę z tkaniny, w której Gaja zawsze nosiła dokumenty. Teraz torba nie tylko była wypełniona po brzegi papierami, ale miała na dodatek pourywane rączki. Gaja dosłownie przed wejściem do budynku związała je swoją apaszką.

– To trzeba jak najszybciej wyrzucić – zarządził. – Dam ci jakąś reklamówkę z laminowanego papieru, zdobioną złotem.

A potem dotknął jej pocerowanej miejscami sukienki.

– Nie masz nic na zmianę?

– Co na zmianę? – Zmarszczyła brwi. – Jestem taka gruba, że wchodzę już tylko w ten łach. Chyba zapomniałeś, że za dwa tygodnie rodzimy.

– No tak. Termin. Rzeczywiście – dukał.

– Masz jakieś inne plany? – roześmiała się, na co mąż odpowiedział niepewnie, a Gai natychmiast zaświeciła się w głowie lampka alarmowa.

– I nie jesteś gruba – zganił ją, jakby użalając się na swój stan, Gaja obraziła również jego. – Nie możesz iść tak ubrana. To bardzo ważny wieczór. Panie będą w toaletach z tafty.

– Nienawidzę tafty – ofuknęła go. – Szeleści i trzeba prasować. Nie mam do tego głowy. A żelazko jest popsute. Wiesz przecież.

– Kupimy nowe. Jutro zamówię.

– Zbędny wydatek. Do prasowania pieluszek wystarczy stare naprawione. Za to ty jesteś tak elegancki jak jakiś Fitzgerald. Będziesz błyszczał za nas oboje.

Zmiotła mu niewidzialne pyłki z ramienia i poprawiła krawat. Przyjrzała się delikatnej tkaninie marynarki, wygładziła koszulę.

– To służbowy mundurek? Pewnie sporo kosztował panią Zere.

Grisza jeszcze raz zaprzeczył gwałtownie, ale widziała, że nie spodobał mu się jej żart.

– No nie dasz mi go chyba do prania, bo jeszcze ci go skurczę, a koszula będzie pistacjowa albo co gorsza różowa.

To też go wcale nie rozśmieszyło. Zmienił się, pomyślała Gaja. I nie chodziło jej o to, że był inaczej ostrzyżony i pachniał jakąś dobrą wodą. Przyglądała mu się wnikliwie i nie mogła ustalić, na czym polega ta gruntowna zmiana. Wiedziała jednak, że coś ją ominęło.

Kiedy Grisza objął stanowisko sędziego, pojawiła się jednocześnie propozycja lukratywnej posady w korporacji. Mówił jej, że musi na to zasłużyć, ale na czym te zasługi miały polegać, Gaja nie wiedziała. W domu nie pojawiał się wcale. Nocował u matki, twierdząc, że ma bliżej do drugiej pracy. W efekcie nie widzieli się ponad miesiąc. Przyjechał tylko na badanie do lekarza, ale na kolacji nie został. Odwiózł żonę i wrócił do siebie. Dziś ją wezwał przez sekretarkę. Dopiero po jej anonsie sam zadzwonił, bardzo podniecony. Wieczorem miała się odbyć proszona kolacja u jego szefów, a jego pierwszy raz spotkał zaszczyt zajęcia miejsca przy stole. W dobrym tonie było, aby na taką uroczystość udać się z małżonką. Gaja nie miała ochoty jechać do Bajdałych, ale praktycznie się nie widywali, a ona pilnie musiała się z nim rozmówić w sprawie Kunanbajewa. Dwa tygodnie temu złożyła zażalenie na postanowienie prokuratury i otrzymała odmowę. Chciała się odwołać również od niej. Cały mijający dzień przygotowywała stosowne pismo i znalazła aż dwadzieścia siedem uchybień, które wskazała jako formalne. Kilkanaście było całkiem nowych – była z siebie bardzo dumna. Miała przeczucie graniczące z pewnością, że przy wsparciu Griszy uda się jej powstrzymać prokuraturę przed wniesieniem oskarżenia pod nieobecność sprawcy strzelaniny. Stanęła teraz w rozkroku, podparła się pod boki i prawie krzyknęła:

– O co chodzi, Grisza? Jaka sprawa?

Mąż szybkim krokiem podszedł do drzwi i zamknął je delikatnie.

– Tutaj nie możesz się tak zachowywać – upomniał ją jak dziecko. – Zepsujesz mi opinię.

– Czyli jak?

– Jak zwykle.

Odchrząknęła.

– I musisz się szybko przebrać.

– A niby za kogo? – Gaja nie oczekiwała już, że jej kolejny żart wzbudzi wesołość męża, ale się myliła.

Uśmiechnął się, pocałował ją czule w usta, a potem podbiegł do aparatu i zaczął wydawać dyspozycje tonem nieznoszącym sprzeciwu. Nie znała go takiego. Był teraz człowiekiem mającym władzę. Pewnym siebie, bezwzględnym. Gaja w tym czasie przyglądała się nowoczesnym sprzętom i dekoracjom w pokoju, w którym ulokowano jej męża. Musiały kosztować majątek.

Kiedy tylko Grisza odłożył słuchawkę, do gabinetu zajrzała pani ideał. Minę miała wyniosłą, a w ręku dzierżyła wieszak z garsonką w swoim rozmiarze, czyli dla lalek Barbie.

– Co ja mam z tym zrobić? – Gaja obejrzała czyściutkie ubranie, sprawdziła metki. Wszystko było zagraniczne i wyglądało na nowe. – A może niech ta lafirynda z tobą idzie? Po co ci taki kocmołuch jak ja, skoro masz się wstydzić? Chcesz mnie wymienić na sekretarkę, to powiedz od razu.

Z każdym zdaniem podnosiła głos, ale Grisza wysłuchał tyrady spokojnie. Twarz miał zaciętą.

– Włóż marynarkę – zarządził, kiedy na chwilę umilkła.

– To dziecięcy rozmiar – kwękała Gaja, ale wcisnęła się w ciuch. Stała w pozycji stracha na wróble i czekała, aż mąż pozwoli jej zdjąć tę zbroję.

– Znacznie lepiej – skomentował ukontentowany Grisza i wskazał skórzaną otomanę. – Napijesz się czegoś?

– Najchętniej wódki, bo na trzeźwo tej farsy nie zniosę.

– Mogłabyś się uspokoić? Nerwy szkodzą dziecku.

– Jestem spokojna jak nigdy w życiu. A dziecko niech mnie nie terroryzuje. Śpi sobie spokojnie i chwilowo nie wali kopytami w bebech. Cieszmy się z tego.

– To kawa czy herbata?

– Nic nie chcę. Może wody. Albo kwasu chlebowego. Sok z ogórków macie? I ciastko cytrynowe. Albo nie, kokosanka. Właściwie to nie jestem głodna. Słuchaj, Grisza, muszę z tobą omówić kilka spraw. Może mi coś doradzisz. Jak kiedyś – uśmiechnęła się uwodzicielsko.

Grisza znów zadzwonił po sekretarkę.

– Daj kawę i biszkopty – zarządził. – Dla mnie koniak.

– Dla mnie też! – krzyknęła Gaja i zachichotała. – Dużą flaszkę.

– Już byś przestała.

Gaja natychmiast złożyła ręce na podołku i udała niewiniątko. Wytrzymała w tej pozycji, aż Miss Sekretarek poustawia na szklanym stoliczku naczynia i ciastka. Trwało to jednak jej zdaniem zbyt długo, bo nieustannie poruszała spuchniętymi stopami, licząc, że ślicznota zaczepi się i upadnie. Nie podobało jej się też, że dziewczyna tak wypina się do jej męża. Ale na razie ten komentarz zachowała dla siebie.

– A więc to jest gabinet sułtana. Gratulacje, kochany. A dokąd mnie dziś zabierasz, skoro tak się trzęsiesz o moją kieckę? Do Zere?

– Wprost przeciwnie.

– No, zaczyna się nieźle. Przeciwnie to jest tylko mój klient.

– No właśnie. Poniekąd.

– Poniekąd to mają tam takie luksusy, że mogłabym spokojnie iść w worku na kartofle. Nikt by nie zauważył. – Gaja bawiła się coraz lepiej. – Czyli do kogo jedziemy?

– Do pałacu Kazangapa. Ale jego nie będzie. Zere też nie. Na szczęście nikogo, kto mógłby mieć interes zapytać cię o Kunanbajewa, tam nie zaproszono.

– No dobra. Może być. Tak naprawdę to wszystko jedno. – Gaja już nie słuchała.

Zaczęła wyciągać z torby papiery.

– Ale obiecaj mi, duszko, że nie powiesz niczego, czego byś potem żałowała.

W tonie głosu męża słychać było prośbę, jakąś uniżoność. Nagle Gaja zrozumiała, na czym polega ta zmiana, której wcześniej nie potrafiła nazwać. Grisza się bał. I zależało mu na czymś, co było nie do końca zgodne z prawem. Zaczął grać w grę takich ludzi, których kiedyś na studiach nienawidził, i stawał się śliski.

– Co to za interes ta kolacja? – zapytała twardo.

– Facet, który mnie zaprosił, nazywa się Kaszo.

– Nic mi to nie mówi.

– Pamiętasz dyrektora kolei? Tego Polaka, od którego wszystko się zaczęło w konflikcie Kunanbajewa z ludźmi Nochy?

– Sierga Pingota? Tego znikniętego?

– Teraz jego majątkiem zarządza Kaszo. Przeciwko Siergowi zaś ruszył proces o defraudację i zawłaszczenie.

– To ci niespodzianka – mruknęła Gaja. – A co ty masz z tym wspólnego?

– Kaszo ma udziały w biznesach Kazangapa.

– To on też zniknął?

Grisza pochylił głowę.

– Ukrywa się. Ale chce współpracować. Ta spółka jest jego. Poniekąd.

– I?

– I za dopięcie tego interesu zaoferował mi posadę w stolicy. Musiałbym jednak pojechać na rozmowę kwalifikacyjną. Nie wiem, czy to się nie zbiegnie z naszym maluszkiem.

– Chyba mi tego nie zrobisz.

Grisza chwycił żonę za ręce.

– Wyjechalibyśmy do stolicy. Gwarantują nam nowe mieszkanie. Osiemdziesiąt metrów z tarasem. Dobra pensja i auto do dyspozycji. Dla ciebie wybierzemy jakieś malutkie, żebyś nie miała problemów z parkowaniem. To rafineria. Byłbym tam ich głównym prawnikiem. A jak urodzisz i dzidzia podrośnie, też mogłabyś znaleźć tam swój ląd.

– Jestem adwokatem. Nie szukam posady. I mam swoich klientów.

Grisza zacisnął usta.

– To dla nas szansa.

– Miałeś być niezawisłym sędzią. – Gaja zatoczyła ramieniem krąg. – Potem zachciało ci się być przewodniczącym. Teraz nagle ta oferta nie do odrzucenia. – Urwała. – Nie za szybko awansujesz? Pytanie jest proste: czym musisz za to się odpłacać?

Grisza się zawahał.

– To pewna posada, kochanie. Sprawa jest praktycznie zaklepana. Pomyśl! Drugi raz na taką propozycję trzeba będzie czekać lata. Może nawet nigdy się nie powtórzy.

– Musi być cena.

W głowie kołatała się Gai natrętna myśl, ale najpierw chciała usłyszeć to od męża. Milczał długo. Czuła, jak narasta w niej gniew, a dziecko budzi się i zaczyna kopać.

– Więc może inaczej zadam to pytanie – spróbowała jeszcze raz. – Co ja muszę zrobić? Bo wiesz, że ta cała sprawa z Kerejem jest dęta. Poszkodowani chłopcy dostali zarzuty. Zamiast pomocy mają teraz sprawy o współudział. Dziewczynę, która z nimi była poprzedniej nocy, nieznani sprawcy oblali kwasem. Po tym incydencie ona zeznaje tak, jak chce Futnikow. Wskazuje swojego chłopaka, tego hokeistę, i Tusipa jako głównych podżegaczy. Pozostałych nie widziała. Było ciemno, rozumiesz. Oczywiście sprawy o napaść i oszpecenie nie wniosła. Nie ma praktycznie nosa. I nie wiem, jak mogła mówić z rurkami w gardle, ale jej podpis widnieje w protokole. Leżała na OIOM-ie prawie tydzień. Poza tym nic się nie zgadza. Nie przesłuchano żadnych świadków, którzy mogliby podważyć akt oskarżenia. Główny ich świadek – ten Gazizow – nie istnieje. Sprawdziłam osobiście. Adres, który podają, to mieszkanie ich człowieka. Co gorsza, mieszkanie reżimowe. Przydzielili je facetowi, który od lat był ich tajniakiem. Andriejowi Mikrorusznikowowi, który był prowodyrem gwałtu na Ukraince z dzieckiem i zginął w strzelaninie. A skoro jest martwy, nie poskarży się, że u niego na chacie zameldowany jest jakiś major Gazizow. A poza tym z tego balkonu i tak nic nie widać. Tam są drzewa, Grisza. Wszystko zasłaniają. Nieważne, czy Miko się sklonował lub zmartwychwstał, czy może jakiś Gazizow faktycznie istnieje, nikt nigdy stamtąd niczego nie zobaczy. Musieliby przesunąć budynek. To wszystko blaga. Dobrze uszyta blaga.

– Ty tam chodziłaś? – Grisza spojrzał na żonę z wyrzutem. – Byłaś na Żdanowa?

– Przecież musiałam wszystko sprawdzić, zanim napiszę zażalenie. – Hardo podniosła głowę. – Ty byś nie poszedł?

– W twoim stanie? – Pokręcił głową szczerze zażenowany. – Nie, Gajuś, nie narażałbym naszego maleństwa.

– Przestań już z tym maleństwem – wybuchnęła Gaja. – Nie musisz wciąż wszystkiego zdrabniać. Jeszcze nie zidiociałam!

Zapadła cisza. Grisza nalał sobie kolejną porcję koniaku, zagryzł biszkoptem. Gaja znała go dobrze. Wszedł w tryb „nieprzejednany". Mogła do niego mówić, prosić go. Choćby rzucała kamieniami w ścianę, to nic nie przyniesie. Zwiesiła głowę.

– Więc mnie nie wesprzesz?

Grisza tylko się skrzywił.

– Chcę, żebyś wzięła zwolnienie. Pojedziemy do stolicy. Tam urodzisz i już zostaniesz. Ja tutaj wszystko załatwię.

– A co z dokumentami? Z zażaleniem?

– Wszystko zostanie uporządkowane. Dziś muszę tylko potwierdzić Zere, że nie będzie problemów. Ta sprawa już ciebie nie dotyczy.

– A więc to jednak Zere pociąga za sznurki? Dlatego mnie poświęcasz?

Grisza się zarumienił.

– Ona jeszcze nie wie, że zacząłem pertraktować z Kaszem. Żebym jednak mógł stąd odejść żywy, musimy dopiąć tę sprawę.

Gaja zbladła.

– Jak to żywy?

– Za dużo wiem – odparł chłodno. – Wiem praktycznie wszystko. Muszę im coś rzucić na pożarcie, żeby mnie wypuścili.

A potem nagle ukląkł u jej stóp i chwycił za ręce.

– Potem będzie inaczej. To prywatna korporacja. Kaszo nie jest taki. On liczy pieniądze. Będziemy wreszcie z dala od polityki. Robię to dla nas.

Gaja wyszarpała dłonie z rąk Griszy. Zamknęła oczy, policzyła do pięciu. Otworzyła. Nic nie pomogło. Była tylko jeszcze bardziej rozżalona.

– Oni nie dadzą mu nikogo innego. Będą przeciągać i wykorzystywać moje zwolnienie jako pretekst. Ten człowiek zostanie pozbawiony obrońcy. Skażą go i nikt za nim nie stanie. Czy jego rodzina o tym wie?

– Mój Boże, co za oślica! – zniecierpliwił się w końcu Grisza. – Interesuje cię obcy człowiek czy nasze życie? Za chwilę rodzisz. I tak musiałabyś zrezygnować z tej sprawy. Nie będziesz przecież biegała z dzieckiem na ręku na miejsca wypadków.

– To nie jest miejsce wypadku. Tam doszło do regularnej bitwy. I ten człowiek się bronił. To zamierzam udowodnić. Nie wolno mi go tak zostawić. Przyrzekałam.

– Niczego nie musisz. Jesteś moją żoną i niczego ci nigdy nie zbraknie.

Gaja była przerażona.

– Zabraniasz mi pracować?

– Jeśli to ma być tego typu praca, to tak. Nie zezwalam. – Zbliżył się i znów starał się ją przytulić. – Za to kupię ci nową sukienkę. Dziś nie zdążymy, ale jutro, pojutrze, w nowej stolicy, będziemy mieli mnóstwo czasu na zakupy i staniemy się w końcu wolni.

– Cały czas mówisz o tej wolności, a tańczysz, jak ci zagrają. Ja nie zamierzam tak żyć. Jedź sobie i zbieraj te *dieńgi*. Bogać się, odkładaj, a mnie zostaw w spokoju.

Zerwała z ramion za ciasną marynarkę i wybiegła z jego wspaniałego gabinetu. Pognał za nią aż do wind, ale była szybsza. Na dole też udało jej się umknąć. Liczył, że spotka ją w domu, kiedy wróci z kolacji u Kasza – bo na biesiadę dotarł i wracał z niej zadowolony, gdyż mocodawcy obiecali dotrzymać wszystkich warunków, a kiedy dziecko podrośnie, Gaja również będzie miała zagwarantowane miejsce w jego zespole.

Początkowo był na nią zły. Jechał przez pół miasta z bukietem, ale nie wziął kluczy. W końcu obudził stróża, który otworzył mu mieszkanie, i wtedy zrozumiał, że tego wieczoru Gaja do domu wcale nie dotarła.

Gdzie nocowała, nie wiedział. Nie pojawiła się aż do południa. Dłużej nie czekał, bo musiał iść do pracy. Następnego wieczoru wybuchł skandal. Okazało się, że pani mecenas zdążyła jednak złożyć odwołanie od zażalenia i dokument ten został włączony do akt. Ale sędzia śledczy Futnikow materiał obrony oddalił jako niezasadny. Wtedy też z akt wypadły wszystkie karty z zeznaniami niejakiego Gazizowa, ale dla Griszy nie miało to już znaczenia.

Po żonie i nienarodzonym dziecku została mu tylko torba porodowa i wszystkie ubrania Gai, jej rzeczy osobiste oraz skromna wyprawka, którą mieli przygotowaną dla maleństwa. Nikt więcej pani mecenas w Uralsku nie widział.

Jakiś czas później ludzie pokątnie rozprawiali o dwóch czy trzech typach, z którymi się szarpała ciężarna kobieta pod domem. Inni dodawali, że ostatecznie nie wciągnięto jej do samochodu, ale i tak nie zdołała uciec, bo skosiła ją seria w plecy z automatu. Ktoś inny z kolei miał być świadkiem, jak dostała kopniaka w brzuch przed prokuraturą, ale kiedy policja przybyła, aby go przesłuchać, odmówił zeznań. Zresztą większości tych informacji nigdy nie potwierdzono. Sprawców domniemanego porwania nie ujęto. A może i wcale ich nie szukano? Pewne było tylko to, że Gaja Hajdarowicz zniknęła bez śladu.

Od tej chwili nikt z mieszkańców miasta nie grzebał już w sprawie Kereja Kunanbajewa, a jeśli nawet dostrzegał jakieś nieprawidłowości w prowadzeniu dochodzenia, uwagi zatrzymywał dla siebie. W mediach ukazywały się na ten temat tylko reportaże zgodne z linią prokuratury. Nocha i reszta jego kompanów dostali odszkodowanie za straty moralne i znaczny uszczerbek na zdrowiu. Wydano im też auta, które dotąd były dowodami w sprawie, wraz z zawartością ich bagażników. Podobno takiej ilości żelastwa technicy kryminalistyki nie widzieli jeszcze u zwykłego obywatela. Śledczy natomiast w spokoju doprowadzili nie tylko do odczytania aktu oskarżenia, ale też zaocznego wyroku śmierci dla Kereja Kunanbajewa. W telewizji wystąpił generał Sachib Arżakow, który zapewnił mieszkańców miasta, że od tej chwili Uralsk jest wolny od elementu przestępczego. Zdjęcie poszukiwanego powoli blakło na słupach ogłoszeniowych, a potem w końcu odpadło i resztki plakatów porwał wiatr. Kiedy spadł pierwszy śnieg, ulicami miasta przejechała kawalkada białych żiguli z przyciemnianymi szybami. Ich pasażerowie pierwsi przynieśli Jerbołowi Bajdałemu nowinę, że Kerej nie ukrywa się w jednym z krajów Beneluxu, jak rozpowiadał w Uralsku Kodar, lecz we wsi pod Dniepropietrowskiem. Mogli go ustrzelić natychmiast – wystarczyłby jeden telefon. Snajper leży na dachu sąsiedniej stodoły przez cały czas, zapewniali. Chcieli jednak za tę usługę podwójną stawkę. Normalnie taka licytacja skończyłaby się skasowaniem chciwych pacanów przez ludzi Nochy, bo nagroda wyznaczona przez rody i tak była znaczna. Ale po dwa miliony dolarów za głowę brata Kim Kunanbajew przybył osobiście. Jerboł Bajdały natychmiast zwołał naradę, na której postanowiono, że pieniądze będą. Najpierw jednak Buszi musi przywieźć do Kazachstanu Kereja żywego. Za te pieniądze rody domagały się dodatkowej kary. To Kodar miał dokonać honorowej zbrodni na synu, jak to obiecał na pogrzebie jego ofiar.

2002 rok, Uralsk, Kazachstan

– To był zwykły podstęp. Chcieliśmy uśpić ich czujność.

Kim podniósł butnie głowę i potrząsnął swoją wciąż bujną czupryną samuraja. Tośka dopiero teraz dostrzegła, jak wiele jest w niej białych nitek. Na starość, kiedy Buszi posiwieje, będą z Kerejem bardzo podobni.

– Poza tym będąc tak blisko wroga, mogłem kontrolować sytuację z obu stron i zapewnić bezpieczeństwo bratu.

Siedzieli w zmarniałym ogrodzie Kazangapa, opatuleni w końskie derki i szuby. Przed nimi stał nowoczesny piec z grillem na szczycie. Tośka dostała lisią czapę i wełniany szal. Kim stał przy ogniu z gołą głową i przewracał mięso. Położył jej teraz na talerzu pół udźca, a potem od serca dołożył cebuli i wycisnął pół butelki musztardy. Przez cały miesiąc by tego nie zjadła. Już sam zapach baraniny doprowadzał ją do mdłości.

– Jestem wegetarianką – wyznała po raz pierwszy od przyjazdu i od razu poczuła się lepiej, że nie musi dłużej udawać zachwytu nad ich kuchnią.

W ogóle nie zareagowała na uniesioną brew Kima i pomruk dezaprobaty. Ochoczo jednak chwyciła szklankę z koniakiem, bo w ten klimat napitek wpisywał się wprost idealnie, a następnie opróżniła zawartość, mocno zaciskając oczy w trakcie przełykania. Gardło jej płonęło, ale czuła, że po takiej dawce alkoholu żołądek w końcu zacznie trawić. Żadne ranigasty ani inne preparaty Romea nie działały. A po sałacie i jedzeniu fit, czym zwykle żywiła się w Polsce, tutejsze smakołyki w ciągu kilku dni utwardziły jej brzuch na kamień. Poza tym koniak nie tylko dobrze rozgrzewał, czyniąc siarczyste mrozy znośniejszymi, ale sprawiał, że mniej się bała.

Kim odstawił talerz. Chwycił kość. Zaczął ją łapczywie ogryzać. Tłuszcz skapywał mu na zarost i kożuch, ale mężczyzna się nie przejmował.

– Chcesz powiedzieć, że byłeś kimś w rodzaju podwójnego agenta? – upewniła się, a brat Kereja się zdziwił, że Polka mówi po kazachsku.

Nie odpowiedział od razu. Zjadł, wytarł ręce o spodnie i rzucił kość w krzaki. Natychmiast podjęły walkę o nią dwa potężne, choć wyleniałe, psy. Tośka patrzyła na ich potyczkę i zastanawiała się, gdzie były wcześniej. Szczerzyły się do siebie, momentami niemal rozszarpywały. W końcu zwycięzca triumfalnie odszedł, a przegrany ułożył się na śniegu i nie spuszczał wzroku z Kima, trzymającego w swoich rękach, w mniemaniu zwierzęcia, berło władcy rusztu.

– Kiedy spotkaliśmy się z Kerejem pierwszy raz po latach, wcale nie miałem takiego zamiaru. Nienawidziłem go – przyznał z ociąganiem. – Zabrał miejsce pierworodnego. Ty tego nie zrozumiesz. Nie chodziło o wygnanie. Kerej-ak od zawsze był wybrańcem. Wszystko kręciło się wokół niego. Włosy, inteligencję i posłuch, jaki wzbudzał u ludzi, miał wrodzone. A moja przewina była niewspółmierna do kary. I chociaż dziś wiem, że ojciec musiał tak postąpić, żal i złość żywiłem do brata.

Tośka miała ochotę zapytać, co się stało, że Kima wykluczono z rodziny, ale były ważniejsze sprawy.

– Co cię powstrzymało przed zemstą? To, że zobaczyłeś matkę? – ze zdenerwowania przeszła na rosyjski.

– Zabiłbym go, gdyby nie ona. Przysięgam. – Kim pochylił głowę. – Uważałem, że tak trzeba. Tylko w ten sposób mogłem uzyskać nowy status. Nie miałem wtedy nic. Rodziny, domu, bliskich. Z kobietami się nie zadawałem. Co mogłem im zaoferować? Która by mnie chciała? Kerej to rozumiał. Dlatego nie uciekał. Zastanawiał się pewnie tylko, jak to zrobię. Rozjadę go, zastrzelę czy pozwolę mu walczyć. Ale matka stanęła między nami. Dokładnie jak kiedyś, gdy byliśmy mali.

– Rozmawialiście?

Kim pokręcił głową.

– Nie powiedziała ani słowa. Ale ja nie byłem w stanie się ruszyć.

Przerwał.

– To znaczy odezwała się – poprawił się: – „Mój synku". Bardzo cicho. Zawróciłem i odjechałem.

Tośka uznała, że nadszedł czas. Podała bratu męża *tengri*. Zawahał się, ale wziął do rąk amulet.

– Nic więcej nie powiedziała, ale chciała ci to oddać. W ten sposób przywracała cię rodzinie, prawda?

Ponieważ pamiętała spojrzenie Kima, kiedy posłużyła się *tengri* jako tarczą, teraz położyła ozdobę na ławce i czekała, co Kazach zrobi. Nie zbliżył się. Długo nie odpowiadał. Mięso paliło się na grillu, wstał więc i zaczął zdejmować kolejne kawałki. Psy tym razem podeszły bliżej. Było ich już pięć, a kilka następnych, bardziej strachliwych lub stojących niżej w hierarchii, kryło się nadal w krzakach. Tośka pomyślała, że wyglądają jak stado Nochy.

– Chciała – odezwał się wreszcie, a potem nagle umilkł, jakby wróciły wspomnienia. Zatopił się w nich na chwilę. Tośka cierpliwie czekała. – Mama próbowała mi zawiązać ten rzemień na szyi, ale byłem wtedy w furii. Odepchnąłem jej rękę. Nie bardzo wiedziałem, co dalej. Jak wybrnąć z tej matni. Jeśli tamci dowiedzieliby się, że odpuściłem bratu, zabiliby mnie bez ostrzeżenia. Nie mogłem ani wrócić do domu, ani pójść do tamtych. Nie chodziło o pieniądze Jerboła. To kwestia dumy. Byłem więc zły na matkę, na telkarę. Ale najbardziej na siebie. Za tę słabość. Że stchórzyłem. Jeździłem po mieście jak szalony i tylko dociskałem gaz do dechy. Gdzieś w centrum, kilka przecznic dalej od miejsca, w którym się spotkaliśmy we trójkę, a mnie jakimś cudem znów tam przywiodło, zarzuciło mną i spadłem z motocykla. Szosa była sucha. Poza mną na jezdni nie było nikogo. Ludzie już wiedzieli, że coś się w mieście święci, i pochowali się w domach. Naprawdę to nie był mój błąd ani nikt mnie nie ścigał. Prędkość była jednak zawrotna. Nie powinienem tego wypadku przeżyć. Do dziś uważam, że to był znak od przodków. Ostatnie ostrzeżenie, że mam wrócić na ścieżkę. Jedyną rzeczą, jaką pamiętałem w tamtej chwili, było *tengri*, którego kolejny raz się wyrzekłem, jak własnego nazwiska. Kiedy się ocknąłem, postanowiłem, że jeśli przeżyję, nawrócę się i pójdę do ojca błagać o przebaczenie. Obiecam Kerejowi ochronę i poświęcę siebie, by on zachował życie. Czułem, że matka nie pozwoli mnie drugi raz wygnać. Tak też się stało. Mnaura upadła przed ojcem na kolana i zażądała, by mnie przyjął. Nawet Ojsze się ukorzyła. Potem poszli do wujów. Bułat trochę narzekał, ale w końcu się zgodził. W imieniu Żosumana, który był już na łożu śmierci, o sprawie decydował jego syn, który mnie uściskał, i wypiliśmy we dwóch wiadro wódki. W dzieciństwie mieliśmy się za przyjaciół. Wciąż jednak trzeba było dochować tajemnicy ze względu na Kereja i jego dzieci. Bibi była już wtedy bezpieczna. Ukryła się z małym pod Moskwą. Wysyłaliśmy jej pieniądze, odwiedziłem ją kilka razy. Zmieniła się i całkiem nieźle zniosła rozwód, a potem rozłąkę. Z czasem przestała potrzebować naszej pomocy. Miała własne fundusze. Nie wiem jak, ale zaczęła sobie radzić sama. Mieszka teraz tutaj. Prowadzi prywatną szkołę. To mądra kobieta. Kiedy potem rozmawiałem z mamą, powiedziała, że to jej modlitwa musiała mnie uratować. Choć odtrąciłem ją, ona wciąż mnie kochała i wierzyła, że niebo da nam jeszcze jedną szansę. Całą noc piekła pierożki dla duchów i paliła świece. Mamy taki zwyczaj.

– Widziałam ten ołtarzyk – potwierdziła Tośka. – Stoi tam twoje zdjęcie.

– Podobno zawsze tam było. Matka nigdy się mnie nie wyrzekła. Po prostu czekała. Nawet nie zdajesz sobie sprawy, jak wielkim obciążeniem dla Kazacha jest oderwanie od rodu. To dlatego tak bardzo martwiliśmy się o Kereja. On został całkiem sam.

– Ma przecież mnie – rzekła Tośka i dodała, widząc jego marsową minę: – Teraz należy do mojej rodziny.

Kim nic nie odpowiedział.

Tośka wskazała więc *tengri*, które leżało wciąż na ławce. Pamiętała ostrzeżenie. Kerej mówił jej o bracie zupełnie inne rzeczy. Twierdził, że nie będzie chciał wrócić. Czyżby jej męża nikt nie poinformował o tych zmianach w jego rodzie? Czy rzeczywiście nie było możliwości przekazania mu tych informacji? Nie dowierzała.

– Nie założysz go?

Kim się wahał. W końcu podszedł i podniósł rzemień. Oderwał swój amulet, zawiesił go sobie na szyi obok zęba jakiegoś zwierzęcia, małych dzwoneczków i innych paciorków, które nosił pod koszulą. *Tengri* Kereja zwrócił Tośce.

– Jesteś jego żoną i jego jedyną tam rodziną. Strzeż więc go. Mam nadzieję, że już zrozumiałaś, że nie chodzi tutaj o symbol. To ma głębszy sens. Nie jesteśmy wolnymi elektronami na tym świecie.

– Twój brat wciąż powtarza to samo – westchnęła ciężko i dodała po polsku: – On też gada jak Joda.

Złożyła rzemyk i ukryła skórzane kółko w dłoni, ale po chwili rozplotła go i zawiązała sobie na szyi. Kim patrzył na nią z niemym przestrachem.

– Bierzesz na siebie jego los, Toniu.

– Wiem, co robię – odparła stanowczo. Ale kiedy to mówiła, już czuła, że wcale w to nie wierzy. Jak głupi kawałek skóry ma określać ludzkie przeznaczenie? Zwykłe zabobony. Nie zamierzała się tłumaczyć przed tym do niedawna wrogim Kazachem. – Chcę wrócić do domu z tym, po co przyjechałam. Pomożesz mi?

– Nie mam wyboru. To mój obowiązek.

Rzucił resztę osmalonych kości psom. Tośka pomyślała, że ma wielkie serce. Dobrze Kodar wychował swoich synów. Ten brutal zadbał, by zwierzęta się nie pochorowały, choć wcale nie musiał się trudzić. Psy nie walczyły już tak zaciekle. Każdy z nich pociągnął w krzaki własną zdobycz i znów zapadła cisza.

– Przyjedziesz do Polski zeznawać?

– To będzie dla mnie zaszczyt – zapewnił, a Tośka nie mogła uwierzyć, że poszło tak gładko.

Przez chwilę zdawało się jej, że śni, i tak naprawdę to tylko fortel, jakaś zmyślna sztuczka. Kazachowie uwielbiali fałszywe sytuacje. Wciąż natykała się w tej historii na nowe kruczki. A jeśli brat Kereja ją nabiera? Skoro tak dobrze udawał sojusznika Bajdałych, a naprawdę ochraniał jej męża i starał się być blisko, by kontrolować sytuację, to dlaczego wtedy, w Ząbkowicach, rozkazał swoim ludziom ją porwać? Dlaczego mąż jej nie powiedział, że Kim jest pierwszą osobą, do której trzeba dotrzeć? Przeciwnie, ostrzegał ją przed nim i zapewniał, że posiada moce, których inni nie mają. A może najstarszy Kunanbajew próbuje teraz uśpić jej czujność?

– Tutaj nie każdy, kto deklaruje przyjaźń, jest twoim sojusznikiem – oznajmił Kim, jakby czuł, o czym myśli bratowa. – I pamiętaj, że wciąż jeszcze musimy grać w moją grę.

– Oni nie wiedzą, że pojednałeś się z ojcem?

– To ostatnia rzecz, którą powinienem się chwalić.

Tośka obejrzała się za siebie. Poza nimi i psami w ogrodzie nie było nikogo, ale przecież nie szeptali, nie ukrywali się. Każdy z mieszkańców pałacu mógł podsłuchać ich rozmowę.

– Nikt nie doniesie. To swoi – uspokoił ją, a ona poczuła ciarki na plecach. – Abaj, który zawarł pakt z Kaszem, to przyjaciel Kereja. Kaszo przejął sprawy Sobirżana. A ten, choć tutaj nie bywa z własnego wyboru, dowiaduje się na bieżąco, co się dzieje. Jest rozgniewany na Bajdałych, bo chcieli go sprzedać i prawie zniszczyli. My zaś uznajemy jego racje. Dilda, moja żona, również ma powód, by wyrzec się plemienia Rustema. Wybrała mnie wbrew woli ojca, co mu się wcale nie opłaciło. Na naszym weselu nie było prezentów ze złota wielkości końskiego kopyta. Z perspektywy znakomitego rodu taki mariaż to całkowita porażka. Rodzina Dildy toleruje mnie jedynie ze strachu. Dlatego tym bardziej nie chciałbym ich rozdrażniać nowymi informacjami, które mogą być im nie na rękę. Z Kodarem nie ustalili kałymu, a zresztą nie rozmawiają. Ale tak poza tym naprawdę jesteście tutaj bezpieczni.

Tośka lekko westchnęła, słysząc tak liche zapewnienia. Powitanie też nie należało do przyjacielskich. Nie miała jednak wyboru. I zresztą chciała mu zaufać.

– W przeciwieństwie do waszego kolegi. Romea, tak? – ciągnął Kim. – On jest Włochem czy Polakiem?

Tośka się uśmiechnęła.

– Podrywał kiedyś wszystko, co miało dwie nogi i dwie piersi. A zresztą brak jednej piersi i krzywe kończyny też mu nie przeszkadzały. Jest zupełnie niegroźny. Bardzo kocha swoją żonę. To po prostu nałogowy kobieciarz. Ma na imię Roman. Romeo to bohater Szekspira. Miłośnik Julii. Taka gra słów. Żart. To dzięki niemu Kerej w ogóle trafił do Srebrnej Góry. Ale o tym zapewne wiesz.

Kazach zmarszczył brwi, długo analizując informację. Nadal nie rozumiał, dlaczego miało to być zabawne. Na jej sugestię nie zareagował. Tośka pomyślała, że jest cholernie podobny do brata. Kerej też odpowiadał tylko na te pytania, na które chciał odpowiedzieć. Trochę była już tym zmęczona.

– Na jedną osobę trzeba uważać. – Mężczyzna zniżył głos. – Pierwsza żona Kazangapa, Jekatryna, ogólnie źle znosi naszą obecność i nowe porządki.

Odchrząknął.

– Kaszo, obecny właściciel tej rezydencji, był kiedyś jej służącym. Po bankructwie Sułtana, Tadżyk, ze względu na Sobirżana, wspaniałomyślnie pozwolił jego żonom zachować tę część rezydencji, w której kiedyś mieszkały. Ogrodził ją niedużym murkiem i postawił straże. Oczywiście pełniący służbę wyglądają jak lokaje w liberiach, ale to doświadczeni zapaśnicy. Szkoleni zresztą przez mojego ojca. Dzięki temu kobiety nie stykają się nawzajem i nie intrygują. Jekatryna jednak bardzo często jeździ do miasta i spotyka się z Darmienowem. To były starosta Uralska i wciąż szara eminencja.

– Skąd to wiesz?

– Wszyscy to wiedzą. Gdybyś tutaj pomieszkała, umiałabyś się poruszać w tej ludzkiej gęstwinie. Wszystko, co widać na pierwszy rzut oka, to pozór.

– Znów te szachrajstwa i podstępne zamiary.

– Po prostu tak tutaj jest.

– Nie przesadzajmy – uśmiechnęła się Tośka. – Pochodzę z niewielkiego miasteczka. Może skala intryg jest u nas mniejsza, ale wygląda podobnie. Ojciec mojej koleżanki jest burmistrzem. Nie może się ruszyć za próg, żeby konkurencja nie wykorzystała tego jako argumentu do podważania jego autorytetu. Nie widzę tutaj geniuszu Machiavellego. Ot, niska polityka.

Kim wysłuchał jej wywodu i pokiwał głową z uznaniem.

– Skoro tak, możemy ustalić dalszy plan gry, bo mam dla ciebie rolę.

– To ciekawe – zainteresowała się. – Bo dwa dni temu trafiłam do kuchennego aresztu. A kiedy przerabiałam tonę żeberek, twoja mama wkładała mi do głowy, że głównie mam nie przeszkadzać.

– I miała rację, ale postaraj się ją zrozumieć. Wisimy na cienkiej linie, a Mnaura już raz wszystkie dzieci straciła. Teraz niełatwo zdobyć jej zaufanie. – Zastanowił się. – Poza tym nie wiedziała, że przyjdzie nam cię tak szybko wtajemniczyć.

– Zapowiada się nieźle. Zamieniam się w słuch.

– Sonia, druga żona Kazangapa, matka dwóch chłopców, którzy pojawiają się czasem na podjeździe, ma romans z Kaszem. Nie wiemy, czy to poważny związek, ale donosi mu. Gra przeciwko Jekatrynie.

– Nie widziałam żadnej z tych kobiet – przerwała mu Tośka. – I chyba nie muszę ich oglądać. Powinnam za to odnaleźć Kazangapa, Isę, Tusipa oraz Rażmę. Kobietę, która była naocznym świadkiem strzelaniny i tego, jak Kerej wyrywa Bierikowi karabin. Interesuje mnie też tajemniczy starzec o imieniu Tolik, choć wiem, że tak się nie nazywa. I jeszcze córka Kazangapa, która została szamanką.

– Dużo tego.

– No i oczywiście Oksana. O niej zapomniałam.

– Ta Oksana?

– A jest ich więcej? Podobno mój mąż ma z nią dziecko. Już nie udawaj, Buszi. To nie mogło ci umknąć. Widzę zresztą, że mój Kerej poszedł w ślady byłego właściciela tych włości. On też ma kilka żon. Nie to co ty. Stuprocentowy monogamista – zdobyła się na żart, ale Kim nie zrozumiał.

Wstał.

– Oksanę możesz sobie odpuścić. To ona wydała mojego brata.

– Co ty mówisz? Przecież pomogła mu, przechowała go w lepiance u Chińczyka, a potem wywiozła na Ukrainę. On jest jej dozgonnie wdzięczny.

Kim zamruczał coś pod nosem. Tośka się domyśliła, że szpetnie zaklął.

– Wyjaśnisz mi? Czy mam dalej tkwić w błędzie?

Kim usiadł obok niej. Zapach mięsa dochodzący od niego Tośkę zemdlił.

– Jak sądzisz? Dlaczego wtedy przyjechałem po dwie bańki papieru?

– Nie mam pojęcia – odpowiedziała po polsku. – Może mów krócej, bo zimno jak cholera.

Kim pojął i uśmiechnął się szeroko. Tośce wydało się, że ktoś skórę zdjął z jej męża. Tak byli teraz podobni.

– To Oksana wydała kilerom z Ukrainy kryjówkę Kereja. Gdybym nie dowiedział się na czas, nie zdążyłbym pojechać i podbić stawki. Tylko dlatego musiałem zrobić teatr z białymi żiguli i skrzyknąć chłopaków z Moskwy. Ta suka omal go nie zabiła. Z zemsty.

– A może dlatego, że jak była w ciąży, on ją porzucił?

Kim popatrzył na Tośkę jak na nienormalną.

– Przecież nic jej nie obiecywał. Ukrywał się. Żył pod pseudonimem. Nie mógł się z nią ożenić. Wiedziała, że ryzykuje i że któregoś dnia Kerej będzie musiał odejść. Taki był układ.

– Jesteście identyczni – jęknęła. – Nie ma nic bardziej niebezpiecznego jak zemsta odrzuconej kobiety. Uważam, że to było podłe z jego strony. I jeśli tego nie rozumiecie, to wasza sprawa.

– Na jej miejscu nadałabyś na niego?

– Nie wiem – przyznała Tośka. – Zawsze miałam wkładkę domaciczną.

Zmarszczył czoło i zmierzwił włosy. Zrozumiała, że w tej kulturze kobieca fizjologia mężczyzn brzydzi. Była jednak bezlitosna.

– Antykoncepcja. Dopiero przed ślubem wyjęłam.

– To nie było jego dziecko.

– A czyje?

– Rustema.

– Jakim cudem?

– Kiedy Kerej znalazł ją u Chińczyka, Oksana była już w ciąży. To dlatego nosiła te szerokie chałaty i wielkie kurtki. Nie była taka kryształowa, jak ci się wydaje. I myślę, tak wszyscy sądzimy, że wydała go nie pierwszy raz. Słyszałaś o blogu „Wiera Kostyra"?

Tośka się zamyśliła. Coś jej się kołatało po głowie.

– Chyba Kerej mi mówił, ale nie znam szczegółów. Chciałabym z nią jednak porozmawiać. Dobrze by było, żeby zgodziła się zeznawać.

– Po śmierci Gai Hajdarowicz kobieta gdzieś się zaszyła. Chyba zrozumiała, że może spotkać ją ten sam los. Może gryzło ją sumienie? Sam tego nie rozumiem. Po latach założyła tę stronę. Wiera wypadła przez okno w teatrze. Ostatnią osobą, z którą się spotkała, była Oksana. To ona ją wypchnęła. Na zlecenie Rustema. Ale tak naprawdę likwidowała rywalkę.

Tośka nie była w stanie się odezwać. W końcu spróbowała zażartować:

– Niezły kryminał. Wszyscy w tej historii giną. Jak to się stało, że jeszcze się uchowałam?

– Nigdy tak nie mów – skarcił ją szwagier. – Powtarzam: nie ufaj nikomu.

– Chyba widziałam taki film.

– To wcale nie jest zabawne.

– A wariatkowo? Tam jest zaufany kumpel Rustema. Chce z nami gadać. I podobno zgodzi się przyjechać do Polski. Zanim podam jego nazwisko adwokatom, chciałabym sprawdzić, czy jest naprawdę szalony, czy tylko udaje. Jak Hamlet.

– Hamlet?

– Znów Szekspir. Sam się nasuwa. Ty chyba nic nie czytasz?

– Niezbyt – odparł szczerze Kim, co Tośkę ubawiło. – A do Wani po co? Wszędzie mogę cię zawieźć, byle nie do tego sługusa.

– Tusip twierdzi, że kumpel Rustema był w jakimś tunelu z duchami i przejrzał na oczy. A potem zmienił front. Powinniście się dogadać. Ponoć pięknie mówi o sowach.

– Wania nigdy nie odwróci się od Zere. Chociaż jako jedyny nie ma znamienia mściciela, będzie służył jej do końca. Jeśli do niego chcesz jechać, to chyba tylko po to, żeby cię uwięzili.

– Kodar mówi to samo. Nienawidzisz Zere, co?

– Gdybym mógł, spaliłbym tę wiedźmę.

Tośka aż się wzdrygnęła.

– Co takiego ci zrobiła?

– Przez jej intrygi ojciec mnie przeklął. Musiałem wyjechać z kraju i żyć jak banita.

– A co zrobiłeś? – Tośka w końcu zadała to pytanie.

– Byłem świadkiem jednej z jej licznych zdrad, ale dałem się przekupić. Wziąłem złoty zegarek. Następnego dnia oskarżyła mnie o kradzież i zażądała od Kodara, aby mnie ukarał, jak nakazuje nasze prawo.

– Z powodu zegarka ojciec miał cię zabić?

– Z powodu tego, co powiedziałem. I co potem zrobiłem. Z wściekłości.

– To znaczy?

– Powiedziałem, że Zere sypia z Futnikowem, wtedy jeszcze zwykłym śledczym z Uralska. To była prawda i wszyscy, poza Jerbołem, o tym wiedzieli. Choć może i on wiedział, ale nie na rękę mu było się do tego przyznać. Zegarek zaś należał do niego. Był prezentem od Tolika. Każdy z ich drużyny dostał taki podczas jednej z olimpiad. Mój ojciec, Jerboł i Kazangap. Futnikow spreparował sprawę o kradzież, a ja się nie przyznawałem. Kiedy po mnie przyszli, pobiłem ich i zamachnąłem się na Zere. Do dziś musi mieć na piersi bliznę po moim nożu.

– Zaatakowałeś ją?

– Niecelnie i za słabo. Zrobiła się z tego afera. Miałem piętnaście lat. Nie mogli mnie zamknąć do prawdziwego więzienia, więc zebrał się sąd rodowy. Sądził oczywiście

Barak. Ale procedura była jak na prawdziwym procesie. Technicy, świadkowie, biegli.

– Barak, czyli Tolik?

– Nazywa się Barak Ułakczi. Jeśli jeszcze żyje, dowiem się, gdzie może przebywać, skoro chcesz z nim rozmawiać. Sam dawno już chciałem się z nim spotkać.

– Jak udowodnili ci kradzież, skoro zegarek dostałeś?

– Wszyscy ze szkoły chodziliśmy podglądać Zere. Myślę, że mogła o tym wiedzieć. Wtedy była z niej naprawdę niezła sztuka. Wspinaliśmy się po żywopłocie i balkonach. Były tam moje ślady. Ale to już nieważne.

Tośka nadal nic nie rozumiała.

– Jak to możliwe, że z powodu zegarka i niewierności jakiejś kobiety ojciec wyrzucił cię z domu?

– Jerboł do dziś udaje, że nie wie o zdradach żony. Tego sąd nie rozpatrywał. Mówiono tylko o kradzieży i moim ataku na Zere.

– Dlaczego?

– Kodar tak zdecydował, bo ona go o to poprosiła.

– Zere?

Kim wzruszył ramionami.

– Słyszałem, że rzuciła na niego czar, a ojciec bał się uroku i tego, by rodzina się nie rozpadła. Prawdy nie znam do dziś.

– Nie pytałeś?

– Uniosłem się honorem. Kiedy mnie osądzono, zabrałem swój worek i wyjechałem. Wyrzekłem się rodu, który wybiera interes obcych.

– Zrobiłabym to samo.

Podniosła głowę i uśmiechnęła się przebiegle.

– Nie chciałbyś policzyć się z tą suką? Teraz, kiedy sądzi, że jesteś na jej usługach? Mógłbyś zabrać mnie ze sobą, na przykład jako zakładniczkę. To mogłoby być ciekawe.

– Nie. Już nigdy nie chcę jej widzieć na oczy. A ty jesteś szalona. – Kim roześmiał się głośno. – Gdzie takie robią?

– W Polsce. Czyli co, działamy? Tylko Sztaba musi podładować baterie. Chcę mieć to wszystko na taśmie. Na pamiątkę.

– Sentymentalna jesteś.

– Miałeś wątpliwości? Przed chwilą omal nie pożarłam barana z tych sentymentów.

Anita Titow zbierała się już do snu, gdy usłyszała, że nadeszła nowa wiadomość. Wróciła do komputera. Zaraz potem otrzymała informacje o nowym komentarzu na forum pod tekstem o pięciu płonących dziewczynkach, stylizowanym na kazachskie kiuje. Dzieci – najstarsza miała dwanaście lat, najmłodsza była trzymiesięcznym niemowlęciem – spłonęły żywcem w blaszanym baraku, w którym mieszkały z rodzicami. Kiedy dzieci zamknięte na klucz smażyły się, rodzice na nocnej zmianie zarabiali na mieszkanie. Anita dała temu reportażowi tytuł *Normalna kazachska historia naszych czasów*. Był to jeden z niewielu jej materiałów interwencyjnych, opublikowanych w ostatnich latach. Sprawa poruszyła ją do głębi. Dlatego napisała artykuł, który był zagorzale komentowany. Ludzie oferowali pomoc, słali słowa otuchy pogorzelcom i dawno już tak otwarcie nie krytykowali rządu. Anita była zaskoczona odzewem na jej reportaż i sama brała żywy udział w tej gorącej dyskusji.

Kiedy otworzyła wiadomość, zmartwiała.

„Nazywam się Antonina Petry. Jestem żoną Kereja Kunanbajewa. Chciałabym się z Panią spotkać i porozmawiać. Czy ma Pani jakieś informacje na temat zaginięcia Gai Hajdarowicz?"

To wszystko. Żadnego mejla, telefonu. Tę samą treść wklejono na publicznym forum, ale Anita trzęsącymi się rękoma szybko ją skasowała.

„Proszę się wylegitymować" – odpisała. A potem uruchomiła wszystkie skanery i lokalizacje numerów IP. Program kręcił się jakiś czas, aż wreszcie wyrzucił adres. Kobieta skopiowała link i wkleiła go w wyszukiwarkę Map Google. Wyskoczyła rezydencja Sobirżana Kazangapa. Niemal w tym samym momencie do skrzynki wpadła nowa wiadomość ze zdjęciem. Anita tylko chwilę się wahała, zanim kliknęła, choć z tyłu głowy słyszała głos Gai: „Jesteś nieostrożna i zbyt żądna przygód. Brawura nie popłaca. Kto za bardzo czegoś chce, ten daje się łatwo wyprowadzić w pole. Kiedyś się doigrasz".

Przez głowę przeleciało jej, że może w ten sposób znów trafił do jej komputera program szpiegowski, który zniszczy wszystkie jej dane, ale plik już się załadował i mogła go otworzyć.

Na pulpicie miała zdjęcie polskiego paszportu. Ze zdjęcia patrzyła chmurna, lecz niebrzydka kobieta. Anita wpisała do wyszukiwarki jej nazwisko. Antonina Petry okazała się pracownicą polskiego banku. Dziennikarka zmarszczyła brwi. Czego od niej może chcieć ekonomistka. Przecież ona nie ma pieniędzy. Nie używa kart kredytowych ani telefonów, za pomocą których można by ją było namierzyć. Ale ciekawość zwyciężyła i Anita otworzyła kolejny plik. Była to fotografia dwojga ludzi, wyblakła już i zniszczona, jakby długo noszono ją w portfelu. Patrzył na nią starszy o kilka lat Kerej Kunanbajew, którego cały Uralsk znał z listów gończych, i ta sama zimna brunetka z polskiego paszportu. W tle Anita dostrzegła pola pokryte żółtymi kwiatami. Nie rozpoznawała tego miejsca.

„Gdzie, kiedy i po co?" – napisała, zanim zimna kalkulacja zdołała ją powstrzymać.

„Czy Pani może przyjechać do mnie?" – adres Kazangapa.

„OK. Jutro po obiedzie" – odpisała.

Sądziła, że kobieta będzie się dopytywać o godzinę lub wyrazi niezadowolenie z powodu tak ogólnego stwierdzenia, lecz tak się nie stało.

„Wspaniale" – taka odpowiedź pojawiła się w ciągu zaledwie kilku sekund. A kilka minut później wpadło coś nowego: „Ma pani jakieś dokumenty? Bardzo poszukujemy zażalenia pani Gai. Nikt tego nie ma. Ukradli, spalili? Nie wierzę, że ten plik nie istnieje. To może uratować życie mojego męża".

„Nie tutaj" – odpisała i skasowała korespondencję wraz z historią w sieci. Wylogowała się.

Nie zmrużyła oka do rana. Wciąż wstawała i dokładała do teczki kolejne materiały, które kiedyś kserowała u niej Gaja. O wschodzie słońca była gotowa. Musiała jeszcze tylko wykonać jeden telefon, ale czekała na otwarcie kancelarii spółki, w której pracował Hajdarowicz. Nie wyobrażała sobie, że mąż Gai może nie uczestniczyć w tym spotkaniu. A powinien mieć czas, aby dojechać z Astany.

– Grisza – odezwała się, kiedy tylko podniósł słuchawkę.

Streściła mu treść korespondencji z Polką.

– Co robić? – spytała, szukając u niego wsparcia.

– Pod żadnym pozorem się z nią nie spotykaj.

– Ale ten człowiek zginie.

– Wydasz nas – w jego głosie słychać było złość. – Nie po to tak się starałem, żeby ukryć nasze maleństwo, żebyś ty teraz z litości wydała je tamtym.

– Gaja musi o tym wiedzieć.

– Jeśli to zrobisz, cofnę swoje poparcie i twój blog zniknie w jednej chwili. Będziesz miała kłopoty, szukaj sobie innego prawnika.

Anita gryzła ołówek.

– Jesteś bez serca.

Odłożyła słuchawkę. Siedziała na skraju łóżka godzinę, główkując, co robić. W końcu zapakowała wszystko, co miała o tej sprawie, w karton i zaniosła na pocztę. Choć przesyłka kosztowała majątek, zapłaciła bez gadania za ekspres i tylko upewniła się, czy kobieta w okienku dobrze wypełniła druk adresowy do polskiego banku w Ząbkowicach Śląskich.

Są takie momenty w życiu, kiedy człowiek czuje się na swoim miejscu i jest zadowolony z samego faktu, że oddycha. Wania przeżywał właśnie takie chwile. Krąg pacjentów był mały, wykruszali się z każdym dniem, a klinika nie taniała. Ale Wania nie martwił się o pieniądze już od tak dawna. Zere miała przyjść zaraz po spacerze. Wiedział, że usiądą w sali telewizyjnej i będą wspominać Rustema. Od śmierci syna pani Bajdały zmieniła się bardzo, ale jego zdaniem na korzyść. Porzuciła romanse, stała się niemal mniszką. Dużo czytała o czarach, magii i różnych religiach. Wania też jakby się odrodził. Nikt poza panią Zere nie chciał słuchać jego wspomnień, jakby rzeczywiście miał coś nie po kolei w głowie. A przecież sytuacje krytyczne zawsze zostawiają w człowieku ślad. Nawet zwykłe spotkanie z kobietą potrafi zmienić życie mężczyzny na lepsze lub je zniszczyć.

Przetrwał rozmowę z psychiatrą, włożył pigułki pod język i nawet poćwiczył na orbitreku w sali gimnastycznej.

Wciąż był chudy i żylasty jak po powrocie ze swojej tułaczki, ale włosy odrosły mu, jakby w nagrodę. Czesał je teraz babską szczotką, bo grzebienie tych kudłów nie brały, i rozmyślał o swojej karmie.

– Gości masz, Barycznikow – poinformowała pielęgniarka i pokiwała groźnie palcem na pacjenta. – Tylko bądź grzeczny, Wanieczka. Nie tak jak ostatnio.

Bardzo się zdziwił, kiedy do jego pokoju zamiast Zere weszła chuda, wysoka brunetka.

– Pan zgodził się na nagranie – oznajmiła, a za jej plecami Wania zobaczył muskularnego Europejczyka, który zdawał się nieco zagubiony.

– Polska dziewczyna Kereja! – odgadł natychmiast. – Tusip mnie uprzedził.

– Widzę, że nie taki z pana wariat, jak pana malują – roześmiała się chuda, a Wania nagle poczuł dreszcz.

Wiedział, że zbliża się wizja. Starał się ze wszystkich sił ją powstrzymać.

– Muszę do toalety – wymruczał. – Rozgośćcie się.

Tośka nie wiedziała za bardzo, co o tym wszystkim sądzić i gdzie się rozgościć, skoro Barycznikow na ich widok uciekł do kibla. Siedli więc ze Sztabą na łóżku i zaczęli oglądać pokój. Mebli było niewiele: metalowe łóżko i krzesło z tego samego materiału. Białe. Zarówno łóżko, jak i krzesło były przytwierdzone do podłogi. W oknach kraty, ale skrzydła otwarte na oścież mimo niskiej temperatury. Za oknem leżał śnieg. Ta biel aż kłuła w oczy. Tośka wstała, żeby przymknąć choć jedno skrzydło, za co Sztaba podziękował jej niewyraźnym mruknięciem.

– Zaczynamy ostro czy miękko?

– Sam zdecyduj. Nie zamierzam tracić już czasu. Byle był skutek.

– Propsuję.

– Że co?

– Popieram – poprawił się natychmiast. – Tak mówią moje dzieci.

– Za chwilę do nich wrócisz – mruknęła półgębkiem i z nudów przyglądała się ścianom, a potem dotknęła prześcieradeł. Wyglądało na to, że mimo mrozów Wania śpi pod jednym kawałkiem tkaniny.

– Gorący chłopak.

Sztaba wzruszył ramionami.

– Byle powiedział, co trzeba. Jego upodobania mnie nie interesują.

– On nie ma niczego – zdziwiła się Tośka.

– Nie mam – usłyszeli i w tym momencie zorientowali się, że Wania jest już z nimi w pokoju.

Choć był z niego chłop na schwał i nawet jeśli nie przypominał już zakapiora, jakiego widzieli w dokumentach i na zdjęciach, poruszał się cicho jak kot.

– Czym mogę służyć?

– My z tym samym pytaniem – odparowała Tośka, a Sztaba dodał: – Co może i chce nam pan powiedzieć do kamery?

Dziennikarz zaczął wyjaśniać, z jaką misją przybywają, ale Wania nie dał mu dokończyć i rzekł z emfazą:

– Mogę zaprowadzić was w miejsce mocy, gdzie jest początek tego wszystkiego. Ukryte przed oczyma zwykłych śmiertelników. Stamtąd się nie wraca, ale ja wróciłem i jestem żywy. O proszę, może pani mnie uszczypnąć.

– Nie, dziękuję. – Tośka patrzyła na mężczyznę z niepokojem. Wyglądał na wariata i tak się zachowywał mimo pierwszego, bardzo dobrego zresztą, wrażenia. – A coś więcej? Może o Rustemie, kolegach. O gangu Nochy?

– Nie jestem upoważniony – stanowczo oświadczył Wania. – Zresztą to bez znaczenia. Tylko diabelski cmentarz jest ważny. Tam zrozumiałem, dlaczego to się musiało wydarzyć. Musicie to poczuć, być w nim, w środku, jeśli macie oczywiście odwagę. Reszta to jedynie konsekwencje. Kto obraża duchy przodków, winien się z nimi liczyć.

Na chwilę zapadła cisza.

– Więc dobrze. Skoro taka jest oferta, zbadajmy to miejsce. – Sztaba klepnął się po udach i próbował zagrać na zwłokę. – Pogadam z doktorem, czy pana wypuszczą.

– Mogę wychodzić, kiedy chcę, i nie muszę nikogo pytać.

– Tak? – starała się opóźnić sprawę Tośka. – A może jednak nagramy kilka setek w szpitalu? Dobre wnętrze, światło. Przyda się. Może chociaż przebitki?

– Nie ma sensu. – Wania chwycił ją za ramię.

I już wkładał adidasy wielkości kajaków. Tośka zauważyła, że obuwie nie ma sznurówek. To znaczyło, że pacjent jest niebezpieczny także dla siebie.

– Mam wprawdzie dziś umówione spotkanie, ale ona zrozumie. Wie, że na was czekałem. Sama zachęcała, żeby was tam zawieźć.

– Czekał pan? – zdziwił się Sztaba. – Na nas?

– Na ciebie. – Były bokser wskazał palcem Tośkę. – Ty mi się śniłaś. I muszę ci coś pokazać, zanim umrzesz. Albo ja umrę. Nie jestem pewien.

– Aha – odchrząknęła Tośka. – To co robimy?

– Jedziemy! – Wania palił się do wyjścia.

– Nie nagramy pana tutaj? – ostatni raz spróbowała Petry, czując się dziwnie po tej przestrodze przed śmiercią.

– Chcesz?

Sztaba nie był pewny, czy to w ogóle ma sens. Chciał zabierać się stąd jak najszybciej. Mieli jeszcze wielu ludzi do przesłuchania.

– W aucie zacznę. Powiem wszystko. Ty jesteś brakującym ogniwem. Teraz wszystko się ułoży. Choć, jak powiedziałem, nie wiem, czy jesteś gotowa na to, co zobaczysz. I poczujesz.

– Tym bardziej nie wiem – migała się Tośka. – A może woli pan odbyć najpierw swoje spotkanie?

– Zere przychodzi co tydzień. Jestem na bieżąco.

I opuścił pokój. Na korytarzu podniósł żaluzje.

– Jesteście obserwowani – poinformował Tośkę.

Kobieta wyjrzała w ten sam sposób, co najwyraźniej umocniło jego zaufanie, bo poklepał ją po ramieniu. W jednym z aut zaparkowanych w drugiej alejce siedział Kim i rozmawiał przez ogromny telefon samochodowy. Nie spuszczał wzroku z drzwi prywatnej kliniki, tak jak to między sobą ustalili.

– To zdrajca. Brat twojego męża. Pewnie Zere go nasłała. Ale nie martwcie się. Pogadam z nim. Powiem, że poradzę sobie już sam.

Tośka wymieniła spojrzenia ze Sztabą, a potem posłusznie skinęła głową.

– Ale co dokładnie chcesz nam powiedzieć, Wania?

– Rustem musiał zginąć. To była klątwa.

– Klątwa. Pewnie. – Sztaba kiwał głową.

– Nie wiecie, że jeden niegodny czyn wojownika pociąga za sobą kolejne?

– Chyba tak. – Tośka wzruszyła ramionami. – Ale co my mamy z tym wspólnego?

– Miłość. – Wania się zamyślił. – Kiedy mi się śniłaś, mówiłaś, że owszem, leczy rany, ale nie chroni przed śmiercią.

Czasem warto się poświęcić i odkupić stare winy. Tak też było z nimi.

– Z kim? – zapytała Tośka, ale nie otrzymała odpowiedzi, bo były bokser już schwycił ją za ramię i pociągnął do drzwi.

Dziewczyna bezskutecznie starała się wyswobodzić. Wania ulokował ją w maździe zaparkowanej tuż przed budynkiem, jakby rzeczywiście czekał na tę chwilę przez te wszystkie lata, i zanim Sztaba ze sprzętem dopadł auta Kima, który wciąż rozmawiał przez telefon i niczego nie zauważył, już wariata z Tośką nie było na horyzoncie.

– Co mówił? Szczegóły! – miotał się teraz Kim, a Sztaba, na migi, swoim beznadziejnym rosyjskim starał się wyjaśniać sytuację.

W końcu jeden tekst dotarł do jego uszu, prawdopodobnie tylko dlatego, że Sztaba sam nie zrozumiał i zacytował go ze słuchu:

– Diabelski cmentarz?

– Coś koło tego.

– To tylko legenda – narzekał Kim. – On nie istnieje. Koczownicy się go bali, ale wtedy mieszkaliśmy w jurtach i nie było elektryczności.

Sztaba wpatrywał się w puste miejsce parkingowe po samochodzie Wańki, jakby liczył, że za chwilę znów się na nim zmaterializuje.

– Blondyn z martwym okiem też o tym opowiadał. Mówił, że byli tam razem. Bokser coś przeżył, chyba jakiś wypadek, a oni z Tusipem go ratowali. Potem mu się tak porobiło z głową, jak widać.

Kim nie zwlekał dłużej. Rzucił Sztabie telefon i kazał wyszukać numer.

– Ojciec musi wiedzieć, dokąd jedziemy.

– Nie dam rady – jąkał się Sztaba. – Nie znam rosyjskiego.

– Nie becz, tylko kręć! – krzyknął na niego Kazach. – Kodar rozumie więcej, niż myślisz. Mamy tutaj Polaków. Przychodzą na zajęcia. Mów po swojemu.

Sztaba wykręcał numer raz za razem.

– Zajęte – mruczał pod nosem.

– Próbuj! Do skutku.

Wreszcie uzyskali połączenie. Sztaba wydukał kilka słów i natychmiast oddał słuchawkę bratu Kereja. Ze zdenerwowania był zielony na twarzy.

– Co jest, tato? – wychrypiał Kim, a potem się upewnił: – Z pieniędzmi? Kto kazał płacić? Futnikow? Wszystko jasne.

Potem bardzo powoli, wciąż wpatrując się w drogę, jakby miała nagle zniknąć, oddał słuchawkę Sztabie.

– No to mamy dwie osoby do odzyskania. Z kim od przyjazdu kontaktował się ten wasz Romeo?

– Nie wiem – odparł zgodnie z prawdą Sztaba. – Nigdzie nie ruszaliśmy się bez waszych ludzi.

– A jednak wygląda na to, że polazł do Futnikowa sam. Nie miał pełnej kwoty, więc pewnie spotkał się z moimi znajomymi. Bawili się w Polsce za jego pieniądze, a teraz chciał pożyczyć od nich trzy tysiące. Co za dureń! Na co liczył? Oddać życie za trzy tysiące! I jak to się w ogóle stało?

– Co teraz będzie? – Sztaba już się rozklejał.

Tęsknił do Kury i dzieci jak oszalały. Gdyby żona kazała mu teraz przysiąc, że nigdy już nigdzie nie wyjedzie, zrobiłby to. I gdyby mógł, wsiadłby do samolotu, choćby zaraz. Niestety, mogło być już tylko gorzej.

– Pod siedzeniem jest urzyn – polecił Buszi. – Ale szybko! *Nu dawaj!* Głuchy jesteś? Czasu nie ma.

Sztaba się pochylił. Wyciągnął pakunek w samodziałowym worku. Położył sobie na kolanach. Przez cienki materiał czuł chłód metalu oraz brzęczące naboje.

– Jakimi znajomymi? – z trudem wystękał. – Do kogo poszedł Roman po pożyczkę?

– Kilerów w białych żiguli, pamiętasz?

– Tych, którzy byli z tobą w Polsce? Ze szramami? Mścicieli. Po co nam oni? Chcesz ich zabić, tak? O Boże!

A kiedy sam sobie odpowiedział na wszystkie pytania, ukrył twarz w dłoniach i naprawdę zapłakał.

Kim spojrzał na Sztabę z uznaniem.

– Wiesz, bardzo ci się wymowa poprawiła.

2002 rok, Wrocław, Polska

Trzydzieści twarzy zwróciło się w stronę mistrza Kereja Kunanbajewa, który siedział tuż przy drabinkach, skrzyżowawszy nogi. Po jego prawicy, na odległość dwóch ramion dorosłego wojownika, zajął miejsce wychowawca więzienny – Jerzyk, czyli Duży Szef, bo miał u skazanych absolutny szacun, ale nad sobą jednakowoż dyrektora, zwanego dla odmiany Małym Chujem z powodu swojego zamiłowania do biurokracji. Ale o ile obaj znali swoje ksywy, o tyle z dyrektorską nikt nie wyskakiwał, by nie stracić przepustek, dodatkowych dni pracy i diety muzułmańskiej, która była najlepszą strawą w tym przybytku. Po lewicy Kereja zasiadł trzykrotny zabójca z recydywą na karku i jednocześnie szef tutejszej kuchni. Wiesław kiedyś, w cywilu, był ponoć królem porcelany z Włocławka. A jeszcze wcześniej, choć bardzo krótko, katolickim proboszczem. Tak mu się malowniczo życie ułożyło. Naprzeciw nich siedzieli pozostali więźniowie z tego skrzydła oraz oddziału dla niebezpiecznych. Spoceni, lecz głęboko odprężeni po dwóch godzinach walki na macie. Widzenia mieli w klatkach, a za sobą głośne procesy.

– Zamknijcie oczy, rozluźnijcie się. Zakończymy nasz trening medytacją dziękczynno-oczyszczającą – zaczął trener.

Uczniowie wykonali zadanie. W pozycji kwiatu lotosu ich tatuaże i umięśnione karki wyglądały na tej scenie nadzwyczaj strojnie.

– Raz, dwa, trzy, cztery – wdech – komenderował Kunanbajew. – Pięć, sześć, siedem, osiem – wydech. Podziękujcie swoim przeciwnikom i partnerom za dzisiejszą walkę. Niech Bóg poszczęści wam w drodze. Obdarzy was wszystkim, byle nie okrucieństwem. Niech zazdrośnikom i wrogom zgorzeją wnętrzności. Nadszedł czas jutra. Przesyłam wam swoje salem.

Skłonił się. Uczestnicy warsztatów zrobili to samo, a potem zaczęli wynosić z sali maty i ustawiać je przy ścianach. Kerej pracował z nimi. Została ostatnia, po którą właśnie sięgał trener, kiedy Jerzyk klepnął go po ramieniu.

– Możemy na chwilkę, sensei?

– Nie powinieneś się do mnie tak zwracać przy wszystkich – upomniał Dużego Szefa Kazach. – Jeszcze powiedzą, że się wynoszę. Mów do mnie po imieniu.

– Jest sprawa – ciągnął niezrażony wychowawca. – Nie powinienem ci tego mówić, ale rzecz dotyczy twojej żony.

– Tosi? – Kerej natychmiast stanął na baczność. – Co się stało?

– Zagubiła się w Kazachstanie. I Romeo, twój przyjaciel, też. Szukają ich. Zawiadomili konsulat, polskie władze. Kamil Woźniak, ten dziennikarz, wrócił przedwczoraj. I zaraz złożył wniosek o widzenie. Pewnie dostanie zgodę. Postarałem się.

– Dziękuję. – Kerej zdobył się na obojętny ton, ale w brzuchu bulgotał mu wulkan.

– Mogę powiadomić adwokata?

– Lemir przyjedzie ze Sztabą.

– Dzięki – powtórzył Kerej. Głowa mu pulsowała. Nie wiedział, co myśleć. Nikt go nie powiadomił, że Tośka pojechała z Romeem.

– Śpij dobrze. Może to nic takiego – pożegnał się Jerzyk. – Wiem, że to zaskakujące wieści, ale pomyślałem, że tym bardziej chciałbyś je znać wcześniej niż później.

– Słusznie – odparł, choć nie był tego taki pewien.

Co mógł zrobić? Dokąd zadzwonić, by dowiedzieć się więcej? Ojciec przez telefon i tak mu nic nie powie. Z pewnością założyli im podsłuch. Nie miał żadnych możliwości odbicia ich. Mógł tylko modlić się i liczyć, że rodzina zadba o jego przyjaciół.

Rozejrzał się. Drzwi do sali gimnastycznej były otwarte. Jerzyk wrócił do siebie. Kerej został całkiem sam. Już wiele razy tak bywało. Wiedział, że koło śmietników jest załom. Obsługa chodzi tam palić, bo nie ma kamer. Gdyby teraz wyszedł, zyskałby z dzień, dwa, zanimby go złapali. Pewnie nie miałby już kryształowej opinii, ale czy w ogóle wygrają odwołanie w sprawie ekstradycji? To nie było pewne. A może to prowokacja? Chcą go wykurzyć z aresztu i odstrzelić? Co stało się z Romanem? Dlaczego Tosia tam pojechała? Czy Kim jej nie ostrzegł? Kodar nie ochronił? Kunanbajew patrzył na te drzwi i nogi same prowadziły go w tamtym kierunku. Wystarczy przekroczyć próg, powiedzieć coś dyżurnemu. Ufali mu jak żadnemu więźniowi do tej chwili. Miał w areszcie szczególne względy i długo na to pracował. Wiedział, że jeśli wykona ten krok, to się natychmiast zmieni. Ryzykować? Wtedy na płocie usiadł mały szary ptaszek. Kerej wpatrywał się w jego białą smugę nad okiem i czerwony brzuszek. Isa nie poruszał się. Nie dawał mu znaków. Kerej pojął, że to zła nowina. Wystąpił za próg i podszedł do siatki. Ptak natychmiast odfrunął. Tej nocy

Kerej wydłubał ze ściany swój nóż. Zaciął się trzykrotnie, by nie zdołali go odratować.

Ziemia była zmrożona na kość i pokryta cieniutką skorupą zlodowaciałej szadzi. Jak okiem sięgnąć żadnych zabudowań. Teren płaski niczym stół aż po horyzont, tylko w oddali majaczyły gdzieniegdzie niewysokie pagórki. Ale równie dobrze mogły to być hałdy zbrylonego śniegu.

– Jesteś pewien, że to tutaj?

Tośka mocniej otuliła się futrem i odwróciła w stronę szosy. Auto zaparkowali na światłach awaryjnych. Pobocze było wąskie, a zakręt niebezpiecznie blisko. Panowała dobra widoczność, ale tylko patrzeć, jak ktoś pędzący tak jak oni jeszcze przed chwilą wpakuje się prosto na ich samochód. Ze względu na zmrożony śnieg nie mogli wjechać głębiej. Nie mieli łańcuchów, a zawieszenie starej mazdy było niskie. Ślizgali się więc tylko w miejscu, jakby samochód byłego boksera bał się jechać dalej.

Wania wysiadł z impetem i ruszył w szczere pole. A potem chodził tam i z powrotem. Uparcie czegoś szukał. Tośka początkowo obserwowała to ze spokojem, ale kiedy kwadranse mijały, a bokser nie wracał, zaczęła się niecierpliwić. Miejsce nie wyróżniało się niczym szczególnym. Kiedy jechali przez wiele godzin. Wania opowiadał jej niesamowite historie. O duchach, płonących myszach, szamance w ciele sowy i piekielnym okręgu z piachu, w którym został uwięziony, a potem uratowany przez dwa anioły o nadludzkiej sile. Podnieśli zwalone drzewo i wyciągnęli go poza płonący okrąg. Wszystko to brzmiało jak mrożąca krew w żyłach baśń albo wizja wariata. Tośka skłaniała się do tego drugiego wyjaśnienia.

Teraz Wania cofnął się do szosy, sprawdził ponownie numery na słupku i ruszył prostopadle w głąb stepu. Maszerował miarowo, wysoko unosząc stopy, jakby liczył kroki. Wreszcie się zatrzymał. Tośka przyłożyła dłoń do czoła, bo mimo mrozu słońce paliło jak wściekłe. Powietrze było suche, całkiem przyjemne. Za to ta wszechobecna biel oślepiała zabójczo. Spod zmrużonych powiek Tosia dostrzegła, że Wania macha do niej i coś woła.

– Tu było drzewo – powtórzył, kiedy zbliżyła się na odległość kilku metrów. – Jestem pewien. Tutaj nas przygniotło. Jesteśmy w diabelskim kręgu.

– Skąd wiesz? – zaciekawiła się Tośka. – Co znalazłeś?

Ruszyła żwawiej w jego kierunku.

– Zostań tam, nie idź – powstrzymał ją. – Nie wiem, czy pole energetyczne znów nie zacznie działać.

Ale ona miała już dość tych bzdur.

– Wania, tu nic nie ma. Nie widzisz?

– Ale było drzewo. Siedziała na nim sowa. To była zamieniona w ptaka szamanka.

– Pewnie i dwa anioły, które dostarczyły cię na pogotowie, a potem odleciały na swoich smoczych skrzydłach – szydziła. – Skoro zdradziłeś mi już tę wielką tajemnicę, możemy chyba wracać? Zere się pewnie niepokoi. Ja też straciłam przez ciebie jedno ważne spotkanie. Z osobą rzeczywistą. Miała mi dostarczyć ważne dokumenty. I chętnie zawiadomiłabym moich ludzi, że jestem cała i że żaden duch mnie jeszcze nie dopadł.

– Nie wierzysz mi, Toniu? Ty też mi nie wierzysz?

– Przeżyłeś straszliwy wypadek – odparła rzeczowo Petry. – Rozumiem, że po czymś takim człowiek może uwierzyć w różne zjawiska. To dowiedzione naukowo.

– Nie jestem wariatem. To była moja misja. Pokazać ci to miejsce, żebyś zrozumiała.

– Więc pokazałeś. Ale ja tym bardziej nie rozumiem. I wiesz co, nie muszę. Każdy z nas ma jakieś odchyłki. A ty już z pewnością nie jesteś normalny – wyrzuciła na jednym oddechu. – Tu nie mogło rosnąć drzewo, Wania. Nie ma po nim śladu. Nawet pieńka. Chyba że ktoś je wyrwał z korzeniami. Tylko po co? Zobacz, ile tu przestrzeni. Zresztą teraz tego nie sprawdzimy. Ziemia jest zmarznięta na kość. Poza tym uratowali cię uczniowie Kereja. Nie chciałam mówić wcześniej, bo nie pasowało do twojej opowieści, ale to byli po prostu sportowcy. Nie anioły o nadludzkiej sile. Dimasz z Tusipem podnieśli drzewo i wyciągnęli cię z pożaru. Nie rozumiem, dlaczego nikt ci nie powiedział. Co do reszty, tych magicznych stworów, to nie znam się na tym. Ale nie wygląda mi to na magiczny krąg.

– Tusip? – Wania zamyślił się, choć nie był zdziwiony. – To dlatego cię przysłał?

– Bardzo mi przykro, że akurat ja psuję twoją piękną legendę. Ale ktoś musi to w końcu zrobić. Nie sądzę, że zwariowałeś. Przeżyłeś traumę i doznałeś amnezji. Tego może nie da się wyleczyć, ale nauczysz się z tym żyć. Zaakceptuj to. Wyjdź ze szpitala i żyj. To co, wracamy?

– Cały czas to podejrzewałem – zapalił się nagle Wania. – Może i Zere coś wspominała o chłopcach Kereja. Nie wiem. Nic już nie wiem. Wiesz, jak wędrowałem wtedy tak długo, to działo się mnóstwo rzeczy. Ale nic nie pamiętam. Jakby ktoś wymazał te zdarzenia z pamięci. Dziwne, nie?

– A może ty coś brałeś, Wania? Przyznaj się. Byłeś trzeźwy?

– Czysty jak niemowlę – obruszył się Wania. Nie dostrzegł kpiny w jej głosie. Ani też nie obrażał się, że dużo młodsza od niego kobieta przemawia do niego jak do pięciolatka. – Nawet kieliszka wódki z kapitanem i jego ludźmi nie wypiłem.

– Więc pewnie to nie to miejsce. Pomyliłeś się. Bywa.

– To miejsce – upierał się Wania. – Tu jest diabelski cmentarz. Spytaj, kogo chcesz. Ten numer jest na trasie. Wszystko się zgadza.

– No dobra, niech ci będzie – oświadczyła z ociąganiem Tośka, żeby go udobruchać. – Jesteśmy na miejscu. Znaleźliśmy. Już teraz będę wiedziała. Ale cholernie mi zimno. Proszę cię, wracajmy już do Uralska. Mam jeszcze tyle do zrobienia.

Wtedy nad głową zobaczyła maleńkiego szarego ptaka. Pojawił się znikąd, rozpaczliwie łopotał skrzydłami. Tośka zadarła głowę, Wania zrobił to samo. Podbiegł do Tośki w dwóch susach.

– To znak.

– Wygląda mi raczej na zagubione pisklę – odmruknęła niechętnie. – I nie jest to sowa. Z całą pewnością też nie jest biała.

– Nieważne! – Wania cieszył się jak dziecko. – On gdzieś nas zaprowadzi!

– Dziwne, że nie zamarzł w tej dziczy – zastanawiała się głośno Tośka. – Czym on się tutaj żywi?

– To duch. – Wania zakomunikował to takim tonem, jakby ogłaszał wyrok. A potem zwrócił się do ptaka: – Co chcesz nam powiedzieć, mały szikra?

Tośka jęknęła, widząc kolejny popis świrowania byłego boksera, i ruszyła do samochodu.

– On leci za tobą – usłyszała.

Mimowolnie uniosła głowę. Szikra rzeczywiście kołował nad nią. Zrobiła krok – przemieścił się. Podbiegła – uczynił to samo.

– Czego on chce? – zniecierpliwiła się. – Może jest głodny? Mam coś na głowie?

– Poczekajmy – rzekł Wania i wyciągnął dłonie, by schwycić ptaka.

Ten tylko podfruwał do góry, jakby się przekomarzał z człowiekiem. Byłoby to komiczne, gdyby nie fakt, że znajdowali się na stepie, temperatura sięgała czterdziestu stopni poniżej zera, a wyprawa okazywała się coraz bardziej groteskowa.

– Na co czekać? – zdenerwowała się Tośka. – Chcesz nas zamrozić? Ja wracam. Ty jak sobie chcesz.

Odwróciła się do szosy i z przerażenia aż krzyknęła.

– Wania! Gdzie nasz samochód?

Rosjanin przestał się wreszcie uganiać za szikrą. Dołączył do Tośki. Stali teraz obok siebie i wpatrywali się w miejsce, gdzie wcześniej zaparkowali. Na śniegu widać było wyraźnie ślady bieżnika opon. Mazdy nie było.

– Która godzina?

– Zegarek miałem w aucie.

– Pieniądze też?

– I wodę. – Wania po namyśle wyjął zza pazuchy piersiówkę owiniętą wojłokiem. – Mam tylko to.

Podał Tośce, a ta bez wahania upiła solidny łyk koniaku. Otarła usta dłonią.

– Kluczyki chociaż masz?

– Były w stacyjce.

– Znakomicie! – wrzeszczała ze złością Tośka. – Więc przez twoje magiczne ptaszki i szukanie nieistniejących drzew umrzemy tutaj naprawdę, bo ktoś wykorzystał twojego świra i moją głupotę, żeby zawinąć nam wóz, i chwała mu za głowę nie od parady.

Po czym klapnęła na śnieg. Nagle poczuła, że od chodzenia potwornie bolą ją nogi.

– Wstań. – Wania podał jej rękę. – Dostaniesz wilka po kilku minutach.

– Mam to gdzieś. To futro tak szybko nie przemoknie.

– Musimy iść.

– Dokąd, idioto? Za kilka godzin zajdzie słońce. Nie wiem, może za godzinę. Co wtedy zrobimy? Tutaj pewnie pełno wilków.

– Żadne żywe stworzenie nie zbliży się do miejsca mocy.

– A ten swoje – jęknęła Tośka. – Dopiero co ganiałeś jak dureń za ptakiem.

– To jest duch – oświadczył arcypoważnie Wania. Wskazał małego ptaszka, który wciąż krążył nad nimi. – Musimy iść. On nas stąd wyprowadzi.

– Chciałam słuchać wariata, to mam. Sama nie wiem, kto ma bardziej nie po kolei. Ty czy ja? – mruczała wściekła, ale podniosła się.

Mimo skór, w które była ubrana, spodnie zaczynały już przemakać, a po pierwszym wybuchu poziom adrenaliny spadał i czuła już tylko zmęczenie, apatię, a co gorsza zaczynał ją ogarniać prawdziwy lęk. Nie miała pojęcia, jak wrócić do Uralska bez samochodu. Popełniła błąd, ufając temu pomyleńcowi. Ma za swoje. Czy rozum ją opuścił, kiedy zamiast wysiąść na rogatkach miasta, jak Wania jej proponował, postanowiła jechać do miejsca mocy? Wtedy wydawało jej się, że to początek fascynującej przygody, i wreszcie nikt jej nie pilnował. Jaka była głupia! To nie dzieje się naprawdę, pocieszała się. Kiedy jednak zrobiła kilka kroków, ptak natychmiast pofrunął do przodu, jakby rzeczywiście zamierzał wskazać im drogę. Tośka uznała, że choroba, na którą cierpi Wania, udziela się też jej. Nie miała jednak już wyjścia, więc gdy były bokser podał jej ramię, weszła głębiej w śnieg. Szło się ciężko, bo zmarzlina była gładka i bardzo śliska, ale Wania znów zajął ją opowieścią. Mówił o Rustemie i swoim dzieciństwie w rezydencji Bajdałych. A potem zwierzył się, jak po raz pierwszy zobaczył Kodara Kunanbajewa i jego syna.

– Twój mąż pokonał mnie w kilku ruchach, a musisz wiedzieć, że nigdy wcześniej nie przegrałem. Odszedłem z ringu tylko z powodu kontuzji.

– Chyba chodzimy w kółko – jęknęła Tośka, nie mając już sił.

– Oprzyj się. – Niemal podniósł dziewczynę do góry. – Jesteśmy w labiryncie. Tylko że go nie widać. Duchy nami się bawią.

– Wania, to wcale nie jest śmieszne.

Ale były bokser nie zwracał na jej narzekania uwagi. Parł do przodu, dbając tylko o to, czy mają przed sobą ptaka.

– Po latach, kiedy na pogrzebie Rustema obiecałem Zere, że dopadnę i zabiję mordercę jej syna, nie wiedziałem, że idzie o Kereja. To dlatego musiałem się ukryć w szpitalu. A na początku rzeczywiście było ze mną źle. Nie udawałem.

– Zaczekaj. – Tośka chwyciła go nagle za ramię. Podniosła dłoń do czoła i rzekła świszczącym szeptem: – Tam ktoś jest.

– Gdzie? – Wania rozglądał się na wszystkie strony.

– Między tymi pagórkami – szepnęła Tośka i uświadomiła sobie, że zaszli tak daleko. Miejsca, w którym zaparkowali, prawie nie było widać.

Obejrzała się. Krajobraz diametralnie się zmienił. Step nie był już płaski. Wciąż potykała się o jakieś skały i wybrzuszenia terenu. Kilka razy omal nie zwichnęła nogi. Miała wrażenie, że idzie po jakichś górach.

– To pewnie miraż, jak na pustyni. Tak się zdarza w miejscu, gdzie kumuluje się energia. W szpitalu naprawdę dużo o tym czytałem.

– Obiecaj mi jedno. – Tośka chwyciła się mocniej ramienia Wani i krzyczała jak opętana. – Nie zostawisz mnie tutaj! Jeśli dali ci rozkaz zwabienia mnie, odprowadź, ale nie zostawiaj mnie. Słyszysz?

A potem zaczęła się trząść, panika uniemożliwiała jej trzeźwe myślenie.

– Gdzieś zdarzyło się coś bardzo złego. Coś strasznego – powtarzała.

– Ale ja chcę pomóc – jęknął Wania. – Czekałem na ciebie.

– Nic z tego nie rozumiem – przerwała mu Tośka i wyciągnęła drżącą dłoń przed siebie. – Tam jest kobieta na koniu.

– Co? – Wania patrzył na nią, jakby przesadziła z koniakiem, bo nagle uskoczyła i zaczęła biec.

– Uciekaj! – krzyczała rozpaczliwie. – Ona jedzie na nas.

Biegła jakiś czas, a potem potknęła się i upadła. Ostatkiem sił się obejrzała i stanęła. Zjawa znikła tak samo szybko, jak się pojawiła. Tośka leżała wciąż skulona na ziemi. Była kompletnie skołowana. Oddychała głęboko. Obie dłonie zacisnęła na kamykach, które mimo zmarzliny przewracały się luzem wokół większych skałek. Tośka podniosła jeden z nich. Był zielony, obły, zaskakująco czysty.

– Nic nie widziałeś?

Wania pokręcił głową.

– Tam była kobieta ubrana w starożytne szaty. Dosiadała bogato wystrojonego konia. Wyraźnie było słychać tętent kopyt.

– Nic nie słyszałem.

– To znaczy, że i ja wariuję. – Tośka przyłożyła dłoń do czoła. Było rozpalone. A potem spojrzała na boksera z nienawiścią. – Co się znajdowało w tej piersiówce? Co mi dałeś?

– Koniak. Najlepszy. Od Zere.

– Od Zere? – przeraziła się Tośka. – Może coś ci dosypuje? Dlatego masz te wizje?

– Uspokój się. – Wania chwycił ją za ramiona. – Wszystko będzie dobrze. Musimy się tylko stąd wydostać. I nie panikuj. To normalne. Duchy chcą nas zabrać.

Przerwał.

– Widzę ją.

Tośka odwróciła się gwałtownie.

– Kogo?

– Tę kobietę, o której mówiłaś.

Tośka natychmiast skryła się za plecami Wani. Przymknęła oczy i zaczęła się modlić. A potem, mimo mrozu, rozpięła futro. Schwyciła zawieszone na szyi *tengri* Kereja. W drugiej ręce wciąż zaciskała zielony kamień.

– Pomóż mi, Kerej. Uratuj mnie, kochany. Wyprowadź mnie stąd. Muszę się, kurwa, obudzić. Kocham cię, zbudujemy dom. To się nie może tak skończyć. Obiecuję, że jak tylko wrócę, stanę się potulna i grzeczna. Będę trzy razy dziennie piła wodę z solą, zacznę zbierać po tobie skarpetki. Możesz być dla mnie niedobry. Ale bądź! Chcę położyć się obok ciebie. Nie musimy się przytulać. Tylko chcę wiedzieć, że jesteś ze mną. Blisko. I zasnąć. Spokojnie zasnąć, bez tych koszmarów. Słyszysz mnie, skurwysynu!

Ostatnie słowa musiała wypowiedzieć na głos, bo Wania odwrócił się do niej gwałtownie.

– Cicho!

Tośka otworzyła oczy. Nic się nie zmieniło. Nadal była na stepie. Nie obudziła się. Niech to szlag! W tej części pofałdowanej, z pagórkami. Wciąż było kurewsko zimno. Ale nie byli teraz tutaj z Wanią sami. Przed nimi na kasztanowym bułanku siedziała ubrana w powłóczystą fioletową suknię i obszywany futrem płaszcz blada jak śmierć Kazaszka. Na głowie miała toczek z paciorkami, z którego zwisały prawdziwe kości. Tośka musiała przyznać, że ozdoby robiły robotę. Przez moment serce się jej zatrzymało ze strachu.

– Czy ja już umarłam? – wymruczała do ucha Wani.

Bokser wpatrywał się w zjawę i kurczowo zaciskał dłonie na palcach Tośki.

– Iwan Barycznikow? – odezwała się chrapliwie kobieta na koniu. A potem się wychyliła, by przyjrzeć się ukrytej za jego plecami Tosi. – Antonina Petry.

Jej nazwisko wymówiła z trudem, jakby niewystarczająco długo ćwiczyła wymowę.

– Daleko zabrnęliście. Ledwie was znaleźliśmy.

– My? – wydukał Wania.

Jak na zawołanie rozległ się tętent kopyt i ku uciesze Wani był jak najbardziej rzeczywisty. A Tośka wrzasnęła z całych sił radośnie:

– To nasi!

Dimasz zeskoczył z konia i podał lejce Kimowi, który przykłusował na olbrzymim włochatym wałachu przykrytym kolorowymi derkami, jakby szykował się na światowe mistrzostwa haftów i dzianin. Z tyłu dołączał do nich brzuchaty starzec na wielbłądzie. Mimo mrozu miał na głowie tylko ludową czapeczkę oraz lichy waciak, a na nogach starożytne walonki. Tośka nie była pewna, czy starzec i jego zwierzę za chwilę się nie rozsypią. Taka wyprawa musiała być dla nich nie lada wysiłkiem.

– Ajtkurman – odwróciła się do staruszka blada kobieta, a Tośka ze zdziwieniem patrzyła, jak Kazaszka unosi dłonie i ten mały ptaszek, który ich prowadził, kryje się pod jej płaszcz. – Isa ich znalazł.

– Isa? – zdołała wydusić dziewczyna, choć od przygód kręciło się jej już w głowie. – To jest Isa? Przecież tak miał na imię trzeci uczeń Kereja.

– Ałgyz ci wszystko wyjaśni. – Dimasz objął ramieniem Tośkę, za co była mu wdzięczna, bo wydawało jej się, że jeszcze chwila i upadnie. Wskazał kobietę na koniu. – To jest Ałgyz. A to Ajtkurman. Oboje to *baksy*.

– *Baksy* – powtórzyła jak automat Tośka. – To znaczy prawdziwi szamani?

I obejrzała się na Wanię, który milczał, ale twarz miał rozluźnioną i malowało się na niej prawdziwe szczęście. Prawdopodobnie pierwszy raz od swojej wyprawy poczuł się w końcu normalny. Z nią było wręcz przeciwnie. Nagle rozbolała ją głowa. Oczy pulsowały, miała mdłości. Zdawało jej się, że czaszka zaraz jej eksploduje. Ale nie była to najcięższa forma migreny. W brzuchu czuła żar, jakby połknęła ognistą kulę. Chciała natychmiast pójść do łazienki.

– Będzie jeszcze czas na rozmowy. Weźcie ją. – Ałgyz zauważyła, w jakim stanie jest Tośka. – To dla niej zbyt dużo. I tak nieźle sobie poradziła.

Pochyliła się i spojrzała na Kima. Pokiwał głową.

– Odłóż to, Toniu.

– Ale co?

Dziewczyna nie wiedziała, o co chodzi Kazachom. A potem otworzyła zaciśniętą pięść. Wciąż trzymała ten zielony obły kamień.

– Wania, zadbaj, żeby trafił tam, skąd go wzięła.

– Tak będzie, Buszi. – Wania skłonił głowę.

– Zobaczymy się u Dżamy – zarządziła Ałgyz, po czym pogalopowała w asyście Kima, który zabrał ze sobą konia Dimasza.

Za nimi ślamazarnie ruszył dziadek na wielbłądzie. Dopiero teraz Tośka uświadomiła sobie, że nie odezwał się nawet słowem.

– Nic mi się nie stanie.

Tośka odtrąciła ramię Dimasza i Wani. Patrzyła na odjeżdżających i czuła zawód. Prawie się rozpłakała.

– Jak my teraz wrócimy?

Gdy podniosła głowę, zobaczyła, że mazda Wani stoi w tym samym miejscu, w którym ją zaparkowali. Była pokryta skorupą zmarzniętego śniegu, jak ziemia, po której przed chwilą stąpali. Światła awaryjne nie działały. Szyby pokrywała gruba warstwa lodu. Tośka długo łączyła fakty, zanim odważyła się zapytać:

– Jak długo nas nie było?

– Miesiąc i cztery dni – odpowiedział Dimasz, który starał się uruchomić akumulator.

– Zdawało mi się, że ledwie kilka godzin. Wania, przecież nawet nie zapadła noc.

– Nigdy nie przychodzi. Dlatego wcale nie śpisz. Mówiłem ci, że to diabelski cmentarz – uśmiechnął się bokser. – Ja schudłem wtedy pięćdziesiąt kilo. Trafiasz w dziurę, w bezczas. Tam można błąkać się całą wieczność. Mieliśmy szczęście, że Isa nas znalazł.

Tośka opadła na siedzenie. Nic nie rozumiała. Wiedziała tylko, że czuje ulgę, bo znów jest wśród żywych. A potem dotknęła szyi. Rzemień z *tengri* Kereja zniknął. Szarpała się z ubraniem, szukała, czy nie zawieruszył się pod płaszczem lub swetrami. Bez skutku. Musiała zgubić go na stepie, kiedy wędrowali między pagórkami. Może wtedy, gdy upadła i pochwyciła zielony kamień? Nie powiedziała o zgubie nikomu, choć miała poczucie, że to niedobra nowina. A ten przedmiot nie należał do niej i obiecała go strzec. Wiedziała jednak, że za żadną cenę nie wróci na diabelski cmentarz.

Kiedy jechali, cieszyła się, że czuje ciepło i może wreszcie się zdrzemnąć.

– Miesiąc i cztery dni, a więc moja wiza się skończyła. Jestem tu teraz nielegalnie.

– Już rozumiesz, że diabelski cmentarz to nie tylko legenda?

Ałgyz podała Tośce czarkę z mocną herbatą. Przesunęła w jej kierunku pojemnik z bryłkami cukru. Kobieta upiła łyk czaju i podziękowała za cukier.

– Chyba tak. Choć nie wiem, czy opowiem o tej przygodzie komukolwiek w moim kraju. Chyba zachowam dla siebie.

– To nie tylko wierzenia i magia – ciągnęła Ałgyz. – Na tym terenie znajdują się najstarsze kompleksy grzebalne. Niektóre pochodzić mają z czwartego tysiąclecia przed Chrystusem. Pagórki, między którymi się błąkaliście, to starożytne kurhany Scytów z młodszej epoki żelaza. Według miejscowych podań lud ten wywodził się od Zeusa i córki bóstwa rzeki Borystenes. Naukowcy prowadzili tu bardzo dokładne badania i prawdopodobnie dlatego te właśnie grobowce najdotkliwiej splądrowano.

– To znaczy, że zagubiliśmy się na starożytnym cmentarzysku?

– Na obszarze ograbionej nekropolii – podkreśliła szamanka. – Musisz wiedzieć, że tutejsi ludzie unikają odwiedzania miejsc pochówku zmarłych. Dotyczy to zarówno tych, którzy odeszli ostatnio, jak i pogrzebanych tysiące lat temu.

– To dlatego ołtarzyki macie w domach? – Tośka spojrzała na Kima. – I tam składacie ofiary duchom.

– Wiesz, czym się zajmuję? – przerwała jej Ałgyz.

– Uzdrawianiem? – zapytała niepewnie Tośka. – Rozmową z duchami? Odkrywaniem przyszłości?

Mina szamanki świadczyła o tym, że dziewczyna nie wyczerpała wszystkich możliwości.

– *Baksy* wypatruje – powiedziała z naciskiem Ałgyz. – Udaje się w podróż do świata duchów i samodzielnie lub z ich pomocą stara się odnaleźć skradzioną duszę chorego. To, czego doświadczyłaś, to właśnie była nieudana kradzież twojej duszy. Twojej i Kereja, bo miałaś na sobie jego *tengri*. Wiem to, bo czasami też *baksy* udaje się zajrzeć pod pokrywę przyszłości. Czas, musisz to wiedzieć, nie jest linearny, a ciąg przyczynowo-skutkowy, jakim posługuje się Zachód, jest dla nas śmieszny. Granica zaś między tym, co żywe i martwe – bardzo cienka.

Tośka nie odważyła się nic więcej powiedzieć. Liczyła na jakiś rytuał, coś ekscytującego. Tymczasem wszyscy rozsiedli się na poduszkach wokół niskiej ławy, której terytorium wyznaczał wzorzysty dywan, wyglądający tak, jakby przed chwilą został zdjęty z olbrzymiego konia Kima, i pili sobie herbatkę. Mieszkanie znajdowało się w zapuszczonym bloku. Step był daleko. Tośka wiedziała, że dopiero wiosną szamani przeniosą się do swojej osady i rozstawią jurty. Była rozczarowana.

– Pamiętasz, kazałam ci odłożyć coś, co zabrałaś z cmentarza – przypomniała Ałgyz.

– Wania odłożył ten kamień tam, skąd go wzięłam.

– Dobrze zrobił. Wierzymy, że najmniejsza, choćby lekkomyślna, ingerencja w naturalny porządek przyrody nie pozostaje bez następstw. Człowiek żyje bardzo krótko. Czym jest nawet sto lat, które przed dekadą świętował Ajtkurman.

Wszyscy przyjrzeli się uważnie milczącemu otyłemu starcowi, który z podkulonymi nogami siedział jak zwykle w kącie i trzymał dombrę. Wprawdzie nie grał na instrumencie, ale mruczał pod nosem jakąś jednostajną melodię, jednocześnie coś żując.

– Sto trzynaście – sprostował Kim, jakby był adwokatem szamana. – W tym roku Ajtkurman skończy sto trzynaście lat.

– To nadal zbyt mało, by ogarnąć nawet maleńki fragment łańcucha przyczyn i skutków. Choćby nieświadome zabicie zwierzęcia czy zerwanie rośliny z cmentarza może mieć niebagatelne konsekwencje. A cmentarz Scytów był wielokrotnie plądrowany i bezczeszczony. Z jednej z mogił wydobyto ponad dwadzieścia kilogramów złota, w innych znaleziono mniejsze ilości. Ale tradycja grzebania zmarłego z jego majątkiem zachęcała do penetrowania tego terenu jeszcze za mojego dzieciństwa. Może i kiedyś były tam skarby. Tego już się nie dowiemy. Podobno z tych kurhanów masowo wydobywano ozdoby, oręż czy uprząż końską. Część wydobytych przedmiotów trafiła do muzeów, reszta znajduje się w prywatnych domach. To nie są tylko dekoracje. One przenoszą niszczącą energię. Duchy zmarłych nie znają litości. Wzdłuż cmentarzyska, po którym się błąkaliście, grzebano konie. Kiedyś te pagórki były naprawdę ogromne. Z jednej z mogił wydobyto aż dwadzieścia dwa końskie szkielety. Ludzi układano na prawym boku, z ugiętymi nogami i głową skierowaną ku wschodowi, by po śmierci umożliwić im odfrunięcie po przemianie w ptaka, który, jak wierzono, jest najdoskonalszą formą. To dlatego czasem taki dar otrzymują za życia *baksy*. Dzięki temu mogą łatwiej poruszać się między górnym, średnim i dolnym światem. Wodzów odprowadzały na tamten świat ich kobiety, którym specjalnie po to zadawano śmierć. To wszystko wiemy dzięki występującemu na tych terenach nadzwyczajnemu zjawisku – hibernacji. Woda, dla wielu wytworów człowieka tak zgubna, tym razem ocaliła zarówno skarby, jak i szczątki zmarłych. Wniknęła do mogił i zamarzła, a izolacyjne właściwości wzniesionych nad nimi kamiennych nasypów sprawiły, że lód wypełniający kurhany nie tajał podczas lata. Dlatego wszystko zachowało się w doskonałym stanie i przez ostatnie dwadzieścia lat było gratką dla naukowców. Kiedy jednak zaczęto prowadzić wykopaliska, przybyli również złodzieje, łowcy skarbów i zwykli wandale. Plądrowali groby bez opamiętania, pozostawiając na tutejszym słońcu wydobyte z lodu mumie i niepotrzebne im artefakty z czasów starożytnych. Do dziś wielu okolicznych mieszkańców uważa, że to rozgniewało duchy przodków. Stąd takie zdarzenia na tym cmentarzysku, które niesłusznie przezwano diabelskim. Musisz wiedzieć, że rdzenni Kazachowie pochodzą od Hunów i Scytów. Przez całe lata byliśmy mniejszością we własnym kraju. Możesz w to wierzyć lub nie, ale to ma wpływ na naszą rzeczywistość i to, co dzieje się obecnie w Kazachstanie.

Tośka słuchała tych opowieści i myślała o tym, że przyjechała ratować męża. Chciała przekonać do współpracy świadków, a nie duchy. Ałgyz jakby wyczuła jej nastrój, bo przerwała nagle i powstała, dając znak do wyjścia.

Pozostały same.

– Nadszedł czas, Toniu, żebyś przekazała mi *tengri*. Powiem ci, jaki los czeka ciebie i twojego wybranka. Po to tu jestem. Jeśli jest wam dane spotkać się ponownie, przekonam pozostałych świadków, by pojechali do Polski i zeznawali w trakcie procesu. Nie będziesz musiała namawiać każdego z osobna.

– To możliwe?

Tośka poczuła, jak oblewa ją zimny pot. Z jednej strony nie spodziewała się, że to może być takie proste. Z drugiej, nie miała przecież amuletu i nie bardzo chciała się do tego przyznać.

– A gdzie Dżama? – zapytała, chcąc odwlec wróżbę w czasie. – Kerej prosił, bym z nią również porozmawiała.

– Biała sowa odeszła. Trzy lata po tym, jak twój mąż wyjechał z kraju, i dwa lata po śmierci mojego ukochanego.

– Isy?

Tośka spojrzała na małego szikrę, który to wydziobywał ziarenka z miseczki, to fruwał po pokoju, nie kwapiąc się z powrotem do swojej klatki, która stała na zabytkowej komodzie.

– Nie mam już *tengri* Kereja. Chyba zgubiłam na cmentarzu.

Ałgyz patrzyła na nią długo. Tośka nie potrafiła wyczytać żadnych emocji na twarzy Kazaszki.

– Trudno – usłyszała wreszcie. – Widać los nie chce odkrywać kart przed wami.

Szamanka wstała. Zapaliła kadzidła i świece.

– Przyjedziesz do Polski, jeśli będzie trzeba zeznawać?

Ałgyz bez pośpiechu odpowiedziała:

– Nie będzie takiej potrzeby.

– Co to znaczy? – przestraszyła się Tośka.

– Mnie w tej historii nie ma. A raczej byłoby lepiej, gdyby mnie w niej nie było. Cofnąć zaistniałych wydarzeń nie można. A wszystko i tak samo się układa. Zostawiłaś *tengri*, odłożyłaś kamień. Nasza przeszłość i ta historia nie będzie więcej już was obciążać. To ci obiecuję. Zapamiętaj, co ci się przyśni dziś w nocy. Pierwszy sen na nowym miejscu jest prawdziwy. Postaram się przekazać ci wszystko, co wiem. To będzie bolało. A potem wracaj do swoich. Pozwól rzeczom toczyć się ich własnym torem.

Tej nocy Ałgyz umarła. Jej ciało znaleziono przed szeroko otwartym oknem. Nogi miała podkulone, a twarz zwróconą na wschód. W klatce ćwierkały dwa ptaki. Ten drugi był całkiem niepozorny: brązowy, tylko na brzuszku miał małe plamki. Jego trele przypominały grę na dombrze. Choć ptaki się różniły, widać było, że są jednego gatunku.

PO DZIEWIĄTE

NIE ROBIĆ RZECZY BEZUŻYTECZNYCH

1 maja 2018 roku, okolice Świdnicy, Polska

Kerej ustawił swoich uczniów w rzędzie i obserwował, jak kolejno ładują broń. Co jakiś czas podchodził i poprawiał postawę któregoś. Zmieniał wartowników. Po strzelaniu z karabinków sportowych przyszedł czas na automaty. Potem dał znak. Wszyscy odłożyli słuchawki dźwiękoszczelne i ruszyli do tarcz.

– Całkiem nieźle, Sztaba – pochwalił dziennikarza. – Jak na pierwszy raz, nie najgorzej.

Komplement wzbudził salwę śmiechu u zebranych, bo wszyscy wiedzieli, że Sztaba przychodzi na każdy trening, a i tak trafia głównie w hałdę piachu.

– Panie burmistrzu – dobiegł krzykliwy kobiecy głos.

Kerej podniósł głowę. Nie lubił, kiedy na teren strzelnicy wchodziły niepowołane osoby.

– Merdybaj Umirzakow z panem Abajem już przyjechali. Mają dobre nowiny w sprawie miast partnerskich. A pan Kulinszak jakiego ma zięcia! Miód nie chłopak. Po prostu połączenie surfera ze Sparrowem. Przez tę opaskę na oku, oczywiście. – Kobra mrugnęła porozumiewawczo do Tośki, która czytała pod wiatą powieść, choć miała pilnować grilla.

Znów była w ciąży i tylko dlatego od czterech miesięcy nie musiała już strzelać. Za to ich syn, a potem także córka najchętniej by tu nocowali. Teraz stali w mundurkach klubu sportowego, który Kerej założył po wyjściu z więzienia, cierpliwie czekając na dalsze dyspozycje. Przyjechał też Osman z żoną i Teresa, córka Oksany. Prawdę mówiąc, ona stąd rzadko wyjeżdżała. Miała chłopaka z Ząbkowic i przypadek sprawił, że był to jeden z synów Sztaby. Kiedy powiedział ojcu, że zamierza studiować kulturoznawstwo, dziennikarz pił i złorzeczył przez tydzień. Nie bronił jednak młodzieńcowi zbierania własnych doświadczeń. Zadzwonił tylko do Koniuszego z pytaniem, czy nie potrzebowaliby kelnera.

Oksana jak zwykle odmówiła przyjęcia zaproszenia do Petrych na doroczną majówkę, która zawsze kończyła się wystawnym balem w słynnym już hotelu Srebrna Góra. Wymówiła się pracą. Podobno pisała reportaż dla National Geographic o Azerbejdżanie, ale wszyscy wiedzieli, że nie chce się spotkać z Tośką i Bibi, która zresztą nie przyjechała, gdyż przygotowywała się do ślubu z Sierikiem Chajruszewem. Kiedy syn Bibi dorósł, a jej szkoła zaczęła przynosić poważne dochody, Sierik porzucił pracę w milicji. Oboje zdecydowali się wreszcie ujawnić swój wieloletni związek. Kobiety Sierika pogodziły się i mieszkały razem. Bibi, choć młodsza, wytargowała dla siebie większą część domu. Pozostali bracia Chajruszewowie wyklęli Sierika, dlatego po weselu z Bibi chcą przeprowadzić się do Rosji.

Kerej regularnie odwiedzał rodziców i Ojsze, która, w przeciwieństwie do wujów, wciąż cieszyła się doskonałym zdrowiem. Obaj mieli już swoje kurhany. Po precedensowym procesie, na który przyjechało stu siedemdziesięciu sześciu świadków z Kazachstanu, Kerej został oczyszczony z zarzutów. Areszt, który odbył, zaliczono mu na poczet kary wymierzonej za posługiwanie się fałszywymi dokumentami i nielegalne przekroczenie granicy. Polski sąd uznał, że Kazach działał w ramach obrony koniecznej, i uniewinnił go od zarzutu dokonania zabójstw. Sobirżan Kazangap, po śmierci Ałgyz, przestał się bać jej klątwy. Wyszedł ze swojej kryjówki i przekonał rody, by zaniechano zemsty krwi. Mimo że wciąż żyli naznaczeni mściciele, Kunanbajew otwarcie przyjeżdżał do Uralska i spotykał się z przyjaciółmi. Nikt go nigdy nie legitymował. Mieszkańcy często podchodzili i robili sobie z nim zdjęcia, prosili o autografy. Abaj znów prowadził swój sklep z instrumentami, ale wyłącznie dla przyjemności. Na życie zarabiał jako autor mów dla polityków. Całkiem nieźle mu się wiodło. Dimasz przeszedł na islam i poślubił jego córkę – Żanymkul. Rozwinął szkołę wojowników im. Kodara Kunanbajewa, a jej założyciel wciąż nie może sobie darować, że kiedyś tak bardzo pomylił się co do tego chłopaka. Tusip wyjechał do Rosji, gdy emigrowała rodzina Bajdałych. Mówiono, że pracuje dla nich i jeździ bentleyem, ale to nie mogła być prawda, bo kiedy Dimasz kiedyś się z nim spotkał, poza kubkiem szubatu nie zamówił nic do jedzenia. Rachunek uregulował za niego przyjaciel. Ormianin wciąż ma na dłoniach brunatne znamiona po wizycie na diabelskim cmentarzu. Więcej się już nie spotkali. Nocha i Darmienow wciąż siedzą. Starostą Uralska jest teraz Kaszo. Z generałem Sachibem Arżakowem, który kolejny raz dostał nominację na szefa milicji, to teraz najbliżsi przyjaciele. Futnikow rozpił się, ale nie wyleciał z firmy. Oczywiście nieustannie gromadzi papiery na Kunanbajewów i tylko ze względu na wpływy rodziny Dildy nie udaje mu się ich podsunąć Sachibowi. Nie ustaje jednak w wysiłkach. Po Siergu i Ruczajewie ślad zaginął. Podobno Romeo umoczył w tym parę swoich złotych, a Kim zaryzykował kontakty w Sołncewie. Anastazja ma nowego męża i jest nim Julian Sioło, ale przeprowadzili się do Świdnicy, by zejść ludziom z oczu. Nie mają dzieci. Za to pani prokurator Agata Harpula awansowała na szefa prokuratury rejonowej. Nadal się odchudza. Bez skutku.

– Są dziennikarze z Warszawy. Chcą nakręcić setkę – powiedziała teatralnym szeptem Kobra, która zamieniła pracę w banku na stanowisko rzecznika prasowego burmistrza. Radzi sobie jak zwykle wspaniale. Wszyscy się przed nią trzęsą.

– Zaproś ich do biura – odrzekł Kerej i wygładził dres. – Przyjadę za pół godziny. Tylko się przebiorę. Niech Jagoda postawi im tarota albo coś innego. Romea nie ma?

– Przewodniczący rady już się wypowiedział – udzieliła oficjalnych informacji Kobra. – O czternastej musiał być we Wrocławiu. Załatwia sprawę wysypiska śmieci. Wygląda na to, że jednak przeniosą je do sąsiedniej gminy. Mamy za mało siatki na ogrodzenie – zażartowała. – Zna go pan, szefie, jest jak tygrys. Wczoraj tak ugościł inwestorów, że nie pojawili się na briefingu. Connor mówiła, że trochę za ostro dali czadu w agencji. Ale ci redaktorzy bardzo pana proszą, zwłaszcza ten ryży z tatuażami. Mówi, że widział film i pamięta dzień balu wydanego przez Oliviera. Przed premierą wszyscy chcą mieć pierwszeństwo.

– Co na to Roman? Poleca ryżego?

Kobra nieznacznie pokręciła głową i zniżyła głos.

– Mówi, że go wycyckali, a teraz chcą lizać po fiucie, sądząc, że on od eklerek ma słabszą pamięć. – Odchrząknęła. – Cytuję, oczywiście.

Kerej myślał dłuższą chwilę.

– To daj ich do komendanta. Connor zajmie ich przez kilka godzin. Może niech zrobią coś o naszej bojówce społecznej? Chłopcy, udzielicie wywiadu?

Rozległy się pomruki aprobaty.

– Sztaba! – Kerej zawołał dziennikarza. – Twoi konkurenci w ratuszu. O co chodzi? Co to za ryży?

– Rzuciłem to, sensei – odparł z godnością Sztaba. – Teraz piszę tylko scenariusze.

– Jak na razie napisałeś jeden. – Kobra nie szczędziła jadu.

– Ale za to jaki – rozpromienił się Sztaba. – Będę z tantiem za *Oko szamana* żył do śmierci.

– Idiotyczny tytuł.

– To Connor wymyśliła – usprawiedliwiał się Sztaba. – Olivier podchwycił i już nie było odwrotu.

– Dlatego Ałgyz przed śmiercią robi Tośce tatuaż na plecach? – roześmiała się Kobra.

– Wyobraźnia scenarzystę poniosła. Niech tylko pani komendant pojawi się w kinie. – Tośka zrobiła groźną minę i wróciła do lektury. – Poza tym chciałam zauważyć, przyjacielu, że żyję.

– To piękny film. I tak mnie w nim, Rediska, romantycznie kochasz. – Kerej podszedł do żony, objął ją ramieniem i pocałował w czubek głowy. – Ale dlaczego pokazują, jak wciąż na mnie wrzeszczysz i rzucasz talerzami? Przecież to się nigdy nie zdarzyło – mówiąc to, mrugnął figlarnie.

– Może dlatego, że na ekranie trudno pokazać, jak dręczę cię milczeniem.

– Dobrze znam ten twój bierny opór. Szkoła Ojsze, co? – Dotknął jej brzucha. – Kopie?

– Śpi. To będzie nasze najgrzeczniejsze dziecko. Damy jej na imię Wiera, chcesz?

Kerej zmrużył groźnie oczy, ale Tośka wcale się tym nie przejęła.

– Lepsze to niż krysza – nawiązała do roboczego tytułu filmu, o którym teraz mówili mieszkańcy Ząbkowic. – I poza mną główni bohaterowie przeżyli.

– Musi być happy end – próbował się bronić Sztaba. – Celujemy przecież w Hollywood.

– Nie ma w nim prawdy – podsumowała Tośka.

– Bo prawda nikogo nie interesuje.

– Racja. Liczy się tylko to, że ci, którzy umarli, wciąż będą istnieć. Są teraz nieśmiertelni. – Mówiąc to, chwyciła klatkę dla ptaków i odwróciła się do męża.

– Wiesz, że mamy dziś rocznicę?

– Tak? – zdziwił się.

– Twojego aresztowania. Czas na amnestię.

Wspólnie zdjęli blokadę. Para szikr wzbiła się w powietrze. Widać je było przez chwilę na tle Gór Sowich, a potem zmieszały się z paralotniarzami i znikły gdzieś w przestworzach.

Rzepak tego roku pachniał obłędnie.

Warszawa, 2019

POSŁOWIE

Jest taka para, której miłość pokonała śmierć. To Ania i Unkas Gałkowie. Ponieważ ich historia dotyczy uczuć, nie śmiałabym wchodzić w ten tajemny świat. Państwo zaś poznali moją wersję tej opowieści – zupełnie fikcyjną. W ich rodzinie oraz bliższym i dalszym otoczeniu nie ma zapewne tylu nieoczekiwanych zdarzeń, traum i tajemnic, a także z pewnością nikt nie znajdzie jakiejkolwiek patologii. Dlatego bardzo stanowczo zachęcam do oddzielania moich protoplastów od postaci fikcyjnych, a ich samych proszę, by nie czuli się dotknięci. Dotyczy to także pozostałych bohaterów. Cała odpowiedzialność za tę opowieść spada na mnie i moją wyobraźnię.

Prawdą natomiast jest, że do masowej zbrodni z użyciem kałasznikowa doszło, a pewna kobieta nie przestała wierzyć w swojego ukochanego nawet wtedy, kiedy dostarczono jej dokumenty z kazachstańskiej prokuratury. Miałam okazję spotkać się z Anią przed osiemnastu laty, gdy rozpoczynała walkę o Unkasa. Pojechałam też do więzienia, w którym siedział „masowy morderca z Kazachstanu – głowa tamtejszego gangu", jak widniało w aktach. Rozmawiałam z nim przez kraty, bo jako „niebezpiecznemu przestępcy" pozwolono mu mówić ze specjalnie do tego przygotowanej klatki. Ale wszyscy, którzy znają państwa Gałków, po spotkaniu z Unkasem wiedzą, że to nie jest żaden zbój, tylko człowiek wielkiego hartu ducha. I szaman. Tak rzeczywiście nazywano go na Dolnym Śląsku. Unkas opowiedział mi wtedy bardzo zdawkowo – jak przystoi każdemu mężczyźnie ze Wschodu – co się wydarzyło. Przyznał się do udziału w strzelaninie – ten wątek jest także prawdziwy, podobnie jak istnienie „kryszy" i siatki powiązań, które stanowią istotną część mojej opowieści.

Zabierałam się do napisania tej książki osiemnaście lat. To sporo, nawet biorąc pod uwagę mój czas zapisu i to, że lubię sobie książkę ułożyć w brzuchu. Najpierw napisałam kilka tekstów do gazet. Gdziekolwiek chciano przyjąć moje reportaże, tam je publikowałam, by wesprzeć Anię i Unkasa. Po latach wyznali mi, że te materiały ogromnie im pomogły. Czwarta władza wciąż mogła bardzo dużo, ale to, że za Unkasem stanęła murem społeczność Ząbkowic i Srebrnej Góry, miało ogromne znaczenie. To także część wzięta z życia.

Dziesięć lat temu podpisałam umowę na tę książkę i ostro zabrałam się do zbierania informacji. Chciałam przygotować się solidnie, ale już na etapie dokumentacji okazało się, że to może nie być takie proste. Spotykałam się wtedy z wieloma osobami, a jedna z nich, były konsul, przekazując mi staroświecką komórkę, powiedziała: „Korzystali z niej ambasadorzy Izraela i Syrii. Będzie pani podsłuchiwana w doskonałym towarzystwie". Traktowałam to na początku jako dobry żart. Nagrywałam rozmowy z ludźmi walczącymi o prawa człowieka w Kazachstanie, którzy przygotowywali raporty dla Brukseli. Rozmawiali ze mną niezależni dziennikarze i ludzie znający kulturę tego kraju, a także ci, których głęboko zraniły inne zbrodnie, znane czasami tylko w wąskim kręgu, bo je szybko tuszowano. Miałam na miejscu sojuszników. Dla ich dobra nie ujawnię nazwisk. Samo otrzymanie wizy okazało się najeżone przeszkodami. Sprawdzono mnie chyba do trzeciego pokolenia. Ale traktowałam to wszystko jako paliwo fabularne, czyli smaczki powieściowe, które zazwyczaj okazują się bezcenne w trakcie pisania i nie jest ich w stanie – przynajmniej w moim przypadku – zastąpić tak zwany research internetowy. Telefon na podsłuchu zostawiałam w hotelu i posługiwałam się innym. Na szczęście nie jestem z nowoczesną techniką za pan brat, więc niezbyt często korzystałam z jej udogodnień. To okazało się zbawienne.

Wróciłam szczęśliwie z notesami pełnymi materiałów i walizką pękającą od dokumentów. Zasiadłam do pisania i wtedy zaczęły się dziać dziwne rzeczy. Najpierw padł mi komputer. Uznałam, że ze starości, więc kupiłam nowy (nie byłam wtedy wziętą autorką i ledwie wiązałam koniec z końcem), ale gdy tylko podłączyłam do niego dysk zewnętrzny, na którym miałam backup materiału związanego z tą historią, sytuacja się powtórzyła. Nie minęło kilka chwil, a dysk zewnętrzny również duchy nieczyste wzięły. Dalej historia przypomina powieści le Carrégo, Grahama Greene'a lub Daniela Silvy.

Podjęłam „wewnętrzne" śledztwo, żeby ustalić, kto i dlaczego próbuje zakłócać mój proces twórczy. Skonsultowałam się z ludźmi, którzy wcześniej mi pomagali, i bardzo się dziwiłam, kiedy przed spotkaniem polecali mi wyjmować baterię z telefonu (nie było wtedy jeszcze iPhone'ów!). Usłyszałam od nich, że to tylko działania prewencyjne.

Doświadczyli tego samego. Kiedy przygotowywali raporty dla organizacji walczących o prawa człowieka w Kazachstanie – seryjnie niszczono im komputery. Potem nastała epoka głuchych telefonów, suchych kwiatów za wycieraczkami auta, podejrzanych spotkań i mejli z programami szpiegowskimi. Ja nadal jednak uważałam, że nie mogę się poddać. Nie tylko się nie bałam, ale motywowało mnie to do trwania przy fabule.

Zaczęłam pisać na komputerze, z którego nie łączyłam się z siecią. Wtedy z numeru jednego z moich informatorów – szykanowanego dziennikarza – otrzymałam prośbę o pilne spotkanie. Oddzwoniłam natychmiast. Usłyszałam obcy głos, z wschodnim akcentem. Mimo wyraźnego już zaniepokojenia pojechałam w umówione miejsce. Nie zastałam nikogo. Kiedy zamierzałam wychodzić, na wyświetlaczu pojawił się ten sam numer. Podano mi adres, pod którym znajduje się moje dziecko, i godzinę, o której je tam zawiozłam. Rzuciłam do słuchawki parę niecenzuralnych słów.

Następnego dnia zhakowane urządzenia oddałam policyjnym ekspertom. Do dziś nie udało mi się odzyskać zrabowanych danych, ale wiem, kto je zabrał. Kolega, który mi pomagał w ustaleniach, poprosił tylko o jedno: bym porzuciła zamiar napisania tej książki (wyraził się bardziej dosadnie). „To na razie prewencja – powiedział. – Ale dopóki tobie lub komuś z twojej rodziny nie stanie się nic złego, nie będę mógł nawet przyjąć zgłoszenia"...

Całą noc pisałam konspekt powieści, by udowodnić wydawcy, że nie zmarnowałam roku na wczasy w Kazachstanie i relaks przed telewizorem. Może potrzebne mi było takie domknięcie, bo wiedziałam, że żegnam się z tematem. Po paru godzinach, w czasie spotkania z wydawcą, zapadła decyzja, że książka nie powstanie. Nie miałam z czego oddać zaliczki, którą otrzymałam na jej napisanie. W takich okolicznościach w ciągu czterech godzin wymyśliłam serię „Cztery żywioły Saszy Załuskiej”. Sądziłam, że to tak jak z uczuciem. Po południu nie można kochać jednego mężczyzny, a następnego ranka zaczynać nowego dnia z innym. Obawiałam się, że nie dam rady napisać nowej powieści, bo moje serce wciąż biło dla kazachskiego romansu. Ale jak się okazało, nie był to odpowiedni czas na taką opowieść.

Minęło wiele lat. Seria o Saszy ukazała się drukiem w całości. Wtedy przyszedł list od Unkasa. Napisał, że czytali z Anią moje powieści, i zaprosili mnie do siebie. Wciąż byli razem. Pokonali wszelkie przeszkody. Ich miłość zwyciężyła wszystko.

Kiedy od nich wracałam, wiedziałam już, że tym razem nie odpuszczę.

To, co Państwo przeczytali, to zupełnie inna opowieść niż ta, którą zamierzałam napisać przed laty. Wszystko jednak ma swój czas. I bywa tak, że warto bez szemrania brać to, co przynosi los. Jest zawsze mądrzejszy od nas.

Katarzyna Bonda

SŁOWNICZEK

akyn – pieśniarz, nauczyciel duchowy
albast – demon
ałmys – śnieżny człowiek, potwór porośnięty futrem, najsłynniejszy z nich to yeti
Anon – odpowiednik szatana, zła siła, Wielki Mag
as – uroczystość pogrzebowa
askał(owie) – starsi plemienni, mędrcy
aulie – duchy
babisze – dziecko (pieszczotliwie)
baj – bogacz
baksy – szaman
basmak – łobuz, urwis
beszbarmak – rodzaj gulaszu
boorsok – rodzaj lepionych i zasmażanych pierożków z mięsem
Chuda – Bóg
czaj-kok lub kok-czaj – rodzaj herbaty
czapan – kurtka, odzież wierzchnia

dastorkon – niski stół
dombra – instrument strunowy
dżut – zaraza
etkel-czaj – rodzaj herbaty
Etugen – jedno z bóstw szamanizmu, symbolizuje świat materialny, odpowiednik Ziemi
Itoga – jedno z bóstw szamanizmu, symbolizuje świat powietrzny, odpowiednik Nieba
jasak – opłata, haracz, rodzaj podatku
jelta – wróżka, doradca duchowy
jupka – mączny placek wypiekany z okazji świąt
kałpak – rodzaj ludowego nakrycia głowy, noszony przez mężczyzn
kałym – opłata za pannę młodą
Kam – Wszechświat, w którym zjednoczone są moce wszystkich bóstw
karabiet – chłopak z przeszłością przestępczą, bandyta
katyrma – rodzaj świątecznego placka
kiuje – legendy, opowieści, mity wykonywane z melodią, śpiewane
konoss – zadośćuczynienie, najczęściej finansowe, materialne
kumalak – kamień o właściwościach magicznych używany w liczbie 41 przez jelty i szamanów
kurut – słone kulki sera, przekąska z końskiego mleka
kuurma – rodzaj herbaty zaprawionej mąką i mlekiem
manta – rodzaj pierożków, danie mączne
obo – grób kamienny, kurhan
ongon – demon, zły duch
peri – duch
piery – duch
samsa – trójkątny pieróg wypełniony baraniną
sanza – rodzaj wypieków, faszerowany mięsem

szaisah – herbata
szubat – napój z mleka
tajtujak – kruszec, tj. złoto lub srebro w sztabach, wręczane z okazji ważnych uroczystości (zaręczyny, ślub, pogrzeb, narodziny dziecka)
tasbih – muzułmański sznur z koralikami
telkara – dziecko dwóch matek (wychowywane przez matkę i babcię)
tenge – kazachstańska waluta
tengri – amulet
Tengri – bóstwo o 99 twarzach
toj – uroczystość przedmałżeńska, zapoznanie narzeczonych
żuz – klan

PODZIĘKOWANIA

Unkasowi i Ani Gałkom, których historia stała się kanwą dla tej fabuły, przesyłam głęboki ukłon oraz ogromne wyrazy wdzięczności za zaufanie, gościnę i inspirację. Jeszcze raz proszę: wybaczcie, że ta książka nie jest o Was!

Wiązki mocy należą się także członkom klubu sportowego Barys.org, założonego przez Unkasa w Ząbkowicach Śląskich: Marcinowi Szafarskiemu, Grzegorzowi Opiole i innym. Dziękuję za niezapomniane wrażenia na strzelnicy, profesjonalne szkolenie, niesamowite opowieści i Wasze otwarte serca. Przepraszam, że nie wymieniam wszystkich. Wy wiecie, o kogo chodzi!

Mecenasowi Tadeuszowi Roczniakowi za poświęcony czas i uchylenie rąbka tajemnicy procesu Unkasa.

Zygmuntowi Gancarzowi, przez wiele lat wytrwale wspierającemu Unkasa, za wszelką pomoc i niesamowite poczucie humoru. A także za gościnę w hotelu Srebrna Góra, obecnie najpiękniejszym miejscu do wypoczynku w tym regionie, do którego odwiedzenia gorąco Państwa zachęcam – żadnych ścianek ze sklejki tam nie ma!

Michałowi Jaworskiemu za szkolenie z dziedziny duchowości, otwarcie głowy i intelektualną ucztę. Ten trening pozwolił mi nie tylko wejść głębiej w fabułę, ale też zrzucić skórę. Michał, nigdy Ci tego nie zapomnę! Osiągaj kolejne poziomy wtajemniczenia, pozostań zen i dbaj o swoją artystyczną wrażliwość, bo jest piękna.

Skandzie Shavii za warsztaty i wprowadzenie w świat oddechu i magii.

Małgorzacie Kowalczyk za dawkę danych o metodzie uzdrawiania Hidden Mind.

Bartłomiejowi Mendakowi, trenerowi sztuk walki, w tym także sambo, za możliwość obejrzenia z bliska potyczki wojowników oraz cierpliwość w objaśnianiu blondynce, która nigdy się nie biła i nie zamierza w przyszłości, na czym polega droga wojownika. Pozdrów swoich chłopaków! Niech się Wam darzy!

Mariuszowi Marszewskiemu, Krzysztofowi Strachocie, Mateuszowi Chudzikowi z Ośrodka Studiów Wschodnich za niezapomniane spotkanie, listę lektur i rozmowy o mentalności Kazachów. Szczególne podziękowania należą się doktorowi Marszewskiemu, który nie ustawał w trudzie edukacyjnym i nie szczędził swojej rozległej wiedzy. Mariusz, nie gniewaj się, że moja książka nie jest tak poważna jak twoje badania.

Przedstawicielom Sądu Okręgowego w Świdnicy za możliwość przeczytania akt. Dziękuję za cierpliwość i wyrozumiałość, kiedy przesiadywałam u Państwa całymi dniami. Pokoiku na szczotki tam nie ma. To piękny zabytkowy budynek!

Adusi Kowalczyk-Czubak, która jest moim dobrym duchem, aniołem stróżem i mózgiem logistyki. Kochana, dziękuję Ci za wszystko, co i jak robisz. Oby magia i miłość były zawsze z Tobą! Poklep ode mnie Stefana i Nel.

Władysławowi Sokołowskiemu za rozmowy o Kazachstanie i wprowadzenie do mentalności rodaków Unkasa.

Aszotowi i jego rodzinie za gościnę w Ałmatach i wyjazdy do Astany i innych miejsc. Dziękuję za wąwóz, smakołyki z baraniny, a przede wszystkim za opiekę oraz tłumaczenie wszystkiego bez ogródek, jak jest naprawdę, oraz za genialne wprost poczucie humoru.

Ludziom z Otwartego Dialogu za materiały, konsultacje, spotkania i dzielność. To, co robicie, jest absolutnie niezwykłe. Chylę czoła!

Tym wszystkim, których nazwisk nie mogę tutaj wymienić ze względu na ich bezpieczeństwo. Wiedzcie, że o Was pamiętam i każdą z Waszych opowieści głęboko trzymam w sercu. Liczę, że ich pokłosie znajdziecie na kartach tej książki.

Jackowi Antczakowi, mojemu ulubionemu profilerowi ornitologicznemu, za konsultacje w sprawach ptasich oraz jego magicznej ukochanej Basi Kosmowskiej, która ma serce jak Corona Borealis. Nic dziwnego, że pisze tak piękne książki. Przytulam Was, Mili!

Grzegorzowi Stawskiemu za poznański trop, by Tośka i Kerej mogli się spotkać na zaśnieżonej ulicy. A także za niezawodny kostyczny żart i zawsze piękne kwiaty!

Miłosławie Krogulskiej, która poświęciła mi swój cenny czas, by zbudować astrologiczny profil jednego z bohaterów. Wiem, wiem, Pani Miłosławo, że wszystko pokręciłam z Jowiszem, ale wróżka ze mnie żadna.

Monice Burzyńskiej z Instytutu Arete, współczesnej wiedźmie i uzdrowicielce, absolutnie niezwykłej kobiecie, która nie szczędziła swej magicznej wiedzy i duchowych porad. Jako osoba twardo stąpająca po ziemi potrzebowałam tych lektur i danych, by liznąć trochę tej wiedzy do szamańskich scen.

Rektorom, wykładowcom i studentom Studia Astropsychologii, za niezapomniane wrażenia oraz bezcenną wiedzę, która wciąż jednak jest dla mnie tajemna.

Gai Hajdarowicz, której ojciec wylicytował na aukcji charytatywnej udział w niniejszej książce za sto tysięcy złotych, przekazany Naszej Fundacji wspierającej Dom Dziecka w Jarosławiu. To oczywiste, że Gaja użyczyła mojej bohaterce wyłącznie personaliów, a jej życiorys nie ma związku z opowiadaną historią. Cieszę się, że udział w mojej historii mógł stworzyć taki potencjał filantropijny. To budujące i absolutnie proczytelnicze. Mam nadzieję, że ten piękny gest wejdzie w krew polskim biznesmenom i stanie się chlubną tradycją.

Remigiuszowi Mrozowi, który pojawił się w moim życiu w momencie, kiedy byłam gotowa na prawdziwe uczucie. Sama nie wiem, czy ta opowieść otworzyła mnie na Ciebie, czy też Ty sprawiłeś, że byłam w stanie ją udźwignąć. Dedykuję Ci tę książkę i dziękuję za wsparcie, mobilizację oraz szczęście. Miłość miłością, ale gdyby nie Ty, hart ducha prawdziwego wojownika byłby dla mnie wciąż enigmą. Reszta to już nasza tajemnica.

Katarzyna Bonda